Y0-BTA-654

LIBROS Y LIBRERIAS EN LA RIOJA ALTOMEDIEVAL

CONSEJO SUPERIOR DE INVESTIGACIONES CIENTIFICAS

Patronato «José María Quadrado»

Instituto de Estudios Riojanos

Biblioteca de Temas Riojanos

MANUEL C. DIAZ Y DIAZ

LIBROS Y LIBRERIAS EN LA RIOJA ALTOMEDIEVAL

Servicio de Cultura
de la Excma. Diputación Provincial
LOGROÑO
1979

Esta obra obtuvo el premio extraordinario convocado por el Patronato Milenario de la Lengua Española. Enero, 1979.

Talleres Gráficos de Editorial Ochoa, Dres. Castroviejo, 19. Logroño.
Depósito Legal LO-808-1979.
I.B.S.N.: 84-7359-073-2.

INDICE GENERAL

El autor quiere hacer constar que este libro, fruto de muchos años de trabajo paciente, no habría sido sólo posible sin valiosas colaboraciones. En primer término, la idea general y los primeros materiales dependen de una investigación en equipo sobre «La cultura de la España cristiana en la Alta Edad Media», en que colaboraron estrechamente la Prof. Dra. Carmen Codoñer Merino, el Prof. Dr. Millán Bravo Lozano, y Dª Joaquina de Bustamante Parga. En segundo lugar, un continuado contacto con todos estos y otros cientos de manuscritos en numerosas bibliotecas del mundo entero ha permitido abordar con nuevos modos este complejo problema, detalles del cual se han beneficiado de discusiones y consultas con muchas personas. Por ello el capítulo de gracias, a que obliga una elemental cortesía, habría de ser muy extenso, con riesgos de olvido que serían muy dolorosos. Que se permita, pues, expresar aquí el vivo y cordial agradecimiento a quienes en Bibliotecas y Archivos de España y fuera de España han facilitado siempre estas investigaciones; a aquellos que con su apoyo, y su ayuda material en algunos casos, hicieron posible contar con el tiempo y las ocasiones imprescindibles para llevar a buen término la tarea que nos habíamos propuesto, singularmente a quienes contribuyen de una u otra manera a su realización última. Por descontado que la Real Academia de la Historia y la Biblioteca Nacional de Madrid, así como la del Escorial merecen una gratitud singular.

Finalmente, un sentimiento casi filial obliga aquí a recordar cariñosamente a D. José María de Bustamante Urrutia que por muy diversos caminos mantuvo y difundió en su torno una entrañable devoción a las tierras de Rioja. A todo este largo capítulo de gracias debe añadirse el sincero reconocimiento al benévolo Jurado que le otorgó el Premio del Patronato del Milenario de la Lengua Castellana, a los miembros de este Patronato y al Instituto de Estudios Riojanos que ha hecho posible la edición de su obra. Sin la entrega y devota comprensión de Gráficas Ochoa y todos sus especialistas no habrían sido resueltos los numerosos problemas que planteó tipográficamente este libro; quede aquí, pues, asegurada una sincera acción de gracias.

Santiago de Compostela-Villalobar de Rioja, junio de 1.979

I
INTRODUCCION

Lugar de encuentro y cruce, la Rioja adquiere su recia personalidad en la lucha y tensiones fronterizas. Todavía aguarda la Rioja que una obra historiográfica completa desvele los entresijos de su situación, las corrientes que la sacudieron y los pequeños o grandes sucesos que la configuraron como pieza de equilibrio en el complejo mundo de los reinos cristianos del Norte.

En primer lugar, en efecto, la riqueza de la región, la feracidad y relativo apartamiento de sus valles, los caminos naturales que la cruzaban fueron haciendo de la Rioja una región apetecible para los pueblos de la montaña en un caso, o para las gentes de zonas más abiertas e indefensas en otro. En segundo lugar, su mediana romanización plantea problemas casi insolubles tratándose de una zona por la que pasan caminos importantes.

Estamos mal informados sobre la Rioja y sus relaciones con la denominada Cantabria, término a su vez poco menos que genérico para designar a todos los pueblos no sometidos del Norte de la Península[1] , a veces también por metonimia llamados Vascos o Astures[2] . Cuando en época visigótica se quiere

[1] Pienso que uno de los errores de muchos eruditos que han abordado el problema consiste en intentar delimitar el sentido de este vocabulario con criterios estrictamente geográficos o históricos, lo que no pasa de ser un error de método. El sentido del adjetivo *Cantaber* en las fuentes latinas estuvo siempre influenciado por un valor genérico de carácter retórico, o si se quiere por unos usos literarios anteriores: basta enfrentar Horacio, carm. 2, 6, 2 y 2, 11, 1 con Plinio, nat. 34, 15, 149 (o 34, 16, 158) para comprender los problemas que plantea cualquier intento de definición. Esto vale igualmente para Claudiano, carm. 30, 74; y la imprecisión del término, pese a ensayos de interpretación, con buen fundamento pero con métodos parciales, se confirma con el uso de Orosio, hist. 6, 8.

[2] Así desde Silio Itálico, 3, 358 (cf. F. BLEICHING, *Spanische Landes— und Volkskunde bei Silius Italicus,* Landau—Pfalz 1928, 6, 13) y Plinio, nat. 3, 3, 22. A su vez esta confrontación descubre los rasgos literarios que conforman el término *Vasco*; para Astures, sin las precisiones que tendía a dar Mela, 3, 13 y Plinio, nat. 3, 28 véase ya Floro 2, 33, 46 *duae ualidissimae gentes, Cantabri et Astures,* donde no sólo es de observar el grupo de étnicos sino el superlativo y su posición. El sentido literario a que aludo se puede ver para *Astur* en Lucano 4, 8; en Silio Itálico 1, 231 (donde *auarus* implica que se resiste a compartir con los romanos sus legendarias riquezas), etc.

describir esta región se habla preferentemente de *Wascones*[3] o de *Cantabria*[4], que los autores se apresuran a distinguir, más llevados de otros conocimientos que de una valoración exacta de los términos. Tampoco la historia posterior es mucho más exacta[5].

Ya en el siglo IX encontramos estas tierras recorridas una y otra vez en aceifas y algaradas, como indican crónicas e historiadores. Pero ¿qué tierras? Recientemente aún se ha hecho un intento de delimitar el término Rioja, que para un historiador altomedieval, no para un hombre de hoy, resulta equívoco. El valle del Oja, dominado el horizonte por el pico de San Lorenzo y recorrido por el Glera, ha extendido su nombre a otras comarcas con las que llegó a constituir esta especie de extremadura o región fronteriza, que fue primero contra moros y luego entre reinos cristianos. Hemos querido, siguiendo en la medida de lo posible esta pauta, entender por Rioja las tierras del Ebro desde Miranda al Este de Logroño, río Ebro abajo, hasta Calahorra, desde la Sierra de Cantabria a los Cameros y de los Montes de Oca a la

[3] Juan de Bíclaro, chron. a. 581 *Liuuigildus partem Wasconiae occupat; Vascones y Franci* aparecen reunidos, como enemigos genéricos del reino visigodo en Julián de Toledo, historia Wambae 8 (*Francorum Vasconumque multitudines in auxilio sui pugnaturas allegit Paulus perfidus*); en 9 se califica el étnico: *feroces Wasconum debellaturus gentes.* La imprecisión del término salta a la vista *ibid.*, 10. Julián no usa el término *Cantaber* según parece, y ello no puede ser casualidad pese a que tiene que hacer pasar una columna del ejército de Wamba por la región que tomó este nombre. Julián opera en un medio fuertemente retórico como conviene a una obra de propaganda, probablemente destinada al interior. Y todo esto sucede en un tratado en que los nombres propios son precisos y todo está dominado por la exactitud, dispuesto de manera que produzca la impresión buscada.

[4] *Liuuigildus rex Cantabriam ingressus* dice Juan de Bíclaro, chron. a. 574, y añade *prouinciae peruasores interficit,* con evidente alusión a una invasión no sabemos exactamente de quiénes, que suelen estimarse como vascos. Braulio de Zaragoza, vita Emiliani 33 habla de un *excidium Cantabriae,* que no concuerda, como se dice corrientemente, con lo anterior, ya que uno de los «rebeldes» ejecutados por Leovigildo lleva un nombre representativo, Abundancio. Cuando Isidoro de Sevilla recoge literalmente las frases del Biclarense (en su historia Goth. 49 b) habla de *Cantabrum... obtinuit* en la recensión larga, pero en la corta esta frase, por genérica e imprecisa probablemente, ha desaparecido.

[5] Un caso que podríamos tomar por límite es el de la Crónica Albeldense que a propósito de Wamba dice: *hic rex cum exercitatione Spaniae prius feroces Fascones in finibus Cantabriae perdomuit;* aquí juega una oposición *Spania*/v/ mundo del N. peninsular en que parece producirse una igualación *Fascones = Cantabria.* De todos modos, nótese el epíteto *feroces* que vemos, en distintas formas, repetirse en las fuentes. En la misma Crónica aparece *Cantabria* gobernada por un *dux*, lo que era de esperar por el carácter que va adquiriendo este cargo (Alfonso I de Asturias es hijo del Duque de Cantabria, Pedro). De nuevo en tiempos de Alfonso III de León se habla de *Uasconum feritatem,* debelada por el rey: la presencia de este vocablo no extraña después de los antecedentes (naturalmente, contra estas cualidades vascas el rey tiene que ser *fortis in Uascones,* como allí mismo se dice en el poema que cierra la redacción de 881).

zona del Sur de Estella. Todavía esta región aumentará su influencia[6] posteriormente; pero nosotros nos vamos a limitar a un estrecho período temporal que determinaremos luego, y ello comporta ya una cierta reducción geográfica.

Cuando en 714 los musulmanes hicieron su aparición en el valle del Ebro no cambiaron muchas cosas. Aquí, como en tantos otros puntos de la Península, a cambio del pago del impuesto capital y de ciertas obligaciones personales, todo continuó: organización política y económica, núcleos religiosos, y sistemas de propiedad y de justicia ejercida por autoridades cristianas. Pero sí va a haber un cambio: las servidumbres que imponen las guerras y expediciones de todo tipo, que se llevan a cabo atravesando en parte esta rica y apetecible región. El territorio del valle del Ebro, el de Zaragoza y más arriba hasta Cataluña, por una serie de circunstancias, va a escapar desde 776 a todo control por parte del poder cordobés. Esta autonomía se prepara, primero, frente a Córdoba, por la rebelión de Sulaimán y Abulasuad, y luego, frente al imperio carolingio, tras la rota de Roncesvalles, en 778. La expedición de castigo que lleva a cabo Abderrahmán I en 781-782 abordó en primer lugar la Rioja y Navarra, quizá para atacar por el flanco a Zaragoza y para someter, mejor que peor, a los vascos, ahora prácticamente identificados con los hispanorromanos en esta región. El cambio que se operó fue fundamental: Casio y su familia entraron en la clientela[7] del califa y, a cambio, obtuvieron una gobernación autónoma del valle del Ebro. Los Banu-Qasi, poderosos y llenos de orgullo, van a controlar durante largos decenios el valle del Ebro. Entre tanto, primero con el apoyo de los carolingios, luego frente a ellos, la familia Iñiga se instala en Pamplona, con ayuda y connivencia de los Banu-Qasi. La monarquía de Pamplona, comienza a operar; y a plantear problemas a Córdoba que a la vez lucha contra los Iñigos e intenta poner orden en el valle del Ebro desmembrando la gobernación. Hasta mediado el siglo IX la tensión fue constante, entre los intentos de independencia del valiato de Tudela, apoyado por los pamploneses, y las campañas cordobesas contra Tudela y Pamplona. Un nuevo factor interviene con la presencia del reino de Asturias, a partir de Ordoño I: Pamplona encuentra así un encuadre diferente para su política, pues la presencia de León es activa y vigorosa. La primera acción que nos interesa tiene lugar cuando Ordoño, preocupado

6 Véase I. Rodriguez de Lama, *Colección Diplomática Medieval de la Rioja,* Documentos, II, Logroño 1976, 8-9.

7 No intento suplantar aquí la labor de los historiadores; me veo, sin embargo, forzado a precisar algunos de estos puntos para mejor explicar cuanto sigue. Lo que me gustaría sería llamar la atención sobre el hecho de las continuas simplificaciones que hacen las fuentes. En ningún momento se podría hacer un análisis fundado de los diversos grupos que actúan, en contacto, aliados o en pugna.

por la actuación levantisca de los vascones, acude a someterlos y se ve enfrentado con las gentes de Tudela. Las tomas de Albelda y Monte Laturce marcan un primer hito, provisional, de la entrada definitiva de la Rioja en el concierto —o desconcierto— de los reinos cristianos.

No podríamos, ni tendría interés, seguir los azares de la pequeña historia política y militar de esta región. El proceso va a precipitarse a fines del siglo IX. Una serie de sucesos adversos pone en grave peligro el reino de Pamplona, acosado por Lope ben Mohamed, y la propia monarquía leonesa que tenía serias dificultades en Alava. Pero este mismo proceso favorece en Pamplona el acceso al poder de la familia Jimena, con Sancho Garcés, que atacó resueltamente y con éxito por Estella y el Ebro. La dinastía de los Banu-Qasi comienza su eclipse: a la vez quieren llenar el vacío dejado por ella Abderramán III, Sancho Garcés y Ordoño que ahora actúan unidos contra el primero. Hacia 918 se acercan los cristianos a Calahorra y Viguera que ocupan. Reacciona violentamente ante esta provocación el califa que en 920 derrotó a los cristianos en Junquera, pero no logró asegurar su victoria. En 922, en campañas simultáneas, Ordoño II de León ataca Nájera y Sancho Garcés Viguera que acaban cayendo. Rápidamente, el rey de León restaura la vida monástica en la zona de Nájera en tanto que el rey de Pamplona funda el cenobio de San Martín de Albelda[8]. Obedeciendo a este mismo deseo de repoblación y reconstrucción de la sociedad, se restablece la vida monástica, quizá nunca interrumpida, en San Millán de la Cogolla[9]. Estas fundaciones o renovaciones de cenobios monásticos se superponen, en la Rioja, a una muy elemental organización eclesiástica, vigente desde los tiempos visigóticos. Los nuevos monasterios, que son ricamente dotados a juzgar por sus frutos inmediatos, se pueblan, en buena parte, con monjes llegados de Cardeña o de otros cenobios castellanos, pero también con medios y monjes salidos de los ricos y en tiempos potentes monasterios navarros o pirenaicos.

Fundados estos centros y estabilizada la vida en la Rioja, no cesan los problemas de esta región: a la dificultad producida por ser punto de paso para las rutas Zaragoza-León, únese ahora el auge que va a tomar el camino

[8] Remito a la obra de J.M. LACARRA, *Historia política del reino de Navarra desde sus orígenes hasta su incorporación a Castilla,* Pamplona I, 1972; id., *Historia del reino de Navarra en la Edad Media,* Pamplona 1976, 21-73; M. VIGIL — A. BARBERO, «Sobre los orígenes sociales de la Reconquista: cántabros y vascones desde fines del Imperio Romano hasta la invasión musulmana», en *Boletín de la Real Academia de la Historia,* 156 (1965), 271-339; C. SANCHEZ ALBORNOZ, *Vascos y navarros en su primera historia,* Madrid 1974; J.M. LACARRA, «Expediciones musulmanas contra Sancho Garcés (905-925)», en *Príncipe de Viana,* 1 (1940), 41-72.

[9] J.A. GARCIA DE CORTAZAR y RUIZ DE AGUIRRE, *El dominio del monasterio de San Millán de la Cogolla,* Salamanca 1966, cap. I-II.

de Santiago que desde mediados del siglo X representa uno de los recursos centrales para el contacto de la Aquitania con Castilla y con León. La riqueza que esto engendra y las tensiones crecientes con Castilla, que pugna desde tiempos de Fernán González por abrirse paso hacia el Ebro siguiendo la línea de la calzada que pasa por Nájera y Belorado, quiebran la política leonesa que tiempo atrás había buscado asegurarse un papel en la zona con el establecimiento de la sede de Oca[10] . Se produce un estancamiento después de la conquista, al operar en la Rioja Alta, recién conquistada, sólo Navarra, aunque Castilla fuerza de continuo presionando con donativos que intentan atraer parte de la Rioja no a su obediencia pero sí a su servicio. Estas tensiones provocan a su vez una diferenciación en la Rioja; mientras San Millán se deja llevar y actúa en beneficio propio jugando con las ambiciones castellanas de dominarlo, el resto de los cenobios gravita más bien en torno a la monarquía pamplonesa. Ahora bien, esta interpretación del proceso político no responde del todo a la realidad de los hechos, tal como podremos analizarlos más adelante.

Una verdad rigurosa es que hacia 970 Castilla se ha consolidado y ha reunido toda la antigua Cantabria; parte de la Rioja está en sus manos. Las relaciones castellano-riojanas se intensifican: los monasterios se cruzan libros, monjes, servicios. Surgen nuevos monasterios y centros de culto en que ya se hace dificultoso averiguar si deberían tenerse por centros castellanos influidos o determinados por los riojanos, o si a una base riojana se le superponen elementos castellanos. Los bienes de los monasterios, en este período, crecen sin cesar; su economía se hace cada vez más diversificada y potente. Hasta que los últimos decenios del siglo X aparecen marcados por tragedias incesantes, las que provoca Almanzor, hombre fuerte de Córdoba, cuyos ejércitos año tras año siembran muerte y desolación en los reinos del Norte. Hasta esos años los fugitivos cristianos, de todas las regiones de Al-Andalus, llegan a la Rioja: artesanos y estudiosos encuentran ocupación en aquellos rincones y tierras que cultivar; a cambio aportan sus técnicas. Todo parece renovarse y vivir un momento de esplendor y bienestar. A fines del siglo X Almanzor arrasa casi totalmente la Rioja; San Millán vive días muy difíciles de que apenas si conseguirá salir. Luego, muerto el hagib, llega de nuevo la paz exterior. Pero pronto Sancho el Mayor cambiará tornas; y la Rioja servirá de enlace natural entre Aragón, Navarra y Castilla. La expansión cristiana Ebro abajo se afirma en la primera mitad del siglo XI, y con ella se produce un inevitable desplazamiento de los centros de gravedad.

[10] Chron. Albeld. 604, ed. GOMEZ MORENO, «Las primeras crónicas de la Reconquista», en *Boletín de la Real Academia de la Historia,* 100 (1932): *urbes quoque Bracarensis, Portucalensis, Aucensis... a xristianis populantur.*

Nos proponemos abordar aquí el estudio de libros y librerías en la Rioja Altomedieval. Sentaremos algunos principios que no por sabidos pueden ser dejados de lado. Los libros son en la Alta Edad Media el más importante vehículo cultural; aunque indudablemente existen muchas escuelas, éstas parten de los libros porque el nivel medio de cultura de las gentes es bajo. Se aprende a leer con dificultad, se escribe raramente. La gran mayoría no tiene ocasión ni tiempo ni interés en aprender estas complejas técnicas, que no son a su vez más que parte de un arduo camino que se inicia en las fragosidades de la gramática. Es imprescindible adquirir los principios básicos de una lengua que debe estudiarse, con ahínco, desde sus primeros elementos: única puerta de acceso a la cultura, que se hace o se trasmite sólo en lengua latina, el aprendizaje de la gramática y del léxico exige enormes esfuerzos de mínima rentabilidad. Los libros trasmiten el saber antiguo, la doctrina religiosa, la vida espiritual de otras gentes; pero antes de alcanzarlos, ¡cuánto trabajo, cuántos sudores! Además de manejar el latín, paso previo a la comprensión de los textos escritos en esta lengua, hay que leerlos; y luego hay que familiarizarse con la escritura. Todo esto son etapas largas y costosas de un quehacer que sólo importa a ciertas comunidades. Veamos además cómo se desarrollan. Se lee en voz alta, ayudándose de los signos de puntuación que desde el siglo IX vemos irse multiplicando en los códices; se silabea y se repite una y otra vez la palabra hasta redondear su forma y hacerla comprensible.

Quien logra leer con soltura debe aprender a escribir. Aquí el problema es más enredoso: hay al menos dos tipos diferentes de escritura, la llamada cursiva, propia de documentos, porque los libros dejaron en el siglo VIII de usar esta grafía, y la denominada sentada o libraria. Bastante diferentes en su origen y en su trazado, la primera se caracteriza por su continuidad y trabazón, la segunda por ser suelta —aunque haya ligaturas en ciertos casos—; la cursiva se basa sólo en una idea muy general de espacio horizontal, la libraria en la técnica del renglón o pauta horizontal, sobre la que descansan o apoyan regularmente las letras. Una y otra requieren medios y procedimientos hasta cierto punto divergentes. Muchos notarios, habituados a redactar y escribir documentos, no son capaces de copiar discretamente un texto que haya de ponerse en letra de libros; quizá la inversa no sea tan universal. El copista es un especialista en la escritura libresca. Además de estar avezado a la labor gráfica, debe poseer ciertas dotes de atención, retentiva y observación para verificar con exactitud la delicada tarea de trasponer un texto a otro lugar. Pero antes ha tenido, por sí o por otro, que disponer los materiales adecuados: fabricar la tinta, escoger y afilar la pluma, preparar el pergamino. Esta última técnica tiene dos fases diversas: la elaboración de la piel volviéndola apta para la escritura, y la confección del material escriptorio propiamente dicho. El lector me permitirá que le recuerde este procedimiento[11] .

Las pieles de animales se maceraban en cal por tres días; luego se extendían fuertemente sobre un tablero, se raían cuidadosamente por ambas caras con una navaja y se dejaban secar. Antes de alcanzar el punto final, todavía se raspaban y lijaban con piedra pómez para hacerles desaparecer todos los rastros de pelos, carne, tendones e irregularidades[12] . El consumo de pieles era grande, aunque no llegue a las cifras hiperbólicas que se ofrecen a menudo: la superficie media de cada piel alcanza el medio metro cuadrado, lo que significa que en el caso de unos folios normales de 32x21 cm. de cada piel pueden sacarse cuatro bifolios, que equivalen a un cuaderno o cuaternión, que es la construcción usual. Dentro del cuaternión suelen disponerse los bifolios de modo que, salvo raras excepciones, el bifolio exterior presente hacia fuera el lado pelo de la piel, mientras el segundo bifolio enfrenta el lado carne con el lado carne del primero; este juego se repite con los otros dos bifolios que, como es sabido, se embucharían en los primeros[13] .

Para llegar a la disposición final, se procede al pautado del folio para fijar el formato del libro y de la caja de escritura. Esta adopta forma rectangular[14] , y se guía por unos pinchazos, hechos con la punta de un compás, que sirven para trazar unas líneas verticales que delimitan la caja del texto, o justificación, y para hacer rayas horizontales que guiarán el trazado de las letras. Estos pinchazos, hasta comienzos del siglo X, pueden ir por los centros de los folios del bifolio; luego avanzan rápidamente hacia los márgenes exteriores, en cuyo borde aparecen desde mediados del siglo X, con objeto de

[11] Véase ahora cómodamente L. GILISSEN, *Prolegomènes à la codicologie,* Gand 1977; G. OUY, en *Codicologica,* 4, Leiden (Brill) 1978, 9-22; J. VEZIN, en *Codicologica,* 2, Leiden (Brill) 1976, 15-51.

[12] La fórmula es de un manuscrito de Lucca (Arch. Catedral *490*) de origen hispano, que editó H. HEDFORS, *Compositiones ad tingenda musiva,* Uppsala 1932, 14-15 (cf. J. SVENNUNG, *Compositiones Lucenses,* Uppsala 1941); de aquí la reedité en *Antología del Latín Vulgar,* 2ª ed., Madrid 1962, 147.

[13] Así pues, en esquema tendríamos para un cuaternión corriente:

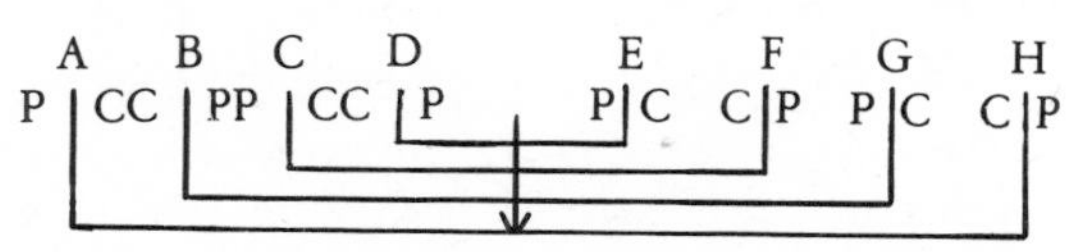

Donde P = lado piel, C = lado carne y la vertical central representa el punto de cosido y doblez del cuaternión. Las letras mayúsculas designan los folios convencionalmente como parte del cuaternión.

[14] Excepción, que veremos más adelante, es el códice de Leobigildo de Córdoba, de la Biblioteca Heredia-Spinola de Madrid, más bien oblongo.

que al llegar la encuadernación y recortarse los bordes para igualarlos, se les haga desaparecer con aumento de la calidad y estética del libro. Usualmente dos bifolios se superponían y extendían para proceder a realizar los pinchazos; a veces se pinchaban juntos los cuatro bifolios que llegarían a constituir el cuaderno.

Una vez pinchados así se procedía con una punta roma a trazar la pauta, tanto vertical como horizontal. Aquí las técnicas varían, como señalaremos en su caso. A menudo se encuentra que cada dos bifolios, superpuestos, son rayados por el de encima, quedando en el segundo la marca como calco[15] ; con frecuencia se sigue el mismo procedimiento con los otros dos bifolios para constituir el cuaternión, aunque en ese caso a veces el doblado se realiza a la inversa. O sea que en ocasiones A carga sobre B y C sobre D, reiterándose así el primer mecanismo; o bien, A carga sobre B y, al doblarse al revés, D sobre C. No faltan ejemplos en que la pauta se hace de una sola vez desde A y H sobre los otros tres bifolios: esto sólo es posible cuando lo permite la calidad del pergamino, y exige del copista mucha habilidad porque las pautas en la tercera copia suelen ser excesivamente tenues[16] . Las rayas horizontales se trazan después de las verticales y contando con ellas. Es frecuente que los renglones se limiten al espacio destinado a la columna, o a las columnas, de texto. Pero algunas veces cruzan el intercolumnio o espacio intercolumnar, es decir el blanco dejado entre ellas; a veces ciertas líneas, generalmente las primeras de arriba y las últimas de abajo, rebasan la columna para ocupar el margen exterior y alcanzar el borde. En ciertos manuscritos el rayado del bifolio abierto va de la columna más a la izquierda a la última columna de la derecha; generalmente cuando esto es así, se rayan los espacios intercolumnares y el espacio interior por el que se hace el doblez.

Las rayas verticales, como queda dicho, sirven para encuadrar las columnas. Pronto se inventa el sistema de poner por la izquierda de cada columna dos rayas, con la separación aproximadamente de dos renglones, para colocar en ese espacio las iniciales de párrafo. Un sentido de equilibrio y estética hace repetir

[15]

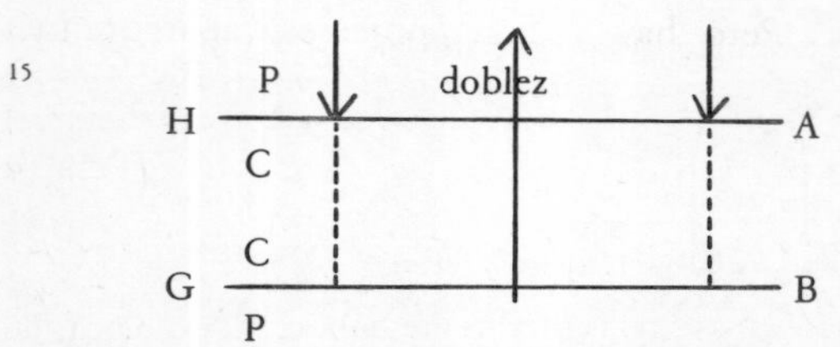

Nótese en el esquema anterior que el plegado se hace siguiendo el movimiento de la flecha central. Este tipo es el que, en lo sucesivo, designamos como tipo A→ B.

[16] Otras variedades se señalarán en su lugar. Se comprenderán, esperamos, fácilmente, a partir de estas aclaraciones.

luego las verticales, con lo que además se simplifica el pautado. El buen copista, que domina su oficio, se atendría en la escritura al hueco dejado para la columna de texto entre verticales, y evita rebasar éstas. Márgenes y espacios intercolumnares sirven, de otra parte, para recibir notas, glosas o advertencias al lector.

Dispuesto ya el pergamino se procede a la escritura. Con razón se nos podrá preguntar qué interés tienen todas estas noticias codicológicas para quien va a estudiar libros y bibliotecas. La inspección de un manuscrito, atendiendo a estos principios, puede revelarnos muchos detalles de su confección, de inmediata resonancia. Cuando un manuscrito ofrece síntomas de que un cambio en la preparación del material, por poco notable que sea, se corresponde con un cambio de mano, estaremos en condiciones de suponer que cada copista o amanuense se ve obligado a realizar esta preparación. Si unos y otros cambios no coinciden, nos hallamos ante una labor de equipo: aunque todos hayan de practicar ambas funciones lo hacen en momentos diferentes e independientemente. Si la técnica es uniforme, aunque varíen las manos, y sobre todo si es constante el procedimiento, estamos en un taller organizado, en que el especialista en preparar el pergamino trabaja a ritmo distinto que aquellos que participan en la copia.

La manera de efectuarse ésta puede dejarnos adivinar la existencia, por ejemplo, de un especialista rubricador, encargado de ir dibujando, generalmente en tintas de colores diversos, los epígrafes y títulos. No hay que decir que este artesano lleva a cabo su tarea después de que el copista ha finalizado su trabajo. La precisión con que se hayan dejado los huecos correspondientes, y con que se rellenen luego, supone asimismo la existencia —o al menos la función— de alguien que se aplica a ordenar y vigilar la confección del manuscrito.

En nuestro estudio encontraremos ocasión de ver funcionar un escriptorio. Por primera vez se describirá[17] el ritmo de producción de una copia, según informaciones dadas por el propio copista. Si de aquí nos fuera lícito extrapolarlas, teniéndolas por válidas como media, diríamos que una cadencia de página a página y media por día efectivo de trabajo podría tenerse por un rendimiento entre bueno y notable. Pero hay todavía procesos, aparentemente secundarios, de enorme interés cultural: la ordenación de los textos que se van a copiar. Es frecuente, incluso entre estudiosos que se ocupan de campos relacionados con los manuscritos, pensar que la labor de copia consiste en la trasliteración de un códice en otro, bien porque se entiende interesante el contenido, bien porque se descubre un ejemplar de que uno desearía dispo-

[17] Véase p. 151-155.

ner, bien porque el estado de conservación del modelo es deficiente o resulta ya incomprensible o de difícil lectura para quien pretende consultarlo. El principio vale si se trata de obras extensas que llenan por sí solas un manuscrito. Pero, ¿qué sucede cuando las piezas son menos extensas y se reúnen varias para constituir un códice? En cualquier caso hace falta una toma de decisión: la ocupación, durante un tiempo, de diversas personas y los materiales que han de tener a mano supone un desembolso que debe compensar al que lo hace. Esta recompensa se ve claramente en el caso de copia, más o menos sistemática, de manuscritos litúrgicos: ya que cada centro de culto, y cada clérigo afecto a ellos, ha de contar con varios y diversos libros para satisfacer las exigencias litúrgicas[18] , la recompensa se hace casi inmediata. Pero la situación ya no es tan simple tratándose de libros de otra clase. Hay que evaluar el interés, el grado de utilización previsible y las disponibilidades. Por otra parte, si se trata de piezas sueltas, hay que buscar además los modelos que se hayan de copiar, estudiar el orden en que se han de disponer los elementos y revisar éstos. Detrás de cada códice se esconde un mundo de deseos, de ideas, de planes y hasta de medios materiales. Estudiar así los manuscritos no es sólo cuestión de interés literario o cultural, sino también algo que afecta a la historia de las mentalidades.

Construido el códice queda todavía un vasto interrogante. El libro, ¿ha tenido lectores o audiencia? Con nuestros medios actuales la respuesta a esta pregunta ha de hacerse sólo de manera incompleta. No contamos, en la práctica, con más fuente de información que lo que nos revelan las notas o apostillas de los lectores; a veces una llamada de atención, constituida por un anagrama que resume la palabra *Nota,* o una advertencia más desarrollada. En el futuro habrá que pedir la colaboración de especialistas de otros terrenos que nos den mayor y más segura información. Como la lectura se hacía sin duda siguiendo los renglones con el dedo[19] no cabe duda de que se podrán algún día descubrir restos analizables de este manoseo. En tanto llegue el momento en que biólogos o químicos estén en condiciones de ilustrarnos, nos habremos de contentar con los resultados de nuestras pesquisas en búsqueda de notas, de las que deducir información.

La lectura de los libros, a su vez, puede ser hasta cierto punto dirigida.

[18] Véase p. 189-190.

[19] Uno de los tópicos de los colofones, que añaden desde época antigua los copistas al final de su obra, o al comienzo a veces, consiste precisamente en este ruego «Manten tus dedos lejos de mi obra, para que no causen daño a las letras». Para estos tópicos a los que habré de aludir, pero que no puedo estudiar con detalle, véase ahora la vasta compilación de los Benedictinos de Bouveret, *Colophons de manuscrits occidentaux des origines au XVIe siècle,* Fribourg 1965—(4 vols. publicados hasta el momento).

A menudo obedece a unos supuestos que el contenido mismo de los códices nos puede descubrir: volvemos a toparnos con la historia de las mentalidades que no es, propiamente, nuestro objetivo. Estos libros que se conservan en una biblioteca, ¿cómo son tratados? En más de una ocasión habremos de referirnos a libros que han sido desguazados, desencuadernados, recortados o raidos. No todos estos procesos se dan en todas partes: en la Rioja, en los siglos que estudiamos, no hemos encontrado en sentido propio palinsestos, lo que quiere decir que no ha sido raspado un texto a fin de aprovechar el pergamino para copiar otro texto que se estimaba más interesante o más moderno. Pero en cambio, ya desde época antigua vemos utilizar folios sueltos para reforzar encuadernaciones: a la vez esto significa el destrozo de los primeros y una sobrevaloración de los segundos. Los manuscritos a veces se emprestan: otros monasterios muestran interés en copiarlos, o un erudito, en época posterior, desea leerlos y estudiarlos con calma. Sale de la librería un códice, y a menudo no retorna. Alguna vez después de largas singladuras ingresa en otra biblioteca; de cuando en cuando desaparece sin dejar rastro.

El método que seguimos en nuestro estudio, al analizar minuciosamente cada códice, representa un intento de responder a las mil y una cuestiones que están planteadas al investigador. En la Rioja, no sólo por los indecisos, y a menudo inexplicables, caminos de la vida política, sino también por razones profundas de situación, tal como hemos visto páginas atrás, el fenómeno cultural más llamativo es la riqueza y variedad de influencias y determinaciones que juegan. Compréndese fácilmente que se junten elementos leoneses y castellanos con elementos navarros, y del valle del Ebro; pero la presencia andaluza, llegada o no vía Soria, no era tan esperable. Y el papel que va a desempeñar la Rioja en la difusión de ciertas novedades venidas de más allá de los Pirineos no se aclara sólo por su posición geográfica. Interesa, pues, al mismo tiempo, ir poniendo de relieve, a partir de cada códice, cuanto éste nos comunique sobre los criterios que hayan podido contribuir o presidir su disposición y sobre los modelos con que se haya contado, porque ello nos informará sobre circulación de manuscritos, pero también sobre historia de los textos, sobre las técnicas de su elaboración, incluso a veces de manera demasiado precisa, para sacar consecuencias respecto a la potencia y capacidad del escriptorio en que se ha producido.

Todavía más. Por suerte, una de las grandes bibliotecas riojanas se nos ha conservado aceptablemente desde hace varios siglos: fue, indudablemente, más extensa y completa, pero al menos nos ha llegado representada por unas docenas de códices que, salvo pequeñas excepciones, se han mantenido unidos. A la vez hemos procedido a reunir y separar este conjunto. Porque nos hemos visto llevados, por la dinámica misma de los hechos y los resultados de nuestros análisis, a aceptar un punto de vista ya enunciado por otros hace años, que muchos de los códices que nos ha preservado el paso del tiempo formaban parte de la biblioteca por haber sido llevados a ella, no por habérselos copiado en el escriptorio del propio cenobio. De esta suerte, en nuestras páginas ofreceremos datos, y conclusiones ciertas, en algunos casos, sobre el origen de estos manuscritos; y se contribuirá así, aunque sea como tímido intento sistemático, a establecer agrupaciones de códices por zonas muy concretas, de lo que apenas si pueden presentarse antecedentes.

Las descripciones de manuscritos se hacen, a sabiendas de la aridez que imponen, como único camino válido a veces para comprender las circunstancias y supuestos con que han nacido. Pero por razones que no hace falta explicar por menudo, no han sido presentadas de manera algebraica; a fórmulas, que pueden quizá resultar útiles o cómodas para un especialista, hemos sustituido narraciones que, en ocasiones, omiten pequeños elementos en aras de mayor claridad. En todo caso, la investigación sobre los manuscritos no ha concluido. Cada vez que un investigador se inclina ante un códice se encuentra en condiciones de descubrir novedades. Nos gustaría que el deseo de buscarlas surgiera espontáneamente en el ánimo de muchos lectores después de recorrer nuestras páginas.

Libros y librerías son, justo es subrayarlo, el medio de que se valía la cultura antigua para conservar y difundir el saber. Hoy que disponemos para esto de otros procedimientos, algunos tan accesibles que se corre el riesgo de que muchos sientan la tentación de querer prescindir de los libros, ya no comprendemos demasiado bien la relevancia de los libros antiguos. Disponer de una biblioteca constituía un orgullo y una posibilidad de futuro. Sólo las gentes ilustradas, constituidas en minorías reducidísimas, podían aspirar a ciertos puestos de gran responsabilidad, dentro de la Iglesia o de los reinos. El aprecio por aquellos que se encontraban en condiciones, además, de elaborar unos textos, fuera cual fuera su calidad intrínseca, lo manifiestan los títulos que suelen acompañar a sus nombres en los epígrafes de las copias: *beatus, beatissimus* son los epítetos más corrientes. Este uso supone una dignificación preciosa de todo autor literario: el adjetivo pertenece a una serie en que figura, como grado más intenso, el de *sanctus/sanctissimus,* que comporta generalmente otros valores secundarios, como servicios a la Iglesia por haber ejercido el episcopado, y de por sí ya nos sitúa en un plano de relieve espiritual, de beneficiado por Dios. Por ello, de vez en cuando hemos abordado el estudio de ciertos textos que nos trasmiten nuestros códices para considerar cómo eran, qué sabían y qué ignoraban, y en qué supuestos se movían, aquellos personajes, identificados o no, que los habían compuesto. En la perspectiva en que nos hemos colocado, atribuyendo un máximo de importancia al copista, al ordenador de los textos, a cuantos han mantenido relaciones básicas con el manuscrito, puede parecer fuera de lugar esta atención a unos escritores, si este término se toma más en sentido literal que literario. Aún al hacerlo, no hemos traicionado un punto de vista que yace bajo gran parte de nuestros comentarios: el de los lectores, reales o potenciales, como muestra de un ambiente y de una penetración social que conviene destacar. Porque la mayoría de estos escritores, —y casi no se atreve uno a denominarlos así—, no pasan de ser unos lectores distinguidos.

Las necesidades del tiempo, pero también un modo entonces normal de considerar el problema del autor, condujeron a la técnica del mosaico, es decir, que la autoría, o paternidad de una obra, se tuvo más por cuestión de autoridad que de originalidad. Lo que más se apreciaba era la capacidad de síntesis de conocimientos y doctrinas anteriores, y a ser posible en formulaciones que partieran lisa y llanamente de las sentencias y expresiones de autores y maestros, esto es, *auctoritates*. El estudio actual de estos procedimientos y sus resultados tiene una doble vertiente que debemos aclarar: si solamente nos preocupa la investigación y localización de las fuentes manejadas, esto es, si hacemos lo que la crítica del siglo pasado estimaba su ocupación principal, la *Quellenforschung*, dispondremos de un valioso arsenal de noticias que encaja bien con nuestro propio estudio. Los autores o las citas acumuladas por un escritor pueden orientarnos sobre sus lecturas y, por consiguiente, sobre los libros de que disponía. Claro que, según los temas y las épocas, los autores pueden haber sido suplantados por «cadenas», esto es, series de frases atribuidas o no a los que verdaderamente las compusieron. Aún en este supuesto, el hallazgo de los mecanismos de copia y cita resulta de enorme interés. Otras veces el escritor ha querido hacer obra más personal, y se ha limitado a tomar una obra anterior como parádigma o cañamazo en que apoyarse, y ha remedado frases o expresiones anteriores. También así descubrirlo es contar con elementos nuevos de juicio.

Rara, por no decir inexistente, es la creación literaria en el sentido actual de la expresión, pero no si le atribuimos el valor que tuvo en la antigüedad. El escritor, aun combinando frases no originales y haciendo labor de taracea, crea una obra nueva. La forma de selección y de ordenación puede constituir, y constituye a menudo, un mensaje, que ya no es literario en sentido estricto, pero que no deja de llegar a un lector entendido. Cuando el biógrafo de Salvo de Albelda nos cuenta la vida de éste[20] , utiliza, como se señala en el pertinente aparato de fuentes, frases tomadas de Isidoro e Ildefonso en sus tratados *de uiris illustribus*. Independientemente de lo que un

20 Véase el texto en Apéndice II y la pág. 62-63.

lector superficial viene entendiendo a partir de esta breve narración, un mensaje de nuevo tipo nos llega: el hecho de que los retazos estén tomados de estas obras, de título idéntico, quiere significar que es en su contexto ideológico donde se quiere insertar a Salvo, lo que también queda claro por la misma situación de la noticia biográfica. Pero además, ¿no hay una especie de pretencioso deseo de enmarcar a este ilustre abad de Albelda en una tradición universal y, en concreto, hispano-toledana de grandes personajes de la Iglesia? La selección operada en las fuentes, que podríamos todavía apurar más y más, nos conduce a entender el sentido profundo de la biografía; pero también a descubrir el modo de leer sus fuentes que tenía el biógrafo. En las pocas noticias en que se ha centrado buscó, sobre todo, frases concretas, siguiendo el esquema general de las reducidas biografías ildefonsianas.

En ciertos casos, la presencia de un paradigma nos aclara tendencias y conocimientos: cuando alguien escribe un himno de aspecto litúrgico es importante resolver si sólo se parte de erudición litúrgica o si se ha puesto también a contribución otro tipo de poesía. Las citas bíblicas descubren poco respecto a la formación de un escritor que las use, porque se estudiaba la Biblia continuamente y parte de ella, el Salterio en concreto, solían aprendérselo de memoria los presbíteros y monjes, por exigencias canónicas pero también por comodidad; ahora bien, en algunas ocasiones, al indagar sobre el particular, se cae en la cuenta de que de la Biblia no siempre proceden las citas bíblicas, aunque esto pueda parecer incongruencia, sino de las partes bíblicas de la liturgia, que ya no es lo mismo en última instancia. Y así sucesivamente.

Nuestro estudio se limita temporalmente entre los siglos X y XI. La primera fecha viene impuesta por el momento en que la Rioja cae en el dominio de los reinos cristianos, aunque a menudo veremos cómo se conservan, aprecian y utilizan materiales librarios anteriores; pero no mucho porque parece haberse dado en buena medida una ruptura con la época visigótica que, por lo demás, tampoco había resultado importante en esta región en lo que a cultura se refiere. El siglo XI consagra, en su segunda mitad, cambios muy importantes en las perspectivas de formación intelectual de los centros riojanos; el cambio de escritura que aquí tiene lugar antes de 1100 no supone solamente modificaciones en la elaboración de los libros sino una nueva y distinta configuración de las librerías. Por ello, hemos considerado importante estudiar el comportamiento en estos dos siglos.

En fin, se imponen unas palabras sobre la distribución misma de la materia. Quizá sorprenda a más de un lector que describamos sólo tres escriptorios activos, Albelda, Nájera y San Millán. Sin duda, otros muchos centros han podido producir libros, y los produjeron de hecho, pero no se mencionan aquí. Habremos de presentar una explicación a una extrañeza muy comprensible.

En primer lugar, se entienden aquellos nombres en sentido amplio, como núcleos codicológicos: en efecto, no todos los manuscritos que presentan rasgos peculiares de uno de estos núcleos han sido escritos en el centro más importante de él. La labor de copia, tan técnica como se ha descrito, podía realizarse en ambientes que no fueran los de un escriptorio organizado, con tal de contar con los materiales y las artes pertinentes. Así sabemos que ocurría a menudo con los libros destinados al servicio del altar, que ciertos escriptorios producían probablemente en serie, incluso como método económico de obtener pingües rendimientos; las dificultades de estos libros no eran muy grandes desde el punto de vista textual y del tamaño; en el fondo así sucede también con la documentación, que los notarios redactaban y ejecutaban allí donde era necesario, llevándose a menudo su recado de escribir.

En segundo lugar, hay códices para los que un origen riojano parece seguro, sin que haya argumentos válidos para adscribirlos a un punto determinado. En un caso, ciertas relaciones nos han sugerido la idea de que hayan salido de pequeños centros sometidos a influencias emilianenses algunos manuscritos; hemos procedido a agruparlos bajo una rúbrica genérica que no supone ninguna afirmación especial al respecto. El problema es singularmente complicado en el caso de los códices litúrgicos, por las razones que dimos anteriormente: la complejidad se hace manifiesta en algunos manuscritos, cuando los rasgos codicológicos son tan genéricos que no soportan la atribución más que de un modo universal.

Por lo que hace a la bibliografía hemos seguido un criterio selectivo que no fuera obstáculo a la integridad de las referencias imprescindibles. En general, puede decirse que se ha recogido cuanto de interés se ha escrito sobre los manuscritos estudiados, aunque falten a veces menciones de investigaciones relativas a aspectos artísticos o exclusivamente históricos. Las citas bibliográficas se han repetido, a riesgo de pesadez, para mayor facilidad del lector que así no se ve obligado a acudir a una bibliografía más o menos temática o a familiarizarse con un sistema de referencias.

II
LA REGION DE NAJERA

Estamos faltos de una historia crítica de Nájera y sus alrededores. Cuando fue conquistada en 923 por Sancho Garcés de Navarra jugó un papel importante para su desarrollo ulterior su posición sobre el río Najerilla, posición que no cesó de ganar puntos con la evolución económica y social que desplazó la vida serrana en beneficio de la vida en los valles, consecuencia a la vez de una mayor estabilidad política que permitía una mejor atención a ciertos cultivos, entre los que figuran los cereales y el viñedo. Nájera se convierte paulatinamente en un punto neurálgico de la monarquía navarra porque representa uno de los puntos fuertes en la continua tensión entre Navarra y Castilla. Situada sobre un camino que logra creciente importancia, el de Santiago, parece haber heredado y suplantado la vieja población romana de Tricio. Sus molinos, su incipiente vida burguesa, el juego de la corte navarra que va a gravitar en su entorno, hasta que en el siglo XI fue su asiento permanente, hicieron poco a poco de Nájera uno de los principales focos políticos de la Rioja, favorecido por la facilidad de comunicaciones en todas direcciones, tanto hacia el Ebro como hacia los valles del interior, hacia el Noroeste y hacia el Sur. Ahora bien, Nájera, que en buena parte estaba en manos del monasterio de San Millán de la Cogolla, tan cercano valle arriba del Najerilla y su afluente el Cárdenas, no tuvo ningún gran centro eclesiástico hasta que en 1052 el rey García el de Nájera fundó y dotó espléndidamente el monasterio de Santa María la Real[1] , sobre la base de una comunidad preexistente que quizá ocupaba alguna de las cuevas que determinaron la peculiar estructura actual del edificio.

1 M. R. MORALEJO ALVAREZ, *Documentos de Santa María la Real de Nájera,* trabajo inéd. de Licenciatura, Santiago 1957; I. RODRIGUEZ DE LAMA, *Colección Diplomática Riojana,* Logroño 1962; id., *Colección Diplomática Medieval de la Rioja,* Logroño 1976; J. CANTERA ORIVE, «Un Cartulario de Santa María la Real de Nájera del año 1209», en *Berceo,* 12 (1957), 477-494; 13 (1958). 25-48, 197-214, 305-320, 457-468; 14 (1959), 45-56, 209-224, 321-338, 481-512; 15 (1960), 25-40, 201-218. Importante además para una reconstrucción el estudio de J.A. GARCIA DE CORTAZAR y RUIZ DE AGUIRRE, *El dominio del Monasterio de San Millán de la Cogolla,* Salamanca 1969; id., «Introducción al estudio de la Sociedad altoriojana en los siglos X al XIV», en *Berceo,* 88 (1975), 3-29; id., «La Rioja Alta en el siglo X», en *Príncipe de Viana,* 132-133 (1973), 321 sgs.

Este problema nos lleva a plantear otro que suscita con nueva fuerza el reconocimiento de un eremitismo rupestre en la Rioja, consecuencia de haber comenzado a estudiarse de manera sistemática todas las cuevas reconstruídas artificialmente que hacen de esta región la más rica en este tipo de construcciones. Para situar, en efecto, posibles núcleos monásticos en Nájera y sus alrededores, bueno será que prestemos breve atención a este asunto[2]. Tanto en San Millán de la Cogolla como en Albelda o en Valvanera se han encontrado, o han constituido de siempre núcleo del centro de culto, cuevas preparadas especialmente para habitación; se encuentran también en San Prudencio de Monte Laturce, en Viguera, en Tormantos, en Anguiano, en Arnedillo, y sobre todo, por sus tradiciones relacionadas con Emiliano, el gran anacoreta cuyo retiro a la Cogolla provocó una revolución espiritual en aquella zona, en Bilibio. Aunque son muchas las encontradas, y quizá una búsqueda organizada daría lugar a descubrir más, no sabemos todavía cuál es el papel que en su preparación juegan los monjes[3]. Dos grandes series de estas cuevas, que conjeturalmente pueden relacionarse con las de los otros puntos, son las que se encuentran en el cerro del Castillo, de arenisca roja muy característica, que con su mole domina toda la ciudad de Nájera; otras muchas análogas, aún no exploradas, se escalonan por cerros a menudo más abruptos todavía, desde Nájera remontando el Najerilla hasta su confluencia con el Cárdenas.

No sería fácil resolver hoy la cuestión de si todas estas cuevas sirvieron de residencia a anacoretas o grupos de anacoretas[4]; sí podemos decir que el planteamiento se hace verosímil y trascendental a nuestros efectos, si pensamos cómo se da una especie de cadena o secuencia que relaciona grandes centros cenobíticos con centros urbanos, permitiendo a la vez una vida aislada a los

[2] Lo más recientemente publicado sobre el particular se debe a R. PUERTAS, «El eremitismo rupestre en la zona de Nájera», en *IX Congreso Nacional de Arqueología, Valladolid 1965,* Zaragoza 1966, 419-430, y «Cuevas artificiales de época altomedieval en Nájera», en *Berceo,* 86 (1974), 7-20. Añádanse los estudios de F. IÑIGUEZ ALMECH, «Algunos problemas de las viejas iglesias españolas», en *Cuadernos de trabajo de la Escuela Española de Historia y Arqueología en Roma,* 7 (1955), 1-180. Con unas perspectivas menos teóricas abordé el tema en función de sus consecuencias literarias y monásticas en «El eremitismo en la España visigótica», en *Revista portuguesa de História,* 6 (1964), 217-237 (= *Classical Folia,* 23 (1969), 209-227).

[3] El mejor elenco que conozco para la Rioja está en el mapa significativo que acompaña el estudio de R. PUERTAS, en *Berceo,* 86 (1974), 12.

[4] Podrían, en efecto, haber sido habitadas por gentes del lugar, o ser incluso utilizadas en algunos casos como dependencias agrícolas; de hecho, como parte de una posesión eclesiástica, se describe una en el inventario de bienes de Santa María de Nájera entre 1052 y 1054 (según un documento que publicó RODRIGUEZ DE LAMA, *Colección Medieval* (v.n. 1), 53): *Ad sinistro de Abelfe una serna super oiam sancti Petri in eadem ripa de Abelfe trans Nazariella de tras castiello ad illas couas una serna in Penniella ecclesiam sancti Andree et casas et coua et IIII uineas et II in ualle de Couiella.*

monjes, una posibilidad de comunicación entre ellos y una expansión a modo de brazo largo de los monasterios que se encuentran en su retaguardia. En la zona de Nájera, si se excluyen las numerosas iglesias que había en la propia población bajo el cerro[5], no existió un gran cenobio que justificara o amparara un escriptorio en donde pudieran formarse los notarios y escribas, que ofrecen siempre pruebas de depender o estar en relación con San Millán de la Cogolla, o en algunos casos con Albelda. La habitación en las cuevas facilitaba a los anacoretas el doble contacto con el centro en que se habían formado y con la población que en algún momento pudiera necesitar de sus servicios, espirituales o no. Porque la realidad es que monjes vinculados con San Millán participaron en las preocupaciones, y tal vez en los intereses, de la corte navarra establecida en Nájera. La existencia de un número elevado de ermitaños que pudieran tender estos puentes, que parecen fuera de duda, aclararía muchos puntos oscuros de nuestra historia de los libros.

Atribuiría, pues, con gusto a Nájera una gran importancia como centro monástico desde mediado el siglo X, pueda o no probarse de momento que las cuevas artificiales remontaban a esta época —¿acaso serían anteriores, como parece probable en San Millán de Suso?— y que estuvieron ocupadas por anacoretas o grupos de ermitaños. Curiosamente, como vamos a ver a través de unas pequeñas muestras, después de que crece la importancia política de Nájera, rebasado el año 1000, y que se fortalece con nuevo vigor la vida de San Millán y de Albelda, decrece el papel que tendremos que atribuir a Nájera a partir de los datos codicológicos de que disponemos.

El advenimiento de una vida urbana reduce, sin duda, la importancia de los eremitas cuya posible acción cultural se desvanece sustituida probablemente por la de los clérigos que ocupan o poseían las diversas iglesias. Esta especie de secularización, si podemos denominarla así, se deja ver cuando Nájera se ha convertido en sede de la corte navarra. Encontramos, en efecto, en 1052 un *grammaticus* que ocupa unas casas que cuentan con unas heredades dependientes, lo que probablemente constituía para él un patrimonio de base[6]. Esta mención nos asegura de un hecho de relevancia en función de la

[5] Conocemos por la donación del rey García de Nájera a Santa María la Real en 1052 la existencia de las siguientes: San Martín de Castello, Santa María, Santa Coloma; Santo Tomás, San Miguel «subtus sanctam Mariam», Santa Agueda, San Facundo, Sanctas Nunilón y Alodia, Santa María de las Monjas, Santa Cecilia y San Román (v. RODRIGUEZ DE LAMA, *Colección Medieval* (v. nota 1), 44).

[6] Al enumerar las donaciones de que García colma a Santa María, en las propiedades cedidas dentro de Nájera se dice: *Sanctum Pelagium qui est in rupe super ipsam Sanctam Mariam situs cum omni sua hereditate et subtus Sanctam Mariam Sanctum Michaelum, similiter domus quas habitat grammaticus cum earum hereditate, hereditatem sancte Agathe,* etc. (doc. de 12 de diciembre de 1052, apud RODRIGUEZ DE LAMA, *cit.*, 44).

cultura libresca en la Rioja, y es una cierta institucionalización de la enseñanza, al menos en ciertos grados.

¿Cuál fue el papel jugado por el obispo de Nájera en este tiempo? Como veremos en su momento, la expansión eclesiástica tiene una repercusión litúrgica importante que podremos más que estudiar adivinar en los restos de libros eclesiásticos conservados. Su actitud, al lado de la de los monasterios, marcó a la Iglesia de una manera similar a como lo iba haciendo, en otro orden de cosas, la progresiva conversión de Viguera, y sobre todo Nájera, en núcleos ciudadanos con «un descollante papel administrativo»[7]. Por otro lado, la entrega de Santa María de Nájera a Cluny por Alfonso VI en septiembre de 1079[8] acabará cambiando la faz del monasterio en lo que se refiere a aspectos culturales, aunque no nos hayan quedado ni documentos ni testimonios alusivos a estas consecuencias.

Pero sin adelantarnos tanto en la consideración de los hechos, vengamos a los datos que nos proporcionan los manuscritos, por desgracia escasos aunque no exentos de significado. Y como no es seguro que se hayan copiado en la propia Nájera en ningún caso, me permito hablar de la región najerense para evitar dificultades de momento insalvables.

El primer producto seguro de una actividad escriptoria en la región de Nájera constituye a la vez un documento de primer orden para estudiar el proceso de europeización, es decir de benedictinización, del Norte de la Península, el códice Madrid, Biblioteca de la Academia de la Historia, *cód. 62*[9]. Trátase de un manuscrito de pergamino algo basto, no muy bien preparado, aunque en buen estado de conservación, obra de una sola mano que corresponde al escriba Enneco Garseani, presbítero, que se dice formado en un monasterio de Santas Nunilón y Alodia, en Nájera, donde terminó de copiar su códice a 25 de noviembre de 976. Su contenido no es otro que una adaptación peculiar, con destino a su observancia por monjas, de la regla de S.

[7] La fórmula es de GARCIA DE CORTAZAR, en *Berceo*, 88 (1975), 14.

[8] Documento publicado últimamente por RODRIGUEZ DE LAMA, *Colección Medieval* (cit. n. 1), 88-89.

[9] Antes F. 230 y 64. Llamó la atención en nuestros tiempos sobre su contenido en un precioso artículo CH. BISHKO, «Salvus of Albelda and Frontier Monasticism in tenth-century Navarre», en *Speculum*, 23 (1948), 559-590 (con riquísima literatura), pues hasta su trabajo quienes lo habían citado, hiciéronlo de pasada o no habían sido tenidos en cuenta. Ahora disponemos de edición completa y estudio codicológico e histórico de A. LINAGE CONDE, *Una regla monástica riojana femenina del siglo X: el «Libellus a regula Sancti Benedicti subtractus»*, Salamanca 1973. Un resumen de sus conclusiones enmarcadas en contexto más general en su obra *Los orígenes del monacato benedictino en la Península Ibérica*, León 1973, 802-820.

Benito, según los comentarios de Esmaragdo. Precisamente el hecho de que esté destinada esta regla a un cenobio femenino explica que se prescinda en ella de cualquier alusión a la vida litúrgica, que no recibe ordenación ninguna, obviamente en razón además de una cierta incompatibilidad con el rito hispánico: la obra no es original, pues del análisis de sus fuentes, casi siempre trascritas literalmente, se deduce que salvo ligeras mutaciones todo se reduce a perícopas tomadas de la *Expositio* de Esmaragdo, o de la propia regla benedictina[10] . En la técnica empleada por el consarcinador, no siempre muy atento a los resultados en su narración, pero sí a la selección y adaptación de los originales, se deja ver que éste tuvo en cuenta preferentemente el contenido, por lo que en las dos partes desiguales en que viene a quedar distribuido el *Libellus* prestó mayor importancia al aspecto doctrinal o parenético, para el que usó de preferencia a Esmaragdo, que al institucional, para el que emplea casi en exclusiva al propio Benito. Notemos, con todo, como una especie de preocupación en nuestro autor para eliminar las citas concretas de Isidoro y Fructuoso incluidas en la explicación de Esmaragdo.

Desde el punto de vista del manuscrito algunas conclusiones obtenidas por los estudiosos pueden ser tenidas aquí en cuenta: su paleografía revela una vinculación estrecha[11] con la zona albeldense de un lado y de otro la burgalesa, lo cual no nos va a sorprender por cuanto diremos a continuación. La letra es regular pero algo tosca, con unas iniciales de colorido vivo pero de dibujo poco seguro y logrado: todo da la impresión de que nos encontramos ante un copista de mejor voluntad que pulida técnica, que, sin embargo, va a cumplir con corrección y discretamente la tarea que se ha propuesto. Por lo que hace a la decoración de algunas capitales, ofrece imitación de otras en manuscritos franceses, lo que prueba influencia inmediata de éstos. A conclusión semejante lleva el estudio de abreviaturas, singularmente las muy peculiares para *per* y *propter* que no convienen con las empleadas en Hispania y sí con las de manuscritos pirenaicos o del Sur de Francia, lo que induce claramente a establecer[12] que quizá se tuvo delante un manuscrito de Esmaragdo elaborado en escritorio ultrapirenaico, que influyó de manera decisiva en los hábitos poco seguros de nuestro Enneco Garseani[13] .

[10] Las únicas excepciones a este principio, según las conclusiones exhaustivas de Linage, son una pequeña cita de la Regla de Fructuoso y unas cuantas de dos minúsculos textos que andan incorporados a manuscritos hispanos: el *Item ex regula cuiusdam* y *Quid debent fratres uel sorores in monasterio seruare;* cf. LINAGE, *Una regla...*, 7, 112-113, 123.

[11] «Dependencia» dice LINAGE, *Una regla...* (v.n.9), 141.

[12] LINAGE, *Una regla...* (v.n.9), 109.

[13] Véase en Apéndice V el colofón de este manuscrito.

El manuscrito cayó pronto en la biblioteca de San Millán, donde se conservó hasta hoy, como puede deducirse de los dos añadidos que allí se hicieron mucho después, con letra que intenta bastante burdamente imitar la del siglo XI en los folios 91^{v} y 92^{r} que se habían dejado en blanco, ignoramos con qué finalidad. Uno de los textos, que solamente consiste en la frase *Ioannes abbas in sancto Emiliano sub era DCCCCLXXXXIII,* no ha podido ser comprobado históricamente; pero el segundo, a pesar de sus lagunas y letras ilegibles, se refiere indudablemente a la Cogolla como se deduce de su alusión al lugar del enterramiento (?) de San Millán, cuya vida había escrito Braulio[14] .

Finalmente digamos que nada sabemos con certeza respecto a la personalidad del compilador de esta regla; Bishko sostuvo que el *Libellus* podría identificarse con el que compuso Salvo de Albelda para un monasterio femenino, según la vida de aquel personaje[15] . Linage encontró los razonamientos de Bishko más congruentes que demostrativos, no se decidió a aceptarlos y propuso, a cambio, como pura hipótesis de trabajo, que el coleccionador y organizador de los textos podría haber sido el propio escritor Enneco Garseani. Ni unos ni otros argumentos o hipótesis convencen demasiado al lector imparcial, aunque hay que decir que cualquier atribución parece preferible a la de Enneco Garseani si tenemos en cuenta la inseguridad con que compone su propio colofón. De momento, parece preferible dejar en suspenso la cuestión aún reconociendo que, en principio, uno se siente inclinado a dar la razón a Bishko como solución más plausible, pues, a pesar de los fallos arriba reseñados al hablar del texto, es evidente que la formación, madurez y sensatez de que da muestras el compilador no podían ser cualidades frecuentes en la Rioja del siglo X.

Otro manuscrito que debemos atribuir a Nájera, aunque bajo el impacto de San Millán, es el comúnmente denominado «Rotense», es decir Madrid, Biblioteca de la Academia de la Historia, *cód. 78,* de riquísimo contenido historiográfico, que describiremos. Consta de dos sectores claramente diferenciados de los que el primero o sector A contiene las Historias de Paulo Orosio (fol. 1-155), y el sector B (f. 156-232) viene a ser un misceláneo muy chocante en que se mezclan textos históricos con curiosidades y memoranda, a que vamos a prestar detallada atención. El manuscrito, apreciadísimo por los historiadores de Navarra y Aragón sobre todo, se conocía desde que en pleno siglo XVIII llegó a las manos del erudito Abad y Lasierra, prior de Meyá, en Lérida; perdidas sus huellas en el siglo XIX, fue felizmente recuperado en

14 LINAGE, *Una regla*... (v.n.9), 61, 94-95.

15 Véase el texto crítico en el Apéndice II; BISHKO, art. cit. (v.n.9), 573-577; cf. además pág. 62-63.

1927 y dado a conocer. La realidad vista en el manuscrito respondió plenamente a las ilusiones que sobre su calidad se mantenían entre los estudiosos[16], basadas en las copias relativamente fidedignas, de las que una completa, que se conservan en la Academia de la Historia[17].

El sector A, con Orosio, debió constituir inicialmente un manuscrito autónomo. Copiado al iniciarse la segunda mitad del siglo X, no es fácil atribuirlo a una región muy precisa, aunque todo favorece el que haya que situarlo en región castellana o colindante, dadas sus relaciones gráficas, de abreviaturas y de capitales con escuelas como la de Berlanga y la de Cardeña. ¿Podríamos pensar que la región de origen fue lindera de San Millán? Desde el punto de vista del texto digamos que la familia a que parece pertenecer tiene descendientes en todas partes sin podérseles asignar a una región concreta; de otro lado, el estudio de la tradición textual de Orosio no está actualmente tan desarrollado que nos permita definir las interrelaciones de manuscritos que no sean los altamente representativos de cada una de las familias. A pesar de todo, donde quiera que se haya copiado, y por donde sea que su

16 Z. GARCIA VILLADA, «El códice de Roda recuperado», en *Revista de Filología Española,* 15 (1928), 113-130; hace la historia externa del manuscrito desde el siglo XVIII y da ciertas ilustraciones para el conocimiento de su origen y circunstancias con amplia bibliografía; en págs. 117-129 minuciosa descripción del contenido. Citado o estudiado por A. MILLARES CARLO, *Paleografía española,* Madrid 1932; M. GOMEZ MORENO, «Las primeras crónicas de la Reconquista», en *Boletín de la Academia de la Historia,* 100 (1932), 600-609; GARCIA VILLADA, *Historia eclesiástica de España,* II 2, Madrid 1933, 274-280; J. MADOZ, *Le symbole du XIe Concile de Tolède,* Louvain 1938, 146; J.M. LACARRA, «Textos navarros del códice de Roda», en *Estudios de Edad Media de la Corona de Aragón,* 1 (1945), 194-200; J. LECLERQ, «Textes et manuscrits de quelques bibliothèques d'Espagne», en *Hispania Sacra* 2 (1949), 95-99; J. CAMPOS, «Textos de latín medieval hispano», en *Helmantica,* 7 (1956), 196-208; G. MENENDEZ PIDAL, «Sobre el escritorio emilianense en los siglos X a XI», en *Boletín de la Real Academia de la Historia,* 143 (1958), 7-20; MILLARES CARLO, *MV,* nº 111; A. CANELLAS, *Exempla scripturarum Latinarum,* II, Zaragoza 1966, xix, y 47-48; C. SANCHEZ ALBORNOZ, *Investigaciones sobre historiografía hispana medieval,* Buenos Aires 1967, passim; DIAZ Y DIAZ, «La historiografía hispana desde la invasión árabe hasta el año 1000», en *La storiografia altomedievale,* Spoleto 1970, 313-343; id., «Los textos antimahometanos más antiguos en códices españoles», en *Archives d'histoire doctrinale et littéraire du Moyen Age,* 37 (1970), 149-164; id., «Tres ciudades en el códice de Roda: Babilonia, Nínive y Toledo», en *Archivo Español de Arqueología,* 45-47 (1972-1974), 251-263; id., «Un poema pseudoisidoriano sobre la creación», en *Studi Medievali,* 11 (1970), 397-402; J. GIL, «Textos olvidados del códice de Roda», en *Habis,* 2 (1971), 165-178; DIAZ Y DIAZ, en *Sacris erudiri,* 22 (1974-1975), 71-72; C. RODRIGUEZ, *Las Historias de los Godos, Vándalos y Suevos de Isidoro de Sevilla,* León 1975, 127-128, 148-152; P. KLEIN, *Der ältere Beatus-Kodex Vitr. 14-1 der Biblioteca Nacional zu Madrid,* Hildesheim 1976, 558 ss. Véase lámina 1.

17 Madrid BAH, *Est. 26, gr. 1ª D, nº 9,* copia parcial de C. Palomares, el calígrafo toledano que tanto colaboró con el P. Burriel; Madrid BAH, *Est. 21, gr. 3ª, nº 28 tomo VII,* debida al prior de Meyá Llobet y Mas.

texto haya llegado, la verdad es que implica un interés singular y potente por la historia universal y providencialista que no puede separarse de grandes centros o de núcleos bien dotados. Pero volvamos a la posible procedencia inmediata del texto. No pasaríamos de hacer conjeturas si supusiéramos que es de procedencia mozárabe, dada la resonancia que Orosio y sus resúmenes obtuvieron en la Hispania árabe, como ha sido puesto de relieve recientemente. Decir procedencia mozárabe no quiere sin más remitirnos, como es habitual, a Córdoba. No hay duda de que Orosio fue conocido y utilizado en época visigótica, y que en Toledo se dispuso de varios textos orosianos, a uno de los cuales remonta el resumen que figura en los elementos mozárabes de la Crónica de Albelda de que hablamos en otro lugar[18] . Ahora bien, que el texto acaso proceda de la Hispania mozárabe, no quiere decir que el manuscrito de que nos ocupamos sea originario de allá: lo excluyen tanto la paleografía como la decoración. Por otra parte, el sistema de pautado que se utilizó para disponer el pergamino para la escritura, a saber, que las dos primeras y dos últimas líneas horizontales rebasen toda pauta vertical alcanzando el borde exterior del folio correspondiente, sale al paso tan frecuentemente y, diríamos, de manera tan regular en los códices copiados en el escriptorio de San Millán desde el último tercio del siglo X, que nos haría sospechar si no nos encontramos ante un producto elaborado en la Cogolla por un copista formado en los hábitos y técnicas gráficas más castellanos, o fuertemente influido por ellos. Para resolver esta cuestión sólo se puede acudir al estudio interno de la letra, escrita con nitidez, elegancia y esa tendencia a trazos finos y estilizados que puso de moda la escuela de Valeránica, de donde se fue abriendo paso por Castilla y zonas limítrofes. Y este estudio de momento no nos resuelve mucho. Una congruencia valiosa sería poder comprobar que el texto orosiano estaba relacionado con los conocidos y manejados en la Hispania árabe; pero sin un análisis que no es de este lugar y sin una búsqueda y clasificación sistemática de todos los síntomas que se descubran en el texto y en la escritura, apunten a donde apunten, no se puede por el momento avanzar más en ninguna dirección.

Una indicación insuficiente pero orientativa nos la proporciona el hecho mismo de la reacción que provoca en un momento dado. Sin que se nos alcance por qué caminos ni con qué ocasión, lo cierto es que en el último decenio del siglo X, o primeros años del siglo XI más probablemente, se resolvió completar el códice de Orosio con otros textos, en su mayor parte historiográficos. El códice de Orosio está constituido por cuaterniones íntegros, por lo que podría-

[18] Véase mi estudio «La trasmisión de los textos antiguos en la Península Ibérica en los siglos VII-XI», en *La Cultura antica nell' Occidente Latino dal VII all' XI secolo*, Spoleto 1975, 149-156, y el citado en la nota 16, «La historiografía...», 318-321.

mos pensar que, en realidad, estamos ante un proceso de pura conglutinación de dos sectores formados por manuscritos distintos. Pero el segundo sector del Rotense no ha sido elaborado, desde su comienzo, como códice independiente. En efecto, el texto con su título correspondiente se nos aparece al comienzo del folio 156, sin que éste lleve el recto en blanco como sabemos que era la norma para que ese recto sin escritura actuara de guarda. Que el sector B carezca de este tratamiento hace poco verosímil que se le haya querido tener por manuscrito autónomo. Ha habido, por consiguiente, una voluntad resuelta de añadir una nueva colección de textos a las Historias de Orosio. Los textos así añadidos, quizá para obtener un conjunto historiográfico con la intención y objetivo arriba señalados son: a) las Historias de Isidoro de Sevilla, en una elaboración especial, ya que la Historia de los Vándalos y la de los Suevos aparecen desgajadas en primer lugar, yendo detrás de ellas la Crónica y la Historia de los Godos; b) la Crónica llamada de Alfonso III; c) la Crónica denominada Albeldense; d) una nómina de reyes de León, seguida por e) un corpus de textos diversos, históricos y legendarios, referentes al mundo árabe, junto con f) una serie de textos, preferentemente genealogías, relativas al reino de Navarra, a Aragón, Pallars y Tolosa; g) una nómina de emperadores romanos que desataron persecución contra los cristianos; h) una relación de santos celebrados en Toledo; i) un latérculo de reyes visigodos, seguido de un repertorio de variedades en que destacan dos laudes de Hispania y un texto sobre el origen de ciudades del Norte[19] ; j) una colección irregular de sentencias y fórmulas teológicas, combinadas con parágrafos de diversos autores relativos al fin del mundo y su cálculo, y k) un pequeño conjunto de textos atingentes a Pamplona que se cierra con el epitalamio de Leodegundia.

Aunque no es fácil encontrar las líneas maestras de todo este abigarrado complejo, varios principios rectores se desgajan de su atenta consideración. Quien se ocupó de reunir estos materiales estaba preocupado por varias ideas: la de la autonomía del reino de Asturias-León, que seguía sin continuarlo el reino visigodo, concluido y cerrado con la muerte del último rey godo; la idea de que el mundo árabe era un ingrediente capital e inevitable de la nueva situación, pero en una disposición combativa que se recoge bien singularmente en la interpretación peyorativa de Mahoma y del comportamiento de los musulmanes en España; la conciencia del papel jugado por los reinos cristianos, es decir, por las familias cristianas reinantes en Navarra, Aragón, Pallars y Tolosa. La vinculación de estas ideas con una especie de obsesión por el fin del mundo, cronología de la sexta edad y señales del cataclismo nos hace recordar toda la preocupación escatológica que sacudió al mundo mozárabe ya en el siglo IX,

19 Editado por mí y de nuevo por J. Gil; véase supra nota 16.

y que, al fracaso de todas lás previsiones, fue retrasando y haciendo cada vez más vaga e inconcreta la fecha de la catástrofe final, tras perder no poco de su virulencia inicial[20].

El cuidado con que se encuentran recogidos y elaborados los materiales árabes, que ha sido ponderado por el maestro Gómez Moreno[21], el hecho de que se nos haya conservado en este códice la Crónica Profética y la recensión nombrada Crónica Rotense dentro del conjunto cronístico denominado «Crónica Albeldense»[22], nos está denunciando dos hechos importantes: la excelente información árabe de que disponía el autor, o autores, de las distintas piezas, y el interés continuado en el ambiente en que se elabora el códice por toda esta problemática, en realidad ya algo desfasada en el momento de la copia de nuestro códice. Si esto es así, según parece, tenía que haber un centro de interés más actual en las series históricas más locales: redactadas todas las que componen los apartados e) y f), antes descritos, «de una vez, con informaciones recogidas en los diversos territorios y formando un conjunto orgánico»[23], parece que se puede concluir que se elaboraron buscando ciertas justificaciones, que no se nos alcanzan, a la rama navarro-aragonesa de los condes de Castilla en la segunda mitad del siglo X. Pero sea cualquiera la razón última, con seguridad que el códice se escribió con más ambición que objetividad en un ambiente relacionado con la corte de Navarra, a la sazón establecida en Nájera. G. Menéndez Pidal[24], partiendo de detalles iconográficos seguros y de ciertas menudencias gráficas, concluyó con toda razón que debe darse por descontada una vinculación estrechísima de este códice con el escriptorio de San Millán de la Cogolla, lo que entiendo en el sentido de que probablemente sea obra, bastante cuidada, de un escriba de aquel cenobio quizá pasado al servicio de la corte navarra en la propia Nájera, donde el manuscrito, ya ultimado, se encontraba sin la menor duda en el siglo XI[25]; el manuscrito nunca estuvo en la Cogolla.

[20] Sobre esta preocupación he recogido datos sumarios en mi art. «La historiografía...» (véase supra n. 16), 328-330; ahora, con más extensas perspectivas, J. GIL, «Los terrores del año 800», en *Actas del Simposio para el estudio de los códices del «Comentario al Apocalipsis» de Beato de Liébana,* Madrid 1978, 215-247.

[21] Art. cit. (nota 16), 607.

[22] GOMEZ MORENO, art. cit., 602; SANCHEZ ALBORNOZ, 100, 107, etc.

[23] LACARRA, art. cit. (v.n.16), 217, al que seguimos en sus discretas y matizadas conclusiones.

[24] Art. cit. (v.n.16), 12-18. De todas maneras, los detalles estilísticos en que hace mayor hincapié adquieren particular relevancia al combinarse con datos paleográficos y textuales, como ha visto bien KLEIN, *cit.* (v.n.16), 559.

[25] LACARRA, art. cit., 195-196.

Veamos ahora qué conclusiones se extraen de los materiales utilizados por el redactor del códice: varios de los tratados aquí incluídos proceden indudablemente del Sur, tales como la Historia de Mahoma, compuesta a fines del s. VIII o primeros decenios del s. IX[26] en una región situada al Norte de Córdoba; los opúsculos *Dicta Ezechielis quod inuenimus in Libro pariticino; Ratio Sarracenorum de sua ingressione in Spania; De gotis qui remanserint ciuitates ispaniensis; Duces Arabum* y *Reges qui regnauerunt in Spania ex origine Ismaelitarum Beniumeie* han sido elaborados, probablemente, en la propia Córdoba, o en otro lugar por gentes originarias de allá, en todo caso con excelente información, llegando de manera casi directa a nuestro códice a juzgar por la escasa entidad de las pocas variantes que se registran. La Crónica de Alfonso III procede de otro manuscrito leonés, que ha sido retocado antes de su transcripción en el Rotense. La Nómina de los Reyes de León está íntimamente relacionada con León, donde quizá se elaboró el elenco, pero o no sufrió los retoques interesados que descubrimos en la recensión del Albeldense, en la que fueron eliminados de la serie los reyes Silo, Mauregato y Vermudo, quizá como contrarios a la dinastía alfonsina, o se le añadieron estos reyes aquí ante la presencia de otra nómina completa.

Los textos relacionados con Pamplona son de dos tipos: las Genealogías, como hemos visto, se encuentran bien trasmitidas, aunque no deja de suscitar dificultades para explicar su origen y vicisitudes de trasmisión el hecho de que en el *Códice A-189* de la Biblioteca de la Real Academia de la Historia, y en su emparentado el *Códice G-1* de la misma librería, aparezcan con la latinidad corregida respecto de la recensión del Rotense, y con algunas adiciones o correcciones al texto de éste —siquiera no todas sean acertadas[27] —. Por descontado que, en todo caso, las Genealogías deben provenir de la propia Pamplona de forma más o menos inmediata. Esta observación nos sirve también para la copia de la Epístola del emperador Honorio a las milicias de Pamplona congratulándose y felicitándolas por su comportamiento ante la invasión bárbara, entre 407 y 409, documento que se completa con una alabanza de la ciudad que Lacarra[28] supone «pudiera ser de la época visigoda», aunque nos inclinaríamos a situarla, por ciertas frases e influencias isidorianas y bíblicas, en el siglo VIII o, quizá, a comienzos del siglo IX. De estos dos textos la especial dificultad estilística del rescripto imperial ha producido una trasmisión muy deficiente, cuyos errores no son achacables a nuestro copista:

[26] DIAZ Y DIAZ, «Los textos antimahometanos...» (v. nota 16), 153-155 y, sobre todo la nota complementaria de I. BENEDICTO CEINOS, ibid., 165-168.

[27] LACARRA, art. cit., 220-222.

[28] Art. cit., 268.

es indudable que la *epistola*[29] formaba parte de un dossier conservado o conocido en Pamplona, que provocó la adición de la loa postvisigótica.

Insistamos todavía en que mayor relieve tiene la trasmisión de la obra de Isidoro de Sevilla; nuestro manuscrito se inserta en un grupo peculiar con excelente tradición, no exento de problemas todavía pendientes de solución, según su último editor[30] .

El manuscrito rotense nos trasmite, en fin, como última pieza de su múltiple contenido, en el fol. 232r — 232v , un poema epitalámico bajo el título *Versi domna Leodegundia regina.* Su más reciente estudioso, Lacarra, ha dado con su edición un resumen de lo que se sabe y admite a propósito de este poema[31] : todo el problema se ha centrado en la identificación de Leodegundia, hija de un rey Ordoño, de donde su título de *regina*, y para resolverlo todos los eruditos que se han ocupado del epitalamio y del personaje a que va dedicado han partido, diciéndolo o no, de la tendencia a identificar esta princesa Leodegundia con la monja Leodegundia que signa un conocido códice, *Liber regularum*, de comienzos del siglo X que se conserva en El Escorial[32], bajo la signatura *a.I.13.* A partir de esta identificación, y forzada cualquier explicación por la data admitida hasta ahora para el manuscrito, resultaba que Leodegundia habría de ser hija de Ordoño I de Asturias, que casaría con un personaje de la corte de Pamplona; quién haya sido éste ya ha resultado más difícil de establecer para los eruditos que vacilan entre Sancho Garcés, hermano de Fortuño el Monje, o el propio rey Fortuño. Sería ya casada cuando, quizá en compañía de su marido, suposición favorecida en el caso

29 Ahora sobre ella L. GARCIA MORENO, en *Hispania Antiqua,* 7 (1977).

30 C. RODRIGUEZ ALONSO, *Las Historias de los Godos, Vándalos y Suevos de Isidoro de Sevilla,* León 1975, 127-128 y 146-152.

31 «Textos navarros...» (v. nota 16), 271-275.

32 Sobre este códice, después de las riquísimas páginas que le había dedicado G. ANTOLIN, «Un codex regularum del siglo IX», en *La Ciudad de Dios,* 75 (1908), 23-33, 304-316, 460-471, 637-649; 76 (1908), 46-56, 131-136, escribí largamente en «El códice monástico de Leodegundia (Escorial a.I.13)», en *La Ciudad de Dios,* 181 (1968), 567-587. En este artículo he roto lanzas a favor de una nueva datación del manuscrito escurialense que sitúo en torno a 930, siendo el rey Alfonso allí mencionado no Alfonso III, sino Alfonso IV; por otro lado, indicios vehementes de tipo textual y codicológico me han movido a proponer como punto de origen la zona de Sahagún o algo más al Este todavía. Ha discutido sobre todo este intento de localización J. DIVJAK, «Zur Datierung des Codex Escorial a.I.13», en *Antidosis, Festschrift für Walter Kraus,* Wien 1972, 69-77.

De todos modos, una cosa resulta clara: no hay argumento suficiente para atribuir sin más al año 912 (que ciertamente se lee ahora en la suscripción al pie del fol. 186v) la copia del manuscrito por esta Leodegundia, y desde luego resulta gratuita la suposición de que la Bobadilla aquí mencionada sea vecina de Samos, como se ha venido repitiendo (cf. F. MASAI, en *Scriptorium,* 30 (1975), 562).

de que éste fuera Fortuño el Monje, se habría retirado como conversa a un monasterio gallego[33].

Del autor del epitalamio habló Cotarelo[34] para lanzar la idea de que acaso fuera un monje de uno de los monasterios navarros cuya cultura había ensalzado Eulogio de Córdoba; para otros estudiosos como Oviedo y Arce[35], era el poema prueba de la existencia de una floreciente escuela poética en Galicia en los siglos IX y X.

Digamos que una vez más se mostró escéptico sobre algunos de estos puntos, singularmente el que se refiere a la identificación de la Leodegundia y el Ordoño mencionados en el poema, como era habitual en él, el gran Barrau-Dihigo, al que tanto debe la historia de la Alta Edad hispana aunque su dureza crítica le haya granjeado indebidamente mala prensa en la Península[36]; y, sin embargo, una vez más su postura de duda no merece reparos sino aplauso. La identificación de ambos personajes femeninos, la Leodegundia reina del poema y la Leodegundia monja del *Codex regularum,* no pasa de ser una conjetura basada en el nombre, sin ningún otro fundamento; esta identificación comporta además notables riesgos, porque exige suponer que el rey Ordoño, el padre de Leodegundia, tenga que ser Ordoño I, con lo que no parece haberse pensado demasiado la edad que tendría en 912 Leodegundia cuando copiara su manuscrito, bastante más de cincuenta años, muchos para una labor como la que exige la trascripción de un códice tan voluminoso, al menos no constándonos, como no nos consta, que fuera una escriba profesional; de otra parte, la copista Leodegundia se califica a sí misma de *clientula et exigua* lo que quizá, de no tomarse en estricto sentido moral, no convenga completamente en una persona de su edad y supuesta condición.

Independientemente de las conclusiones definitivas a que se llegue en el estudio del manuscrito del Escorial respecto a su época y lugar de copia, creo

[33] Este afán por clarificar su matrimonio depende, lógicamente, del propio epitalamio; pero nada nos certifica que la boda se haya celebrado. Las genealogías del Códice de Roda, editadas y estudiadas magníficamente por Lacarra, no hablan del asunto: «entre las omisiones más notables está la de Leodegundia «pulchra Ordonii filia», que sabemos por los versos que figuran en el mismo códice de Roda casó con un príncipe de Pamplona» (art. cit. (v.n.16), 214).

[34] A. COTARELO VALLEDOR, *Historia de Alfonso III el Magno,* Madrid 1930, 146.

[35] *Boletín de la Real Academia Gallega,* 10 (1916-1917), 132, 134-135, 240-241, 254-255. Este «bello canto nupcial» dice «refleja el ambiente artístico de Galicia en los comienzos de la centuria décima».

[36] L. BARRAU-DIHIGO, «Le royaume asturien», en *Revue Hispanique,* 52 (1921), 128 n. 4 y de nuevo en «Note sur le codex de Meyá», en *Revue des Bibliothèques,* (1921), 50 n. 2.

que deberíamos prescindir por el momento de relacionar ambas Leodegundias. Cuanto escribo, pues, esquiva esta cuestión como inmadura, y quizá insoluble, para atender solamente al epitalamio del códice Rotense.

Para Lacarra se trata de «versos rítmicos y de género trocaico, distribuidos en estrofas de tres versos sin rima. Cada uno de éstos se halla formado por dos hemistiquios de seis sílabas en el primero, siete en el segundo y ocho en el tercero; el último hemistiquio es cataléctico, estando su última sílaba suplida por la pausa final de estrofa. Con las iniciales de cada estrofa puede leerse en acróstico: *Leodegundia pulcra Ordonii filia*»[37] . En efecto, nos encontramos ante un epitalamio acróstico compuesto en ocasión de unas bodas reales: la novia sería Leodegundia, hija de un rey Ordoño que no puede serlo más que de León, al que se alude sin mencionar el reino[38] , y que se describe de manera bastante precisa a mi entender: la reina Leodegundia *paternum genus ornat maternumque sublimat,* de donde parece poder deducirse que el rey su padre no se había casado con una descendiente de línea real; además el rey era persona discreta y erudita: *patris decus et doctrinam proles electa tenet.* Nada se habla del novio del que incluso se saca la impresión que el autor ignora la personalidad, aunque quizá lo que sucede es que, compuesto el poema en su entorno, se hace innecesaria cualquier mención precisa: *exultet persona cui extat nexu coniugali tradita.*

Juegan los tópicos tradicionales del poema de bodas: incitación al canto en honor de la novia (v. 1-3, 8, 16-18), etopeya de ésta (v. 4-7, 10) y alabanza de sus virtudes como ama de casa (v. 11-12); votos por su felicidad (v. 19-21); comienzo de la fiesta en que deben esforzarse con su habilidad cantores y músicos (v. 22-23); pero que la novia evite el engreimiento y ame a sus súbditos y servidores (v. 34-39), para obtener las bendiciones del cielo (v. 40-47); alusiones al banquete y fiestas que lo acompañan, en que debe preferirse la caridad, el amor de Dios, la oración (v. 48-72); en fin, votos espirituales que concluyen con el deseo de felicidad eterna para la novia (v. 76-78). A pesar de la presencia de estos tópicos, descubrimos ciertos hechos y tendencias: la estructura no aparece demasiado rígida pues abundan reiteraciones tanto en las alabanzas como en los votos; se observa una especie de obsesión para conversión a lo divino, lo que hemos de relacionar con el autor del poema, que no puede ser más que un clérigo o monje de intensa vida

37 LACARRA, cit. (v.n.16), 271.

38 V. 4 *ex claro semine regali;* las diversas alusiones a la condición real de la novia y de la boda apuntan en el mismo sentido pero no son tan concluyentes: *regina* (v.48), *conuiueque regii* (v.53), *regalis cibus* (v.55), *regnum tibi traditum* (v.74).

espiritual[39]. Este mismo escritor se muestra conocedor de los recursos usuales en este tipo de poemas, de manera que, a pesar de las restricciones que imponen las exigencias ascéticas y el redundante ambiente religioso en que todo se baña, puede hacerse un elenco léxico que comprendería los principales vocablos y giros peculiares del género epitalámico[40]; no deja de sorprender que haya en el poema tan escasa influencia de los himnos litúrgicos correspondientes[41].

¿Cuáles son los elementos concretos que se pueden descubrir para aislar y definir la personalidad del autor?

Las dos únicas menciones precisas que contiene el poema son la filiación de Leodegundia, *Ordonii filiam* (v. 2), y la de que los instrumentos afinados y acompasados, es decir los músicos que los tañen, deleitan con sus melodías a los ciudadanos de Pamplona, *Pampilone ciuibus* (v. 26). Estos datos seguros ya han venido siendo tenidos en cuenta por los estudiosos que se han ocupado de estos versos. Querría ahora insistir en algo que ya señalé arriba: la inconcreción de todo lo que se refiere al novio, lo que además de la explicación dada admite todavía otra, quizá más verosímil. El epitalamio habrá sido

[39] Aunque se consideren lugares comunes, piénsese que se recomienda recoger pobres de solemnidad en el momento de preparar el festín, para granjearse así la oración de éstos y la bendición subsiguiente del cielo (cf. Matth. 25, 42-45); en medio de los cánticos de la fiesta debe ensalzarse a Dios, con evocación vaga pero indiscutible en los v. 64-66 que viene a ser una paráfrasis lejana pero cierta de Eph. 5, 4.6 combinado con Eph. 5, 18-20; en v. 67-69 hay un eco discreto e intenso a la vez de Ps. 105, 5, así como en v. 70-72 de I Cor. 13, 3-4; los v. 79-84 parecen recuerdo indiscutible de Matth. 25, 34 por la mención de *redemptor.* Todo este desarrollo venía ya preparado por los v. 37-42 que a la vez alude a Luc. 11, 35 y a I Ioann. 2, 8, así como a numerosos pasajes paralelos de índole y sentido similar (del tipo Deut. 6, 3; Prov. 7, 2; etc).

[40] Así en los poemas de Sedulio Scoto en honor de la emperatriz Ermingarda (ed. TRAUBE, *MGH, poet. lat. med. aeui,* III, Berlín 1896 (= 1964), 186-187): *flosque decusque patrum* (2), *laetantur dominam nos et habere suam* (8), *despicitur citharae modulaminis oda sonorae* (17), *amas non Christum mente uenusta* (31), *sis regalis apex* (43); o en este otro (*ibid.*, 189-190), *cantemus laudes eximiae dominae* (2), *dulce melos resonet* (3). Véase a propósito, aunque no cita nuestro poema, E.F. WILSON, *A study of the epithalamium in the Middle Ages,* tesis Univ. of California 1930, espec. cap. II, 38-84, con atención sumaria a la teoría literaria del género.

[41] Por ejemplo, en el himno de S. Julián y Sta. Basilisa, pareja que disfrutó de extenso culto como promotora, protectora y modelo de matrimonio cristiano, leemos (ed. BLUME, *Hymnodia Gothica,* Leipzig 1897, 200), los siguientes términos en relación con la fiesta de bodas: *concinentes cantica* (v.6,4), *perstrepente cymbala* (v.6,5), *sonorum musicis concentibus* (v.7,1), *melos per omnem ciuitatem personat* (v.7,2), *cantu sonora concrepabant organa* (v.7,3), *lyrae... tinniebant chordulae* (v.7,4), *perstrepebant citharis* (v. 7,5); en el himno *de nubentibus* (*ibid.*, p. 283-284): *assume fistulam, lyram et tibiam, perstrepe cantica, uoce organica carmen, melodia gesta psalle Dauidica* (v.8, 1-4), *cithara, iubila; cymbalum, concrepa; cinara, resona; nablum, tripudia* (v.10, 1-2).

compuesto ante el anuncio de la boda, sin prejuzgar si ésta llegaría a celebrarse; incluso pudo no haber tenido lugar y haberse conservado la pieza como muestra excelente que es de la cultura literaria de este tiempo. En cualquiera de los casos no llegamos a ninguna conclusión indiscutible. En relación, pues, con Pamplona (aunque se saca la impresión de que mencionada de lejos) habríamos de situarnos en el reino navarro, como se ha visto hasta ahora. Si por vía de conjetura acerco el poema a la Rioja se debe a dos hechos, de los que uno prácticamente seguro y el otro de alguna probabilidad. La trasmisión del mismo en el códice Rotense con escasas huellas de deformación por tradición textual parece apuntar a una zona relacionada con Nájera, o situada entre Nájera y Pamplona; en segundo lugar, la relativa semejanza de metro y tratamientos con algunos de los poemas debidos a Vigilán, de que nos ocupamos en otro momento, arguye ligeramente a favor de un origen cercano a la Rioja para el epitalamio. Mas sea lo que quiera de su verdadero origen, indiscutiblemente se ha dado por lo menos en el último cuarto del siglo X una vinculación con territorio riojano que basta para justificar que le hayamos dedicado aquí estas líneas[42] .

Concluyamos, pues: en torno al año 1000 se elabora en el sector B de nuestro Rotense, como continuación y complemento del sector A, un conjunto entendido como una historia del mundo, concentrada en Hispania, en que los reinos peninsulares adquieren relieve en función de su cristianismo y su estabilidad y entronque con la vieja monarquía visigótica, lo que, a fin de cuentas, los enfrenta con los árabes. Todo ello en una perspectiva escatológica que busca, en la confirmación por la fe ortodoxa, y en la tradición de una continuidad religiosa, la salvación en la próxima ruina del mundo. La permanencia del códice en la región de Nájera llevó a la vez a desconocer la razón última global de su compilación, pero también a tolerar adiciones sucesivas, tanto en lo que se refiere al obituario de obispos de Pamplona como al cronicón de los reyes navarros. En estas adiciones descubrimos una tendencia al conservadurismo gráfico, hasta el punto de que un investigador las desconoció como tales atribuyendo a la data más reciente la copia del conjunto.

Todavía tenemos que atribuir a la región de Nájera otros códices, aunque no todos escritos allí. Nuestra fuente de información, escasa pero segura, son ahora unos cuantos fragmentos que se guardan actualmente en la Abadía de Silos[43] , a la que llegaron en el siglo XVIII desde Santa María la Real de Nájera, donde se los había usado para envolver cartas y documentos. La com-

42 Véase nueva edición en Apéndice XVII.

43 Descritos por W. Muir-Whitehill—J. Perez de Urbel, «Los manuscritos de Santo Domingo de Silos», en *Boletín de la Real Academia de la Historia,* 95 (1929), 588-601.

pilación de fragmentos fue realizada por el Padre Domingo Ibarreta, abad de Silos de 1753 a 1757, para evitar que siguieran perdiéndose[44] ; ha sido ampliada posteriormente con otros muchos fragmentos de códices pero ya no visigóticos. Estos fragmentos debían estar ya coleccionados en Nájera, antes de que el abad Ibarreta los trasladase a Silos, porque así parece sugerirlo lo que escribe Argaiz en su *Soledad Laureada*[45] .

Entre estos fragmentos hay dos antiguos, los que llevan los números 4 y 17; el primero de ellos proviene no de Nájera sino de Cirueña, por lo que lo dejaremos para más adelante[46] .

El fragmento 17 consiste en una hoja bastante deteriorada, recortada actualmente por tres de sus lados. Parte grande del verso es ilegible por estar raspado. A pesar de estas dificultades y del escaso texto conservado en sus 26 líneas actuales en dos columnas, puede ensayarse una interpretación del manuscrito a que perteneció. Se trataba de un excelente códice de Casiano, del que trasmitía las *instituta*[47] . La letra, probablemente de finales del siglo IX, o primeros del siglo X, nos remite al Sur, o a la zona donde se usara este tipo de grafía mozárabe tradicional. Tanto en lo que hace al trazado de la

[44] WHITEHILL y PEREZ DE URBEL, art. cit., 589, trascriben la curiosa nota que se conserva de mano de Ibarreta en la carpeta que envolvía los fragmentos y que merece la pena copiar de nuevo aquí: «Varios pergaminos de buen gótico, que estaban puestos por forros de algunos legajos, se pusieron así unidos aunque no tienen cosa seguida, por curiosidad y porque no tengan motivo de risa cualesquiera que vieren despreciadas estas antigüedades tan venerables. Contiene algunas hojas de la explicación de la Santa Regla, una hoja de Católica Religione, otra de Epistola ad Eusicium en verso y otra exponiendo el texto: Animas occisorum».

[45] I, f. 69ᵛ - 71: «pero no contento con lo dicho, mas quiero añadir, por no estar comun a todos sus devotos y auerlo hallado en el Archivo de Santa María la Real de Náxera en un pergamino escrito en letra gótica que servía de cubierta a una escritura de sentencia que dio el Rey Don Pedro el Justiciero... Y es lo primero una carta en verso que escribió San Eugenio a Esicio Presbítero y Abad, que después llegó a ser obispo de Segorbe... Siguense luego unos versos heroycos diferentes, y más ingeniosos, que tienen partidas las dicciones... Siguense luego otros versos que tienen por título Versus supra lectum, que no están cumplidos... También están unos Fragmentos del Misterio de la Sanctissima Trinidad, que por estar en la mesma letra gótica y en el pergamino, me persuado que son de San Eugenio... Esto en los dichos Fragmentos del Archivo de Náxera». Los puntos suspensivos equivalen a las trascripciones y traducciones de los fragmentos que da Argaiz con bastante precisión. Es posible que este hallazgo incitase ya allí a guardar los fragmentos.

[46] Véase pág. 46. Sobre su origen, recordaremos cuanto allí decimos, pues se basa en información que suministra el propio fragmento, actualmente en una vitrina del Museo de la Abadía de Silos.

[47] Cassian. inst. 12, 17-21 (PL 49, 454) señala una noticia a lápiz en el propio fragmento.

escritura como a abreviaturas, y a la antigüedad que evidencia el sistema de pautado, se descubre una semejanza llamativa con el códice de París, Bibliothèque Nationale, *nouv. acq. lat. 260,* proveniente de Silos y con el sector B del códice de Madrid, Biblioteca de la Academia de la Historia, *cód. 44,* proveniente de San Millán[48]. Uno se sentiría tentado a atribuir la llegada de este manuscrito a la región de Nájera de la mano de tantos inmigrantes mozárabes como llegan a la Rioja en el siglo X; pero, además, la índole del texto exige que pensemos en un ambiente monástico, pues en ellos desde la época visigótica las dos obras de Casiano constituían una fuente básica para la vida religiosa. Ahora bien, la presencia de manuscritos de Casiano en esta región, venidos de región mozárabe, aunque no necesariamente del Sur[49], nos lleva a resaltar cómo se produce en el siglo X el choque entre las viejas tendencias del monacato, de que fue motor inicial en buena parte el escritor de Marsella, y las nuevas corrientes europeístas, con innegable desventaja para las primeras.

Querría, en esta línea, ponderar el significado de los fragmentos najerenses que en Silos llevan los números *Fragmentos 5-16,* y vienen a representar doce folios no consecutivos de un excelente códice, a dos columnas, copiado con probable intervención de tres manos, de los Comentarios de la Regla de San Benito por Esmaragdo, abad de Saint-Mihiel. Llevaba glosas, como es frecuente en estos manuscritos para uso monástico, y presentaba signatura de cuadernos pues todavía se conservan huellas de esta referencia y numeración[50]. Son varias las manos que se identifican en los distintos folios; incluso en algún caso en un mismo folio se puede observar el cambio de mano y pluma[51], y por el contrario, sin que se nos alcancen razones, una misma mano escribe dos folios distintos en que el tratamiento del pautado es diferente[52]. Este detalle codicológico parece confirmar la impresión de que este manuscrito se produjo en un escriptorio de cierta potencia ya que no sólo disponía de varios copistas sino que existía una especie de distribución del trabajo

48 Véanse págs. 253-254.

49 Habría que añadir los fragmentos de Oña, cuyo origen cordobés queda fuera de duda.

50 Así en frg. 5^v abajo, se ve la Q que abrevia *quaternio,* pero no el numeral correspondiente.

51 Sin que pretenda ser definitivo mi juicio, a pesar de la meticulosidad con que se han realizado las observaciones, diría que se deben a la misma mano A los fragmentos 5^r, 10 y 11; a la mano B los fragmentos 5^v, 6, 7, 8 y 9; a una mano C, finalmente, los fragmentos 12, 13, 14, 15 y 16.

52 Así los fragmentos 12^v y 13 se siguen rigurosamente en cuanto al texto dibujado, como queda dicho, por la misma mano; y, sin embargo, uno está pautado en 34 líneas horizontales y el otro en 33.

toda vez que el pautado no era preparado, al menos de modo sistemático, por el propio escriba. Cabría, además, pensar que el manuscrito que se tuvo delante para producir este ejemplar influyó en los copistas, pues se observa cierta disparidad en el tratamiento de algunas abreviaturas[53] .

La escritura y comportamiento gráfico general llevan a mediados o primeros decenios de la segunda mitad del siglo X, lo que nos pone en relación inmediata con otros códices de Esmaragdo originarios de esta misma región, y aún de la zona cercana a Nájera, como veremos a propósito del manuscrito 62 de San Millán, y ello aunque no se pueda situar con precisión el punto de confección de los distintos ejemplares que circularon en aquel tiempo y de los que todavía conservamos. ¿Pudo ser Nájera, centro casi permanente de la acción navarra al Sur del Ebro, el lugar de arranque de una influencia benedictina, a través de Esmaragdo, anterior en años e importancia a la que recibieron otros monasterios de la Rioja? ¿Podría deducirse alguna conclusión, como insinúa Linage[54] , del hecho de que en uno de los fragmentos se omita «la fórmula que usaban los padres al ofrecer sus hijos al monasterio», lo que podría «ser muy significativo para el estudio de este aspecto del monacato coterráneo y coetáneo»? De esta suerte, la influencia benedictina que revelan estos fragmentos y tantas otras copias de Esmaragdo no se limitaría a la esfera intelectual y cultural, sino que obedecería además a un movimiento de raíz espiritual para el cambio real de las formas monacales vigentes. Que este movimiento haya llegado del Norte, a través del reino de Navarra, no sólo era de esperar sino que representa el único camino viable para la expansión de los textos, y movimientos, que aspiraban a tal revolución.

Hemos sí de subrayar esta influencia navarra en la región de Nájera porque significa una innovación y un enfrentamiento con otras tendencias que se cruzaban allí: ya hemos visto cómo a la presión castellana sucede un juego político navarro que va a cuajar en el sector B del códice Rotense; pero este papel navarro se dobla desde mediado el siglo X con los esfuerzos para modernizar el monacato, juego en el que va a encontrarse también otro centro neurálgico de esta región, Albelda, cuya importancia empero decae un tanto en el último cuarto del siglo X en la misma proporción en que, por este tiempo, alza su cota Nájera, futura sede de la monarquía navarra.

Idéntico contraste entre influjo navarro y nuevo influjo del Oeste, castellano o leonés, por esta región se deja ver en lo que hace a copias de Beato

[53] Así *idt* frente a *idst,* la primera en frg. 5, 6; la segunda en frg. 15.

[54] A. LINAGE CONDE, *Los orígenes del monacato benedictino en la Península Ibérica,* León 1973, 800.

de Liébana. Mientras en Cirueña se encontraba hace siglos un viejo manuscrito de Beato, en Nájera existía un nuevo códice del mismo, probablemente originario de aquella zona.

El fragmento de Cirueña, Silos Biblioteca de la Abadía, *Fragmento 4*, arriba mencionado[55], consta de parte de un solo folio, ya citado en la nota del Abad Ibarreta a mediados del siglo XVIII. Desde el siglo XV hizo de guarda para un documento de 1074. Parece posible afirmar que se trata del único fragmento conservado del más antiguo códice de los Comentarios al Apocalipsis que ahora se estudian, quizá con razón, bajo el nombre de Beato de Liébana; su interés reside no sólo en la bárbara miniatura que lo decora sino también en el oscilante carácter de su grafía de enorme arcaismo, con tipos irregulares y desiguales.

Se ha encontrado tan sorprendente este fragmento que se ha llegado a pensar que estaba rehecho por un copista poco ducho en el oficio. Neuss, uno de los más grandes estudiosos de la tradición textual e iconográfica de los Comentarios al Apocalipsis[56], lo sitúa en los primeros años del 900, pensando que no puede hacerse remontar más, mientras Whitehill le daba mayor antigüedad, tesis en la que vienen a coincidir gran parte de los que se han ocupado del problema. Escrito a dos columnas, con tratamiento arcaico del pautado[57], presenta abundantísimos rasgos de cursiva, lo que también nos pone en contacto con una época más antigua. La rudeza de la confección se deduce de la falta de pureza y mala calidad de los colores de la miniatura y de la tinta con que rubrica. Algunas minucias paleográficas nos ponen en contacto con un copista en cuyos hábitos entran ciertas abreviaturas impropias de la Península y frecuentes en los

[55] Véase pág. 43-44. Sobre él la bibliografía es extensa: W. MUIR WHITEHILL-J. PEREZ de URBEL «Los manuscritos del Real Monasterio de Santo Domingo de Silos», en *Boletín de la Real Academia de la Historia,* 95 (1929), 591; W. MUIR-WHITEHILL, «A Beatus Fragment at Santo Domingo de Silos», en *Speculum,* 4 (1929), 102-105. Luego, en todos los estudios referentes a la trasmisión textual o a la iconografía de los Beatos. Véase en especial, A.M. MUNDO-M. SANCHEZ MARIANA, *El Comentario de Beato al Apocalipsis. Catálogo de los Códices,* Madrid 1975, 48-49, y *Actas del Simposio para el estudio de los Códices del «Comentario al Apocalipsis» de Beato de Liébana,* I, Madrid 1978, 115 (A. MUNDO); 168 (DIAZ Y DIAZ).

[56] W. NEUSS, *Die Apokalypse des hl. Iohannes in der altspanischen und altchristlichen Bibel-Illustration,* Münster 1931.

[57] Es de recordar que el pautado mediante pinchazos por el centro del folio no fue procedimiento común más allá de los finales del siglo IX, cuando lo sustituyeron poco a poco los pinchazos en el margen exterior del folio, hasta caer progresivamente tan al borde que pudieran acabar desapareciendo sin dejar huella, y por tanto con mayor limpieza del manuscrito, cuando se pasaba la última cuchilla para igualar los cuadernos después de encuadernar. En algunos puntos se conservó muy entrado el siglo X el pautado por el centro como rasgo arcaizante que a menudo se combina bien con otros rasgos similares.

escriptorios ultrapirenaicos, como *id = id est, co = com,* pero sobre todo *au = autem.* Contiene un trozo del capítulo 6 del libro V de los Comentarios.

Podríase, pues, concluir, según pienso, que nos encontramos ante un códice salido de un escriptorio pirenaico, quizá navarro o algo más oriental, en los últimos decenios del siglo IX. Tal resultado de nuestro análisis, perfectamente congruente con los datos que se obtienen del fragmento, sugiere que nos viene al encuentro el primer caso concreto de la llegada a esta región de un códice espiritual originario de región navarra o altoaragonesa; y por su parte confirma paleográficamente una sospecha que se impone a cualquiera que estudie la trasmisión de estos Comentarios al Apocalipsis, que en el siglo IX, si no a fines ya del propio siglo VIII cuando se elaboraron, debió algún ejemplar llegar hasta Toledo por un lado, pero también hasta Aragón, y quizás hasta la Marca Hispánica, por otro.

Entre los fragmentos de Silos, provenientes de Nájera, tenemos todavía tres folios que nos certifican de la existencia en esta zona de otros Beatos; los *Fragmentos 1, 2* y *3* escritos a fines del s. X, formaron parte de un códice de Beato, por lo menos. Aunque están acortados los folios de manera desigual con lo que no es posible una reconstrucción precisa de su aspecto original, sí cabe un ensayo de interpretación. Como los fragmentos anteriores, habían sido utilizados éstos para encuadernar y proteger los protocolos de ciertos pleitos o documentos probatorios de posesiones de Nájera. Mientras el fragmento 1 contiene parte del capítulo 2 del libro II de los Comentarios, los fragmentos 2 y 3, no consecutivos, contienen partes del capítulo 4 del libro III. Supónese que estuvo ilustrado el códice al que pertenecieron que, textualmente, aparece emparentado con el Beato de Burgo de Osma[58] . Ahora bien, mientras con toda certeza aseguramos que los fragmentos 2 y 3 pertenecen a un mismo códice y mano, no se puede decir lo mismo respecto al fragmento 1, que difiere de los otros no sólo por la mano que lo escribe, lo que no constituiría razón suficiente para suponer la existencia de dos manuscritos distintos, sino sobre todo por el distinto tratamiento del pergamino para preparar la copia. Al igual, pues, de lo que sucede con otros manuscritos extensos, el Beato de Nájera, representado ahora por estos tres solos fragmentos estaba integrado por partes análogas pero diferentes, de modo que nos es lícito concluir que varios escribas, al menos dos, habían intervenido en su confección. Un detalle mínimo nos orienta paleográficamente sobre todo lo que ya nos había indicado la comparación textual, una influencia castellana que se descubre en el hecho de que las dos primeras horizontales en el fragmento 1, lleguen al borde exterior, si no se trata ya del conocido rasgo riojano.

[58] WHITEHILL-PEREZ de URBEL, (v.n. 55), 589-590; A.M. MUNDO-M. SANCHEZ MARIANA, (v.n. 55), 48; DIAZ Y DIAZ, en *Actas*... (v.n. 55), 172.

Vengamos todavía a los últimos de los fragmentos silenses. Los que llevan las cotas *Fragmento 17 bis* y *Fragmento 18* constituyen en realidad una sola pieza: trátase de un bifolio, cuyos rasgos paleográficos y textuales en el primero y segundo folio difieren hasta el punto de que difícilmente se atribuirían a un solo códice de no haberse conservado como bifolio, que constituía el exterior de un cuaderno. Formaron evidentemente parte de un manuscrito de pequeño formato, con pergamino bastante grueso y desigual, con la cara exterior poco trabajada. En su copia intervinieron dos escribas diferentes, uno que copia el recto y verso del actual *Fragmento 17 bis,* de letra gruesa y tendencias cuadradas, sin casi trazos finos, con letras separadas, notándose con facilidad en el verso de este folio el cambio de pluma; y otro, de letra muy fina, de estilo castellano al modo de Valeránica y Silos, de tendencia alta y apretada, grácil y bien trabada, con muchos resabios de cursiva estilizada, que casi llega a usarse en las últimas líneas del verso[59] .

Lo que en el bifolio tiene mayor importancia es su contenido, de tan divergente estilo y sentidos que resulta difícil de interpretar la finalidad buscada en la copia. Pues después del llamado tratado teológico sobre la Trinidad, en el fragmento 17 bis, o lo que es lo mismo, el primer folio, siguen una serie de poemas de Eugenio de Toledo, que constituyen el fragmento 18. Este contiene a línea seguida, aparentemente sin presentarlos como versos, cuatro poemas del escritor de Toledo, y un fragmento de otro; y lo curioso del caso es que, al margen, se mencionan los metros empleados en la confección de cada una de las distintas composiciones. El hecho, pues, de que en un solo folio encontremos cinco poemas eugenianos, y que, como queda dicho, el primero trasmitido esté carente del comienzo significa que formaban serie y que ésta era mayor que lo que nos ha llegado. Tanto la selección y el orden de los poemas como algunas de sus mínimas variantes no convienen con ninguna de las otras colecciones eugenianas de que disponemos[60] . Pero más conclusiones podemos todavía sacar de este pequeño fragmento, de resabios castellanos tan marcados: el verso del segundo folio, sólo está ocupado en una cuarta parte, lo que unido al hecho de que este bifolio es el exterior de un cuaderno nos permite afirmar que nos encontramos ante el final de la colección de poemas, y que ésta no comprendía toda la producción de Eugenio, porque aunque no es

[59] Véase WHITEHILL-PEREZ de URBEL (v.n. 55), 598-599. El fragmento había sido cuidadosamente estudiado ya por Argaiz, como señalamos supra nota 45, que dio incluso la trascripción de los poemas del segundo folio y al que se debe la conjetura de que el tratado «teológico» sea de Eugenio de Toledo, conjetura que luego divulgó Pérez de Urbel en varias de sus publicaciones a partir del artículo antecitado.

[60] F. VOLLMER, *Monumenta Germaniae Historica, auct. antiq.* XIV, Berlín 1905, 231-270; y F. RIOU, en *Revue d'Histoire des textes,* 2 (1972), 11-14.

extensa necesita más que cinco folios de este tamaño para copiarla[61] . Los poemas que se nos trasmiten, de los que dio cuenta ya Argaiz[62] , son el 97 (a Esicio), el 62, el 70 (bien conocido por usarse en él del artificio de vocablos partidos), el 77 y el 78, estos dos últimos prácticamente seguidos, aunque no carecen de sendas anotaciones marginales que definen su metro respectivo.

Hablemos ahora del *Fragmento 17 bis*: nos presenta, a juzgar por las rúbricas, dos fragmentos teológicos, de los que el primero con el título *De catholica religione* y el segundo bajo el de *Sanctae fidei regula*; este último, como queda dicho, incompleto por el final. Desde Argaiz se ha venido sospechando que nos encontramos aquí con un fragmento del tratado *de trinitate* que, según la pertinente noticia biográfica que le dedica Ildefonso de Toledo, habría compuesto su predecesor Eugenio[63] . No faltó sagacidad teológica al autor de esta conjetura ya que la formulación doctrinal no puede ser en estos fragmentos más lograda; pero no es necesario acudir a Eugenio de Toledo, cuya autoría se vió favorecida por la cercana presencia de sus poemas, pues el segundo de los textos no es otra cosa que el símbolo del Concilio Toledano IV del año 633.

Nada, en cambio, puedo decir del primer texto, en que parece guardarse algo de las disputas antiarrianas a juzgar por la insistencia en declarar al Padre y al Hijo iguales, sólo diferentes en cuanto a sus acciones específicas[64] . Lo que sí permite afirmar el contexto es que nos hallamos ante un extracto de una obra de más volumen relacionada con el símbolo «Quicumque»; basta a probar lo primero no sólo el *enim* inicial, sino el hecho de que el anafórico *eum* tiene que remitir al nombre *Iesus Christus*, o equivalente, para hacerse inteligible, nombre que ahora no figura en el texto. ¿Cuál habrá sido el contenido de este códice del que sólo nos ha llegado, lamentablemente, parte de un cuaderno? Desde luego, siguiendo el proceso normal de análisis, tendríamos que decir que los textos teológicos no parecen haber sido copiados aprovechando huecos en blanco, mientras que esta explicación, apoyada

[61] Téngase en cuenta que además del folio A del cuaderno, es indudable que el texto del *Fragmento 17 bis* a que me refiero a continuación no concluía sino en (B). Nos quedan, por consiguiente, como máximo, los folios (C), (D), (E), (F) y (G) disponibles para la supuesta colección eugeniana. Se trata sin dudar de una selección y no de un manuscrito completo de Eugenio.

[62] Véase arriba nota 45.

[63] Ildeph. Tolet. uir. 13 (ed. CODOÑER MERINO, *El «de viris illustribus» de Ildefonso de Toledo*, Salamanca 1972, 134): *scripsit de sancta Trinitate libellum et eloquio nitidum et rei ueritate prespicuum qui Libiae Orientisque partibus mitti quantocius poterat nisi procellis resultantia freta incertum pauidis iter uiatoribus distulissent.*

[64] Estos textos figuran editados por vez primera en el Apéndice XIV.

en el hecho del cambio de mano, valdría para los poemas eugenianos. Estos parecen haber combinado una finalidad espiritual, quizá con otra didáctica[65] , como indica la presencia de la enumeración de los metros utilizados; incluso en esta línea se justificaría mejor la copia del poema luciliano de vocablos partidos que obtuvo mucha resonancia por estos tiempos a juzgar por las veces que ha sido copiado.

Más difícil es conjeturar el camino por el que estos textos han llegado al punto, que estamos suponiendo riojano-castellano, en que han sido trascritos; pongamos, pues, fin a este comentario.

Finalmente según diversos eruditos, en una colección particular de Quito (Ecuador) se conservaría el Becerro Gótico de Nájera[66] . Trátase de la Colección Gijón de aquella capital, valiosísima por su biblioteca, sus numerosos documentos y su cerámica española, reunida por aquel prócer ecuatoriano que llegó a ser sobre 1940 alcalde largos años de Quito. En 1946 visitó su palacio y colección Don Jesús Enciso de Viana, en su calidad de miembro de una misión oficial española; el ilustre eclesiástico en su diario de aquel viaje, que conozco en minúscula parte por verdadera casualidad, dice haberle sido mostrada una Crónica del monasterio de Nájera, allí celosamente conservada entre otras piezas notables, sobre la que adquirió el compromiso de investigar si había sido alguna vez editada. Dada la personalidad de Enciso y sus conocimientos y preocupaciones, parece difícil aceptar que haya confundido un Becerro Gótico con una Crónica manuscrita, y que no nos hubiera dejado mayores informaciones en tal caso. Parece, pues, relativamente cierto que no ha existido en Quito tal Cartulario, sino solamente una Crónica manuscrita que podemos estimar reciente. En todo caso, la Colección Gijón, tras la muerte de su creador, sufrió grandemente: algunas de sus piezas se perdieron, otras pasaron a la Biblioteca de la Universidad Católica, mientras otras continúan formando una colección ya debilitada; pero, entre las que se han quedado no se encuentra rastro, ni siquiera en registros o ficheros, de la Crónica, acreditada en 1946, o cualquier otro libro o manuscrito relacionado con Nájera. Habremos, por tanto

[65] Tal sería, por ejemplo, la razón de los himnos *Ante lectum*, que obedecen probablemente a motivos de devoción, a pesar de que también a ellos se les apuso la descripción del metro correspondiente. Véase Apéndice X.

[66] Ignoro los caminos por los que esta noticia ha llegado a tomar cuerpo, pero véase, por ejemplo, A. MUNDÓ, «El Commicus palimpsest lat. 2269. Amb notes sobre liturgia i manuscrits visigòtics a Septimània i Catalunya», en *Liturgica I. Cardinali I. A. Schuster in memoriam*, Montserrat 1956, 176-177.

de concluir que o no ha existido tal Becerro o continúa ignorado su paradero[67].

Si ahora nos disponemos a establecer cuál era el caudal y clase de libros que circulaban por la región de Nájera en los siglos X y XI, quedaremos sorprendidos por dos hechos, en primer lugar por su escasez, y en segundo lugar por la estrechez de sus contenidos. Es cierto que no siempre resulta lícito deducir de unos códices conservados la calidad y número de las bibliotecas en que se originaron estas copias: aún con la certeza de que los que han llegado hasta nosotros representan realmente los campos de interés de aquellas gentes, las conclusiones pecarían de precipitadas y superficiales. Hemos de tomar, pues, los datos solamente como reveladores de una tendencia digna de ser tenida en consideración; y además debemos evitar todo tipo de generalización fácil. A pesar de todas estas salvedades, se nos impone un hecho significativo, que la única muestra que nos queda de obra de sello histórico proviene sin duda de Nájera en cuanto sede de la corte, o ciudad íntimamente vinculada con ella, en dependencia de Pamplona por un lado y de la Cogolla por el otro. Pero no es este camino el que resulta más fructífero.

Desde mediados del siglo X vemos que se dispone en algún punto de esta comarca de unos ejemplares de Esmaragdo, de Casiano, de Beato y un *Codex regularum*. La presencia —y aprecio— del abad carolingio se deduce de su utilización en el *Libellus* que constituye el Emilianense 62[68], pero también de los fragmentos guardados ahora en Silos[69]. Para Casiano, tan en boga como es bien sabido en ambientes monásticos visigóticos, y por tradición de éstos en muchos centros monacales de la Alta Edad Media, contamos con el testimonio del fragmento 17 de Silos: su origen mozárabe nos confirma una vez más cuanto acabamos de indicar sobre cómo pervivía su consideración[70].

Que circularon ejemplares de un *Codex regularum* puede sin vacilar aceptarse por dos hechos, por la extensión de estas colecciones y porque a partir del *Libellus* antes mencionado queda claro que no solamente se dispone de un texto de la Regla Benedictina sino de la Regla de Fructuoso y, mucho

[67] Algunos de los datos aquí manejados se publican por primera vez; ya en 1964 inicié gestiones para localizar el Becerro de Quito que no llegaron a ninguna información positiva; posteriormente hice sabedor de ellas al P. Francisco Alzola, del Convento Franciscano de Santa María la Real de Nájera que, prosiguiéndolas por su cuenta, tampoco logró resultados satisfactorios. Le agradezco la comunicación de sus gestiones (Villalobar de Rioja, 24 de mayo 1978).

[68] Véase pág. 30-32.

[69] Véase pág. 43-48.

[70] Véase pág. 42-43.

más significativo todavía, de los pequeños textos *Ex regula cuiusdam* y *Quid debent fratres,* cuya trasmisión está entrechamente ligada a tales Códices regulares. Añadamos que no sorprende la presencia de copias, antiguas incluso, de los Comentarios de Beato[71] : lamentablemente no podemos decir si existen de verdad testimonios de un solo ejemplar de Beato, pero ello no cae fuera de lo posible. Todavía, y siempre a juzgar por lo que se desprende de los fragmentos silenses, se disponía de colecciones de textos atingentes a problemas dogmáticos, bajo la forma de «cadenas» o de antologías: bastan a probarlo tanto los fragmentos teológicos que editamos[72] , como todos aquellos, merecedores de alguna atención, que aparecen en el Códice Rotense[73] . Tal material pregona a las claras el papel que desempeñan los ambientes monásticos najerenses sobre los que llamamos arriba la atención.

A su lado, probablemente en la propia Nájera, será donde situaremos una biblioteca, si no muy surtida, sí con materiales allegados probablemente desde Navarra y desde Asturias: con Orosio, se dispuso allí de las Historias de Isidoro de Sevilla enmarcadas por un corpus historiográfico astur-leonés, y de un repertorio de textos pequeños de origen navarro —como las Genealogías—, combinados con unas cuantas y muy apreciables piezas de origen mozárabe, probablemente llegadas aquí desde el Iregua o la propia Navarra. Poca mies, en verdad, para tan importante comarca; pero tampoco es cosa de escandalizarse cuando a unos pasos se contaba con bibliotecas mejor dotadas, que sin llegar a notables medios se hallaban en condiciones, al menos, de proporcionar más adecuados instrumentos de cultura y formación espiritual. Y todo ello sin pararse a contar con lo que nos ha desdibujado el rudo paso del tiempo.

[71] Véase pág. 43-48 para el fragmento de Cirueña (Silos *fragm. 4*) y los de Silos *fragm. 1-3.*

[72] Véase pág. 47.

[73] Véase pág. 32-42, y la descripción minuciosa que de ellos hace Z. GARCIA VILLADA, en *Revista de Filología Española,* 15 (1928), 124-130.

III
SAN MARTIN DE ALBELDA, SU ESCRIPTORIO Y SU LIBRERIA

El cenobio de San Martín de Albelda consta ser fundación de Sancho Garcés I de Navarra, que lo creó sobre 924, probablemente partiendo de lo que podríamos denominar el cenobio primitivo que formaron cuevas abiertas en la roca, quizá bajo el señorío de los reyes moros de Zaragoza[1]. El monarca navarro echó así los cimientos de una próspera y rápida colonización del Valle del Iregua, en el que se asentaron numerosos grupos mozárabes, cuya presencia e impacto muestra claramente la documentación de la zona[2].

Permítasenos esbozar, y sin pretensiones de ser completos en los detalles, la historia de este cenobio[3], tal como se puede reconstruir en sus grandes líneas a partir de la escasa documentación conservada, en parte en el Archivo de la Iglesia de la Redonda de Logroño, en parte en una copia de un viejo Cartulario de Albelda que se guarda en el Archivo de Simancas[4]. En 924, pues, Sancho Garcés en unión de su esposa doña Tota, en acción de gracias por la victoria obtenida con la toma de Viguera, funda el monasterio de San Martín de Albelda[5], ante el abad don Pedro, con una donación

[1] M. GOMEZ MORENO, *Iglesias mozárabes,* Madrid 1919, 292. Véanse además por vía complementaria los trabajos sobre eremitismo rupestre que se citan en pág. 28-29.

[2] J.M. LACARRA, «El primer románico en Navarra», en *Príncipe de Viana,* 5 (1944), 226-7.

[3] Algo así hace el trabajo de J. CANTERA ORIVE, «El primer siglo del monasterio de Albelda», en *Berceo,* 7 (1952), 293-308; 16 (1961), 81-96, 437-448; 17 (1962), 31-40, 201-206, 327-342; 18 (1963), 7-20, con materiales y puntos de vista aprovechables, aunque tratados difusamente.

[4] A. UBIETO ARTETA, *Cartulario de Albelda,* Valencia 1960; para un índice de estos materiales J. CANTERA, en *Berceo,* 16 (1961), 81-96 y 437-448; algunos documentos posteriores también da I. RODRIGUEZ DE LAMA, *Colección Diplomática medieval de la Rioja,* II, Logroño 1976.

[5] Documento de ca. 1095, debido a Mirón, (Logroño, Archivo de la Redonda, 2.3) en que se reseñan las propiedades de San Martín y el origen de las mismas (CANTERA, 82-85); Simancas, Archivo General, *Serie XXV —Mercedes Antiguas— V. 58.2; 4975,* carta 1; ed. T. GONZALEZ, *Colección de privilegios, franquezas, exenciones y fueros concedidos a varios pueblos y corporaciones de la Corona de Castilla,* V, Madrid 1830, 1-3. El privilegio fundacional fue confirmado por Sancho Abarca en 974.

muy amplia. En 925 los reyes otorgan a Albelda la casi totalidad de la villa de Alberite[6]; en 933[7] le es concedido Uñón con todos sus términos por García Sánchez de Nájera y su madre doña Tota; en 947 la villa de Mahave, municipio de Camprovín[8]. Por este tiempo ya se había adueñado de unas minas de sal en Geniz[9]. En 950 era abad Dulquito, que cuidó de aumentar el patrimonio del monasterio, lo que hizo sin grandes incorporaciones, si se exceptúa la del monasterio de San Prudencio de Monte Laturce[10]. Fue provechoso también el abadiato de Maurelo (971-979) que acompañaba a menudo a los reyes de Navarra en sus desplazamientos[11]. El siglo XI, con todo, marca el máximo de poder en Albelda. En este siglo se incorpora Pampaneto, en 1032 y 1048; grandes propiedades con el monasterio de San Cosme y Damián, en Viguera, en 1074; Yanguas, en 1075; también por estos años, los términos de Solio, quizá Desojo en Navarra[12]. Comienza en esta época una expansión destacada hacia Calahorra[13]. De tal manera, Albelda se extiende no sólo por el valle del Iregua sino por el de Leza, a los que prácticamente controla; tiene abundantes posesiones en Camprovín y otros puntos cercanos a Nájera, y poco a poco abre sus bienes hacia Alava (Oquina, en Apellániz y Yécora), por el Sur de Navarra (en Monjardín, Estella, en Yániz y en Marañón), y Ebro abajo en dirección de Calahorra y Arnedo. La expansión sigue las líneas de la Reconquista a principios del siglo XI y busca un territorio propio frente a otros monasterios sin apenas penetrar en tierras de Aragón. Indiscutiblemente desde mediado el siglo X jugó las bazas que le proporcionaron los reyes de Navarra, a los que intereses estratégicos, luego menguados paulatinamente, movieron a convertir a Albelda en una de sus piezas básicas de repoblación y restauración económica, no sólo frente a la región zaragozana, sino también a la muy importante de Soria[14].

[6] Cartulario de Simancas, carta 6, fol. II^{v}; Doc. de Mirón, pág. 86.

[7] Cartulario de Simancas, carta 4, fol. II; Doc. de Mirón, pág. 86.

[8] Doc. de Mirón, pág. 86.

[9] GONZALEZ, VI, 81; CANTERA ORIVE, en *Berceo,* 7 (1952), 299-307.

[10] El documento se conserva en Logroño, Archivo de la Redonda; fue publicado por L. SERRANO, «Tres documentos logroñeses de importancia», en *Homenaje a Ramón Menéndez Pidal,* 3, Madrid 1925, 171-179.

[11] CANTERA, en *Berceo,* 18 (1963), 13-20.

[12] GONZALEZ, VI, 48.74 y 75.77.72; CANTERA, en *Berceo,* 16 (1961), 84-86, 94-96.

[13] Donación de una casa con tierras y viñas en 1062, por Ramiro, hijo de García el de Nájera.

[14] J. PEREZ DE URBEL, «La Conquista de la Rioja y su colonización espiritual en el siglo X», en *Estudios dedicados a Menéndez Pidal,* I, Madrid 1950, 511-522, con ciertos puntos de vista diferentes.

En varias ocasiones, a mediados del siglo X, se convierte casi en tópico el dato de que en el cenobio albeldense viven como profesos doscientos o más monjes. Trátese de una hipérbole o de un número sólo redondeado respecto a la realidad, Albelda se nos aparece como una comunidad potente, de singular empuje en lo cultural. En sólo veinticinco años encontramos una actividad notable por lo que hace al escriptorio albeldense; quizá en los mismos años se pasó de poco o casi nada a una labor normal en el también recién constituido escriptorio de San Millán, que estudiamos en otro lugar. Y a pesar de este paralelo, no podemos menos de marcar que sorprende en Albelda la calidad excepcional de su producción, que nos ha llegado reducida a un mínimo, pero que muestra de modo definitivo que una serie de circunstancias singulares hicieron de aquel «atrio de San Martín», como le llaman a menudo las fuentes, un núcleo vigoroso y bien dotado.

En 951 nos sale por vez primera Albelda al encuentro con una brillante muestra de sus posibilidades culturales. El obispo Godescalco del Puy, acompañado de poderoso séquito, peregrinaba a Compostela, iniciando, al menos bajo nombre conocido, una ruta que iba a ser secularmente recorrida por millares de peregrinos. Permaneció en Albelda un tiempo, acogido al cenobio que regía el abad Dulquito, y aprovechó para hacerse sacar una copia de la obra de Ildefonso de Toledo, *de uirginitate beatae Mariae,* que realizó el presbítero Gomesano monje del «monasterio Albeldense en territorio de Pamplona», que allí vivía «con un ejército de Cristo de casi doscientos monjes». La copia estuvo a punto para que, a su retorno, se la llevase Godescalco a su patria aquitana en enero de 951, «por los días en que falleció el rey de Galicia Ramiro»[15], y se conserva ahora como sector B (fols. 69-160) del manuscrito París, Bibliothèque Nationale, *lat. 2855*.

La circunstancia en que se provoca la composición del códice suscita dificultades que no pueden ser ocultadas. En efecto, no se comprende cómo el obispo de Puy se acogió al monasterio de Albelda, situado lejos del camino que llevaba a Compostela. Tampoco se explica por qué razones escogió la obra de Ildefonso para llevársela consigo a Francia. Podemos sospechar que llegó a Albelda por razones, digamos políticas, como uno de los más importantes monasterios de la monarquía navarra. Quizá esto justificaría la alusión que hace Gomesano en su prólogo a que el cenobio de Albelda se encontraba *in finibus Pampilone,* determinación geográfica preferente en la narración, que de este modo parece adquirir todo su sentido.

Las lecturas peculiares del texto ildefonsiano en este manuscrito prueban su

[15] Del prólogo de Gomesano que puede verse en Apéndice I a).

cercanía, pero no dependencia, respecto a algunos otros códices, lo que nos pone en la pista para encontrar relaciones que ilustren la actividad del escriptorio de Albelda. Intentaremos definir su posición en la trasmisión para mejor comprender los modelos de que se sirvió Gomesano al realizar su ejemplar, que indiscutiblemente, según en su momento probó el último editor del tratado, representa una línea fundamental del texto, con autonomía y características propias, como es el haber concluido exabrupto el libro de Ildefonso y presentar éste dividido en seis lecciones, aparentemente para uso litúrgico. El hecho de que una obra tan extensa se haya dispuesto para este uso, implica que verosímilmente nos encontramos ante una liturgia monástica, porque no se puede pensar en liturgia catedral para tales horas y tal extensión. Esta división aparece en otros códices riojanos, o de ambientes próximos, pero no en el códice que actualmente se conserva en El Escorial sobre el que volvemos próximamente[16] .

Por lo que hace al análisis de variantes, las conclusiones exigen mucha matización, pues el estudio de aquéllas no ha sido realizado en las ediciones recientes, que se limitan a apreciaciones de carácter general basadas tan sólo en accidentes masivos como los dos que acabamos de mencionar: el final intempestivo y la utilización litúrgica. Elaborado un elenco de 149 variantes significativas[17] , que cumplen la doble condición de que no se refieren ni a citas

[16] Véase V. BLANCO GARCIA. *Santos Padres Españoles. I. San Ildefonso de Toledo,* Madrid (BAC) 1971, 27.

Véase pág. 183. A nuestros efectos, señalemos que nos interesan sólo tres de los manuscritos antiguos que trasmiten esta obra: el de Gomesano que comentamos, el del Escorial (*a.II.9*) y el Emilianense 47.

[17] De las 149 variantes consideradas, enfrentan *G*(omesanus) y *E*(scorial) con *M*(= San Millán) 34 lo que representa un 22,82%; *GM* se enfrentan a *E* en 38 variantes, esto es un 25,50%; *ME* se oponen a *G* en 58 variantes, o sea un 38,93%; finalmente en 19 variantes los tres códices se oponen entre sí (lo que hace un 12,75%). Como la media serían 43,3 variantes, resulta que la diferencia es marcada en la oposición *G*/v/*ME*. Entre las principales variantes señalo (con referencia a la línea de la edición Blanco): *ME* frente a *G:* 154 *complexu/amplexu,* 293 *coalescens/adulescens,* 299 *condignum/dignissimam,* 658 *deus*/om., 978 *conexione/cognitionem,* 1334 *et arcanis/et carnis,* 1349 *uirtutis/ueritatis,* 1415 *angeli seruiunt/seruiunt angeli,* 1509 *nec plus/ne amplius,* 1569 *natura/creaturam; GM* se enfrentan con *E* en: 15 *meam multam/multam meam,* 147 *diuina collatione/consolatione,* 434 *languescet/liquescet,* 1212 *seruaturos/seruituros,* 1263 *prauata/patrata,* 1286 *subiectis/deiectis,* 1450 *hoc est/est hoc,* 1470 *corruptionem/corruptam,* 1524 *completa/impleta,* 1608 *altero* + doxolog./*altero. Quia...*; *GE* se oponen a *M* en: 35 *propositione/professione,* 114 *suscipiendo/concipiendo,* 467 *uagabunde/sua gaudebunt,* 549 *continebunt/continuerunt,* 764 *properet/prosperet,* 1393 *impetebant/impetrabant.* Unas pocas variantes no son correlativas: 25 *adsistas* G, om. E, *existat* M; 93 *ad nouitatis inauditae* G, *hanc innouitatis naudite* E, *inauditu* M; 591 *quosdam saltus* G, *ad quosdam* E, *quosdam ut mirabilium;* 1058 *tanta et talia* G, *tantus de talibus* E, *talia et tanta* M; 1308 *acurris ad uirginem* G, *accurris ad hominem* E, *ueniens ad hominem* M.

bíblicas ni a diferencias exclusivamente gráficas, se obtienen resultados escasos en novedades. En efecto, de los accidentes masivos, entre los que cuenta en primer lugar el del final del texto en el manuscrito de Gomesano, sólo se había deducido una relación entre este manuscrito de Albelda y el de San Millán; pues bien, a partir de las variantes queda más clara la independencia de Gomesano, que presenta, no obstante, una conexión mayor con el códice emilianense y menor con el códice del Escorial. De aquí podemos concluir que el modelo usado en Albelda estaba íntimamente emparentado con el que luego se usó en La Cogolla, sin ser el mismo; una relación estrecha pero más laxa se daba con el arquetipo del Escurialense, que difería en buena parte de los dos anteriores y representa, contra la tendencia manifiesta en las ediciones, un texto, en líneas generales, más correcto y preferible[18] .

El manuscrito de Gomesano, que se conservó en el Puy hasta fines del siglo XVII, dió lugar a una numerosa descendencia que, aunque con contaminaciones, se reconoce por la presencia del prólogo del copista. Ofrece este manuscrito de París una elaboración muy cuidadosa, con letra clara, regular y esmeradamente elegante, en pergamino fino, con una distribución exquisita[19] . Además del tratado de Ildefonso contiene este manuscrito, siempre de la propia mano de Gomesano, la *uita Ildephonsi* por Julián de Toledo[20] , inclusión que nuestro códice sólo comparte con el Emilianense. Ahora bien, hemos de considerar en función de las posibilidades de Albelda el hecho de que allí existía un manuscrito que contenía el elogio de Ildefonso debido a su sucesor, justamente como broche de la serie *de uiris illustribus.* Esto se deduce de que el Códice Vigilano, al copiar esta serie, conserva aún huellas de la presencia del texto juliano, a pesar de que, por un error de copia a lo que parece, lo ha omitido Vigilán; tal error y falta han pasado tal cual, como era de

[18] Puede verse una prueba del cuidado de la copia en el hecho de que en su primera mitad Gomesano prestó atención a escribir siempre en pleno la sílaba *per,* evitando la abreviación hispánica que era confusa para un lector carolingio; las otras abreviaciones utilizadas o son comunes o no causan dificultad por el contexto. A pesar de esta delicadeza, espontánea o no, del copista, una mano del siglo XI hizo correcciones al texto o a su latinidad, sobre todo en la primera parte.

[19] La caja de escritura está basada en el rectángulo dorado; el modelo se compuso sobre la base de 16 unidades, correspondientes a las 16 líneas pautadas del texto, en la altura, frente a 10 de ancho, con notable regularidad en el cálculo. Si se tiene en cuenta que, en la práctica, las pautas verticales aumentan estas unidades a lo ancho de 10 a 12, tenemos una aproximación muy notable al rectángulo de Pitágoras (proporción 4:3).

[20] Una edición según el cód. León BC, *22* dió J. MADOZ, *San Ildefonso de Toledo a través de la pluma del arcipreste de Talavera,* Madrid 1943, 13.

esperar, al Códice Emilianense de Concilios[21]. Podríamos, pues, tener por auténtica trascripción de aquel manuscrito, entonces en Albelda y ahora perdido, el texto que nos dejó Gomesano como introducción a su copia del *de uirginitate*, supliendo de esta forma el descuido o error de Vigilán. El códice de Godescalco de Puy contiene además, al final, los *Dicendi uersiculi ante lectum episcopi,* neumados. La relación de estos *uersiculi* con su restante tradición merece dos palabras por nuestra parte: ante todo digamos que la mención del obispo debe ser una adaptación del copista para el caso concreto de Godescalco. En el otro códice que trasmite estos poemas (porque se trata en realidad de dos exorcismos) van empalmados uno tras otro también, de modo que, salvo la inicial correspondiente a una lectura de la época, nada los diferencia: en realidad sí se distinguen, porque el segundo poema no sólo lleva un refrán sino que está compuesto en dísticos elegíacos, mientras el primero es rítmico como había señalado su más reciente editor. Uno y otro han salido de medios monásticos; y han sido compuestos en los siglos VIII-IX a juzgar por ciertos minúsculos indicios. ¿Cuál ha sido la fuente de donde Gomesano ha sacado los poemas? Si tenemos presente que van neumados en uno y otro manuscrito, y que entrambos los hacen seguir de una especie de rúbricas, deduciremos que tenían uso litúrgico privado. Desde el punto de vista textual, es de advertir, como señala sobradamente la edición que presentamos, que las lecciones de Gomesano son, en general, buenas. Si, como propendía a estimar Traube, los versos tienen origen mozárabe, garantizan de una parte una inspiración eugeniana, y de otra una tradición ascética conocida en ambientes cristianos[22].

No deja de tener interés para nosotros considerar la técnica de preparación del pergamino. Es éste muy fino, como queda dicho. El pautado consiste en dobles rayas verticales que delimitan por un lado y otro la única columna en que se copia el texto. Tanto los pinchazos para guiar estas vertica-

[21] C. CODOÑER MERINO, *El «De viris illustribus» de Ildefonso de Toledo,* Salamanca 1972, 90 dice a propósito de Escorial, *d.I.2:* «Sigue al catálogo de Ildefonso un extracto de la biografía escrita por Julián de Toledo; se ve que ha habido una confusión al copiar porque, a pesar de omitirse la biografía de Julián, un *hucusque Felix* nos indica que ha sido tomada de un modelo donde sí se hallaba. A continuación (f. 337rb), la biografía de Salvo de Albelda». Y más adelante, a propósito de Escorial, *d.I.1:* «La distribución es exactamente igual que la de d.I.2... La obra de Ildefonso ocupa los folios 347ra - 347va. También le sigue la vida de Salvo de Albelda».

[22] Edición de L. TRAUBE, *M.G.H. poet. lat. med. aeui,* III, Berlín 1896, 149-150, según Madrid Bibl. Nac., *10029* (códice de Azagra). Nuestra nueva edición en Apéndice X, donde avanzamos unas notas sobre la técnica de elaboración de los poemas. Véase además M. VENDRELL PEÑARANDA, *Las Antologías poéticas Hispanas. Contribución al estudio de la vida literaria de los siglos VI-IX,* tesis, Santiago 1976, 184-185. La edición de J. GIL, *Corpus scriptorum muzarabicorum,* Madrid 1973, 690-691 sigue el solo códice de Azagra.

les, como los que por el borde exterior del folio sirven para fijar la pauta horizontal, fueron hechos con un compás muy afilado que produjo cortes regulares y limpios. Las 16 rayas por folio sólo se marcan con todo cuidado de una a otra de las verticales interiores. El trazado de la pauta se hizo después de plegar cada dos bifolios. Los cuaterniones no van numerados pero llevan reclamo[23] .

El conjunto, pues, del códice no sólo está logradísimo desde el punto de vista textual sino que todo, contenido y presentación, y ésta en su doble sentido de aire gráfico y disposición del material, lo convierte en una verdadera joya bibliográfica de manejo muy personal[24] . Pero hemos de subrayar un aspecto poco tenido en cuenta: tanto la división en lecciones como la distribución del texto en una sola columna, así como la presencia de los *Versiculi,* de que hemos hecho mención arriba, mueven a entender este precioso ejemplar como una especie de devocionario, o libro de edificación. Ningún criterio estrictamente cultural o literario ha determinado su elaboración a pesar de la presencia de la biografía de Ildefonso. El manuscrito ha sido copiado, con gran verosimilitud, como un libro para satisfacer la devoción de Godescalco, y para ser utilizado personalmente con aires litúrgicos. Esta curiosa conclusión, que se nos impone a partir de una interpretación completa de los datos, otorga al códice realizado por Gomesano una nueva e inesperada dimensión.

En cuanto al copista del manuscrito, el monje Gomesano, bien merece una pequeña atención de nuestra parte. A él se debe únicamente, según los datos que por ahora poseemos, la primorosa copia de Ildefonso de Toledo que comentamos. Pero no podemos tenerlo por un simple escriba, pues compuso un prólogo para su copia que nos lo descubre como erudito y atento latinista, capaz de elaborar su texto, lamentablemente corto, con buena técnica y cierta soltura. Lo comentaremos aquí para justificar nuestras observaciones no sin advertir que Gomesano dió ya en su trascripción una idea de lo que quería ofrecer.

El prólogo del copista se nos presenta como una verdadera introducción a la recensión de Ildefonso que copiaba; compruébalo el hecho de que co-

23 Anoto que en el fol. 159 una nota del s. XV advierte: «hic desunt octo folia»; aunque el cuaternión está completo, falta en el texto, como señala la edición correspondiente, un fragmento bastante importante por el final. El sentido, pues, de la anotación es obvio: una comparación con otro manuscrito de esta obra llevó a la sospecha de que faltaban folios, explicación escasa pero realista para el accidente que caracteriza el manuscrito de Gomesano.

24 Dimensión total 205x145, casi un «livre de poche» para aquel tiempo.

mienza en el verso del primer folio, dejando en blanco el recto, a modo de guarda, que sirvió para la escritura de la plegaria del canónigo Abraam[25]. A la vez tal prólogo comporta todos los rasgos propios de un colofón o suscripción amplia, tales como el nombre y condición del copista, lugar y circunstancias de la copia, contenido del texto, ruego de bendición celestial como recompensa por la labor, y, finalmente, fecha de la conclusión de la copia.

Sin embargo, más que el contenido de este prólogo nos interesa aislar algunos de sus rasgos literarios para apreciar la formación de Gomesano. Por lo que hace al léxico digamos que es bastante rico y variado, usándose, por ejemplo, *arcisterio* para designar el cenobio de Albelda, mientras *atrium* se reserva para la iglesia de S. Martín; su vida monástica se describe como *regulariter degens* y *sub regimine patris almi... Dulquitii abbatis;* la obra de Ildefonso se describe como *luculentissime editum,* y las palabras de éste son *dulcia... diuino munere compta eloquia.* Pero sobresale el arte de la distribución de los vocablos. El viaje de Godescalco se describe en parte mediante la simple sucesión de participios[26], recurso que renueva para determinar la obra ildefonsiana que se debe a inspiración divina, imitación de los profetas, ilustración del evangelio y de los apóstoles y argumentación de los grandes escritores eclesiásticos anteriores y contemporáneos: *diuino inspiramine afflatus/oraculis prophetarum inbutus/euangeliorum testimoniis roboratus/apostolorum documento instructus/celestium simul et terrenorum contestatione firmatus.* Es innegable que nos hallamos ante una estructura de cuatro cola, de los que los

[25] Véase el prólogo en Apéndice I, *a)* (fol. 69v del códice de París). El texto de Abraam puede verse en Apéndice I, *b)*. Hago aquí las siguientes puntualizaciones: esta plegaria es poco más que un zurcido, medianamente hábil, de textos bíblicos y litúrgicos. La escritura es visigótica con ciertos rasgos cursivos, pero trazada con bastante soltura. Todo sugiere que Abraam haya sido una especie de secretario y devoto seguidor de Godescalco, por el que sentía tanto respeto y veneración como para parafrasear e imitar textos bíblicos referidos a Jesús y verterlos a favor de Godescalco (así líneas 18-20: *Gotiscalcus... natus super terram apparuit... in quo die natus...*); son también excesivamente recargadas las oraciones que hace por él. Desde el punto de vista de la composición del texto, parecen poder distinguirse dos momentos: uno, tomado de la *Missa omnimoda* visigótica, que conocería en la Península, en que se ha sustituido sólo el nombre del obispo (líneas 1-12 en el Apéndice); y otro, más personal en que se hace gala de una «deuotio» a ultranza, en el que también cambia, para empeorar, la corrección gramatical del texto. Sin embargo, el hecho de que el final de la oración nos presente a su autor probable, Abraam, del que conocemos por otras fuentes su condición de canónigo del Puy, nos libera de un análisis más minucioso de este curioso y significativo texto. No sería, empero, de excluir que la plegaria fuera elaborada por un clérigo hispano: incitaría a esta hipótesis el uso de oraciones del *Liber sacramentorum* (en este caso, igual a *Liber ordinum*) en el zurcido; esta misma razón se opondría a la hipótesis al hacer trivial la explicación.

[26] *egressus a partibus Aquitaniae... magno comitatu fultus, ad finem Gallaeciae... concitus, dei misericordiam... imploraturus.*

primeros presentan elementos iguales (ablativo, genitivo, adjetivo, participio) y el último, correlativo con los anteriores, el elemento genitivo amplificado. Ha visto bien Gomesano que en la obra de Ildefonso hay un ingrediente básico, las citas bíblicas como hilo conductor, unas veces de tipo profético-mesiánico, y otras de tipo narrativo, en Evangelios y en Pablo[27]. Más original me parece, si mi interpretación es correcta, el modo de descripción de los padres eclesiásticos a los que se alude tanto con el término *contestatio* como con la forma *firmatus* en relación con los otros participios. Esta técnica no es ocasional en Gomesano; un paralelo muy significativo con notable dispersión encontramos en *et credulus hauriet suauitatem/et anceps reperiet unde a se procul repellat erroris prauitatem*, donde además debemos subrayar la contraposición *credulus/anceps,* que da a éste un valor poco frecuente en la antigüedad (no «incrédulo» ni «herético» sino «de fe insegura»); otro paralelo en *gladio ueri dei Iubeniani perfidiam uulnerauit/pugione uerissimae rationis Elbidii errorem destruxit,* con el contraste curioso *ueri dei/uerissimae rationis* así como el de *perfidiam* y *errorem,* ambos en su sentido de «herejía», y todo recalcado por la diferencia entre los nombres de los dos antiguos herejes contra los que había escrito Jerónimo.

He querido señalar minuciosamente estos mecanismos para que quede clara una conclusión. Gomesano no es sólo un copista delicado y concienzudo, elegante y seguro, como deja ver el manuscrito que realizó, sino que además posee un aceptable conocimiento de la lengua, conocimiento que ha perfilado con una reflexión o estudio calmado del propio Ildefonso, cuyas técnicas, aunque sea de manera superficial —no se puede exagerar—, imita con bastante soltura. Su léxico variado y preciso, su construcción prácticamente impecable, pero sobre todo sus recursos retóricos, nos lo presentan como una de las personalidades relevantes de este monasterio de San Martín de Albelda, de cuyo servicio y dependencia tan orgulloso se halla.

A partir de estos datos se nos permitirá hacer ciertas conjeturas. Quizá por su formación técnica y literaria fue elegido para preparar la copia destinada al obispo del Puy. Que en el aspecto paleográfico representa una de las cimas de la más elegante escritura visigórica está fuera de duda cediendo en este campo a muy pocos, quizá al solo Florencio de Valeránica; pero también en lo que hace a su cultura latina no sólo es el primero de aquel tiempo en

[27] El plural *apostolorum* responde, pues, a concinnitas con otros elementos. Sobre estas técnicas y sus variantes en Ildefonso de Toledo tengo presente el trabajo exhaustivo de J. BALLEROS MATEOS, *Estudios sobre el estilo sinonímico latino: El tratado de Virginitate Sanctae Mariae de Ildefonso de Toledo,* tesis mecanogr., Salamanca 1973.

Albelda sino que resiste satisfactoriamente el parangón con Vigilán[28] . La adaptación que realiza Gomesano de los tópicos de copista en beneficio propio para convertirlos en esquema de su prólogo nos induce a pensar dos cosas: la una, que estos tópicos eran lo suficientemente importantes y representaban una retícula tan exigente y viva que no se sabía en estos casos, ni se quería, prescindir de ellos; segundo, que nos encontramos en este siglo X, como vamos viendo, con un creciente desarrollo en prólogos, colofones y suscripciones de los elementos personales anteriores, hasta el punto de que las frases trilladas que habían caracterizado los tópicos de copista adquieren nueva vida al romperse sus clisés para dar paso a lo que podríamos denominar realizaciones literarias de mayores alientos.

Creo que aquí debemos hacer un alto para dedicar breve atención a un personaje singular de este momento: Salvo de Albelda[29] . Su noticia biográfica que aquí reeditamos[30] nos lo presenta como ilustre gloria del cenobio albeldense, avezado a la producción literaria, en géneros tan diversos como una regla monástica para uso femenino y composiciones litúrgicas, éstas descritas en la forma de oficio completo con sus himnos, oraciones, antífonas y misas. Como ya hemos indicado[31] , la biografía nos sitúa en el contexto que encuadra a Salvo de Albelda entre las grandes figuras de la Iglesia, que dieron a ésta lustre al poner a su servicio toda su erudición y capacidad literaria. Salvo, del que sólo sabemos, por otro lado, que sucedió a Dulquito, sobre 953, en el abadiato de Albelda, rigió este monasterio sólo hasta 962 en que se sitúa su fallecimiento. Aunque no nos es posible identificar las supuestas obras de Salvo[32] , encontramos pie para considerar la actividad de Salvo en el hecho

[28] De Gomesano conjetura que pudo ser maestro de Vigilán, y organizador precipuo del escriptorio albeldense en sus comienzos, J. CANTERA ORIVE, «Un ilustre peregrino francés en Albelda», en *Berceo*, 3 (1948), 427-442. Advierto al lector que Cantera estudia y comenta el códice como un todo sin diferenciar los dos sectores, por lo que parte de los problemas que plantea, y resuelve satisfactoriamente, no existen en realidad. Me cuesta trabajo aceptar, por razones cronológicas y paleográficas, que nuestro Gomesano sea el mismo personaje que en 914, como diácono copiaba en Cardeña unos Morales de Gregorio Magno. Se hace difícil creer que a 36 años de distancia la grafía pudiera seguir siendo tan firme y regular como en el códice de Ildefonso; cf. J. PEREZ DE URBEL, en *Estudios dedicados a Menéndez Pidal*, Madrid 1950, 519.

[29] El único estudio serio y no completo, con que contamos para este personaje es el de CH. J. BISHKO, en *Speculum*, 23 (1948), 568-590; noticias complementarias en A. LINAGE CONDE, *Una regla monástica riojana femenina del siglo X: el «libellus a regula Sancti Benedicti subtractus»*, Salamanca 1973, 135-138.

[30] Véase Apéndice II.

[31] Pág. 23-24.

[32] BISHKO, (v.n.29), 577 recoge y desarrolla la opinión de F. DE BERGANZA, *Antigüedades de España*, I, Madrid 1719, 243, de que se le debe el *libellus* transmitido en Madrid BAH, *cód. 62* (v.p. 32).

de haber sido el instigador de Vigilán para llevar éste a cabo su obra manuscrita[33] . De otra parte, la redacción que le atribuye su biografía de una regla femenina, aunque no se admita que se haya trasmitido en el códice de Enneco Garseani, nos pone en contacto, como señaló atinadamente Bishko, con los restos de reglas y comentarios regulares de todo tipo que fueron objeto de especial investigación y adaptación en la Rioja, según prueban los fragmentos correspondientes que nos ofrece el Códice Vigilano[34] ; y ello justifica y aclara los juicios que, en frases prestadas de Isidoro de Sevilla e Ildefonso de Toledo, compone el anónimo autor de la biografía de Salvo[35] . Bishko estima que «su íntima conexión con el escriptorio de Albelda en el período de su mayor gloria resulta obvia»[36] ; quizá sus conocimientos literarios y su habilidad oratoria, que no negaríamos aún habiéndose utilizado para describirla palabras anteriores, se debieran a su preocupación por los libros, con lo que a la vez aclararíamos la riqueza manifiesta que casi de repente nos descubre Albelda. Las raíces de la formación de Salvo, sin embargo, quedarían para siempre sin aclarar; acaso el entusiasta discípulo que compuso su loa tuvo empeño en prescindir de estos precedentes para situar a mayor altura su capacidad intelectual[37] , cosa que hace ajustadamente aprovechando de Ildefonso la noticia biográfica que éste dedica a un poeta bien conocido, Eugenio de Toledo.

Precisamente en lo que hace a poesía intentóse cubrir el vacío sobre la producción himnológica de Salvo atribuyéndole Pérez de Urbel[38] la autoría del

[33] Escorial, *d.I.2,* f. 428ᵛ ; véase DIAZ Y DIAZ, *Lateinische Dichtungen des X. und XI. Jahrhunderts,* Festgabe Bulst, 1979.

[34] Véase adelante, pág. 67.

[35] Señalo que, aunque no tengamos la certeza de que sea debido a Vigilán, todo parece apuntar en esta dirección: en efecto, se menciona allí el enterramiento de Belasco, obispo de Iruña (Pamplona) y discípulo predilecto de Salvo, a los pies de su maestro. Belasco muere en 972 o poco después, y el códice Vigilano se concluye en 976. El texto de la biografía es de la mano del copista Vigilán, según me parece, y va insertado en su punto preciso tras los resúmenes de los tratados *de uiris illustribus;* desde aquí al final del códice queda un buen trecho, y ello aunque la parte de la *Lex* se suponga elaborada con anterioridad, cosa verosímil. Tenemos, pues, un lapso de unos tres años entre 972/973 y 975/976 para datar la composición de esta noticia.

[36] Art. cit., (v.n.29), 576.

[37] Entiéndase que ése puede ser también el sentido de la contraposición que establece el narrador entre sus excelsas cualidades intelectuales y su aspecto físico. Véase Apéndice II, aparato.

[38] J. PEREZ DE URBEL, «Origen de los himnos mozárabes», en *Bulletin Hispanique,* 28 (1926), 231-232. En realidad Pérez de Urbel querría atribuirle no sólo el himno de estas santas sino el de santos Facundo y Primitivo y de Santo Tomás que supone proceder de la misma mano, basándose en la localización geográfica de aquélla y en el hecho de que su himno no aparezca en el llamado himnario toledano. Había querido también atribuirle un himno de San Martín (p. 226), pero la propuesta fue rechazada ya por A. LAMBERT, en *Revue Mabillon,* 26 (1936), 4.

himno de Santas Nunilón y Alodia, cuyo culto en el siglo X se hizo muy popular en tierras de Rioja; la conjetura, empero, resulta indemostrable aunque sea sugestiva.

Después de la delicada muestra del arte y la habilidad caligráficos vigentes en Albelda que es el códice de Gomesano, volvemos a encontrar otra cima de esta técnica en el célebre manuscrito denominado por antonomasia Albeldense, ahora Escorial *d.I.2*[39] , también llamado Códice Vigilano, del nombre del principal copista del mismo. Merece la pena que prestemos detenida atención a esta joya de nuestra paleografía.

Trátase de un grueso libro de gran formato, aparentemente escrito por una sola mano, que sería la de Vigilán, en diversos tiempos. Parece haberse iniciado su copia en 974[40] , y concluido en mayo de 976, como con no disimulado orgullo repite una y otra vez el copista al darle cima[41] , acreditando además la unidad de la obra al preocuparse de anotarlo en los primeros y últimos folios del manuscrito. Este presenta iniciales con entrelazos, o zoomórficas, y epígrafes en uncial a dos tintas. Varias páginas llevan mosaico (como fol. 19 y 19ᵛ) y otras, orlas con temas vegetales estilizados. Abundan las miniaturas, entre las que sobresalen los retratos de tres reyes (Chisdanvindo, Recesvindo y Egica en fol. 428), de los tres reinantes contemporáneos (la reina Urraca, el rey Sancho y su hermano Ramiro) y de los tres especialistas colaboradores en la confección del manuscrito (Vigilán, su socio Sarracino y el discípulo de aquél, García)[42] .

[39] Descripción en G. ANTOLIN, *Catálogo de los Códices Latinos de la Real Biblioteca del Escorial,* I, Madrid 1910, 368-404. Los datos materiales son: escrito en 429 fols. de 455x325 mm., distribuido a dos columnas. Para bibliografía hasta 1960 véase A. MILLARES CARLO, *Manuscritos visigóticos,* Madrid 1963, nº 22; P. KLEIN, *Der ältere Beatus-Kodex Vitr. 14-1 der Biblioteca Nacional zu Madrid,* Hildesheim 1976, 562 (nota 118); añádase G. MARTINEZ DIEZ, (cit. n. 40), I, 114-117; DIAZ Y DIAZ (cit. n. 42), 195-196. Las simples menciones, singularmente en lo que hace a sus aspectos artísticos, son abundantísimas, por lo que nos vemos obligados a reducir su rica literatura a los trabajos citados. Toda la información debe redondearse con cuanto se escribe a propósito del Conciliar Emilianense; véase pág. 155-156.

[40] A juzgar por una noticia de adaptación a un *annus praesens* en el fol. 72ʳ . Esta noticia que se viene trasmitiendo de copia en copia en esta familia Oxomense, la ha trascrito tal cual de su arquetipo datado en 778, por el reinado de Abderrahman I. En el Albeldense la data se ha actualizado. Sobre esta nota y su valor para la filiación del Oxomense llamé por primera vez la atención en «Pequeñas aportaciones para el estudio de la Hispana», en *Revista española de Derecho Canónico,* 17 (1962), 382-383; sobre ella ha construido muy valiosamente G. MARTINEZ DIEZ, *La Colección Canónica Hispana,* I, Madrid 1966.

[41] En el acróstico de fol. 429 y su nota marginal (v. Apéndice VIII), en el fol. 4 y en el fol. 428.

[42] Con sus explicaciones al margen: *hii sunt reges qui abtauerunt librum iudicum* (sobre el valor de *aptare* v. mi art. «*La Lex visigothorum* y sus manuscritos», en *Anuario de Historia del Derecho Español,* 46 (1976), 195-196). Sobre las restantes notas, véase Apéndice VIII.

El manuscrito interesa no sólo por su aspecto externo sino también por su contenido que estudiaremos a continuación, ponderando en cada caso las medidas que tomó Vigilán para que su notable complejidad no oculte los verdaderos objetivos de la copia[43]. Dos son las grandes obras que justifican el códice, de un lado la Colección de Concilios Hispana y de otro, el Fuero Juzgo o *Lex Visigothorum*. La primera abarca del fol. 20 al 340v, y comprende no sólo el texto de los Concilios regionales, singularmente hispanos, que integraban esta colección ya convertida en colección canónica oficial de la Iglesia de Hispania, sino también los llamados *Excerpta canonum* con sus índices y poemas introductorios[44], y las Decretales pontificias precedidas de sus títulos y capitulaciones[45]. La segunda obra, que se ofrece como completísima *(liber iudicum sat abtius),* lleva delante los títulos correspondientes[46].

Que estos dos tratados constituyen el núcleo mismo y la razón de ser del Albeldense queda confirmado por razones de tipo codicológico y de tipo textual. Por las primeras descubrimos que, como era costumbre inveterada que se observaba con escrúpulo, cada una de estas dos obras se inicia en el verso de un folio, ya que el recto solía reservarse como guarda para evitar deterioros; en verdad que no es frecuente que esta disposición se mantenga en las diversas piezas que se incluyen en un manuscrito, sino sólo en la primera, pero a no dudar en este caso significa que Vigilán quiso considerar cada una de ellas una obra por sí misma. A esta conclusión nos llevan otras razones textuales, como la de que en el prefacio poético, si puede llamarse así, con que se inicia el códice[47], se habla de los *libri canonum*, con indudable alusión a la primera parte del contenido[48]. El libro de Cánones se vuelve también

[43] Seguimos, por descontado, la cuidadosa descripción de ANTOLIN, *cit.* (v.n.39).

[44] En el manuscrito ocupan los folios 20v - 70 (el texto de los Concilios, en f. 70v - 238). Sobre todo este complicado conjunto véase ahora G. MARTINEZ DIEZ, *La Colección* (cit. supra nota 40), 114-117, y passim para los problemas conexos, que en II, Madrid 1976, 43-214 edita estos *Excerpta* y los poemas, mejorando así la vieja edición de F.A. GONZALEZ, *Collectio Canonum Ecclesiae Hispanae,* Madrid 1808, luego reproducida por Migne, PL 84, 23-92.

[45] Fols. 249-252v, el texto de las cartas papales en fols. 253-340.

[46] Fols. 358v- 359; el texto de la *Lex* en fols. 359-422v.

[47] Fol. 1, véase texto en el Apéndice XXII, 1.

[48] No oculto, empero, que el resto del poema parece no pasar de ser una adaptación de otro, destinado a una Biblia o mejor un *Liber commicus* litúrgico, quizá copiado por el propio Vigilán, ya que nada en caso contrario justifica las alusiones a *infola uatum,* a *euangelistarum,* a *acta apostolorum,* y la curiosa mención incompleta de *noui ac ueteris* (indudablemente *testamenti*), que así reflejarían las lecturas usuales en la Misa visigótica. En este caso sólo habríamos de explicar el curioso orden de la enunciación de los textos. Me resisto a creer que se interpretan como bíblicas unas disposiciones canónicas bien descritas en el v. 7 de este poema prefacial; pero en es-

a mencionar detalladamente en el poema de Vigilán que nos trasmite el f. 428v [49] : allí leemos frases como *incepta canonis sacri huius libri ad calcem opera perduxi* que se aclara con la mención de los *florida patrum orientum clara concilia* a los que se añaden los *almifica regum ac presulum occidentalium*. Esta última frase sugiere, sin duda, los decretos regios y las leyes dadas en confirmación de los concilios mismos.

La imaginación y atención de que en todo momento hace gala Vigilán justifica el hecho de que para acreditar su copia de la *Lex visigothorum* haya utilizado otro procedimiento diferente: como ya hemos indicado más arriba, en el fol. 428, es decir antes del poema final del códice, aparecen pintados los tres reyes a los que se atribuyen prácticamente todas las leyes del código visigótico, excluidas las reseñadas como *antiquae,* que, como tales, no circulan bajo el nombre de ningún rey. Cuando en esta lámina los responsables del manuscrito señalan que Chindasvindo, Recesvindo y Egica fueron los que remataron y completaron el Libro de los Jueces, se nos advierte también que el códice contiene su legislación, de la misma manera que la iconografía y leyenda de los tres reyes navarros nos llaman la atención sobre el interés, quizá lejano pero no menos verdadero, que tendrían en esta copia. Cuando en el folio siguiente se escribe la frase relativa a los decretos regios, bien cabría que se esté queriendo resumir el contenido global de nuestro manuscrito.

Pero no se agota en estas dos obras el riquísimo índice del Albeldense. Un conjunto importante lo forma la serie *de uiris illustribus,* que ocupa solamente los folios 341-343: aparecen los tratados pertinentes de Jerónimo, Genadio, Isidoro e Ildefonso, seguidos por las biografías de Julián y Salvo de Albelda[50] . Era buena la recensión, pero ha sido copiada con un criterio que no se comprende bien, pues más que copia encontramos una síntesis de las noticias biográficas que apenas rebasa un elenco de los nombres descritos en cada obra. ¿Cuál habrá sido la razón a que obedeció tan extraña actitud? Si consideramos que hay diferencias entre algunas biografías de Isidoro y de Ildefonso, podríamos pensar si todo el conjunto no obedece a un proceso anterior a la

te caso, a mi entender, se plantea la duda de cómo pudieron ensamblarse un códice conciliar y un *liber commicus,* o, en la otra alternativa, un códice conciliar y una Biblia. Tampoco puede pensarse sin más en una adaptación de otro poema, porque a esto hace dificultad el acróstico. Y, sin embargo, no debemos olvidar que en su folio 13 el códice Emilianense de Escorial *d.I.1,* sobre el que puede verse p. 155-160, presenta otro poema también destinado originalmente a anunciar un códice bíblico o litúrgico, aquí ya sin la menor modificación que aluda a los textos conciliares (ver el texto en Apéndice XI, *a)*.

[49] Editado en nuestro Apéndice XXII, 7.

[50] Sobre esta biografía véase lo dicho en pág. 62-63, y el texto crítico en nuestro Apéndice II.

actividad seleccionadora de Vigilán, realizado quizá ya en Toledo, urbe regia a la que parecen apuntar textos tan singulares como el *Ordo de celebrando concilio,* seguido de la *Exhortatio ad principem* con que forma cuerpo, aquí amplificada con una exhortación tomada de la Homilía XVII al Evangelio de Gregorio Magno[51], y precedida del Símbolo *Quicumque.*

Mientras este conjunto nos orienta hacia Toledo, nos llevan a los tensos ambientes monásticos de la Rioja en la segunda mitad del siglo X los extractos que ocupan los folios 350-351v. Constituyen éstos una selección de sentencias sacadas en buena parte de la Regla de S. Benito con adiciones peculiares en que se incluye la única mención conocida en la Península hasta este tiempo de la *Regula Magistri;* con esmero literario se insertan además frases entresacadas de Agustín y Jerónimo, sin incurrir en desfases conceptuales[52]. Representan uno de los intentos de modernizar el monacato peninsular y no sería sorprendente que pudiéramos atribuirlo ya que no a la pluma, sí al menos al ambiente de Salvo de Albelda, cuya preciosa biografía se inserta unos folios antes. Todo ello va seguido de otra serie en que encontramos unos sermones seudoagustinianos, unas sentencias sacadas de Isidoro y de la propia colección de Concilios y un penitencial importante cuyos elementos básicos llegaron a la Península desde allende los Pirineos, y que se extendió por territorio de Castilla posteriormente con una cierta descendencia no exenta de interés[53]. Podrían, por consecuencia, tenerse todas estas páginas como aprovechadas de otras fuentes[54] en búsqueda de nuevas y más exactas orientaciones

[51] Fol. 343v - 345v. Advierto al lector que parece que no sólo está trasmitido por este códice y su derivado el Emilianense, excluido el célebre Codex Rachionis que pereció en Estrasburgo en 1870, sino que existe otra copia antigua en Vercelli (cf. L. ROBLES CARCEDO *Prolegómenos a un «Corpus Isidorianum»,* tesis, Valencia 1971, 212); ahora disponemos de una cómoda reimpresión de este importantísimo texto en *Patrologiae Latinae Supplementum,* IV, París 1967, 1865-1876.

[52] A. LINAGE CONDE, *Los orígenes del monacato benedictino en la Península Ibérica,* León 1973, 824.

[53] Sobre estos penitenciales y su difusión v. «Para un estudio de los penitenciales hispanos», en *Etudes de Civilisation médiévale,* Poitiers 1974, 217-222.

[54] También en este caso, probablemente, nos encontramos ante la aceptación de un ensayo anterior a nuestro códice, aunque bien pudiera tenérsele por casi contemporáneo: el conjunto que comentamos ahora y que tiene como centro el Penitencial, recoge bajo el nombre de Agustín, como es habitual, una pieza auténtica y dos pseudepígrafos debidos en realidad a Cesáreo de Arles (serm. 58 y serm. 13). Aunque las obras de este escritor se difundieron rápida y extensamente por la Península —algún día habrá de hacerse el elenco de ellas, la valoración de su influencia y la descripción de los caminos seguidos—, podríamos imaginar que su presencia aquí pueda estar en relación con los orígenes mismos ultrapirenaicos del Penitencial. Desde el punto de vista que nos ocupa, se trasladaría el interés de la selección y reunión de los textos que integran este conjunto por simple pero también valiosa preocupación por cuál pudo haber sido el sentido que Vigilán quiso imprimir a estos folios al incluir en ellos estos textos.

disciplinares, quizá en un ambiente antiárabe y antijudío marcado, lo que no desentona con las peculiares condiciones en que se fundó Albelda y con la frecuente población mozárabe refugiada que llegó a dominar en el valle del Iregua. Justamente una orientación análoga serviría para explicar la presencia, en los cuaterniones que van de los folios 234 a 249, de una serie de textos muy curiosos, el que viene siendo llamado Cronicón Albeldense, exactamente porque se conoció en primer término por este manuscrito, pero que en realidad, como es sabido, no pasa de ser una crónica surgida al calor de la corte, probablemente en Oviedo, lo que implica un viejo contacto historiográfico que ya hemos analizado en otro lugar[55], unos extractos del tratado antijudío de Isidoro de Sevilla, con las capitulaciones completas, y unos textos antimahometanos[56].

No es fácil decir si todo este conjunto ha llegado hasta nuestro Albeldense ya constituido o si ha sido en Albelda donde se ha realizado su conjunción; nos inclinamos por la primera posibilidad, aunque no podamos decir en qué circunstancias ni con qué supuestos. Los textos antimahometanos, originarios de la Spania mozárabe, al norte de Córdoba, debieron circular por la región navarra ya desde mediado el siglo IX, al menos en su mayor parte. La historia de la trasmisión textual de la obra *contra Iudaeos* de Isidoro[57] no es clara en lo que hace a su difusión por la Península, pero cabe asegurar sin incurrir en grave error que el texto proviene acaso de la región de Zaragoza donde, al menos a fines del siglo VII, se desarrolló una intensa actividad literaria antijudía[58].

Que tras estos textos haya un sentimiento latente, o más manifiesto de lo que se esperaría, antijudío, lo confirma la presencia, a continuación de la *Lex visigothorum*[59], de tres textos de fines del siglo VII originarios de Toledo, quizá también difundidos a través o desde Zaragoza. Cuánto cuesta, no obstante, atreverse a sostener que todo este complejo mundo de los comentarios

55 «La historiografía hispana desde la invasión árabe hasta el año 1000», en *La Storiografia altomedievale*, Spoleto 1970, 325-328.

56 Sobre la historia de estos textos antiárabes, véase mi art. «Los textos antimahometanos más antiguos en códices españoles», en *Archives d'histoire doctrinale et littéraire du Moyen Age*, 37 (1970), 149-164.

57 Fols. 243-247.

58 Tales son las conclusiones probables que deja entrever el estudio de A. PALACIOS MARTIN, *El «liber de uariis quaestionibus aduersus Iudaeos seu ceteros infideles». Aportaciones para el estudio de la literatura antijudía hispano-latina*, tesis, Salamanca 1971, 56-57.

59 Fols. 422v - 428; publicólos G. ANTOLIN, en *La Ciudad de Dios*, 74 (1907), 574-575.

o textos antijudíos pueda obedecer a una particular situación en 976 en Albelda o su región, se deduce del hecho de que, a menudo, estas series de tratados acaban formando conjuntos, elaborados y puestos a punto para unas circunstancias dadas; después se difunden como llenos de interés, pero ya carentes de la importantísima nota de actualidad.

Todavía hemos de señalar que en los folios iniciales aparece una colección de textos, figuras y cuadros relativos a cronologías, calendario litúrgico, cálculos pascuales, y un antiguo poema *De uentis,* para rematar con unos esquemas sobre parentesco y afinidades, en su mayor parte extraido todo de las Etimologías de Isidoro, con un claro sentido litúrgico y pastoral[60] . Muchas de estas piezas suelen encontrarse en manuscritos de uso litúrgico, pero su aprecio era tal, quizá porque en algunos casos estos cálculos pascuales representaban todo lo que llegaba a conocerse de lo que nuestro manuscrito llama el «arte provechosa de los números» (*Ars proficua arithmetice*), que pasaban por extenso de uno a otro manuscrito e incluso se conservaban cuando un códice dejaba de estar en uso[61] . No es éste el caso de nuestro libro, pues Vigilán se ha «actualizado»: aún a título anecdótico, recordemos que en el fol. 12^{v} se ven nueve signos, quizá recien introducidos desde la Hispania musulmana, las llamadas cifras árabes que «hoy por hoy son el más viejo testimonio occidental en que de modo consciente se da noticia de ese sistema nuevo y revolucionario que los árabes decían haber tomado de los indios»[62] .

Vigilán escribió su precioso códice en honor de San Martín, como ha ponderado en varios momentos y como señala una vez más el mosaico del folio 19. Un nuevo mosaico en folio 19^{v} nos da el nombre del abad Maurelo, del que pasaría a ser propiedad el manuscrito; pero debió ser escaso el papel desempeñado por este personaje respecto al manuscrito porque, contra lo que se esperaría, no hacen referencia alguna a él los poemas distribuidos por el cuerpo del códice, que, por el contrario, aluden repetidamente a la comunidad puesta bajo el patrocinio de San Martín, y al recuerdo de Salvo. Lo que sí permanece rodeado de misterio es el camino seguido por este códice para llegar de Albelda al Escorial: sabemos que pasó con todos los documentos y piezas del monasterio a Santa María la Redonda de Logroño, pero no cómo llegó

60 Fols. 4-14^{v} . Véase, a propósito de las piezas que habrían de ser análogas del Códice Emilianense del Escorial, pág. 158.

61 No se alcanza, en cambio, la razón de la presencia de los fragmentos *de orbe* y sobre *paradisus* (fol. 17^{v} - 18), como no sea la de una curiosidad más para aprovechar dos folios dejados en blanco entre los títulos de la *Excerpta canonum* y los mosaicos de dedicación del manuscrito. Sobre los textos de cómputo de este códice véase A. CORDOLIANI, en *Revista bibliográfica y documental,* 5 (1951), 117-140.

62 G. MENENDEZ PIDAL, «Los llamados numerales árabes en Occidente», en *Boletín de la Real Academia de la Historia,* 145 (1959), 179-208.

a manos del Conde de Buendía que lo regaló a Felipe II. Tampoco puede explicarse el acceso a poder del Conde si este manuscrito fue uno de los que pararon tras mil aventuras en Toledo[63].

Huella de la existencia de otro códice similar, debido al mismo Vigilán, nos queda en un poema copiado en el siglo XI, no sabemos bien con qué finalidad, en un manuscrito emilianense, Madrid Archivo Histórico Nacional, *1007 B.* Trátase de un poema acromesoteléstico según cuya leyenda Vigilán remitía un manuscrito a un abad de nombre Montano, desconocido por lo demás: *membrana missa a Vigilane Montano,* es el letrero que en este caso componen las iniciales de 29 estrofas trísticas, cuyos versos rematan siempre en la misma letra[64]. Según el texto de este poema, Vigilán, presbítero[65], envía sus saludos a Montano, también servidor de Cristo, que rige una comunidad de monjes, en la era 1018, o sea el año 980, como una mano del siglo XVIII calculó en el margen del folio. En este momento nos interesa que el contenido del manuscrito se asemejaba al que Vigilán había confeccionado, cuatro años antes, para Albelda: una colección de concilios, en forma primero sintética y luego integral, lo que equivale a describir los *Excerpta canonum* y la Hispana. Menciónanse después textos referentes a ayunos y disciplinas, mención no muy precisa que bien podría encubrir el conjunto penitencial y disciplinar a que arriba aludimos al describir el códice Albeldense[66], aunque con gusto lanzaríamos la conjetura de que en este nuevo códice habría ampliado Vigilán aquellos resúmenes y series de sentencias copiados en el Albeldense, a juzgar por la importancia que el detalle de los versos les atribuye. Seguirían normas de vida monástica muy concretas, que de nuevo nos hacen imaginar que Vigilán habría aumentado su selecta[67] y reunido acaso un libro de

[63] G. DE ANDRES, «El primer catálogo de manuscritos de la Biblioteca de El Escorial, 1572», en *Homenaje a Federico Navarro,* Madrid 1973, 21-22.

[64] Edición primera de D. DE BRUYNE, «Manuscrits wisigothiques», en *Revue Bénédictine,* 32 (1920), 16-18. Nueva edición en nuestro apéndice XXII, 10. Véase Lámina 3, con reproducción del texto.
Había descrito ya el logogrifo del acromesoteléstico ARGAIZ, *La Soledad Laureada,* II, 321, que hablando de San Millán y tras mencionar el códice Albeldense dice: «Y porque he tocado en Vigila, monje Albeldense, no quiero dexar a otro Vigila, monje de San Millán (sino es el mesmo) que por sus escritos parece auer sido persona grave y observante; porque en el Archivo de aquel Monasterio, he leydo una instrucción en prosa y versos acrósticos, de el modo de governar los monges, y disponer las horas de el día, escrita a una persona noble llamada Montano, que avía dexado el siglo y metídose monge. Escribió en año de 980, según parece por los acrósticos...».

[65] Esta dignidad la poseía, según fuentes documentales, desde 973; véase pág. 368-370; nada obsta, naturalmente, el que ya fuera abad como parece probado, porque aquí no habla como padre espiritual. Como conjetura adicional indicaría que el no presentarse como abad siéndolo obedecería a una delicadeza para con Montano.

[66] Folios 356-357 de éste; véase pág. 67-68.

[67] Folios 350-352 del Albeldense; véase pág. 67.

reglas monásticas, otorgando probablemente un puesto más relevante que en 976 a la regla benedictina, según se desprende de cómo recomienda a Montano, que de éste *religio perenniter ualeat.* De tal suerte, tenemos una referencia cumplida para establecer que este códice perdido viene a ser, con ligeros cambios quizá, un doblete del códice de 976 y un eslabón nuevo respecto a la serie Albeldense-Emilianense. Como éstos, podría contener también el Fuero Juzgo, pues no es de olvidar que en ninguno de los dos conservados se presta atención a la compilación jurídica al tiempo de indicar en poemas sus contenidos. Justamente esta exclusión debe tener un significado que habremos de desentrañar: son los reyes los interesados en la copia del Fuero Juzgo, y a ello obedece su representación pictórica en el códice Albeldense; pero desde el punto de vista eclesiástico son los textos canónicos los que importan en cuanto organizan la vida religiosa y la disciplina, por lo que se produce la especial vinculación con las comunidades respectivas.

Aunque sean tan magras nuestras noticias sobre el segundo ejemplar de Vigilán[68] , nos ilustran sobremanera sobre el interés que el contenido de los códices que hoy se exhiben con orgullo en El Escorial tenía para la Rioja en este último cuarto del siglo X. Nos vemos obligados a considerar si no se habrá pensado, en una de las regiones claves del Norte peninsular, en una auténtica reconstrucción del estado y de la iglesia visigóticos, como ideal eclesiástico más que político. Este afán de restauración tuvo que ser fuerte como para provocar y sostener las tres copias de manuscritos de tanta riqueza, y probablemente quedó tronchada con las violentas y trágicas campañas de Almanzor que bien pudieron ser dirigidas de manera fundamental a estas regiones para yugular de raíz estos nuevos intentos de enardecer a los cristianos, como otras campañas buscaron destruir las fuentes de riqueza de los reinos norteños.

Desde el punto de vista paleográfico y codicológico se nota en la obra de Vigilán una limpieza y esmero exquisitos en la escritura. La letra siempre regular ofrece un aspecto cuidadoso y atento, guardándose los márgenes, sin forzar los tipos, con una tendencia notable a obtener una disposición equilibrada en cada renglón, tanto en lo que hace a astiles como a caidos, forzando a veces la ortografía, sin incurrir en extravagancias, para que no excedan los trazos verticales de las letras que sobresalen del renglón a los que bajan de él. Uno de los rasgos más notables de esta regularidad puede verse en el hecho de que no tenga necesidad Vigilán casi nunca de apretar la letra o reducir su módulo para encajar un texto en un espacio dado. En más

[68] Tenemos que aludir ahora a las elucubraciones que sobre una noticia equívoca e imprecisa de Nicolás Antonio hacemos a propósito del manuscrito emilianense Madrid BAH, *cód. 34*; véase pág. 212-215.

Sobre una posible copia de otro manuscrito de Vigilán, véase nuestro añadido en p. 85 nota 104.

de una página se observa una tendencia a la estilización al modo de la escritura de Florencio de Valeránica, sin llegar al preciosismo de éste. La preparación del pergamino es muy constante e igual, lo que demuestra la competencia de García, quizá en su calidad de ayudante *(discipulus)*, encargado de esta tarea. Como se hace habitual en los grandes códices, la pauta, regular y delicadamente trazada, consiste en doble vertical para delimitar cada una de las dos columnas; las rayas horizontales en número de 39 van fijadas por guías pinchadas en el borde exterior, y se mantienen en las columnas, en general. La diversidad de capitales, la elegancia de los títulos y la perfección de todos los gráficos e imágenes, han sido siempre ponderadas: título de honra para Sarracino, que como colega de Vigilán (*socius*) ha de ser quizá tenido por principal responsable de la parte iconográfica. La actividad conjunta de este equipo, y su propia existencia, nos están denunciando una vitalidad singular en el escriptorio de Albelda, lo que hace honor a una tradición que, para nosotros, se había inaugurado con la obra de Gomesano.

Un aspecto muy importante, al que se nos permitirá que prestemos rápida atención, es el de la habilidad de Vigilán como escritor. En sus poemas figurados[69] se parte de tópicos de escriba, tales como el de la dificultad de la escritura, los esfuerzos físicos y mentales que exige, el terror que siente el amanuense ante el material en blanco y la extensión de la tarea que le aguarda, para llegar a otro tópico menos reconocible, el de los resúmenes más o menos estereotipados de las obras que se copian[70] .

La expresión formal tiende a complicarse progresivamente mediante la utilización de la técnica glosográfica, que consiste en la sustitución continuada y casi sistemática de términos corrientes de la frase por otros más rebuscados tomados de glosarios, hasta llegar a formulaciones nuevas[71] . Los calificativos se acumulan sustituyendo a giros enteros, distribuidos de manera sorprendente: *almus/almificus,* por poner un ejemplo, se dice sucesiva y reiteradamente de los concilios y de los coros celestiales, de la comunidad de monjes de Albelda y del propio monasterio, de la gloria celestial y del Espíritu Santo. La

[69] Tal como indiqué arriba, una primera edición completa de todas estas piezas acaba de aparecer (véase n. 33); la he repetido en Apéndice XXII gracias a la generosa autorización de los editores, a los que expreso mi vivo reconocimiento.

[70] Tópicos del copista constituyen propiamente el cañamazo de los poemas 1, 7, 8 y 9; los poemas 2-6 podemos considerarlos desarrollo o amplificación retórica del tópico de la petición de bendiciones sobre los artesanos que intervienen en la confección del códice y los benefactores que hacen posible su elaboración.

[71] Así, en el primer colofón, encontramos vocablos como *nauiter, globans, limpha, floriger, unatim, turma,* y juegos verbales como *lucet. sicut luna sancta ecclesia inlustrata fulgens lumine domini, lota linfis* o *unatim post illuc uniti.* Se hace innecesario acumular más ejemplos sacados de otros poemas.

terminología de la luz, hecha tópico, se encuentra usada con chocante riqueza[72]. Basta considerar los pocos versos de cada una de estas composiciones y, sobre todo, la sencillez interna del mensaje para adivinar el esfuerzo de nuestro escritor aún cuando se limite a emplear frases hechas y sentencias poco personales.

Esta variedad y deseo de deslumbrar parecen enseñarnos ante todo que el rebuscamiento no es simple producto de la actitud literaria de Vigilán, sino que quizá se deba más a las exigencias de las distintas piezas y del género; después, que no es fácil, ni siquiera a través de los glosarios al uso, encontrar las fuentes en que se basó el monje de Albelda, en el que creemos que puede descubrirse una tendencia al aligeramiento de la lengua entre sus producciones de 976 y de 980. Así como su doctrina parece haberse tornado más exigente, su expresión se ha simplificado.

El conocimiento del latín por parte de Vigilán no se circunscribe a lo gramatical y léxico; en los poemas que venimos comentando él mismo se encarga de informarnos puntualmente del metro por él elegido para realizar su composición, y nos da cuenta de la forma, estructura y modelo de este metro, de las posibilidades de licencias, y aún en un caso de los dos modelos, uno clásico y otro cristiano, a que se ajusta[73]; y ello a pesar de que el poema correspondiente esté compuesto rítmica y no métricamente. Más todavía, en los primeros versos de algunos poemas, a veces en todos los versos, se ofrece la escansión dibujada sobre los textos respectivos.

La valoración de los logros de Vigilán, tanto en lo que hace a sus formas de lengua como a su habilidad en la selección de textos, nos permite entrever la existencia de una escuela no simplemente paleográfica, quizás asistemática, en que se combina la enseñanza gramatical con un estudio pormenori-

[72] Recuérdese *lux luminis* (dicho de Cristo), *preclari, radians, uernantia, coruscans,* y en los colofones: *clara, lucet, inlustrata fulgens lumine, claris rutilat, fulgida, luciflua, radio... inluminans purissima, renitens elucet, fulgida... turma luciflua, inlustri sidereis, pura, clara, candida, rutilant, iubar enitens, fulgeat, lumen, almum, luce... tui luminis, floreat lucens... lumine, claritate fulgeat, splendor, inradiati fulgeamus, enitens, inclite.*

[73] En el poema 1 se dice al margen, en letra menudísima de anotaciones: *Metrum trocaicum quod ex troceo nomen accepit, locis omnibus ponitur et in septimo cum catalepton huius exemplum: psallat altitudo celi, psallant omnes angeli;* al margen del poema 7 hay la nota, pero falta el ejemplo anunciado; el poema 8 lleva esta marginal: *metrum iambicum exametrum recipit pedes hos loco I spondium in ultimo pirricium reliquis iambicum huius exemplum ibis liburnis inter alta nabium et aliui ita, o magne rerum Xpiste rector obtime, et cetera.* El ejemplo del poema 1 es Prudencio, cath. 9, 22; los del 8 son Hor. epod. 1.1 y Braulio Cesar., hymn. s. Aemiliani 1: obsérvese que los versos no horacianos que sirven de ejemplo están tomados de la liturgia.

zado de las técnicas métricas, que se practican a partir de la imitación de poemas litúrgicos y de piezas de todo tipo, singularmente las conocidas a través de otros manuscritos dentro del género de las suscripciones amplificadas.

En esta línea merece la pena subrayar que, aún cuando en la Rioja se dio una construcción relativamente frecuente de poemas figurados, nunca se había alcanzado el alto y vario nivel de la producción de Vigilán, que recuerda muy de cerca creaciones similares del mundo carolingio. La tradición visigótica de los acroteléstícos se ha visto enriquecida con otros artificios que se habían puesto de moda del otro lado de los Pirineos. No podríamos olvidar que, a mediados del siglo IX, Eulogio de Córdoba había encontrado un manuscrito de Porfirio Optaciano con sus poemas figurativos en algún centro monástico del Pirineo navarro[74] ; pudo este modelo ejercer influencia todavía en los medios en que se movía Vigilán, y en este caso es de notar la calidad de las producciones de éste: si es verdad que el contenido desmerece hasta hacerse puramente ocasional y distorsionarse plegándose a las exigencias de la combinatoria de las figuras, las obtenidas son notables y muy logradas, realzadas además por una decoración muy elaborada[75] .

Albelda se nos ofrece así, a través de la obra de su gran calígrafo, con una calidad y unas disponibilidades excepcionales.

No concluyó aquí la diligencia del escriptorio de Albelda. Como era de esperar en él se copió asimismo una Biblia, por lo menos, de la que no nos queda lamentablemente más que un resto mínimo, pero muy significativo. Hace ya años en Logroño apareció un folio, escrito a dos columnas, pro-

[74] En el mundo visigótico tal artificio aparece entre los poemas de Eugenio de Toledo (carm. 16, 20, 28 ed. VOLLMER, *MGH. auct. antiqu.*, XIV, 246-252); el máximo de interés y novedad en la producción de Valerio de Bierzo (véase *Anecdota Wisigothica* I, Salamanca 1958, 103-116). Numerosos himnos litúrgicos quizá de época visigótica ofrecen estos mismos artificios (cf. BLUME, *Hymnodia Gothica,* Leipzig 1897, n° 130, 151, 169, etc). No sabría decir si el acróstico que compone Albaro de Córdoba en honor de su amigo Eulogio (ed. J. GIL, *Corpus scriptorum muzarabicorum,* Madrid 1973, 358) obedece a una tradición visigótica, quizás a través de la liturgia, o es consecuencia del hallazgo de Optaciano de que se habla a continuación.

Por lo que hace al mundo carolingio, mencionemos, sin ánimo de ser exhaustivo ni abrir camino a una búsqueda especial de este campo, nombres como los de Alcuino, Teodulfo, Bernowin, Milon, Walafrido Estrabón y especialmente, en función de códices, el colofón, por ejemplo, de St. Gallen *187* (DÜMMLER, *MGH, poet. lat. m.a.*, II, 479). Albar. Cordub. vita Eulogii 9 (ed. GIL, 335): *in quibus locis multa uoluminum librorum repperiens abstrusa... Porfirii depincta opuscula... reportauit.*

[75] Me gustaría ponderar esta circunstancia. Para ello tengo que recordar que en el Códice Emilianense (véase p. 161-162) se ha comenzado por fabricar este marco decorativo que ha quedado lamentablemente en blanco al haber fallado el compositor, o su inspiración (véase p. 162).

cedente del monasterio de Albelda[76], que contiene parte de la Segunda Epístola de San Pablo a Timoteo (3, 11-fin) y la Epístola a Tito casi completa. En el recto, una inicial miniada (P), que representa al Apóstol con báculo en una mano y la otra levantada, puede ponerse en relación por técnica y características con otras del Albeldense. También la letra recuerda en la forma de los remates, en las tendencias de los caídos y en su aire general la de Vigilán, aunque la de la Biblia no parece de éste, e incluso me atrevería a considerarla posterior, como hago aquí[77]. Las capitales del único título reproducido hasta el momento aparecen más toscas que en el Albeldense, aunque, como queda dicho, la letra corriente no desmerece en nada.

Con todo el interés que pudiera tener la filiación de este códice bíblico para mejor situarlo, o disponer de información antigua sobre él, lo cierto es que carecemos de toda noticia que nos aclare su historia y calidad. Y la exigüidad del texto trasmitido tampoco nos facilita un estudio provechoso para determinar las posibles relaciones con las Biblias de región castellana[78].

[76] Logroño, Instituto de Estudios Riojanos, *M 263*. Lo describió por vez primera L. SANCHEZ BELDA, «Aportaciones al «Corpus» de códices visigóticos», en *Hispania,* 10 (1950), 438. 440-441, con reproducción del recto en su Lámina I; de aquí A. MILLARES CARLO, *Manuscritos Visigóticos,* Madrid 1963, nº 207 = *Hispania Sacra,* 14 (1961). La hoja fue descubierta por el insigne investigador riojano D. Pedro González y González, cuya magnífica biblioteca constituye la base de la que posee el Instituto de Estudios Riojanos, en Logroño. Según indicaciones del propio descubridor que acompañan al folio, éste, «se hallaba sirviendo de forro a una Ejecutoria de un pleito litigado y ganado contra el Ayuntamiento de Logroño por los Cabildos unidos de las Colegiatas de Albelda y Logroño en el año 1571».

[77] Me permito dar aquí los datos codicológicos básicos del folio: a dos columnas, delimitada cada una por sendos pares de verticales a cada lado; la pauta horizontal está constituida por 51 líneas, que cruzan el intercolumnio, aunque no parece que ninguna llegue al margen exterior ni a la zona de pliegue. El pautado ha debido ser hecho después de plegado el bifolio correspondiente por el sistema A-B, porque siendo este folio que se conserva en Logroño el último del cuaternión ha recibido la impresión de la pauta por el recto desde el anterior. No quedan huellas de pinchazos: iban, pues, por el borde exterior. Las dimensiones de la caja son 355x220 mm.; el folio, ahora, aun recortado, mide 490x315 mm. Amplios y generosos son, por tanto, los márgenes. En el verso del folio se conserva todavía la marca del cuaternión correspondiente: LVIIII, lo que nos lleva a considerar que el códice consistía en casi 500 folios para toda la Biblia, en un solo volumen.

Quiero aún añadir las siguientes observaciones: el módulo de la letra normal —en la capitulación de la Epístola a Tito todavía es menor— resulta algo inferior al usual en Vigilán; también formato y pautas difieren, bien que coincida una enorme cantidad de rasgos gráficos (copetes de astiles, alternancia cuidada de ambos tipos de *d* minúscula, etc).

[78] T. AYUSO MARAZUELA, *La Vetus Latina Hispana,* I, Madrid 1953, no lo cita. Queda, por supuesto, eliminada la posibilidad de que este folio proceda de la Biblia de Valvanera (v.p. 93-94); de todas maneras, no nos sorprendería que se pudiera establecer una íntima relación entre aquélla y nuestro folio: los amplios márgenes todavía ofrecen restos de anotaciones de variantes bíblicas, como vemos que se ponderaba que tenía la de Valvanera.

Más de medio siglo transcurre, cargado de los problemas y dificultades que provocó la trágica actividad de Almanzor, desde estas producciones albeldenses hasta que encontramos un nuevo manuscrito de estas tierras, también singularmente prestante[79]. Parece como si las obras salidas del escriptorio de Albelda que se conservan fueran pocas pero de calidad muy selecta. En 1054 se copia en Albelda, por orden del abad de San Prudencio de Monte Laturce (Logroño), dependiente del mismo Albelda, un *Liber Ordinum*. Se encarga de su confección Bartolomé, presbítero, que lleva a cabo su obra con gran diligencia y a expensas de un matrimonio piadoso de Albelda. El códice se conserva actualmente en Silos, en cuya biblioteca lleva el número 4[80], y antes la cota *C*. Trátase de un soberbio manuscrito, en que salvo unos pequeños añadidos todo se debe a la pluma de Bartolomé, que traza una letra amplia, clara, redonda y bien terminada, y presenta rasgos característicos, como rematar los astiles o bien en un ataque de pluma biselada o bien en una especie de doble pico abierto formando entrada entre sus dos partes. Las rúbricas y los textos antifonales aparecen en letra de módulo menor que alterna muy bien con el cuerpo de texto, y lleva los mismos rasgos, más finos y algo más estilizados. Es decir, encontramos en este códice una buena muestra

[79] Prescindo por el momento de tomar muy en cuenta la ingeniosa conjetura de G. MARTINEZ DIEZ, *La Colección Canónica Hispana,* II, Madrid 1976, 21, según la cual puede haber sido copiado en Albelda, mejor que en San Millán de la Cogolla, el códice Emilianense de Concilios, Escorial, *d.I.1,* del año 992 (véase pág. 155 ss). Básase en indicios congruentes de la evolución de los llamados *Excerpta Canonum.* Un manuscrito de región probablemente soriana, Escorial, *e.I.12,* es modelo indiscutible de la parte correspondiente del códice Albeldense y del Emilianense: en el arquetipo, en torno a los mediados del siglo X, alguien tomó sobre sí la enorme tarea de sustituir el sistema de referencias a los cánones de los concilios en más de 1600 fórmulas condensadas, por el que se corresponde con el contenido amplificado y reordenado de la recensión conciliar del propio Escorial, *e.I.12.* Tal cual pasó esta nueva situación al Albeldense, y al menos éste fue tenido delante con toda certeza para la elaboración del Emilianense, detalle que todos los estudiosos han deducido de la chocante identidad de ambos manuscritos. Ahora bien, Martínez Díez prueba que en la parte, notable, en que el Emilianense aporta nuevas piezas y una ordenación algo diferente para las comunes tuvo presente un manuscrito de la Hispana cronológica que no era Escorial, *e.I.12* sino un tercero, de remoto origen catalán. Esto no sólo probaría «la riqueza de códices conciliares y la actividad escritoria del monasterio de Albelda», sino que llevaría a pensar que «no es ninguna conclusión aventurada el apuntar como escritorio verosímil del Emilianense el mismo cenobio de Albelda» (p. 21). Esta audaz conjetura aclararía la presencia de las imágenes de los reyes de Navarra en el Emilianense y otros detalles de que haremos mención al estudiar este códice.

[80] Descripción de M. FEROTIN, *Le liber ordinum en usage dans l'église wisigothique et mozarabe d'Espagne du cinquième au onzième siècle,* Paris 1904, xvii-xxiv; Férotin lo tomó como base de su propia edición. Nueva descripción por W. MUIR WHITEHILL-J. PEREZ DE URBEL, «Los manuscritos de Santo Domingo de Silos», en *Boletín de la Real Academia de la Historia,* 95 (1929), 535-539. Véase además MILLARES CARLO, *Manuscritos visigóticos,* Madrid 1963, nº 159. Sobre el contenido litúrgico de este libro, bastante abigarrado, véase pág. 190. Lámina 4.

de la que llamaremos, de modo general, forma de manuscritos litúrgicos. Estos, al revés de lo que caracteriza a los otros libros, presentan siempre, o tienden a presentar, una letra más llena, con mayores espacios, con distribución usual en una sola columna, como conviene a unos libros que se han de leer en voz alta y en público, cuando no debe caber posibilidad de confusiones fáciles de línea o columna, y cuando la existencia de rúbricas e instrucciones litúrgicas hace recomendable la distinción entre éstas y el texto correspondiente.

Pero volvamos a nuestro manuscrito de Monte Laturce. Es importante insistir en la fecha que nos da el colofón que ocupa los folios 331^v y 332^r y que ha sido editado varias veces por su interés[81] : el año 1052. Pocos años después comenzaron a cuajar los movimientos de la reforma litúrgica que sustituyeron la hispánica tradicional por la romana. Férotin supuso que una de las razones de la excelente conservación de este códice se debió a haber caído sus textos pronto en desuso, pues es verdad que «como pocos manuscritos de su época ha llegado hasta nosotros con tal aspecto de frescor y de juventud»[82] . Ahora bien, no es éste el caso: el manuscrito fue usado como demuestran de un lado las instrucciones de copia que se descubren en sus páginas, y de otro los textos añadidos al final por dos manos distintas que procuran imitar los trazos más peculiares del copista Bartolomé. El códice contiene una serie de piezas previas que ocupan el primer cuaternión y que se trasmiten también en otros ejemplares litúrgicos: un calendario o martirologio, un reloj de tipo primitivo, las fórmulas para anunciar festividades y la tabla de materias o índice.

Desde el punto de vista de Albelda permítaseme llamar la atención sobre las instrucciones de copia a que me he referido: débense al propio Bartolomé por lo menos tres de ellas, y en una hay parte escrita en rojo. ¿Cuál es el sentido de estas notas marginales?[83] . Indudablemente nos hallamos en un taller de libros, y Bartolomé aprovecha la ocasión para reordenar una nueva

[81] Repetimos su texto en el Apéndice VI, para que el lector disponga a su antojo de pieza tan curiosa.

[82] Ibid., p. xvii. Añade, en verdad, otras dos razones: que el copista empleó, con su talento de escritor, materiales de primera calidad, y que los archiveros de la vieja abadía castellana lo guardaron con celoso cuidado. De todas las razones parece preferible la que se base en la excelente calidad de los materiales y de la confección. Estas explicaciones han sido recogidas por Whitehill-Pérez de Urbel.

[83] He aquí, editadas por primera vez, las notas de referencia: f. 72^v , bajo resguardo rojo, en letra de Bartolomé *Scribe prius Hec secundum petitionem tuam et perge ante te ad Scribendum;* f. 188^v : *scribe prius missa Deus fons bonitatis et pietatis origo. Post missa que dicunt pro rege inuenies* (que, en efecto, se encuentra en f. 221^v); f. 296: *hunc responsum require in ordine uiatico;* f. 324, de otra mano: *adscribe Ut eorum illi coram te societate.*

copia del *Liber ordinum*, lo que significa que en parte puede atribuírsele la compilación de ciertas fórmulas y en parte la dirección de la copia posterior: Bartolomé, pues, no es un simple amanuense sino un responsable, y el escriptorio de Albelda se nos insinúa como provisto de personal y de una organización en esta mitad del siglo XI, después de lo que habíamos encontrado en el códice Albeldense. A pesar del tiempo transcurrido, Albelda no había perdido su puesto importante en la trasmisión de los textos; a lo largo de cien años, y a pesar de que sólo hemos podido describir cuatro piezas con certeza allí generadas, se conservó en actividad muy cualificada aquel gran monasterio riojano.

De la historia posterior del códice poco hay que decir: el calendario, que es indudablemente obra del propio Bartolomé contra lo a veces afirmado[84], contiene diversos añadidos en diciembre (*Obitus sci Pauli confessoris Xpi: sancte Lucie uirginis et martyris xpi: sanctorum Iusti et Habundi martyrum xpi: sancte Melanie ///// et confessoris xpi*); en fol. 342 una misa por padres y hermanos, en letra menos amplia que la de Bartolomé, pero clara, regular, con tendencias levógiras y angulosas; finalmente, en fol. 343^{v} comienza a escribir otra mano distinta, que por su carácter pintoresco podremos tener por posterior y artificiosamente imitada de la de Bartolomé[85]. Todo esto prueba que el códice no dejó de usarse tan pronto como se ha asegurado de vez en cuando.

Mención especial acaso merece la presencia, al margen de las siete oraciones de la Misa omnímoda, de siete carteles, la mayoría en forma de escudete, que contienen las definiciones que de cada una de aquellas oraciones había dado Isidoro de Sevilla en su tratado «Sobre los oficios eclesiásticos»[86]; notamos que de esta obra isidoriana nos había dado el índice y extractos Vigilán en el Códice Albeldense, lo que indica no sólo la presencia en Albelda de un manuscrito de estos libros del Obispo de Sevilla, sino el aprecio en que se les tenía. Y a la vez una especie de preocupación docente que lleva a recoger esta enseñanza para formación de los usuarios del *Liber ordinum*,

[84] J. Vives -A. Fabrega, en *Hispania Sacra*, 2 (1949), 341, piensan que el Calendario ha de ser «muy posiblemente del siglo X».

[85] Baste señalar que unas veces, para la final *-ius*, coloca el epísemon a la derecha de la *I longa*, y que por lo menos en tres ocasiones lo sitúa alto pero a la izquierda. Además algunas abreviaturas, como *fmes*, extrañan al lector.

[86] Isid. eccl. off. 1, 15. El texto de las notas lo ha incluido Férotin en su edición, cols. 233-239. Añadamos que esta misma explicación la incluyeron Beato y Heterio en su obra contra Elipando (PL 96, 939), pero con variantes que no coinciden con el texto de nuestro manuscrito, que conviene perfectamente con el de Isidoro.

a cuyas oraciones se encomienda concretamente Bartolomé en su colofón[87] .

Por lo que hace al texto, hemos de comentar finalmente dos puntos; uno, que nuestro códice no es simple trascripción de un modelo, sino que acaso Bartolomé quiso formar un volumen de las fórmulas más importantes que encontró en los rituales antiguos que estaban a su mano, cosa que él subraya en el colofón calificando su obra de «muy completa» (*aptum*); y dos, que a pesar de ciertas leyendas según las cuales este manuscrito podría haber sido presentado al papa como pieza demostrativa de la ortodoxia y corrección de la liturgia hispánica en el pleito por la supresión de ésta, la verdad es que no hay pruebas suficientes de que tal pleito haya tenido lugar en la forma que recogen narraciones idealizadas; nada, pues, confirma que el códice de Monte Laturce haya estado efectivamente en Roma en manos del papa Alejandro, poco después de 1065, y ello aunque la narración corespondiente mencione como uno de los manuscritos presentados el *Ordinum maioris Albeldensis cenobii ubi continetur baptismum et sepultura*[88] . Aún dando por cierto, lo que no está al abrigo de discusión, que haya existido tal pleito y viaje a Roma, la identificación con este *Ordinum* es muy sospechosa e insegura.

Según cuanto antecede, en Albelda, a lo largo de un siglo, un escriptorio bien organizado estuvo funcionando de modo que pudo producir códices de la mayor calidad, únicos que han llegado a nosotros. De su biblioteca poco podemos decir salvo que contenía la obra de Isidoro, pues tenemos huellas suficientes para las Etimologías, el *de uiris illustribus* y el *de ecclesiasticis officiis*; la de Ildefonso, pues conocemos los resultados de haber poseido el *de uirginitate* y el *de uiris*; las Reglas, entre las cuales la de Benito, del Maestro, de Isidoro y de Fructuoso; la Hispana y textos conexos; el Fuero Juzgo; libros litúrgicos abundantes y variados para realizar incluso selecciones; obras históricas provenientes de Asturias como la Albeldense o la de Alfonso

[87] Como detalle complementario de la preparación del códice, digamos que presenta reclamos en el último folio de cada cuaderno, lo que nos dispensa de elucubraciones sobre algunas pérdidas (un cuaderno entero entre fols. 278 y 279, que correspondería a los *Ordines* nº 27 y 28; probablemente otro entre fols. 318 y 319, con pérdida del *Ordo* nº 39 y la mayor parte del nº 40; bifolios arrancados o cortados, fol. 165^{v} y en f. 335). El manuscrito, por tanto, no se ha conservado tan fresco y lozano como decía FEROTIN (arriba, v.n. 72), xvii.

[88] FEROTIN, p. xix; CH. J. BISHKO, en *Speculum*, 23 (1948), 565; contra, con fuertes argumentos P. DAVID, *Etudes historiques sur la Galice et le Portugal*, Lisboa 1947. El texto trasmitido por el Códice Albeldense y por el códice Toledo, Biblioteca Capitular, *31,19* fue editado por H. FLOREZ, *España Sagrada*, 3, Madrid 1748, xxx-xxxi.

III; textos de origen mozárabe; Biblias, etc.[89] .

Añadamos a todo esto que Alfonso X el Sabio, cuando inicia la actividad recopiladora para la preparación de sus resúmenes historiográficos, firma en Santo Domingo de la Calzada en 1270 un recibo por el que reconoce haber recibido prestados de la librería de San Martín de Albelda un libro de Cánones, unas Etimologías de Isidoro, un Casiano con sus Colaciones y un Lucano[90] .

Uno tiene el derecho de preguntarse si quedará algún resto o indicación que pueda identificar como conservados estos códices. Parece probable que el «libro de los Cánones», mencionado además en primer lugar, haya de hacerse coincidir con el Albeldense del Escorial, acerca del cual nunca escasearon los elogios y el devoto aprecio de los eruditos desde el siglo XVI; y así sería ésta la primera cita del códice[91] . Más costoso sería actualmente localizar el Casiano y el Isidoro: para el primero hay que dejar constancia de que un fragmento de las *instituta* queda en Silos, procedente de Nájera[92] , y que entre los códices de San Millán aparecen dos manuscritos incompletos de las *collationes,* de los que uno bien podría ser el de Albelda que aquí menciona el rey Alfonso el Sabio, sobre todo habida cuenta de que en ninguna de las listas y referencias de códices de San Millán se registra la obra en doble ejemplar[93] . Por lo que hace al manuscrito de las Etimologías de Isidoro tampoco nos es posible dar más luz. Contando con razones estrictamente paleográficas uno se sentiría tentado a identificarlo con el códice Escorial *&.I.3,* del año 1047, que suele admitirse, con liviano fundamento a decir verdad, que perteneció a la reina Sancha y a su hijo Sancho, y que habría sido escrito por un cas-

[89] No situaremos en Albelda, sino en los entornos de San Millán, el códice de Beato que guarda Escorial, *&.II 5,* aunque allá lo sitúa M. MENTRÉ, *La miniatura en León y Castilla en la Alta Edad Media,* León 1973; ciertas relaciones con el códice Albeldense, lo que nos llevaría a colocarlo en Albelda, ya había establecido E. SERRANO FATIGATI, en *Boletín de la Sociedad Española de Excursiones,* (1899), 1-10 y 100-108; véanse sobre este manuscrito y su aguda problemática las págs. 207-209.

[90] *Memorial Histórico Español,* 1 (1851), 257 (=R. BEER, *Handschriftenschätze Spaniens,* Wien 1886, 50): «Sepan cuantos esta carta vieren como yo Don Alfons... otorgo que tengo de vos el Cavildo de Alvelda quatro libros de letra antigua que me emprestastes et el uno dellos es el libro de los canones et el otro el Esidro de Ethimologias et el otro el libro de Cassiano de las Collationes de los Santos Padres et el otro el Lucan. Dada en Santo Domingo de la Calzada, XXII días de Hebrero era de mill e trescientos e ocho años».

[91] TAILHAN (citado en n. 13, p. 274), 310 fue que yo sepa quien propuso el primero esta identificación.

[92] Véase p. 43-44.

[93] Véase Apéndice XX, nº 12.

tellano hostil al partido navarro de Fernando I[94] ; parece obstar a esta identificación el dato, aparentemente bien establecido, de que en el siglo XV se hallaba el códice en la iglesia del Pilar de Zaragoza, lo que sería difícil de explicar ni no se aventura la hipótesis de que llegase allá de las manos de Alfonso X en lugar de haber sido devuelto a Albelda. En realidad, aunque simple conjetura, sería un medio verosímil de explicar la historia de este enigmático códice y llenar el hueco de la identificación del manuscrito citado en el recibo del rey. Si tenemos en cuenta que los manuscritos de Lucano son algo más que escasos, podríamos con reservas admitir provisionalmente que se mencione aquí el que se conserva disyecto en dos fragmentos en el Vaticano[95] , aunque nada nos certifique de una relación en ningún momento con Albelda. Perdidos o parcialmente conservados los manuscritos allí mencionados, la noticia del rey Alfonso nos permite enriquecer la librería de Albelda con una gran variedad de temas, pues a los estrictamente eclesiásticos, todavía representados por Casiano, modelo imprescindible de los ambientes monásticos, añadimos ahora otros textos de más fuste como Lucano e Isidoro, éste normal en todas las bibliotecas de la época con un cierto sentido cultural, aquél más inestimable si pudiéramos conocerlo en detalle.

Finalmente, preguntémonos: ¿qué ha sido a fin de cuentas de la librería de Albelda? Debía ser importante, como acabamos de conjeturar y famosa, ya que, ante irregularidades que no conocemos, mandó en 1577 abrir información Felipe II para averiguar dónde estaban los libros de San Martín de Albelda, que habían pasado, según parece, a Santa María la Redonda de Logroño. Consérvanse las diligencias hechas con este motivo en un manuscrito del Escorial[96] ; de ellas resulta que los informantes tenían, más que conocimiento real de los hechos, unas noticias de lo sucedido rayanas en fantasía y leyenda. Baste recordar que un testigo habla de que, hendiendo una peña, «habían descubierto una cueva pequeña y dentro de ella habían hallado una gran cantidad de libros de letra gótica y muy galana de iluminaciones y de muy buena letra», con lo que habían sido tomados los libros y enviados al arzobispo de Toledo; otro habla del paso por Albelda de Antonio de Nebrija que catalogó y estudió los códices que acabaron siendo regalados a la iglesia

[94] Para resumen de los que plantea, «Problemas de algunos manuscritos hispánicos de las Etimologías de Isidoro de Sevilla», en *Festschrift Bernhard Bischoff,* Stuttgart 1971, 72-73.

[95] Vaticano, *Ottobonian. Lat.* 1210 + Vaticano, *Palat. lat.* 869: W. J. ANDERSON, «Nouvelle liste de membra disiecta», en *Revue Bénédictine,* 43 (1931), 104-105.

[96] Escorial, *L.I.13* fols. 83-104v . Véanse al respecto las interesantes aunque breves notas de G. DE ANDRES, «El primer catálogo de manuscritos de la Biblioteca de El Escorial, 1572», en *Homenaje a Federico Navarro,* Madrid 1973, 21-22.

de Toledo. Un hecho seguro se deduce de todo esto, que a comienzos del siglo XVI se dispersaron los códices de Albelda y que algún recuerdo por allá quedaba de que habían acabado dando en Toledo, lo que a fin de cuentas significa que pudieron ser utilizados para obsequios y donaciones en las grandes colecciones que se iniciaban por aquel tiempo.

Apenas me atrevo a sugerir que, entre otros, éste pudo haber sido el camino por el que se hizo con sus estupendos manuscritos Don Jorge de Beteta, alcalde de Soria, que los regaló en 1577 al rey Felipe II; y ello a pesar de que ya lo había insinuado un concienzudo investigador de los movimientos de manuscritos en el siglo XVI[97] . Pero, por lo menos, todos estos indicios permitirán en algún momento que alguien se resuelva a buscar por los antiguos fondos de Toledo y por los del Escorial más restos albeldenses que los que hoy admiramos. Por adelantado vaya a ese investigador nuestro aliento y nuestra felicitación por lo que de positivo, o negativo, llegue a descubrir.

Sin embargo, no sé resistir la tentación de iniciar este camino. Me provoca a ello el haber atraido el primero la atención de los especialistas sobre un importante manuscrito, Escorial *e.I.12,* que contiene la Colección Hispana de Concilios, en la llamada recensión juliana[98] . Trátase de un manuscrito voluminoso, con nada menos que 322 folios, en doble columna; hay bastantes lagunas de folios sueltos. Los cuaterniones van numerados hasta el número XXII. Correspondiendo al fol. 185 comienza otro manuscrito, evidentemente contemporáneo y con seguridad del mismo escriptorio, pero distinto al anterior. Podría parecer que nos hallamos ante un libro en dos piezas, luego soldadas, pero confeccionadas en momentos distintos. Obra de varias manos, tanto en ellas como en el mecanismo de pautado se descubre una amalgama de elementos arcaicos con elementos modernos, probando que se trabaja no tanto en una época de transición como en una zona de inestabilidad. Así, en ambos manuscritos las manos usan formas diferentes para los sonidos de *ti,* pero no siempre las distinguen ni emplean con exactitud; de manera análoga, mientras la pauta ya es moderna, dos rayas verticales a cada lado de cada columna, los pinchazos de guía para las líneas horizontales, en número de 39, van por el espacio intercolumnar, lo que sorprende no poco a comienzos del siglo X, o incluso en los últimos años del siglo IX, fecha en que hay que situar este

97 Véase G. DE ANDRES, «Los códices visigóticos de Jorge de Beteta en la Biblioteca del Escorial», en *Celtiberia,* 51 (1976), 101-108.

98 Mi art. «Pequeñas aportaciones para el estudio de la Hispana», en *Revista española de Derecho Canónico* 17 (1962), 373-390; la reacción, halagüeñamente positiva, por ejemplo en G. MARTINEZ DIEZ, *La Colección Canónica Hispana,* I, Madrid 1966, 102, 109-114, 262-279, etc. En dicho artículo señalé el remoto origen andaluz, y la fecha pertinente, del tipo de nuestro códice del Escorial, año 775; véase más adelante.

códice[99] . Problema de mayor relevancia es el de su origen. Hace años sugerí, con excesivo énfasis, el origen cordobés del manuscrito, que ahora me parece no sólo indemostrable sino poco verosímil. Cordobés quizá, como mucho, sería su modelo. En efecto, la nota marginal que descubrí en el fol. 19 dice así: *A tempore con[cilii huius usq]ue in presentem annum XXI adirr[aman] regis quod est era DCCCXIII an[ni...] Item a tempore conc[ilii] usque in presente era(m),* lo que nos lleva al año 775 que, efectivamente, conviene con el vigésimo primero de Abderramán I. El hecho de que la data se haga por el califa de Córdoba nos sitúa en un punto del sur de Hispania, excluyéndose con mucha probabilidad la región del Ebro.

Martínez Díez[100] no sólo piensa en origen soriano sino que entiende que la carencia de notas árabes milita contra su mozarabía. La cuestión no es separable de la de su proveniencia inmediata: llegó al Escorial en el lote precioso de manuscritos visigóticos regalados por Don Jorge de Beteta[101] , lo que indudablemente hace pensar de inmediato en Soria o su región. Con todo, no se concluye ahí la historia.

Para profundizar y comprender la historia del manuscrito no hay que partir directamente del legado Beteta, sino de otro hecho cierto e indiscutible: este códice mismo estuvo en Albelda en el siglo X, donde sirvió de base, aunque no de modelo único, al Códice Vigilano, arriba reseñado[102] . Igual que en este códice, que ahora suele denominarse Oxomense, aparece en el de Vigilán, la nota antes trascrita, pero ya adaptada en éste, al *annus currens*;

[99] Observaciones complementarias: sobre los folios corre el número y localidad del Concilio correspondiente. Estos llevan siempre bien indicado el *a capite* pertinente para permitir su rápida identificación respecto a las indicaciones de los *Excerpta,* en diez libros; ahora bien, los números han sido raspados y luego retocados, con signos claros de adaptación a un sistema distinto del utilizado por el modelo y conservado en la copia de nuestro códice. Abundan las anotaciones marginales, fuera de las que citamos en el texto. La letra de las manos de la primera parte (f. 1-184) con su carácter chato, abierto, denuncia a las claras conexiones meridionales, que podrían ser con Toledo si tuvieran correlación con ciertos detalles del contenido. La mano de la segunda parte recuerda más el peculiar estilo riojano en el trazado de astiles, con cierta semejanza con la escritura de Jimeno. Con todo, los mecanismos utilizados en los epígrafes son más originales, y los embebimientos de letras recuerdan más los códices meridionales que los castellanos.

[100] *Op. cit.,* 109-110: «dos anotaciones en el fol. 138[v] y en el 166[v] parecen indicarnos la región soriana; una letra del siglo XIV o XV ha escrito en dichos folios la palabra Osma frente a la firma de los obispos Oxomenses, caso único de subrayado geográfico en todo el códice».

[101] Véase arriba. p. 82.

[102] Véase pág. 64-64. Ciertos recelos, quizá, hacen que MARTINEZ DIEZ, *op. cit.,* 111 hable de un «arquetipo común del e.I.12 y del Vigiliano» (dígase otro tanto de p. 118) pero prácticamente considera a aquél modelo de éste en p. 115 y 116.

igual que allí hay otras anotaciones marginales, trascritas en los mismos lugares de ambos códices. La presencia en Albelda del códice *e.I.12* del Escorial, si no puede ser probada apodícticamente, resulta tan verosímil y comprensible que podría darse por cierta. De golpe se aclararían además las razones por las que en ciertos folios de los *Excerpta Canonum* aparecen cartelas decoradas con remates y adornos que recuerdan numerosos códices de región burgalesa y riojana, y podría explicar el aire mozárabe que domina en buena parte del códice, el origen meridional de su arquetipo, pero a la vez la carencia de notas árabes a que tanta importancia otorgaba Martínez Díez, porque nuestro códice debió efectivamente copiarse en región soriana mozárabe, de donde pasaría a Albelda a mediados del siglo X: allí sería utilizado junto con otros para que elaborara Vigilán su preciosa hechura. De Albelda habría pasado a manos de Don Jorge de Beteta.

Me hago cargo de que obligo al códice, supuesto soriano, a viajar a Albelda y de allí volver de alguna manera a Soria, donde caería en manos de su alcaide el caballero Beteta; pero estos desplazamientos son casuales en parte y tan distantes en el tiempo y en los motivos que nada se opone a que podamos razonablemente admitirlos. Más quizá viajó en la realidad nuestro códice, sin que nos hayan quedado huellas palpables de su circulación.

Sea como fuere, que el códice Oxomense fue tomado en algún escriptorio como modelo para sacar copias según una cierta planificación es dato cierto. Varias anotaciones nos lo dejan ver claramente: *scribe, noli scribere, noli scribere quia in alio loco est* (f.11), *interdum enim subsequentia capitula scribe* (f. 155), o, mejor aún, *ex mineo scribe* (f. 149), *XLIIII de mineo scribe* (f. 155). Estas notas son de una mano distinta que la que hizo las acotaciones arriba mencionadas; es decir, dado el carácter altamente técnico de las mismas, tenemos que pensar que fueron puestas por el director de un escriptorio, responsable de sacar copias, y ello nos lleva inmediatamente a suponer que no nos encontramos ante un centro cualquiera sino bien organizado y dotado con suficiencia.

Tal como queda dicho, trasmítense en el códice los *Excerpta Canonum,* dos Concilios Toledanos fuera de su puesto cronológico e incompletos, el índice de las Epístolas Decretales, los concilios hasta el XII de Toledo, los Concilios de Braga y los dos de Sevilla, para continuar con la masa de Decretales. En conjunto, pues, conviene, salvo ciertas enmiendas, eliminaciones y no pocos complementos, con el códice de Vigilán.

Hemos querido tratar de este Códice del Escorial porque, como vimos páginas arriba, con gran probabilidad estuvo presente en el escriptorio de Albelda en el siglo X. Las colonias mozárabes del valle del Iregua podrían ser el camino por el que hubiera llegado allá, de la misma manera que otro códice, perdido, de carácter más tarraconense debió también figurar en la librería albeldense para permitir la actividad, personal e interesante de Vigilán. Aunque se tenga por no demostrada tal presencia, y justo es reconocer que apenas si podemos presentarla más que como muy verosímil, no deja de ser cierto que algo tuvo que ver el Oxomense con Albelda. Y encajaría bien el que se haya guardado en su biblioteca con cualquier hipótesis que intente explicar cómo llegó a las manos de Beteta[103] .[104] .

[103] Bibliografía reciente del códice: G. ANTOLIN, *Catálogo de los Códices Latinos de la Real Biblioteca del Escorial,* II, Madrid 1913, 17-18; DIAZ Y DIAZ, art. cit. (n. 90); G. MARTINEZ DIEZ, *La Colección Canónica Hispana,* I, Madrid 1966, 109-114, 236-237; G. DE ANDRES, en *Celtiberia,* 51 (1976), 101-108.

[104] Es probable que se conserve todavía un resto de otro códice debido a Vigilán: Paris Bibliothèque Nationale, *lat. 2444,* del siglo XII, que contiene el *liber scintillarum* de Defensor (otro ejemplar emilianense en Madrid BAH, *cód. 26,* v.p. 218-220), la *Vita Brendani,* el tratado *de institutione uirginum* de Leandro de Sevilla (también en Madrid BAH, *cód. 53,* v.p. 173-178), la *Vita Alexii* (sobre la que puede verse p. 138) y el libro de Ildefonso de Toledo *de uirginitate Mariae* (incompleto). El manuscrito lleva la siguiente suscripción en f. 79v (al final, por tanto, de la obra de Leandro):

En adminiculante miseratione diuina, ego Vigila, licet indignus presbiter, ut potui digessi hunc libellum scintillarum uestris (*an* ueteris?) *patribus diriuatum et a Leandro sanctissimo ad correctionem morum Florentine uirginis editum, discurrente Era Mª CCª Kalendas Augustas. Quisquis in hoc libello lecturi estis per dictum Vigilam memorare non desistatis in uestris precibus sacris.*

Creo que la fecha está errada en la copia y que debería leerse en el original era *MXXa,* o sea año 982. La forma de presentarse, la condición de presbítero que alega, el modo de describir los contenidos y la manera de mencionar la fecha evocan de inmediato a nuestro Vigilán, haciéndose la identificacion casi inevitable.

Véase ahora J. VELAZQUEZ, *Leandro de Sevilla. De la instrucción de las vírgenes,* Barcelona 1979, 62-63, y U. MÖLK, en *Romanistisches Jahrbuch,* 27 (1976), 302, que citan y aprovechan toda la bibliografía anterior.

IV
VALVANERA AYER Y HOY

Este monasterio, situado en un paraje de notable belleza y quietud, en las estribaciones de la sierra de San Lorenzo, parece haber iniciado ya su vida en el siglo X, probablemente por transformación de algunos grupos eremíticos que, según tradiciones locales todavía no estudiadas con el rigor que se merece el hecho, se habían desarrollado en este oculto rincón. Cuando comienzan casi a mediados del siglo XI a sernos conocidos documentos relativos a este cenobio, lo encontramos ya organizado adquiriendo bienes, lo que induce a sospechar que se había constituído bastante tiempo atrás.

A juzgar por los datos que se sacan de la documentación en el siglo XI, sus propiedades se extendían en torno a Cañas y Cordovín, por las cercanías de Nájera. Esta situación pone en relación especial el cenobio de Valvanera con los otros centros riojanos, singularmente San Millán de la Cogolla, Nájera y Albelda, aunque se deja ver fácilmente que Valvanera, dentro de sus estrecheces que contrastan con la opulencia de otros monasterios, mantiene vida independiente.

El estudio de la documentación de Valvanera nos suministra apreciable información directa sobre el estado cultural de este centro monástico. En el Cartulario[1] de Valvanera, un manuscrito de 139 folios, escritos en letra visigótica por manos distintas que suelen considerarse de ocho diferentes copistas, entre 1050 y la primera decena del siglo XII, se han ido trascribiendo, agrupados por comarcas o lugares, los documentos que se refieren a propiedades de Valvanera, casi contemporáneamente, aunque en este caso, al igual que sucede en algunos otros cartularios, hay que separar la actividad escritoria de los que trascribieron los documentos en este registro de la de los notarios que intervinieron en la redacción y confección de los documentos originales. Como aquí nos interesan estos notarios para intentar mediante unos sondeos valorar su actitud ante los conocimientos de lengua y estilo, llamemos la atención

[1] Editado por M. LUCAS ALVAREZ, «El Libro Becerro del Monasterio de Valvanera», en *Estudios de Edad Media de la Corona de Aragón,* 4 (1951), 451-647; las observaciones críticas de I. GOMEZ, en *Berceo,* 64 (1952), 265-269 no importan mucho a nuestros efectos.

sobre el hecho de que los documentos no presentan firma notarial hasta 1069[2] en que aparece un *Belasco presbiter* como *exarator,* en una venta a favor de Belasio de Valle Venarie, decano de San Martín de Cañas[3]. Desde 1072 aparece un *Belasius,* que a veces firma como *scriba* y otras veces se limita a decir *exaravit,* al que se deben numerosos documentos[4]. Nos importa, por vía de ejemplo, notar que este personaje tiene unos usos bastante particulares en lo que hace a la redacción, que presenta siempre con los mismos giros hasta dar la impresión de que deben ser tenidos por privativos suyos: así la fórmula... *fiat ipsa terra... exita... usque in seculum seculi*[5]; *si post hodie die vel tempore, si (ego)... (3);* con la variante *si post odie aliquo homo*[6], o bien en la sanción pecuniaria *et coto LX solidos ad rege (ad parte de rege/ -is).* El conjunto de los documentos está redactado con soltura, sin presentar particularidades de interés. Nada nos autoriza a establecer relaciones especiales entre este notario y otros de la misma región o de las colindantes a partir de sus usos y giros, aunque ciertos detalles sugieren la posibilidad, que no es éste el momento de especificar, de contactos y dependencias con el Este.

Unas palabras son imprescindibles para situar, pues, el problema de Valvanera. Ninguna huella queda de que en este cenobio se haya practicado la copia de manuscritos. La calidad de la escritura de los notarios que, directa o no tan directamente, procedieron a trascribir en el Cartulario, único producto escrito que conocemos de Valvanera, los documentos que concernían al monasterio, permite concluir que se habían formado en buenos centros, en contacto bastante inmediato con San Millán de la Cogolla pero con elementos e influen-

[2] LUCAS ALVAREZ, 495-496.

[3] Son los números 80-95, 97, 100, 102, 124, 126, 131, 142, 166, 172 y 176.

[4] Carta 82 de 1078, p. 458; carta 83 del mismo año, pág. 519; carta 85 de 1078, pág. 520; carta 86 de 1078, pág. 521; carta 87 de 1078, pág. 522 (con una pequeña variante, *in seculum perpetuum aeternitatis:* aquí es de observar cómo se modifican fórmulas y términos en el texto del nº 74, carta 113, debida a *Gomesanus exarator,* que el editor da en apéndice en p. 523); carta 89, de 1078, p. 527; carta 93 de 1078, p. 528; carta 94 de 1078, p. 529; carta 95 de 1078, p. 529; carta 100 de 1079, p. 533; carta 101 de 1079, p. 534; carta 102 de 1079, pág. 534; carta 104 de 1079, p. 536; carta 105 de 1079, p. 537; carta 106 de 1079, p. 537; carta 111 de 1079, p. 540 desde donde se varía la fórmula: *sit... ablata... in seculum seculi* (así en carta 112 de 1079, p. 541; carta 113 de 1079, p. 542; carta 114 de 1079, p. 543; carta 118 de 1079, p. 545); carta 116 de 1079, p. 544; carta 120 de 1080, p. 547; carta 121 de 1080, p. 548; carta 122 de 1080, p. 549; carta 123 de 1080, p. 550; carta 131 de 1081, p. 556; carta 132 de 1081, p. 557; carta 166 de 1082, p. 581; carta 167 de 1082, p. 581; carta 166 de 1082, p. 582; carta 171 de 1082, p. 584.

[5] Aparece en las cartas 80-95, 100-102, 104-107, 109, 110, 115-117, 120-123, 126, 131-142, 166-172 y 176.

[6] Así, con pequeñas variantes, en 111, 112, 113, 114, 118 y 125.

cias ajenos a aquella gran abadía. Como conjetura, podríamos además sostener la influencia de Nájera, a través de Cañas y Cordovín, y con ella la de otras zonas en apariencia más alejadas. Pero es de recordar que las copias conservadas en el Cartulario no deben remontarse más allá del último cuarto de siglo XI, y que muchas, aún cuando los documentos que trascriben hayan emanado de actos quizá decenios antes realizados, no fueron hechas hasta los linderos del XII.

Por lo que hace a manuscritos propiamente dichos, señalemos que tradicionalmente dos están vinculados con Valvanera, el Esmaragdo de 954 que hoy todavía se guarda con celo en aquel monasterio, y la perdida Biblia. Habrá que añadir los dos manuscritos de estos siglos de que nos quedan mínimos restos. Permítasenos estudiarlos a pesar de que, con completa seguridad, ninguno de ellos se originó en Santa María de Valvanera.

En zona de influencia castellana inmediata a San Millán de la Cogolla se realizó en pleno siglo X la copia del llamado Esmaragdo de Valvanera. Dos son los códices salidos de una misma mano en ese escriptorio que no me atrevo a identificar con la Cogolla, aunque pienso que razones paleográficas de peso impiden a la vez situarlo en territorio de Burgos o Silos, centros con los que ofrece, sin embargo, múltiples puntos de contacto; los dos códices, como veremos, transmiten obras de Esmaragdo.

El primero de estos dos códices, casi íntegro, se guarda en Valvanera, Archivo del Monasterio. Trátase de un precioso manuscrito de 95 folios, a dos columnas de 34 líneas, que contiene el Comentario a la Regla de San Benito del abad de Saint-Mihiel. El texto está estrechamente emparentado con el códice de Silos, Biblioteca de la Abadía, *ms. 1* (antes H), copiado por Juan en 945, hasta el punto de que los recientes editores del Comentario esmaragdino han debido analizar cuidadosamente la relación entre ellos, para concluir que ambos tuvieron un modelo común, a su vez cercano al Emilianense 26 y al Caradignense que en la actualidad para en la John Ryland's Library de Manchester[7]. El Esmaragdo de Valvanera fue copiado en 954, como indica la suscripción[8]; el sincronismo del rey de León y del conde Fernán González nos sitúa en zona castellana o de influencia castellana, como para el año 954 aparece normalmente en otros documentos[9]. Lamentablemente no conocemos ni

[7] A. SPANNAGEL-P. ENGELBERT, *Smaragdi abbatis expositio in regulam S. Benedicti*, Siegburg 1974 (Corpus Consuetudinum Monasticarum, VIII), xvii-xix, xlvii-xlviii.
Para más bibliografía, véase A. MILLARES CARLO, *Manuscritos visigóticos*, Madrid 1963, nº 235.

[8] Véase Apéndice III.

[9] J. PEREZ DE URBEL, *Historia del Condado de Castilla*, Madrid 1945, 518 ss.

el nombre del copista ni el lugar preciso en que la copia se hizo. Que éste no fue Valvanera puede asegurarse, porque nada permite por el momento pensar que el monasterio tuviera existencia real antes de bien entrado el siglo XI: la escritura más antigua que se trasmite en su Cartulario, como queda dicho, no se fecha arriba de 1035[10] . Una tradición, que arranca a lo que parece del siglo XVII, sostiene que el escriba al que se debe el códice era el mismo que había copiado la Biblia Gótica de Valvanera[11] ; sería Simón Pérez, monje de aquel cenobio, al que habría que adjudicar ambos manuscritos que, según algunos, presentaban una grandísima similitud por lo que hace a letra y tipo de decoración. Es de temer, sin embargo, que tras toda esta tradición interesada lata únicamente el deseo de atribuir al monasterio de Valvanera una mayor y más noble antigüedad: la mención declarada del año 954 en el Esmaragdo adelantaría en un siglo bien cumplido la vida del monasterio, si el códice hubiera sido producto del escriptorio de Valvanera. Pero resulta más que dudosa esta suposición.

Fijados los caracteres textuales del contenido del manuscrito, por lo que hace a la obra de Esmaragdo, recordemos algunas de sus características formales. Al códice se le ha perdido el primer folio original: comienza el texto con el prefacio métrico *Quisquis ad eternum mauult... plurimorum,* pero se echa en falta aquel primer folio del primer cuaternión en cuyo verso se presenta usualmente por lo menos el título completo de la obra. Este folio existió porque el fol. 7 actual ofrece la nota que señala el final del primer cuaderno; falta el segundo cuaderno, así como el 12, el 13 y el 16, mientras los demás se conservan excelentemente. Por cierto que además de la nota que numera los cuadernos, éstos llevan reclamo[12], técnica doble poco frecuente en esta época en nuestros manuscritos.

El texto acaba ahora exabrupto en 3,58 por extravío del último cuaternión, el 16, lo que haría del Esmaragdo de Valvanera un volumen de 138 folios, más la parte final. Pues, en efecto, en tres folios, que hoy están bien cosidos

[10] Cf. LUCAS ALVAREZ, (v.n.1), 511: trátase de la venta de una viña por Anderazo de Fortes al abad Nuño en 20 de octubre de 1035.

[11] Sobre esta Biblia, véase más adelante pág. 93-94.

[12] Además de la pérdida de los tres cuaterniones íntegros que hemos mencionado, el reclamo prueba que al cuaternión 4 le ha desaparecido el bifolio exterior; al cuaderno 10 le falta asimismo el primer folio. Hay que rectificar así las noticias que, derivadas del artículo de A. PEREZ, «El Esmaragdo de Valvanera», en *Berceo,* 4 (1947) 407-443, se repiten en la bibliografía atingente a este códice, según las cuales las pérdidas consisten en los cuaterniones 4, 9, 11 y 16: entiendo que la razón de la confusión estriba en la falta de reclamos por distracción del copista (lo que vale para los cuadernos 9 y 11) o por pérdida del folio correspondiente (razón válida para el 4).

entre sí pero sueltos de la encuadernación del libro, actuales folios 93-95[13], se nos trasmiten las Sentencias de Evagrio Póntico en su traducción latina y el colofón de que ya hemos hecho mención. Las Sentencias de Evagrio, con abundantes errores de transcripción, a juicio de su reciente editor[14], serían copiadas del códice silense que el copista descuidado del códice de Valvanera corrompió al no lograr comprender su modelo. Estas conclusiones no coinciden del todo con las deducidas por los editores del Comentario de Esmaragdo, que parecen más matizadas. Recordemos que éstos han podido establecer que Valvanera no deriva de Silos, sino que los dos dependen de un modelo que circuló por esta región y que gozó de tanto prestigio que probablemente fue utilizado de nuevo tiempo más tarde para proceder a una revisión del manuscrito que ahora se conserva en Manchester. Habremos, pues, de preguntarnos si no tendríamos que establecer una relación similar respecto a la obra de Evagrio, no dando por buena sin más la supuesta copia del códice de Silos en el de Valvanera. Porque lo que sí puede afirmarse es que éste es debido a una sola mano. Antes de volver a analizar los indicios que podamos reunir al respecto, bueno será que estudiemos la técnica de este copista del año 954.

El pergamino fue cortado y pautado antes de doblar cada dos bifolios. La pauta horizontal prepara 34 líneas de las que la primera y la última no se contienen dentro de las pautas verticales dobles a cada lado que delimitan las dos columnas, sino que alcanzan el margen exterior, y todas cruzan la zona intercolumnar, como es corriente en tantos manuscritos de San Millán y región burgalesa. En cuanto a los pinchazos, redondos, que sirven para guiar este rayado horizontal van tan por el borde exterior del folio que apenas si ahora se conservan, recortados a cercén.

El texto va trasladado de manera que para las frases y sentencias de la regla benedictina se utiliza tinta roja, y la negra se reserva para el comentario de Esmaragdo. Las capitales llevan muchos adornos y son ricas en colores que nos orientan hacia la posibilidad de tender puentes con escuelas castellanas. Influencias de este tipo se descubren en muchos otros detalles, como la lineola inclinada que cierra los astiles, y el bucle perfecto que sirve para completar

[13] La disposición de estos folios es particular y merece la pena de señalarse: en efecto, se trata de tres folios sueltos independientes, cosidos por el doblez que deja una ligera pestaña de refuerzo. Se trata a todas luces no sólo de añadido, sino, a mi entender, de doble añadido ya que lo era el fol. 95 que tiene el colofón y lo son por su particular presentación los folios 93 y 94. Esta disposición tiene su importancia al tiempo de estudiar las relaciones de este códice con sus modelos.

[14] J. LECLERQ, «L'ancienne version latine des Sentences d'Evagre pour les moines», en *Scriptorium,* 5 (1951), 191-213. Había sido ya publicada esta versión en PL 20, 1181-1186 y PG 40, 1277-1282; cf. además PL 103, 699. Leclerq utiliza el ms. de Silos 1 y el ms. de Valvanera.

la panza de la *p* en la abréviatura empleada para *per.* Alguna pequeñísima influencia del modelo, quizá carolino[15], podría acaso descubrirse en la presencia, aunque sólo en fin de línea, de la ligatura de *s* y *t* en la forma *est* lo que no creo muy relevante. La copia se ha hecho con bastante cuidado, a pesar de que la grafía resulta inconsistente[16], como prueba el que, en la labor de revisión de la copia de que aquí quedan huellas, hay escasísimos interlineados y sólo media docena, o poco más, de añadidos marcados con el clásico *dh* o con la sigla *SR*. Todo el sistema abreviativo es normal y bastante coherente consigo mismo dentro de las oscilaciones usuales[17]. Un estudio atento del manuscrito permite afirmar, como ya habíamos insinuado, que todo él es debido a una sola mano. Esta conclusión obliga, pues, a replantearse las condiciones en que se realizó la copia de las Sentencias de Evagrio. Probablemente no figuraban en el modelo que para Silos y Valvanera se ha supuesto en lo que hace al Comentario de Esmaragdo, sino que tendrían otro cauce de trasmisión. Copiado el texto del manuscrito de Valvanera se descubrió que Silos había añadido las Sentencias, de enorme interés para la formación y edificación de los monjes, y se hizo una copia rápida del manuscrito silense, o quizá de una minuta interpuesta, lo que justificaría las deformaciones a que fue sometido el texto, tampoco especialmente graves, pero suficientes para que se pueda decir que la copia ha sido negligente y llevada a cabo sin atención. Ello implica, naturalmente, que tengamos que suponer un estrecho contacto entre el escriptorio en que se produjo nuestro códice y el que creó el Silense *1,* pero este contacto se refiere tan sólo al aspecto textual porque en lo que hace al codicológico las diferencias entre la parte de 945 del Silense, por no hablar de su primera parte, anterior, y el manuscrito de Valvanera excluyen con certeza toda relación en cuanto a técnica de copia.

Por lo que toca al uso posterior del manuscrito y a su conservación se nos ofrecen datos de distinto tipo y alcance: en la mayor parte de los folios hay unas notas en tinta desvaida, en el margen superior, en letra del siglo XIV, que van proponiendo a algún lector interesado el contenido de los folios,

15 J. RIUS SERRA, «Un Smaragdo visigótico del año 954», en *Hispania Sacra,* 1 (1948), 405-408, estima que su patria ha de ser la Tarraconense porque se distinguen muy bien dos clases de *d,* la uncial y la cursiva. El fundamento para su sugerencia es endeble, como puede verse en muchos otros códices de este tiempo, donde esta doble presencia indica una escritura muy tradicional. Pero véase J. LECLERQ, en *Revue du Moyen Age Latin,* 4 (1948), 444.

16 Frecuentes fenómenos del tipo *habundantia, abet*; confusiones abundantes de *b* y *u: conserbare;* grafías del tipo *ayt.*

17 Así *aum, sclm, scdm, apsls, idt;* para *fratrem* se encuentra la comunísima *frm,* y la más antigua y menos abundante *frtrem* (fol. 20v).

siguiendo en general los epígrafes. Sin duda que tales notas no han sido consignadas para uso privado, o sea que el códice estaba dispuesto para ser manejado con una cierta frecuencia. En el fol. 33 una antífona musicada: *Virgo mater singularis,* posteriormente repintada de manera bárbara, nos lleva, aparentemente, al siglo XV. En el fol. 51 unos rasgueos nos dan una pista valiosa: «A vos don domingo de matute salutem. Como...». Las relaciones de Valvanera con Matute son bien conocidas, porque allí disponía el monasterio de numerosas posesiones; San Millán de la Cogolla, aunque logró unas comunidades de pastos con sus vecinos desde el siglo XI, nunca obtuvo más que pequeños dominios[18] . Así podríamos aceptar que en el siglo XV se encontraba ya en Valvanera nuestro Esmaragdo, quizá mucho antes, como a gusto conjeturaríamos a partir del hecho de que carece de glosas, en que tanto abunda el códice silense, castellano. Sí, en cambio, sorprende que no lo mencionen los eruditos del siglo XVI, tan atentos a descubrimiento de códices que pudieran ilustrar o confirmar la historia peninsular. El silencio es tanto más chocante cuanto se hacen lenguas de la llamada Biblia de Valvanera, de que arriba hicimos rápida evocación. Como quiera que este manuscrito, hoy no existente, fue muy ponderado por aquellos eruditos, prestémosle atención.

Tratábase esta Biblia de Valvanera de una gran pieza, en dos tomos, que fue muy apreciada en el siglo XVI, «porque tenía señaladas con distinción las versiones que del hebreo habían hecho Aquila, Simaco y Teodoción»[19] . Fue llevada al Escorial, donde probablemente pereció en el catastrófico incendio de 1681. Desde el punto de vista del contenido, sin embargo, no todo se perdió porque se conserva en el Escorial una colación de sus principales lecciones, y aunque tal tipo de notas no nos proporcionan suficientes materiales para conocer en detalle el manuscrito, bastan para afirmar que la denominada Biblia de Valvanera estaba en íntima conexión con la Biblia de Oña[20]

18 Basta comparar los datos resultantes del Becerro de Valvanera (v.n.1) con los que aporta GARCIA DE CORTAZAR, *El dominio del Monasterio de San Millán de la Cogolla,* Salamanca 1969, 144.264.270.

19 ARGAIZ, *La Soledad Laureada,* II, 312; cf. A. DE MORALES, *Coronica,* Lib. 13, fol. 62r; lib. 17, fol. 330.

20 T. AYUSO, *La Vetus Latina Hispana,* I, Madrid 1953, 357, con remisión explícita a su trabajo *La Biblia de Oña,* Zaragoza 1945, 124 ss. También la había estudiado M. REVILLA, «La Biblia de Valvanera», en *La Ciudad de Dios,* 120 (1915), 48-55, el primero en ocuparse seriamente de su texto bíblico. Según Ayuso, loc. cit., «parece que Florencio y su escuela, a base de un ejemplar antiquísimo que había en Valeránica sacaron varias copias que fueron a parar a diversos lugares: León, Oña, Valvanera. Luego de ellas debieron hacerse otras dentro de las regiones respectivas: y así, quizá, dependen de la de Valvanera las que se hicieron más tarde en Calahorra (siglo XII) y en San Millán (s. XII-XIII)».

No tenía ningún tipo de colofón, según nos señala expresamente Morales[21]. Podríamos sin temeridad pensar que estábamos ante un producto riojano si pensamos en la distinción que el cronista de Felipe II establece entre letra «gótica» antigua y reciente. Sin duda, bajo esta última denominación comprende la letra característica de la segunda mitad del siglo X y todo el siglo XI, que se diferencia netamente de la de los siglos IX-X. En otro lugar había escrito a favor claramente del siglo X, cuando nos dice que «se escribió... cerca del año mil o poco más...»[22]. Un nuevo detalle resulta de interés: que tenía al principio la Cruz de los Angeles retratada[23]. En los márgenes aparecían las variantes de la traslación de los Setenta con la señal LXX, las de Teodoción señaladas con una *T* y las de la edición griega con la abreviatura *In Gr.*

A partir de la cercanía textual de las lecciones de Valvanera y Oña emitió Ayuso la hipótesis de que aquélla pudiera haber salido del escriptorio de Valeránica, y ser tenida incluso por obra de Florencio. La hipótesis, ya no comprobable, tiene visos de entrar en contradicción con varios hechos, uno de ellos relevante como salido del juicio de hombre tan ducho como Ambrosio de Morales que reconocía dos tipos de letra visigótica, de época distinta, pero ninguna, a lo que se desprende de sus propias palabras, anterior al año 1000. En el caso de la Biblia podemos estar seguros de la ascendencia castellanoleonesa del manuscrito, o al menos de su prototipo, si recordamos la presencia de la Cruz de Oviedo, lo que tiene interés para las relaciones que implica la presencia de estos manuscritos en Valvanera, y aún para integrar su recuerdo en el elenco de manuscritos que tiempo atrás existieron en la Rioja; y ello a pesar de que resulte lisa y llanamente indemostrable, como veremos, la suposición de que conservemos un pequeño fragmento de tan ponderada Biblia.

[21] «En el Real Monesterio de San Lorenço del Escurial esta una Biblia muy antigua en dos tomos escrita en pergamino con letra Gothica y aunque no se dize en ella quando se escrivió, cierto la forma de la letra asegura ser de estos tiempos y aun de mas atras. Truxeron esta Biblia del monesterio de Nuestra Señora de Balbanera... Su mucha antiguedad se juzga por la forma de la letra, aviendo en la Gothica sus diferencias de muy antigua y menos antigua. Mas todavia se halla en el principio del libro una memoria que dize: *Dedicata fuit Ecclesia Sanctae Mariae Vallis Venariae a domino Roderico Calagurritano Episcopo sub Era MCCXXI. mense setembrio, die XVI kal. Octobris existente domino Dominico abbate qui fuit de Castellio, regnante Rege Alfonso in Toleto et in tota Castella*» (MORALES, lib. 17, fols. 329v- 330).

[22] MORALES, lib. 13 fol. 62. En el libro 17 insiste sobre el tema y quiere precisar más; hablando de unas notas que había en los primeros folios blancos escribe: «Aunque estas memorias señalan el año mil y ciento sesenta y cuatro la segunda, y la primera el de mil y ciento ochenta y tres, y assí son de cuatrocientos años y más atrás, pero todavía por lo dicho parece como la Biblia se escrivió ciento y cincuenta años y aun mucho antes».

[23] Ibid. fol. 62r.

Al lado de estos manuscritos, disponemos de precaria información sobre otros dos, también vinculados con Valvanera. Consisten en dos fragmentos, conservados ahora en el Monasterio del Paular, que vamos a estudiar siquiera rápidamente[24] .

El primero de los fragmentos corresponde a un códice en todo semejante al Esmaragdo que acabamos de comentar, muy deteriorado, que llevaba los textos bíblicos citados en rojo y su comentario en negro. De mediados del siglo X, a juzgar por lo poco conservado, va escrito a dos columnas en que ahora sólo se conservan 26 líneas; no obstante, por las faltas en la continuidad del texto puede aceptarse que constara de unas 34 líneas, igual que el códice de Esmaragdo ya examinado. El pautado es idéntico también al del códice de Valvanera; las columnas van delimitadas por dobles líneas verticales a cada lado, y como allí, la pauta horizontal se alarga por el espacio intercolumnar. La letra es prácticamente igual a la de éste con el mismo ductus, los mismos rasgos para rematar los astiles y similares tratamientos. Puede, ciertamente, sin temor a errar, considerársele producto del mismo escriptorio en que elaboró su obra el copista de 954. Tiene mayor interés que el fragmento proceda de uno de los escasos códices hispanos en que se han trascrito los Comentarios a las Epistolas y Evangelios de Esmaragdo[25] : actualmente conserva parte del comento al Evangelio y a la Epístola de la Domínica XI después de Pentecostés. Dedúcese de aquí que el escriptorio donde se elaboró este manuscrito, si, como todo hace creer, es el mismo que dió a luz el Esmaragdo de Valvanera, tenía sumo interés en el célebre abad carolino; y esta inclinación nos lleva una vez más a una región estrechamente vinculada con la Rioja castellana. Pero por la misma razón se excluyen todas las conjeturas tendentes a probar que podría hacerse coincidir este fragmento con alguno de los trozos que faltan en el Esmaragdo.

El segundo de los fragmentos, en letra grande y bien trazada, se conserva bastante bien. Las iniciales van en rojo, y una E capital, manifiesta en el fragmento, está dibujada con cierta elegancia[26] . El fragmento fue utilizado como

24 I.M. GOMEZ, «Fragmentos visigóticos de Valvanera», en *Hispania Sacra,* 5 (1952), 375-379.

25 Editado en PL 102, 422-425. Me permito recordar que, por un error basado en la frecuencia con que se encuentran fragmentos del Comentario a la Regla benedictina de Esmaragdo, A. MILLARES, *Manuscritos visigóticos,* Madrid 1963, nº 236, lo menciona confundiendo el contenido —y situándolos todavía en Valvanera donde estuvieron hasta cerca de 1960—.

26 La única reproducción que se ha hecho de este fragmento —el de Esmaragdo he podido comprobar personalmente que no permite fotografiarlo el estado del pergamino— donde se puede ver bien el tipo de letra y de capital, es la que acompaña el art. citado de GOMEZ, v.n. 24.

cubierta de un cuaderno en él siglo XIV, época en que se recortó parte de él para ajustar el tamaño de tal encuadernación. El texto bíblico que contiene comprende Salmo 53, 6-54, 18, y corresponde al Salterio mozárabe. El primer descubridor del fragmento, que se cuidó de comparar su texto bíblico con el del manuscrito silense de Londres editado por Gilson[27], concluyó por la común procedencia de ambos manuscritos, el del fragmento de Valvanera y el de Silos, y, con toda clase de reservas, emite la hipótesis de si no pertenecerá el fragmento a la Biblia de que arriba hicimos mención. La discusión de tal hipótesis es difícil por las mismas razones por las que resulta arduo probarla; de todos modos, el hecho reconocido de que el fragmento más bien da impresión de apaisado, por su gran margen exterior, —lo que Gómez explica a favor de su conjetura por la presencia, bien atestiguada, en la Biblia de Valvanera de notas marginales que requerían de abundantes espacios blancos—, no prueba nada ni proporciona indicio bastante, ya que precisamente la configuración del fragmento y la disposición de texto que implica apunta más que a un códice bíblico, para el que el módulo de la letra sería inaceptable aún partiendo del hecho de que aquella Biblia estaba en dos tomos, a un manuscrito litúrgico, al que decididamente nos inclinamos a atribuirlo. Así se explicaría mejor además esa coincidencia casi absoluta de las variantes entre este fragmento y el manuscrito de Londres que publicó íntegramente Gilson, coincidencia ya comprobada al darse a luz la primera descripción del fragmento.

De esta forma hallamos que la biblioteca de Valvanera, al menos al finalizar la Edad Media, estaba integrada por cinco manuscrito antiguos, de los que dos contenían obras de Esmaragdo y provenían indudablemente de un centro castellano-riojano, donde se habían producido a mediados del siglo X, hoy uno conservado casi completo y el otro en un simple y destrozado fragmento; otro manuscrito era una Biblia completa, probablemente realizada en dos tiempos y no terminada antes del siglo XI, en dos volúmenes como queda dicho; otro códice litúrgico, conteniendo como era costumbre salmos y cánticos, del que nos resta un breve fragmento, y finalmente, con el mínimo interés para nosotros pero sin duda con el máximo para el propio monasterio, el denominado Libro Becerro en que sucesivamente los propios notarios, u otros en su lugar, fueron trasliterando el tenor de los documentos que a beneficio del monasterio se libraban como comprobantes de sus compras y permutas o de las donaciones que recibía.

[27] J.P. GILSON, *The Mozarabic Psalter*, Londres 1905, 28-29. Es Londres, British Museum, *add. 30851*.

V
SAN MILLAN DE LA COGOLLA
Primer acercamiento a su Biblioteca

Hace tiempo que se ha señalado que no todos los manuscritos que figuraban en la biblioteca emilianense habían sido copiados en San Millán[1]. Tres pudieron ser las causas diferentes para que estos tales códices llegaran a la biblioteca: o bien constituían lo que podríamos denominar fondo inicial al tiempo de la fundación o restauración del cenobio; o bien provenían de los intercambios personales, económicos y culturales con otras regiones; o bien, en tercer lugar, pero con no menor importancia, obedecían a la progresiva agregación de numerosas iglesias y monasterios a San Millán con motivo del continuado engrandecimiento de éste en los decenios que nos ocupan. La dificultad, y no mínima, surge cuando se intenta distinguir entre estas tres causas del crecimiento exterior de la biblioteca para justificar la presencia de un manuscrito concreto; pero basta hacer agrupaciones, a menudo de límites imprecisos, para que veamos aparecer estas razones adecuadamente. De esta manera nos adentramos en buena parte de los mecanismos de funcionamiento de una gran librería altomedieval hispana.

Tengamos, pues, presentes algunos hechos básicos, que van a resultar de gran interés. ¿Cuál es el origen de los repobladores de San Millán? ¿Cuáles son los primeros canales de influencias extrañas, tanto en lo que hace a lo religioso como en lo tocante a lo político? ¿Existieron materiales previos con que pudieron encontrarse los restauradores, ya porque el cenobio venía de época visigótica como querían allí mismo desde el siglo XI, ya porque habían quedado restos en la comarca de época anterior al establecimiento en el tercer decenio del siglo X de nuevos monjes? Chocaremos con la dificultad de delimitar con nitidez las respuestas a estas diversas preguntas; pero vale la pena que lo intentemos.

[1] Ya L. SERRANO, *Cartulario de San Millán de la Cogolla*, Madrid 1930, xxxiv.

Ni documentos arqueológicos precisos ni datos históricos fehacientes nos permiten atestiguar con argumentos definitivos la continuidad del núcleo emilianense desde época visigótica. La tradición, muy probablemente cierta, relaciona San Millán de Suso con el lugar donde ejerció su eremitismo el curioso personaje Emiliano, cuya biografía trazó Braulio de Zaragoza: convienen noticias toponímicas y congruencias topográficas para establecer la identidad del Vergegio en que ejerció Emiliano su apostolado con Berceo, pero ya no es lo mismo para otros datos que nada prueban, porque resulta obvio que se han adaptado los nombres actuales a los procedentes de las narraciones visigóticas[2].

En cualquier caso, es cierto que en el siglo X se pensaba encontrarse en Suso con el enterramiento venerado de Emiliano, y esta creencia fue suficiente para iniciar en aquellos parajes una intensa vida eremítica que pronto dió lugar a la constitución de un cenobio. Nos demoraremos un tanto en este problema de la continuidad o no del monasterio de San Millán porque todos los que se han ocupado de la misma introducen como argumento la existencia de códices antiguos.

Para Gómez Moreno[3] hubo ciertamente una basílica dedicada al santo donde atraían devotos los milagros que se hacían invocando su nombre; pero nada nos consta sobre la posición exacta de este centro de culto. Luego las donaciones, tanto regias como particulares, más o menos fantaseadas algunas, dan por supuesto en la primera mitad del siglo X que se inicia y amplía el monasterio de San Millán. Aludiendo a la posibilidad de que la iglesia de Suso, como se había persuadido a sí misma la tradición emilianense en los últimos siglos, fuera «el oratorio mismo edificado por San Millán» afirma rotundamente que su visigotismo «es, desde luego, poco verosímil, y aún se impone absolutamente negarlo, una vez examinados sus caracteres artísticos»[4] . Posteriormente el sabio arqueólogo granadino admite que algunos elementos de la iglesia de San Millán de Suso pueden ser cronológicamente previos a la construcción

[2] La biografía de Emiliano ha sido editada por L. VAZQUEZ DE PARGA, *Vita Sancti Emiliani,* Madrid 1943 y como edición tentativa por I. CAZZANIGA, *La Vita de S. Emiliano scritta da Braulione Vescovo di Zaragoza,* Roma 1955.

Pienso que la identificación del *castellum Bilibium* (Vita 9) con Peña Bilibio no prueba más que la difusión en la Baja Edad Media de la Vida de Emiliano. Por lo que hace a la denominación de las montañas en que se asienta el monasterio, también nos sirve de poco por su misma generalización, *Dircetii montes,* ya que se extiende a toda la sierra desde época romana. Sigue en pie la dificultad de la intervención decisiva en la vida del monje Emiliano por parte del obispo de Tarazona, a no ser que veamos aquí un error, poco creible pero posible, por parte de Braulio de Zaragoza.

[3] M. GOMEZ MORENO, *Iglesias mozárabes,* Madrid 1919, 288-296.

[4] *Ibid.,* 296.

—o construcciones— mozárabes pero siempre dentro del siglo X[5]. En cuanto a los «testimonios remotos de la existencia del monasterio consignados en sus códices... todo es absolutamente apócrifo»[6].

Todos los datos concuerdan a juicio de Gómez Moreno en asegurar un carácter netamente mozárabe a los orígenes, aunque la mayor parte haya desaparecido «porque una de las glorias cotizadas allí en el siglo XVII fue la de que nunca hubieran pisado moros aquel suelo»[7]. De todas maneras descubre una palabra árabe disimulada dentro del texto en la Biblia dicha de Quisio (códice 20 de la Academia de la Historia), un nombre árabe en el códice 29, el nombre de *cella Alboheta* que designaba vulgarmente alguno de los eremitorios próximos a San Millán que hacia mediados del siglo X agrega a este monasterio el rey García Sánchez de Navarra[8], y el significativo tipo artístico de los manuscritos emilianenses que es absolutamente mozárabe. Encuentra Gómez Moreno todavía un argumento de congruencia en el hecho de que «la gran cultura —por usar una vez más de sus propias palabras— obtenida en la Cogolla durante el siglo X tenía que sustraerse al ambiente guerrero e incivil de navarros y castellanos»[9]. Analizando con su clásica delicadeza los elementos artísticos de la iglesia de San Millán de Suso descubre sin cesar huellas y formas claras de tipo árabe andaluz; pero no sin que su exquisito conocimiento le imponga de vez en cuando matizaciones como cuando supone para los capiteles del arco de entrada mediación importante de modelos zaragozanos.

[5] «El arte árabe español hasta los Almohades. Arte mozárabe», en *Ars Hispaniae,* III, Madrid 1951, 383-384. Podríamos aquí añadir que esta apertura, todavía reducida, debe contrastarse con la opinión de F. IÑIGUEZ ALMECH «Algunos problemas de las viejas iglesias españolas», en *Cuadernos de trabajo de la Escuela Española de Historia y Arqueología en Roma,* 7 (1955) 1-14; para Iñiguez habría una etapa francamente anterior. A este modo de ver, pensando incluso en época visigótica, se inclina A. DEL CASTILLO, *Excavaciones altomedievales en las provincias de Soria, Logroño y Burgos,* Madrid 1972 (Excavaciones arqueológicas en España, 74), 39-42, que ha seguido buscando testimonios de esta población eremítica anterior a la dotación de San Millán, a comienzos del siglo X. Nuevos y sugestivos puntos de vista, muy discretamente utilizados en conclusiones expuestas con reservas, en R. PUERTAS, *Planimetría de San Millán de Suso,* Logroño 1979.

[6] *Iglesias mozárabes,* 291.

[7] *Ibid.,* 292.

[8] «Concedimus et confirmamus uobis quinque heremitas uobis uicinas id est Sancti Martini, et Sancte Marie et Sancti Sebastiani et Sancti Iohannis et Sancte Marie quod uulgo dicitur cella alboheta» (doc. de 6 de abril de 929 (?); L. SERRANO, *Cartulario de San Millán de la Cogolla,* Madrid 1930, 30-31: Becerro Gótico, fol. 2v). No hace al caso que el documento sea 30 años posterior (cf. A. UBIETO ARTETA, «Los reyes pamploneses entre 905 y 970. Notas cronológicas», en *Príncipe de Viana,* 24 (1963), 77-82; nueva edición en UBIETO ARTETA, *Cartulario de San Millán de la Cogolla,* Valencia 1976, 91-92).

[9] *Iglesias mozárabes,* 292.

Otra explicación válida para el problema de los orígenes, y aún indirectamente para el problema de la continuidad visigótica, es la ofrecida por García de Cortázar al estudiar, con puntos de vista absolutamente diferentes, la constitución del dominio monasterial[10] . Según este autor, San Millán es el resultado no de la actitud espontánea y libre de una persona o un grupo que inicia una vida monástica sino consecuencia de una medida política y estratégica del rey de Navarra que simultáneamente funda o promueve dos grandes centros, Albelda, como modo de defensa y penetración para asegurarse mediante colonización dirigida y leal el valle del Iregua y una serie de puntos del valle del Ebro, contra Tudela de un lado y Soria de otro, y San Millán en un punto en que el reino de Navarra roza con la Castilla de la época, constituyendo a la Cogolla en una especie de avanzada de aspecto navarro frente a la tendencia expansionista de Castilla. Para contar con medios suficientes en esta fundación emilianense contó con la actividad previa de una serie de monasterios de territorio castellano, los de Taranco, Oca, Orbañanos, Salcedo, Acosta, Obarenes y Quijera, es decir el área del valle de Mena a Oca, con dedicación preferentemente forestal y ganadera y creciente importancia de la producción cerealística. A juzgar por la onomástica que ofrece la documentación de estos monasterios la procedencia de la población parece en mucha mayor proporción leonesa que vascona. Dado que el cenobio emilianense parte de donaciones regias inmediatas y suficientes para su subsistencia, serán sus hombres los que realicen la labor de allegar recursos y explotarlos, mientras que los monjes dedican «su esfuerzo a una labor intelectual, registrada en la actividad del *scriptorium* desde las fechas iniciales de la existencia del cenobio»[11] .

Para G. M. Colombás[12] es de tener en cuenta la existencia de un culto allí en honor de San Millán y la formación de una comunidad de clérigos que llevaban vida más o menos regular desde época visigótica, sin que se conozcan detalles sobre la institución en tiempos postvisigóticos. «En el siglo X —añade con frases cortas pero certeras— aparece en Suso una comunidad de monjes perfectamente organizados, y como no consta de su solemne restauración por monarcas cristianos, existen todas las posibilidades que fuera continuadora de la primitiva».

En una línea análoga tiende a situarse Fontaine más recientemente: para el profesor de París «es probable que el monasterio visigótico haya podido

[10] J.A. GARCIA DE CORTAZAR y RUIZ DE AGUIRRE, *El dominio del monasterio de San Millán de la Cogolla,* Salamanca 1966.

[11] *Ibid.*, 116.

[12] Art. «Monasterios —San Millán de la Cogolla», en *Diccionario de Historia Eclesiástica de España,* Madrid 1973, III, 1653.

sobrevivir a la invasión árabe» toda vez, subraya, que aparece muy vivaz en los primeros documentos que nos atestiguan su existencia en el siglo X[13]. Para Fontaine, lo importante a nuestros efectos son las relaciones estrechas que el escriptorio de San Millán mantuvo con los monasterios de Silos y de Albelda. Y escribe todavía, «la interferencia de las influencias castellanas y francas sobre un sustrato mozárabe y visigótico distinto del que se daba más allá de la Sierra de la Demanda —esto es, aclaremos, hacia Zaragoza— produjo en toda esta zona una cultura monástica muy ecléctica abierta muy pronto a la Europa que afluía por el camino francés»[14].

Si continuamos los resultados alcanzados por estos estudiosos, estamos en condiciones de suponer, como hipótesis de trabajo inmediato, que ha habido en San Millán una aportación leonesa, muy grande, derivada de los monasterios que tanto participaron en su establecimiento, y un ingrediente mozárabe andaluz tan fuerte como para haber producido en lo artístico el edificio primero y las fases más antiguas de la iglesia de San Millán de Suso. Los elementos zaragozanos que notaba Gómez Moreno pueden estar en relación también con los viejos sustratos que García de Cortázar encontró en el valle de Mena y en otras comunidades previas a la gran fundación emilianense. A todo esto añadamos, asimismo por vía de conjetura previa, que al menos en sus inicios y en el primer decenio del monasterio no pudo dejar de recibir influencia navarra, incluso por la vía de la protección real pamplonesa. Debió continuarse con ciertas presencias que acompañaron la generosidad castellana cuando Fernán González inició su política de agresión estratégica para incorporar el cenobio emilianense a su condado castellano. Parece, con todo, que, en buen método, no podemos utilizar estas conclusiones para determinar el origen de los códices que formaron la librería de San Millán; al contrario, si por criterios paleográficos y codicológicos descubrimos relaciones de San Millán con otros centros, nos encontraremos no sólo en condiciones de reconstruir la biblioteca sino también de realizar aportaciones de nuevo tipo para fijar la vida interior del centro riojano.

La historia de la librería de San Millán, que alguien deberá escribir detalladamente algún día, puede ser reconstruida aunque con dificultad. Nos faltan índices de época antigua y los modernos más que catálogos completos que nos permitirían hacer idea de su situación real, son tan sólo indicaciones de

[13] J. FONTAINE, *L'art préroman hispanique. L'art mozarabe,* La Pierre-Qui-Vire 1977, 218.

[14] *Ibid.*, 226.

los más curiosos manuscritos állí existentes y poco más. Y, sin embargo, merece la pena el intento.

Para Loewe-Hartel[15] una lista de obras que hasta hace pocos años se leía en el folio 316ᵛ del manuscrito de la Academia de la Historia, *cód. 18,* y que ahora aparece en el recto del folio que constituye la parte B de la Carpeta que reune fragmentos provenientes de guardas de manuscritos y lleva la signatura de *Códice 118,* en dicha Biblioteca, en letra de fines del siglo XV, o comienzos de la siguiente centuria, sería el más antiguo repertorio de obras de la librería de San Millán; dice así tal lista, según estos dos formidables investigadores: «Liber eruditionum beati neucerij, pronosticum beati Iuliani toletani episcopi, liber aeria regia, epistola sancti alcoini diaconi turonensis, formula honeste uite beatissimi /// ncs marei». La secuencia, sin embargo, y el contenido de la lista dan la razón a la objeción que les hizo D. De Bruyne[16] para quien no se trata de un catálogo de manuscritos sino simplemente de un índice de los tratados transmitidos en el códice emilianense Madrid, Archivo Histórico Nacional, *1007 B*[17] . Nos quedamos, pues, sin este catálogo emilianense.

También los eruditos del siglo XVI y del XVII nos han dejado noticias curiosas sobre libros emilianenses, aisladas y a menudo repetidas, sin que de ellas podamos sacar conclusiones sobre la verdadera situación de la biblioteca. Ambrosio de Morales, el conocido historiador y colaborador en tantas ocasiones de Felipe II, habla varias veces de San Millán de la Cogolla[18] , para decirnos de manera imprecisa que en aquel monasterio, situado en las mismas comarcas de la ciudad de Logroño, donde se guarda el cuerpo de «Santo tan principal» se empezó a escribir un códice de concilios en 962, que Morales llevó al Escorial y en el que se veía al principio el retrato de la Cruz de

15 *Bibliotheca Patrum Latinorum Hispaniensis,* I Wien 1886, 498. Sobre este fragmento véase pág. 201. Anoto unas correcciones a la lectura no totalmente exacta de Loewe y Hartel: «erudicionum»; «de uia regia», no «aeria regia»; las dos palabras finales, mal leidas no corresponden a esta lista sino al texto inferior del calendario.

16 *Revue Bénédictine,* 36 (1924), 13. Sin embargo, probablemente por no haber conocido las justas observaciones de De Bruyne, sigue atribuyéndole valor probatorio a este catálogo J.N. HILLGARTH, «El prognosticum futuri saeculi de San Julián de Toledo», en *Analecta Sacra Tarraconensia,* 30 (1958), 61; vuelve a aludir a ello en los prolegómenos a su magnífica edición *Sancti Iuliani Toletanae sedis episcopi* I, Turnhout 1976 (CCh, CXV), xxviii.

17 Véase pág. 111-117. Sobre otra lista, también dada por LOEWE-HARTEL, 518, en el *cód. 44,* véase pág. 256-257.

18 AMBROSIO DE MORALES, *Los Cinco libros postreros de la Coronica General de España,* Córdoba 1586, 58ᵛ, 108, 241, 292.

los Angeles[19] . Para Morales el códice conciliar acabó de escribirse en 994, como además se comprueba con los retratos que figuran en él y corresponden a los reyes de León y Navarra «por ser también el monasterio de San Millán entonces en el distrito del reyno de Navarra»[20] . No menciona Morales ninguna otra riqueza emilianense.

Gregorio de Argaiz, en su *Soledad Laureada*[21] , conoce y utiliza para su elenco de abades de San Millán la lista que aparece en Madrid, Academia de la Historia, *cód. 20,* fol. 144v , manuscrito que él denomina Biblia gótica y que hoy más comúnmente los entendidos nombran Biblia de Quisio[22] ; y, porque le suministra todavía la memoria de otro abad, recuerda el *Liber Comicus* de 1073[23] . En lugares muy dispersos de su vasta obra, el insigne Padre Enrique Flórez[24] menciona y comenta el contenido de códices emilianenses, pero sin hacer catálogo de ellos porque no llegó a estudiar el monasterio de La Cogolla.

Por esta carencia de información, adquiere singular relieve la lista que se formó en 1821 al ser decomisada la biblioteca de San Millán por el poder público y trasladados los manuscritos a Burgos. Esta relación se conserva en el Archivo del Convento de San Millán de la Cogolla (monasterio de Yuso, regido por Agustinos Recoletos) y contiene, como nos ha advertido su reciente editor, no solamente manuscritos sino también siete impresos[25] . Esta lista constituye de hecho el primer catálogo de los códices emilianenses, y fue, a nuestro entender, elaborado por el monje bibliotecario, o algún otro erudito

19 *Ibid.*, 58-62; véase también 108 y 241.

20 *Ibid.*, 292.

21 *La Soledad Laureada por los hijos de San Benito,* II, Madrid 1675, 311, 336, 370.

22 Véase pág. 223-227.

23 Véase pág. 183-186.

24 Nos referimos, por descontado, a la *España Sagrada,* Madrid 1743 ss. Restos de noticias sobre códices visigóticos, dispersas pero interesantes, en la colección de sus papeles e informaciones recibidas, Madrid, Bibl. Nac., *1622.*

25 La publicó, si así puede decirse, el P. Miguel Avellaneda en un Boletín de la Orden de Agustinos Recoletos, boletín de circulación prácticamente limitada al interior de la Orden; diola de nuevo a luz el P. JOAQUIN PEÑA «Los códices emilianenses», en *Berceo,* 12 (1975), 65-85. Con desmenuzamiento de sus noticias y notas y bibliografía atingentes a cada códice constituyó la base de mi artículo «Manuscritos visigóticos de San Millán de la Cogolla», en *Homenaje a Fray Justo Pérez de Urbel,* Silos 1976, 256-270, que utilizo ahora como punto de partida del Apéndice XX.

El artículo de J. PEÑA DE SAN JOSE, «La biblioteca del Convento de San Millán de la Cogolla», en *Berceo,* 11 (1956), 183-193 se refiere a la biblioteca moderna del monasterio de Yuso, tal como la conoció Jovellanos; nada tiene que ver con nuestro tema.

del monasterio, porque en muchos casos ha aprovechado atentamente las noticias que le brindaban los marbetes tan a menudo pegados en las tapas o folios iniciales de estos manuscritos, en los que muchos todavía se conservan, o los resultados de propias observaciones[26] ; pero también dispuso para elaborar su relación de otro tipo de informaciones, sacadas de los comentarios que al respecto habían hecho algunos de los estudiosos arriba citados y acaso otros eruditos locales. He considerado conveniente y provechosa la reproducción acotada de la lista de 1821, con las apostillas correspondientes[27] .

En 1851, llegados buena parte de los códices a la Academia de la Historia de Madrid hízose un sucinto y bastante rápido índice, que puede utilizarse con algún provecho, pero que, a fin de cuentas, apenas proporciona datos de interés[28] . El primer catálogo preciso, a pesar de la dificultad que plantean los sucesivos cambios de cotas que sufrieron los manuscritos, pues se conocen por lo menos tres signaturas diferentes, se debe a la meticulosa investigación de dos alemanes, ilustres en el estudio paleográfico de los manuscritos hispánicos, Gustav Loewe y Wilhelm von Hartel, cuya «Biblioteca Hispánica» fue durante mucho tiempo la única guía fidedigna para códices latinos de la Península, y sigue siendo mina inagotable de valiosas noticias[29] . Aunque las descripciones paleográficas están reducidas a una simple línea, y a veces todavía menos, la obra de Loewe-Hartel nos hace unos análisis de contenido, condensados pero cuidados, que obligan a tener por insustituible este libro.

Aprovechando en lo sustancial esta información, aunque simplificándola extremosamente, apareció en 1908 otro catálogo debido al celo de un bibliotecario, don Cristóbal Pérez Pastor[30] . Aquí las dificultades anteriores se combinan con las que resultan de una deficiente información sobre los sistemas de signaturas y una insegura descripción de los folios en que cada códice ofrece las obras y autores indicados. Posteriormente no se ha realizado ni catá-

[26] Véase, por ej., en la edición del Apéndice XX la nota personal en el nº 4 de la lista.

[27] Apéndice XX. Revisión y actualización de la edición señalada en n. 25.

[28] *Memorial Histórico Español,* 2 (1851), ix.

[29] G. Loewe-W. Hartel, *Bibliotheca Patrum Latinorum Hispaniensis,* I, Wien 1886 (=Hildesheim 1973). A esta obra capital la había precedido un libro muy importante, de P. Ewald-G. Loewe, *Exempla scripturae visigothicae,* Heidelberg 1883, donde junto a preciosas reproducciones seleccionadas un poco arbitrariamente, de acuerdo con las fotografías disponibles, se hacen unas introducciones a cada códice reproducido del más alto interés bibliográfico y crítico.

[30] C. Perez Pastor, «Indice por títulos de los códices procedentes de los monasterios de San Millán de la Cogolla y San Pedro de Cardeña, existentes en la Biblioteca de la Real Academia de la Historia», en *Boletín de la Real Academia de la Historia,* 53 (1908), 469-512; 54 (1909), 5-19.

logos globales ni estudios específicos sobre el rico fondo de San Millán, comparable con el de Silos y de Toledo, más abundante que el de León y análogo por variedad con el del monasterio de Ripoll. Un proyecto de investigación del escriptorio y biblioteca de la Cogolla que hace unos años se había propuesto llevar a cabo Jean Vezin, ahora Director de Estudios de la Escuela Práctica de Altos Estudios de París, no cuajó, lo que significa una pérdida para el conocimiento de aquella librería, dada la erudición y el espíritu crítico del gran investigador parisino[31].

Me propongo, en consecuencia, abordar aquí con nuevas perspectivas, en la medida de mis fuerzas, este análisis del fondo emilianense, por fortuna no tan disperso como otros, pero que, esto no obstante, presenta ciertas dificultades en su integración, como veremos.

Y, en primer lugar, debemos volver nuestra vista al propio funcionamiento de la librería emilianense. ¿Cómo eran tratados los libros? ¿Cómo se fueron ordenando con el paso del tiempo? ¿Qué idea se hacían de su propia biblioteca los monjes de San Millán?

A juzgar por los datos que pueden deducirse del análisis de los códices conservados, fueron no pocos los manuscritos desguazados en época antigua[32]: este proceso se descubre, por ejemplo, cuando fallan las encuadernaciones, especialmente si los códices estaban duplicados. Porque a juzgar por lo que vemos que ha sucedido con Julián de Toledo o con Beato de Liébana, en algunas ocasiones se repitieron obras bien por copiarlas en varios ejemplares para difusión que podríamos denominar comercial, bien porque al lado de la copia realizada no sabemos con qué finalidad quedaba en los armarios el manuscrito de base. Ejemplos de manuscritos destrozados por una u otra razón no faltan: en las páginas que siguen veremos con alguna frecuencia descripciones de simples folios o bifolios utilizados como guardas o como refuerzos en encuadernaciones posteriores. Cierto que bastantes veces se trata de fragmentos mínimos de có-

[31] Noticias de sumo interés aparecen, no obstante, como consecuencia de sus estudios preliminares, en diversos trabajos suyos, que todo investigador de códices debe conocer y meditar: citaré para recuerdo los informes «Paléographie et codicologie», en *Annuaire 1975-1976. Ecole Pratique des Hautes Etudes.* IVe Section sciences historiques et philologiques, París 1975, 533-543; *Annuaire 1976-1977,* París 1977, 489-501; «La réalisation matérielle des manuscrits latins pendant le Haut Moyen Age», en *Codicologica,* II, Leiden 1978, 15-51, sobre todo 26-27 y 30.

[32] Querría dar aquí sólo impresiones generales, toda vez que múltiples remisiones a las páginas en que se procede a la descripción pormenorizada no harían más que enredar esta exposición. Sólo en los casos en que valga la pena me permitiré molestar al lector interesado invitándole a recorrer páginas de este trabajo.

dices litúrgicos, quizá caidos en desuso o ya no aptos para su empleo, pero no faltan restos de otros, interesantes algunos de ellos para nosotros.

Importante por demás fue el tratamiento a que se sometieron algunos libros, quizá no en el propio San Millán y, en todo caso, no sólo en esta región: me refiero a cómo en el siglo XI, varios manuscritos, sobre todo de Vidas de santos y de textos edificantes, incluso litúrgicos, se llenaron de glosas en diversas capas, latinas e incluso vulgares, romances o vascas. Aquí es de notar que las glosas, como veremos en su sitio de manera sucinta, unas veces acompañaban los textos, en su transmisión normal, y otras fueron puestas por lectores interesados[33] .

Hemos de llegar al siglo XII para observar un proceso curioso y original, tanto que a menudo ha servido, y con razón, para orientar las pesquisas sobre los orígenes de un códice hacia la Cogolla: el proceso de amelioración gráfica de muchos textos en diferentes manuscritos. Digamos de entrada que el hecho de que un manuscrito presente estas enmiendas no significa de ninguna manera que todos sus textos hayan sido tratados por igual; al contrario, con frecuencia la corrección, empezada con gran entusiasmo, cede en cuanto se han revisado los primeros folios[34] . En algunas ocasiones, son textos concretos los rectificados: entonces suelen prolongarse del comienzo al final de los mismos las enmiendas. Consisten éstas generalmente en la transformación de *b* en *u* o de *u* en *b*, lo que se obtiene de la siguiente manera: cuando se trata de cambiar una *b* incorrecta en *u*, el retoque se limita a marcar, en la parte alta del astil, antes del remate, un trazo inclinado que incide en el astil formando un ángulo agudo. Cuando debe convertirse una *u* en *b*, se procede diversamente: después de cerrar los trazos de la *u* de manera que formen una especie de panza aunque con laterales rectos, se dibuja un trazo vertical que hará la función de astil de la *b*. Si se quieren eliminar letras indebidas, como es el caso de las *h-* iniciales redundantes o ciertas *-m* finales, lisa y llanamente se anulan, unas veces rayándolas, otras veces subpunteándolas.

33 Sobre algunas técnicas de este proceso y sobre los problemas que las glosas plantean, parece oportuno remitir a mi trabajo *Las primeras glosas hispánicas,* Barcelona 1978. Allí se señala cómo el mecanismo glosístico se desarrolla especialmente en la región de Burgos-Rioja, desde comienzos del siglo XI sobre todo, y acaso como consecuencia no tanto de las necesidades de la predicación, según suele decirse, sino dentro de la actividad escolar. Las glosas y glosarios, elementos básicos de la cultura de estos siglos, se emplean como un medio más de formación, y no el de menor rango. Esta formación, ya muy romanceada, no distingue entre glosas latinas, frecuentísimas, y glosas románicas, progresivamente abundantes.

34 Exactamente igual pasa con el proceso de glosado de los manuscritos. El conocido Madrid BAH, *cód. 60,* que lleva las glosas romances llamadas Emilianenses no ha sido anotado íntegramente, como señalaremos en su momento.

Es más fácil y simple añadir las letras convenientes, sean dentro de la palabra, sean al final: se escriben a menudo sobre la línea, y, en el caso del acusativo, se coloca una tilde sobre la vocal correspondiente. Si lo que interesa son correcciones por sustitución, el corrector sobrescribe o añade los trazos complementarios necesarios para la nueva figura. Todas estas correcciones se hacen con tinta muy negra, para que no admitan duda y resulten claramente visibles.

Un punto importante en la historia de la biblioteca lo representan los últimos decenios del siglo XII o los comienzos del siglo XIII. No sabemos por qué razón se produce en muchos monasterios, pero desde luego en San Millán, una intensa labor de copia de los más importantes manuscritos guardados en la biblioteca, especialmente los de Vidas de Santos, Biblias, y textos históricos de todo tipo: aquí tenemos numerosos ejemplos que, por fortuna, han llegado hasta nosotros[35]. Si menciono con interés este proceso es porque no sólo acrece los fondos literarios de San Millán, sino porque además, desencadenado, podría haber abierto la puerta a un cambio en el tratamiento de los libros; en efecto, ¿cuál sería la utilidad de unos volúmenes escritos en una letra ya no inteligible, cuando a su lado se encuentra un doble que se puede consultar y leer? El riesgo de que tales trasliteraciones produjeran la pérdida o el desprecio de los códices viejos visigóticos fue muy grande; y evidentemente debieron producirse dolorosas consecuencias. Pero a lo que se ve, como los manuscritos no se reproducían íntegros, siempre restaba un interés en su conservación, sin contar con que se desarrolló un sentimiento de veneración por estas reliquias del pasado. Aún así, carentes de inmediato destino, muchos libros han debido perderse, y se perdieron.

Claro que al mismo tiempo nació otra situación: en centros dependientes de San Millán, ahora cada vez con mayores posesiones y más estricto dominio económico y disciplinar, la conservación de códices antiguos no ofrecía especiales alicientes, por lo que en más de una ocasión fueron remitidos probablemente a San Millán para allí incorporarlos a la biblioteca central, si me es lícito hablar así. De este trato fueron, casi con seguridad, excluídos los manuscritos litúrgicos, que tuvieron que existir en grandes cantidades, de los que no nos han llegado, en San Millán y en otros monasterios, más que contadas piezas, poquísimas en relación con el total. Sin duda ésa es la razón de que haya

[35] Me limito a señalar el *cód. 1,* copia del *cód. 5*; el *cód. 10,* copia del *cód. 13.* y el *cód. 17* que parece depender del *cód. 20.* Cuando uso aquí el verbo «copiar», no quiero decir que se trate de reproducciones del tipo anastático (y pido perdón por el empleo abusivo y anacrónico de este término), sino que muchos textos son copia del tomado como base, que se amplía y modifica a voluntad del que ordena y dispone la copia.

llegado a San Millán un manuscrito litúrgico como Madrid BAH, *cód. 52*, originario de Roda, en el Alto Aragón, y de una fecha tan poco sospechosa como el último cuarto del siglo XI. Cuando este códice vino a San Millán ya no era actual, sin contar con que en el fondo tal Sacramentario está pensado y estructurado para uso episcopal en aquella sede. No queda otra explicación para su presencia en la Cogolla que la de que se haya recogido en algún centro aragonés que mantuviera relación con el cenobio riojano, sin duda tiempo después de su elaboración.

Dentro de este proceso merece la pena destacar un hecho complejo, que en poquísimos casos admite fácil explicación: ¿de dónde han salido los textos paralelos que a menudo se emplearon para hacer las copias del siglo XII y para corregir, o colacionar simplemente, los textos que trasmitían los códices visigóticos? En muchos casos, cuando se estudia críticamente un texto, uno descubre que esa colación se ha hecho sobre testigos de otra familia, o de otra rama diferente de la misma familia. Cada texto, cada manuscrito puede suministrarnos información peculiar, pero a veces acabamos ante un muro de tinieblas.

En los siglos XIV y XV descubrimos un nuevo comportamiento ante nuestros manuscritos. Por este tiempo comienzan a aparecer, más abundantemente de lo que sería deseable, rasgueos y frases de escritura y pruebas de trascripción de documentos y textos de índole local. La importancia que en este tiempo van adquiriendo las escrituras de carácter económico o jurídico dejan aquí sombra del enorme interés que presentaban para el cenobio. En una docena larga de manuscritos encontramos fraseologías relativas a cartas que algún amanuense o notario debía producir en nombre del abad del monasterio. Ocupan márgenes blancos de los folios, van con frecuencia acompañados de dibujos o trazos inconscientes, y a menudo la orientación de su escritura contrasta con la del manuscrito mismo, bien porque se escribe con éste invertido, bien porque se le coloca lateralmente. Por cierto que tras frases del tipo «Sepan cuantos esta carta vieren como yo don...» se nos brindan datos que contribuyen a situar los manuscritos en el espacio y en el tiempo, y a pesar de lo que pueden suponer de estropicio en el manuscrito nos garantizan su pertenencia a San Millán cuando mencionan, como sucede casi siempre, al abad o a un personaje relacionado con el monasterio. ¿Cuál era la actitud mental de los notarios que así los garabateaban ante estos códices? No sabría responder a esta pregunta.

En el siglo XVI se procede a una ordenación de la biblioteca de San Millán. Por este tiempo a cada códice se le pegó un marbete en el primer folio marcando el contenido del mismo, generalmente en la parte inferior del folio, más raramente en otras posiciones. En los casos de encuadernación antigua llevan algunos el marbete sobre el lomo; en algunos casos la leyenda va puesta en tinta negra y letra fuerte en un margen. Van casi siempre en castellano. La mención del contenido de algunas de las piezas que lo integran, se hace a veces con criterios bastante superficiales[36] .

También en el siglo XVI algún monje aficionado a antigüedades recorrió los viejos manuscritos para estudiar su edad y sacar de ello las oportunas consecuencias. Ya Gómez Moreno había llamado la atención sobre el hecho de que en las disputas históricas del siglo XVI se había insistido cada vez más en la «limpieza» de San Millán que, se aseguraba, nunca había estado sometido al poder árabe[37] . La busca de antigüedad para el cenobio de la Cogolla, como sucedió en otros monasterios, y lo señalamos a propósito de Valvanera[38] , incitó a aquellos monjes, más celosos de esta condición que de la verdad histórica, a descubrir huellas de actividad en San Millán ininterrumpidamente desde los siglos visigóticos. Por una parte, en el caso de códices dotados de colofones fechados, se hicieron las cuentas y se tradujeron los años de la era hispánica a los del cómputo cristiano. Pero, por otra parte, no contento con tan escasa cosecha surgió un falsificador que adulteró abundantemente los manuscritos emilianenses. Puede decirse que ninguno de ellos, si se excluyen prácticamente los litúrgicos, quedó libre de sus amaños. Estos fueron hechos en una letra visigótica artificiosa, claramente imitada, usando escasas abreviaturas y éstas casi siempre inadecuadas, por lo que no se hace difícil descubrir su fullería. El mecanismo usado, con todo, no deja de ser al tiempo ingenioso e ingenuo: para que mejor resalte la larga data del monasterio emilianense el falseador no ha antiguado directamente los manuscritos sino que les ha dado como sincronismo la mención de un abad de San Millán. A la vez que el códice queda envejecido, se le adscribe al monasterio y se garantiza la existencia de la comunidad al presentar al jefe de ésta. Si solamente se pensara en dar fecha lejana al libro, cabría la posibilidad de que se negara la relación entre éste y el cenobio; con la medida adoptada se sale al paso de cualquier eventual objeción. O como punto de partida, o quizá como resumen posterior, todo el material utilizado se sintetizó en una página de la llamada Biblia de Quisio, *cód. 20*[39] donde, después de hecho el añadido, se prosiguió con unas relaciones de abades de San Millán en una continuidad cronoló-

[36] Así «Vidas de Santos y Padres Emeritenses», «Missale Gothicum al estilo romano», «Expositiones in uaria loca scripturae» (sic), etc.

[37] M. GOMEZ MORENO, *Iglesias mozárabes,* Madrid 1919, 292.

[38] Véase pág. 89-90.

[39] Véase pág. 225. Remito a G. MENENDEZ PIDAL, *Sobre miniatura española en la Alta Edad Media,* Madrid 1958 (Discurso leído ante la Real Academia de la Historia), 48.

gica total desde finales del siglo VI. La fórmula empleada en los varios manuscritos oscila entre *scriptum era—*, *—abbas in sancto emiliano*, o sola la segunda parte de esa fórmula cuando el códice porta alguna indicación de fecha del tipo que sea. Queda de este modo patente que el interés se centra en vincular directa y distintamente el manuscrito con la vida del monasterio de San Millán de la Cogolla[40] . Esta utilización masiva de los códices visigóticos avala la idea de que, extendida la preocupación por estas piezas antiguas, se comenzaba a verlas en doble vertiente, como tesoro y como reliquias.

En el siglo XVIII se reorganizó la biblioteca de San Millán. Entiendo que entonces se ordenaron según unos principios que en el siglo XIX dieron pie a las signaturas en que los números van precedidos de una F mayúscula[41] . No me atrevería a asegurarlo, pero pensaría que no debió andar lejos de esta nueva fase de la librería el bibliotecario de San Millán, Fr. Diego de Mecolaeta, que en varios códices, los misceláneos, anotó los contenidos con bastante cuidado, y en otros casos, de su puño y letra también, hizo indicaciones varias. Algún día deberá abordarse una investigación sobre este importante personaje y sobre quienes le sucedieron en la dirección de la biblioteca a lo largo de este siglo, momento clave en la historia cultural de la Cogolla.

Para terminar estas apuntaciones sobre la biblioteca emilianense digamos que en la segunda mitad del siglo XIX, ya incorporada la gran masa de códices a la Academia de la Historia, en Madrid, recibieron una numeración que no coincide totalmente con la que llevan en la actualidad[42] . Afortunadamente se conservó el conjunto como tal formando unidad, que apenas alteran los pocos códices provenientes de Cardeña que se han unido al final de la serie y, ahora, recientemente, los dos nuevos códices, importantísimos, de origen y proveniencia diferentes. Incompleta, y a veces deteriorada, como está la colección representa el más relevante conjunto de la España altomedieval.

[40] En cada caso, comentaremos cuanto corresponde a la fórmula usada. De todos modos advirtamos que uno de los deslices del adulterador reside en su empleo constante, aunque extrañísimo, de *scptu* por *scriptum*. Por lo que hace a la letra, no es necesario ponderar su artificiosidad: basta ver los tipos de *c* no trazados al modo visigótico, la inseguridad en los astiles y otros detalles.

[41] Recuerdo que los manuscritos visigóticos llevan desde su signatura F 72 (*cód. 5*) hasta F 251 (*cód. 76*).

[42] Es la seguida por G. LOEWE-W. VON HARTEL, *Bibliotheca Patrum Latinorum Hispaniensis*, I, Wien 1886, 481-524. Llamo la atención sobre esta duplicidad, que se registra siempre en el Apéndice XX, porque a menudo causa dificultades al identificar citas realizadas entre 1880 y 1930; un ejemplo palmario de este problema se encuentra en las *Collectanea Hispanica* de Ch. U. CLARK, París 1920.

VI
EN EL ESCRIPTORIO DE SAN MILLAN LA PRIMERA MITAD DEL SIGLO X

Vamos a estudiar, en primer lugar, el escriptorio de San Millán y su rica producción; luego, los manuscritos que, por diversas causas pocas veces precisables, formaron parte de la librería fundacional y aquellos otros que entraron posteriormente en la biblioteca procedentes de monasterios o iglesias incorporadas a San Millán.

Partimos, afortunadamente, de un códice datado: en 933, en San Millán, un escriba de nombre Jimeno copia el manuscrito Madrid Archivo Histórico Nacional, *1007 B*[1] con una letra bella y pastosa, de trazos densos dentro de su regularidad y tendencia a una cierta esbeltez. Tanto la letra, como sobre todo las iniciales y las capitales de los títulos, a menudo dibujados sobre franjas de color suave, dejan entrever rasgos mozárabes, con elementos castellanos típicos muy marcados, revelándonos unas conexiones del primer taller de escritura emilianense con los de otros monasterios de región burgalesa, así como el impacto de numerosos códices de la librería reunida al tiempo de la fundación. El códice, actualmente, consta de dos sectores diferentes, de los que el primero, ajeno a este manuscrito, no pasan de ser seis folios desgajados de otro manuscrito, el también del Archivo Histórico Nacional de Madrid, *1006 B (1277)* que contiene las *flores psalmorum* de Prudencio de Troyes[2] . El sector

[1] Otra cota *1279*. Bibliografía: véase Apéndice XX, nº 21.

[2] Véase pág. 178-181. La conjunción de ambos sectores tuvo lugar a mediados del s. XVIII. En efecto, en la noticia de los códices emilianense en 1821 (v. Apéndice XX, nº 24) se dice así: «en 4º mayor de letra del siglo X, en su principio tiene algunos salmos floreados del expresado Sn. Prudencio, que abstrage poniéndolos en su libro respectivo. Este códice contiene lo primero el libro (aunque faltoso de hojas), que escrivio Eusebio Geronimo contra Joviniano, el libro Apologético de este Sto. Doctor á Pamacio, el libro de San Euquerio obispo Lugdunense para Berano, el expresado libro de Sn. Julián titulado pronosticos del siglo venidero, nombres de los lugares y rios principales de las provincias de España, con las sedes episcopales. Y por último puso el copista en versos acrósticos cuanto contiene este codice con fecha en letras mayúsculas o iniciales de cada verso...» Segun ello estaba ya el códice integrado con los dos sectores, y el propósito enunciado en la noticia de separarlos no se llevó a cabo. Ahora bien, en el f. 82 de nuestro manuscrito Fr. Diego de Mecolaeta, bibliotecario de San Millán, puso en 1714 una nota en que hace el «Index eorum quae in hoc libro continentur exceptis lib. cont. Iovin. et Apolog. S. Hieronimi. Eruditiones S. Eucherii

B, que nos interesa ahora, constituye un manuscrito patrístico, con características peculiares. Lleva sus cuadernos numerados, con número bajo adorno y con la abreviatura *q*, lo que nos permite afirmar que constaba completo de al menos 200 folios, de los que ahora sólo tiene 153[3]. Un mínimo detalle codicológico nos permite introducirnos en la confección de este manuscrito.

Contenía no sabemos qué obras antes del tratado de Jerónimo *aduersus Iouinianum*, pues no es posible que el primer libro de esta obra jeronimiana comenzase en el cuaderno 1; probablemente tendríamos que saber qué obras o textos iban en los tres primeros cuadernos. Tras el tratado *aduersus Iouinianum* va el *apologeticum ad Pamacium* del propio Jerónimo que se extiende del folio 39 al 54. Sigue el aquí llamado *liber eruditionum* de Euquerio de

ep. Lugd. fol. 1; Prognosticon B. Iuliani ep. Tolet. fol. 29; Via Regia fol. 72; Epistola Alcoini Diaconi fol. 101; Formula Honeste uitae per Beat. Martinum Dumiens. f. 103; carmina achrostica Vigilae ad Montanum f. 106; Aegidii (sic) carmina f. 107; nomina Urbium Hispaniae et Terrae Sanctae, fluminum, etc. f. 70». De aquí deducimos que tanto la foliación llamada antigua como la alteración del contenido por mala encuadernación así como la inclusión de los 6 folios iniciales son posteriores a la actividad de Mecolaeta. De donde resulta que entre 1714 y 1821 tuvo lugar la nueva encuadernación y el desorden consiguiente.

A este respecto quiero señalar que ARGAIZ, *La Soledad Laureada*, II, Madrid 1675, 317v, que conoció bien el códice, citando a Jimeno, «escribió —dice— los libros de San Geronimo contra Ioviniano, la Apologia a Pamaquio, los libros de Euquerio Lugdunense, a su hijo Veranio, intitulados *Libri eruditionum*». Y a continuación, por este orden, señala: «el libro llamado Via Regia. Los libros de San Julián, Arzobispo de Toledo, intitulados *Prognosticon futuri saeculi*, la carta de Almiro Diacono Turonense. Los libros de San Martín Dumiense, que se intitulan *Formula honeste vitae*». Al escribir que el copista finalizó su obra en 932, trascribe la leyenda del acróstico de la siguiente manera: *Eximinus Missellus hoc scripsit era nonagentesima curso nono decimo Kalend. Aprilis*. Tal descripción debe ponernos en guardia sobre la exactitud meticulosa de las noticias que nos trasmiten los estudiosos de los siglos XVI a XVIII: válidas en sus líneas generales, han de contrastarse en la medida posible para evitar otorgar crédito a detalles a que ellos no atribuían peso.

Por otro lado, vemos, ante las dos noticias copiadas, que el autor de la relación de códices emilianenses de 1821 era un monje, como ya indicamos arriba, pág. 103, que conocía bien su librería y los clásicos que de ella habían hablado.

[3] El cálculo supone, como es usual, que los 26 cuadernos fueran en verdad cuaterniones; excepción constituye el XII que es un senión (fol. 44-45). Están incompletos el X, al que falta un bifolio y dos folios cortados, el XIIII que ha perdido los dos bifolios interiores, y el XXV, último del códice que consta de solos seis folios por pérdida del segundo bifolio; ello explica el extravío del comienzo de la carta de Alcuino que editó por vez primera MILLARES (v.p. 114). Faltan del todo los cuadernos 10,12 y 14. Del cuaderno 6, primero conservado, sólo queda un folio y una pestaña que corresponde a uno de los bifolios interiores (fol. 7); y el último (fol. 125-129), que no lleva numeración, debió formar un simple ternión que tampoco está completo porque su último folio fue recortado (anoto que la restauración de este códice, realizada en marzo de 1973, impide ya comprobar estos extremos que recogí la primera vez que estudié el códice en 1966). Véase Lámina 5.

Lyon, o sea sus *formulae spiritalis intellegentiae,* por los folios 54-82. Desde el fol. 82 al 123ᵛ se copian los tres libros del Pronosticon de Julián de Toledo.

Puede asegurarse que con estas obras se había pensado que concluyera el manuscrito, porque el cuaderno XXI, que termina con el fol. 122, se mostró insuficiente para copiar en su integridad el tratado de Julián. Cabían dos soluciones si el volumen estaba completo: o haber reducido el módulo de escritura en los dos o tres últimos folios de modo que se lograra encajar todo el texto en el pergamino disponible, o bien añadir un folio o bifolio para concluirlo dignamente. En el primer caso era de tener en cuenta que se dejaba el recto del primer folio del manuscrito y el verso del último, si posible, en blanco para que actuaran como guardas y protegiesen el texto, si el manuscrito no estaba destinado a recibir tapas de madera, procedimiento costoso e infrecuente. En el segundo caso tenderíase a aprovechar el añadido final para dejar el blanco de respeto y protección que hemos indicado. Y ésta es exactamente la solución dada en nuestro manuscrito. Añadióse un bifolio tras el cuaderno XXI y el texto de Julián se remató felizmente en el folio 123 vuelto, dejando así el 124 íntegramente en blanco.

Ahora bien, el bifolio resultaba no sólo innecesario sino incongruente, si estaba en el ánimo del copista continuar su trabajo con otros textos. En este supuesto, le habría bastado, como había hecho en otros momentos, empalmar tras el cuaderno XXI, es decir, después del fol. 122, otro cuaderno más. Pero no se hizo de esta manera porque en aquel momento no se pensaba continuar un códice que componían, consiguientemente, dos obras de Jerónimo al menos, las conservadas, más Euquerio y Julián de Toledo. Retengamos esta conclusión como inatacable, porque volveremos sobre ella.

El hecho fue que, llevada a cabo la copia por el procedimiento descrito, nuestro escriba, quizá único responsable de su obra, decidió también trascribir otros textos y procedió a continuar de la manera habitual, dejando sólo, como leve recuerdo de su vacilación inicial, este curioso bifolio que ha suscitado nuestras observaciones. En lugar, pues, de dejar el fol. 124 en blanco, el menos en su verso, como exigía la buena técnica (quizá podríamos imaginar que el recto de ese folio 124 estaría destinado a recibir el colofón del manuscrito), se copiaron nuevos textos. En primer lugar el titulado *Nomina locorum uel cursu ribulorum,* el elenco de las Sedes episcopales hispanas, unas narraciones sobre Tierra Santa, sin rúbricas ni separación de lo anterior, y para concluir, una relación de personajes del Antiguo Testamento[4]. Detrás de este con-

[4] Todo ello ocupa los folios 124 y 130 (que, no lo olvidemos, eran consecutivos como indico). Véase J. LECLERQ, «Textes et manuscrits de quelques bibliothèques d'Espagne»,

junto aparece la *uia regia* de Esmaragdo de Saint-Mihiel, a la que sigue, bajo el título *liber metricus de suprascriptis uirtutibus,* una retractatio métrica de un texto parenético que ha sido también atribuido a Alcuino de York, de acuerdo con uno de los códices que lo trasmiten, y aun a Esmaragdo, en razón de semejanzas de doctrina[5], que figura entre los poemas del Apéndice de Eugenio de Toledo; viene a continuación parte del tratado *de substantia trinitatis* de Potamio de Lisboa, aquí atribuido a Jerónimo[6]; y tras esta pieza incompleta se encuentra la carta de Alcuino de York a Beato de Liébana[7], acéfala y trunca por el inicio, para concluir con las *formulae honestae uitae* de Martín de Braga (folios 159v + 125-128).

Otro hecho curioso se nos ofrece en este segundo impulso de copia. Si prescindimos de los textos que se han intercalado en los actuales folios 124 recto y verso y 130 recto, folios que en una correcta encuadernación del manuscrito deberían ser consecutivos, nos encontramos con que la *uia regia* comienza, con su correspondiente rúbrica, en el verso de este folio que es el primero del cuaderno XXII. Esto aparentemente quiere indicar que la copia de este texto

en *Hispania Sacra,* 2 (1949), 91-118. Sobre el denominado *Itinerarium Burdigalense* véase Z. GARCIA VILLADA, «Un nuevo manuscrito del Itinerario Burdigalense», en *Estudios eclesiásticos,* 4 (1925), 178-184; J. CAMPOS, «Textos en latín medieval hispano», en *Helmantica,* 7 (1956), 184-195; L. VAZQUEZ DE PARGA, *La División de Wamba,* Madrid 1934, 24.

[5] En nuestro códice ocupa los folios 156v - 158v ; en el códice Madrid Bibl. Nac., *10029,* misceláneo poético originario de ambientes mozárabes y del siglo IX o X, según los sectores, en fol. 69v - 74. Se transmite también en Cambrigde Univ. Libr., *Gg 5, 35 (1567),* del s. XI bajo el epígrafe *dogmata Albini ad Carolum imperatorem.* Sobre el posible origen de los versos, véase W. MEYER, en *Nachrichten der Königl. Gesellschaft der Wissenschaften zu Göttingen,* 1907, 39; también VOLLMER, *MGH. auct. antiqu.*, XIV, Berlín 1905, 271-277 que los edita a partir del códice de la Biblioteca Nacional y defiende su carácter hispánico; otra edición había dado K. STRECKER, *MGH. poetae aevi carolini,* IV, 3, Berlín 1896, 918-923 según el Cantabrigense y un Londinense que sólo conserva parte (Londres Brit. Mus., *Regius 12.C.XXIII*). Nueva edición, con estudio léxico y literario, a punto de aparecer bajo mi dirección por los cuidados de N. Messina.

Por lo que respecta al conocimiento de este códice emilianense, digamos que una indicación incompleta e insuficiente la había dado D. DE BRUYNE, en *Revue Bénédictine,* 36 (1924), 14, sin eco; no fue tampoco registrado en mi *Index scriptorum Latinorum Medii Aevi Hispanorum,* Salamanca 1958, nº 236.

[6] La restitución fue hecha por A. WILMART, en *Revue Bénédictine,* 25 (1913), 268. Véase ahora A. MONTES MOREIRA, *Potamius de Lisbonne et la controverse arienne,* Louvain 1969, 242 que cita nuestro manuscrito como «originario de Silos o de Oviedo», y subraya su condición de texto incompleto.

[7] Editada por A. MILLARES CARLO, *Contribución al «Corpus» de códices visigóticos,* Madrid 1931, 213-222; véase B. CAPELLE, «Alcuin et l'histoire du symbole de la Messe», en *Recherches du Théologie ancienne et médiévale,* 6 (1934), 240-260; J.F. RIVERA RECIO, «A propósito de una carta de Alcuino recientemente encontrada», en *Revista Española de Teología,* 1 (1940), 418-433; W. LEVISON, *England and the Continent in the eight Century,* Oxford 1946, 314-323.

y los sucesivos fue planeada como independiente. En este códice conjetural, al que seguía un ternión final, aparecía el colofón de Jimeno, del que hablaremos pronto; contenía todo un conjunto de neto carácter formativo, por combinación de textos de muy distinta proveniencia en los que logra descubrirse una marcada influencia pirenaica. Pues parte de la tradición de Martín de Braga se refugió en monasterios pirenaicos, y de esta región llegaría con facilidad también la obra citada de Esmaragdo, de escasa tradición textual si se la compara con sus comentarios a la Regla de S. Benito.

Se nos plantea así una conclusión inesperada: nos hallamos frente a dos códices que fueron independientes, al menos en la intención del respectivo escriba. Que luego hayan pasado a formar un solo manuscrito de mayor volumen y de más denso contenido, es un hecho notable porque, aparte la actual encuadernación, innegablemente la numeración de los cuaterniones, sin duda antigua, determina y confirma esta unidad. Como contrapartida, y en relación con lo que hemos escrito sobre cuál podría haber sido el texto que ocupaba el comienzo del códice, antes de los dos tratados jeronimianos, nos es lícito pensar que podría ser un tercer miembro, reunido con los mismos fundamentos y técnica que los dos que acabamos de aislar.

Tendremos que abordar este nuevo problema desde otros puntos de vista. Quizá un examen atento permitiría descubrir aparentes divergencias gráficas, e incluso otras minúsculas en el tratamiento del pergamino[8], pero no sirven para separar y distinguir las dos partes señaladas; sí nos ayudan, en cambio, para estar ciertos de que no es una sola persona la que trabaja en la preparación de este material, y por tanto que en el escriptorio de donde sale este manuscrito hay más de un técnico. Por lo que hace a los tipos gráficos, cuyos rasgos y aire ya he indicado[9], a pesar de ciertas alteraciones y diferencias, puede creerse que sean debidos a una sola mano, al menos para la mayor parte del primer fragmento y casi todo el segundo. ¿Ha habido, pues, a pesar del mecanismo diferenciador, un solo responsable del conjunto presente del manuscrito? En este caso, podríamos todavía preguntarnos si la numeración atenta de los cuaterniones no significa ya un primer intento de contribuir a la unidad del manuscrito al que seguirá todavía otro, la presencia en el folio 129^{v} del colofón métrico debido a Jimeno; quedaban, pues, en blanco el fol. 128^{v} y el 129^{r} (que se utilizaron posteriormente para copiar, quizá con objeto de con-

[8] Así por ejemplo, los pinchazos para establecer las guías son suavemente redondos dentro del primer códice en los fols. 56-124, procedimiento que conviene con el de los folios finales, 125-129; en cambio, son alargados y planos en los folios 7-54 y 130-159.

[9] Supra pág. 111.

servarlo, el colofón métrico del segundo códice de Concilios debido a Vigilán[10]), y el folio que seguía al 129, perdido por corte. Y advierto todavía que de ese folio resta una pestaña escasa en que se descubren, pero no se leen, letras de pequeño módulo en su parte interior, muy prietas y para escribir las cuales no se han guardado los márgenes delimitados por la pauta vertical, caso algo análogo a los colofones métricos de Jimeno o de Vigilán. Nos queda ahora prestar atención a los datos codicológicos que nos proporciona el colofón de Jimeno.

Los problemas de este colofón son múltiples. En primer lugar, su letra es la misma con que, con las variaciones que he señalado, normales, se escribe el manuscrito integrado por los dos códices. Puede, por consiguiente, aceptarse que sea Jimeno el copista al que todo ello se debe. Pero si el manuscrito ha concluido por hacerse unitario, a partir de las dos piezas, ¿cómo el colofón del fol. 129^{v} no alude, en absoluto, más que a la materia de la primera pieza? Allí describió Jimeno los dos tratados de Jerónimo, que iban al comienzo[11] ; seguían las obras de Euquerio[12] ; en fin, es la obra de Julián de Toledo la que se describe minuciosamente, resumiendo paso a paso el contenido de sus tres libros[13] .

Así pues, el colofón supone la sola primera parte, que descubrimos con indicios codicológicos páginas arriba[14] . ¿Cuál es en consecuencia la situación del colofón? ¿Ha sido compuesto para esta sola primera parte o para otro códice gemelo de ella? En el primer supuesto, ¿cómo ha sido diferido para el ternión final del manuscrito completo en lugar de haber sido puesto en el fol. 124^{r} ? Si es válida la segunda suposición, ¿por qué conservó Jimeno el texto que había compuesto para la primera parte al realizar la conjunción de una y otra? Y continúa sosteniendo toda esta problemática el hecho de que la escritura del colofón responde a la del manuscrito entero. Podríamos conjeturar

[10] Véase Apéndice IX. La letra de esta copia es indudablemente posterior, del siglo XI incipiente, descuidada pero fácil. Nada importa, por el momento, a nuestro objeto.

[11] V. 8-9: *Ast carmen Iouiniani proculque abicite Renitenti ea uirgo doctorque Iheronimo;* v. 10: *isdem hic uolumen caput hoc dedere nomini;* v. 11-12: *Nempe apologia uocans idem excusatio stupratores telo ferit uirginum armigero.*

[12] V. 22-24: *istut scema tenet florida Gestans Euceri sacra fabella deifica Nodos bibli siue nodi nodatim orsificat.*

[13] V. 26-27: *Exitus futuri secli Iuliani presagus Opus tria sic constrinxit uno in uolumine.* El contenido de cada uno de los libros ocupa los versos 28-45 (libro I, versos 28-30; libro II, versos 31-36; libro III, versos 37-45).

[14] Véase pág. 112-113.

que Jimeno, al que se tildó no sin razón de «adocenado»[15] ; haya renunciado a renovar su poema cuando él mismo, o quien se lo encargara, decidió ampliar el manuscrito refundiendo ambas partes.

Todavía habríamos de aludir aquí a la posibilidad de que Jimeno hubiera realizado su obra no en San Millán sino en Albelda. Su presencia allí no está garantizada, sino que sólo le sirven de indicios la mención de *Alba* en el colofón, el hecho de que el santo patrono al cual se honra en el cenobio en que escribe podría leerse como San Martín, y el que se menciona que la comunidad estaba constituida por cien monjes[16] . Pero aunque se prescinda de estos indicios poco seguros, siempre nos quedan dudas, que, en este caso, se agrandan, porque Jimeno, que utiliza el primero en la Rioja, según los datos que poseemos por el momento, este artificio del poema acróstico como colofón, descubre a través de su grafía una cierta edad en 932 y un conservadurismo que nos llevaría a pensar en una lejana formación en un centro más leonés profundamente impregnado de mozarabismo.

Nos hemos detenido más de lo usual en este primer códice salido, según se sigue aceptando, del escriptorio de San Millán; pero de tantos problemas como plantea, hemos podido sacar enseñanzas valiosas a propósito de la técnica y modo de obrar de uno de los expertos calígrafos riojanos en el siglo X, que tiene encima para nosotros el aliciente de contar con un nombre y una data, ya que no con la seguridad absoluta de que poseyamos su obra[17] .

Ya en San Millán con certeza escribe una preciosa copia de las Etimologías de Isidoro el año 946 el propio Jimeno, ahora ya *archipresbiter* como él mismo se titula en una suscripción que se lee en el fol. 295^{v} del manuscrito[18] de Madrid, Biblioteca de la Real Academia de la Historia, *cód. 25*. Actualmente el manuscrito está compuesto por tres sectores fácilmente separa-

15 G. Menendez Pidal, «Mozárabes y asturianos», en *Boletín de la Real Academia de la Historia,* 134 (1954), 181.

16 Doy estos indicios con reservas, porque el texto está francamente ilegible, por desgracia, en estos versos 82-84 como puede verse en el Apéndice IX; lo que se lee dice: *Toht ista fore conscripta alba possidentia Ac degenti... centiesque fratrem in loculo In honorem beat m...* Creo que aquí tenemos nueva dificultad porque los errores de copia en este colofón, no pequeños, apuntan a una trasmisión intermedia: ¿podría tratarse del colofón compuesto para otro ejemplar de sola la primera parte de nuestro códice actual?

17 De Bruyne aventuró como simple conjetura, pero que fluye naturalmente y sin dificultad de los datos que poseemos, que el colofón de Jimeno correspondiera al manuscrito del Archivo Histórico Nacional. Ya hemos visto cuáles pueden darse hoy por conclusiones ciertas al respecto y cuáles por dudosas.

18 Véase Apéndice IV.

bles. Los 15 primeros folios van en escritura gótica del siglo XIII, y no tienen ninguna relación con las Etimologías ya que se trata de un homiliario; el códice de Jimeno abarca los folios 16-295; después, sigue un nuevo texto que ocupa los folios 296-300[19].

Prestaremos atención a los folios 16-295, que según la suscripción aludida y una nota en f. 160, dentro de un sello en cuya leyenda se dice + **AEXIMINO ARCHIPRESBITER SCRIBSIT. OB HONOREM SCI AEMILIANI**[20], son obra de Jimeno. Es interesante esta confirmación de autoría, iterada, porque un estudio cuidadoso del códice nos incitaría a pretender descubrir al menos dos manos, análogas pero distintas. Una de ellas, acaso la de Jimeno, parece entrar propiamente en fol. 191, pero quizá podría ya pensarse en un cambio al pasarse del tercero al cuarto cuaderno (fol. 38).

Otros detalles nos abren los ojos sobre la marcha y funcionamiento del escriptorio en que trabaja Jimeno, que ahora ya podemos con seguridad confundir con el de San Millán. Hasta el folio 189, donde concluye el cuaderno XXII, llevan éstos numeración correlativa al modo usual; desde aquí falta la numeración y se utiliza el procedimiento de reclamos. En aquellos mismos folios, las pautas horizontales de las dos primeras y las dos últimas líneas, rebasada la caja de las columnas, alcanzan al margen exterior, en tanto que en los folios 200-254 se evita cuidadosamente que sobrepasen la última pauta vertical; en los folios 286 y siguientes, aunque la calidad del pergamino, fuerte pero bien trabajado, no cambia, las pautas se trazan con más descuido y resultan muy rehundidas. Es, pues, indiscutible que la técnica varía, y como no puede atribuirse a Jimeno solo, necesitamos suponer que con él colaboran otras personas. El escriptorio funciona en San Millán como taller especializado.

Volvamos nuestra atención a la obra de Jimeno. El título de la obra en el verso del folio 16, dejado el recto en blanco, que luego se aprovechó para garabatear en letra del siglo XIII-XIV una definición de etimología y diversas pruebas de plumas, se realiza en grandes letras de contorno rojo con relleno azul, amarillo, rojo y lila alternativamente. Lo que aquí se introduce no es propiamente la obra de Isidoro sino el índice que la suele preceder. Las Etimologías se distribuyen en 21 libros, agrupados en dos partes (I-XI y XII-XXI)[21].

19 Apéndice XX, nº 2. Recordaré que además de la signatura emilianense F. 194, llevó en un principio el nº 8. Véase Lámina 6.

20 «Encerrado en un disco: A EXIMINONE SCRIBTORE» dice G. MENENDEZ PIDAL (v.n. 15), 181, no entiendo con qué fundamento.

21 Advierto que los círculos de doble circunferencia con los títulos de los libros no son 21, como corresponde y de hecho figuran, sino que se había previsto un círculo para el libro 22, aunque no haya existido en esta fase de la tradición textual isidoriana (E. ANSPACH, *Taionis et Isidori nova fragmenta et opera*, Madrid 1930, 48-56).

El texto propiamente dicho, dedicado a Braulio, se inicia con el título pertinente en el fol. 18: *In nomine domini nostri Ihesu Cristi incipit liber Ethimologiarum beatissimi Esidori iunioris eclesie Spalensis epsi ad Braulionem Cesaragustanum epscpm scriptum* (la carta nuncupatoria de Braulio va, en efecto, en folio 21^{v}). Desde el punto de vista de la conservación del manuscrito, que es buena, anotemos tan sólo que en la actualidad en el cuaderno XVI sólo aparecen dos bifolios (fol. 134-137) porque los otros dos, interiores de este cuaternión, desplazados, están situados como folios 162-165.

Una vez más hablando de Jimeno hemos de referirnos a su técnica de distribución de la materia. El último cuaderno, que se corresponde con los folios 286-295, forma, en realidad, un quinión. Dado que el colofón va en el verso del folio 295, deberíamos preguntarnos si éste era realmente el último del códice, como parece; el caso es que no quedan indicios de haber estado nunca empleada esta página como guarda, lo que habría provocado roces y pérdidas o deterioros; pero de otra parte, no se puede asegurar que haya sido la parte B, arriba ya mencionada[22] , la que se colocó aquí como complemento de la obra isidoriana.

Insistiría con gusto en dos puntos: uno, el hecho curioso de que en la suscripción se hagan los sincronismos por el reinado de Ramiro en León, el de García Sánchez I en Pamplona y el abadiato de Gomesano en San Millán, mientras no se menciona al conde Fernán González en Castilla; otro, la complacencia con que Jimeno señala su condición de archipresbítero y su vinculación con San Millán. Respecto a la primera cuestión manifiesto mi creencia de que ello tiene relieve respecto a la personalidad de Jimeno. El año 946 presencia una vez más la guerra fría entre Fernán González y el rey de Navarra por atraerse definitivamente el monasterio de San Millán a su respectiva influencia; la tensión del conde de Castilla con el rey Ramiro había obligado a Fernán González a realizar cuantiosas donaciones al monasterio en busca de complacencia, ya que su posición política por el momento se había debilitado grandemente; por otro lado, García Sánchez colma de bienes a San Millán y le abre poco a poco un acceso al Ebro. En este ambiente de competencia[23] adquiere nuevo sentido el colofón de Jimeno, según pienso, que se incardina en un tiempo en que el propio Fernán González evita titularse conde de Castilla para no irritar al rey Ramiro; la mención del rey de Navarra al lado de

[22] Folios 296-300, sobre los cuales volvemos enseguida en razón de su enorme interés.

[23] Véase J. Perez de Urbel, «Navarra y Castilla en el siglo X», en *Príncipe de Viana,* 5 (1944), 37; id., *Historia del Condado de Castilla,* Madrid 1945, 480 ss.; id., *El Condado de Castilla,* II, Madrid 1970, 158-163; J.A. Garcia de Cortazar y Ruiz de Aguirre, *El dominio del monasterio de San Millán de la Cogolla,* Salamanca 1969, 121-123.

la del de León no puede por menos de querer expresar una toma de posición anticastellana, contraria a Fernán González. ¿Sería Jimeno un navarro, origen que iría bien con su propio nombre? Tal conjetura explicaría acaso algunos rasgos de su escritura y técnica, de acuerdo con lo que dijimos al mencionar su producción anterior[24], pero quizá también algunas de sus preferencias textuales.

Esto nos conduce al estudio de los folios 296-300 del códice que nos ocupa. No pasa por mi imaginación atribuir este sector a la mano de Jimeno; ni mucho menos. Sin embargo, dos hechos parecen justificar de sobra que abordemos ahora su estudio. En primer lugar el hecho material de que la técnica empleada para la preparación es exactamente la misma de la mayor parte del códice de Jimeno[25], en lo que se refiere a la disposición del pautado con las dos primeras y dos últimas líneas horizontales que alcanzan el margen exterior y cubren también el espacio intercolumnar; el pautado hecho tras plegado, con agrupamiento de los folios de dos en dos en su orden normal, aunque no idéntico número de líneas horizontales por folio. En tal acumulación de coincidencias deben verse estos folios como dispuestos en el mismo escriptorio que el códice de Jimeno. Además, en segundo lugar, la letra parece ser la misma o tan próxima en ductus y tipo que se hace difícil atribuirla a un escriba distinto a pesar de que también se saca la impresión de que la letra ha sufrido una influencia creciente de tipo castellano, influencia que justo es decirlo parece haberse producido progresivamente, y de manera continuada, en la mano de Jimeno.

Según todo lo anterior, podría haber sido el propio Jimeno, o un discípulo suyo, el autor de este nuevo códice, ahora conglutinado con el anterior. Que sea nuevo sector de códice lo garantiza la suscripción que cierra el anterior en el fol. 295^{v}, como queda señalado, pero también el hecho de que este nuevo texto comienza en el verso del fol. 296, lo que deja como guarda su recto en blanco. Indico que actualmente este sector consiste en un ternión, que ha perdido el último folio probablemente; con todo, era otra la estructura del cuaderno porque con seguridad falta un folio entre 296 y 297, como prueba la secuencia del texto. El título que introduce éste suena así: *Incipit de celo uel quinque circulis eius atque subterraneo meatu*. Se nos han conservado, computada la pérdida de folios ya advertida, los capítulos III *de septem pla-*

24 Como puede verse en el colofón de este códice (v. Apéndice IV), usa Jimeno la fórmula *Lege felicior ut sis felicior* (sic); esta misma fórmula aparece, con el texto tradicional, en el *Pronosticum* de Julián de Toledo en el ms. Madrid AHN, *1007 B* fol. 93^{v} al concluir el libro I y en fol. 123^{v} al finalizar toda la obra (*lege feliciter ut sis felicior*).

25 Véase arriba pág. 118-119.

netis, IIII *de signifero,* V *de signis mensuum duodecim secundum nos,* y el comienzo de VI *de lune cursu per signa.* El texto se inspira en una selecta de Beda, *de natura rerum* (y otros tratados como *de temporum ratione*).

La incorporación de estos capítulos, que en este códice tiene aspecto de ocasional resultó trascendente. En efecto, estos fragmentos reaparecen en los folios 233-243 del códice Escorial *&.I.3,* que no sólo en este punto sino también en el texto de la obra isidoriana depende del manuscrito de Jimeno, como ha demostrado abundantemente G. Menéndez Pidal[26] , haciendo referencia al peculiar mapa que caracteriza esta familia. Ahora bien, el códice del Escorial está datado en 1047, lo que nos garantiza que, en cualquier caso y aún suponiendo que no se acepte que la copia de los extractos proceda de la mano de Jimeno, éstos se incorporaron como apéndice de las Etimologías entre 946 y 1047, y por supuesto en región riojana, ya que en ella, o en zona de su influencia, como diremos más adelante, se originó ese manuscrito.

Parece como si una cierta inseguridad fuera el rasgo más característico de Jimeno, que en 932 rectificaba radicalmente sus planes iniciales ampliando el manuscrito planeado con otros textos y en 946 resolvió anchear el nuevo, después de puesto el colofón, con un nuevo texto de trasmisión independiente hasta ese momento.

La actuación de Jimeno en San Millán, en verdad sólo atestiguada para el códice de las Etimologías, no pasó sin marcar huella en aquel escriptorio. Aunque tanto en el aspecto pictórico de iniciales y capitales como en otros minúsculos detalles la proximidad de los dos manuscritos de que hemos hablado largamente se hace patente[27] , en verdad no alcanzamos seguridad de que la grafía de ambos códices proceda de la misma mano, pero sí del mismo ambiente; de todos modos, no cabe duda de que el manuscrito de Isidoro, de 946, es emilianense y debido a Jimeno. Su estilo va a determinar el de la escritura de San Millán de la Cogolla, más enjuta y sobria que la que vemos desarrollarse, especialmente bajo la influencia de Florencio de Valeránica, en otros centros castellanos. Los astiles, por ejemplo, sólo lentamente se transformarán de unos trazos con ataque suave pero marcado en trazos rematados por una lineola en forma de bisel ligeramente inclinado, tal como se había hecho frecuente en otros puntos; entre las mayúsculas se conserva largo tiempo la vieja E en que el primer rasgo horizontal tiende a ir a la izquierda más que a la derecha dentro de su brevedad, y la Q que no se redondea, sino que

26 G. MENENDEZ PIDAL, art. cit. (n. 15), 181-182. Que se me permita añadir que esta curiosa selecta, básicamente bedana, se encuentra asimismo en un códice del s. XII, Escorial, *R.III.9*, copia de uno de los que venimos citando, y en otro manuscrito del s. XV, Escorial, *g.III.18.*

27 P. KLEIN, *Der ältere Beatus-Kodex Vitr. 14-1 der Biblioteca Nacional zu Madrid,* Hildesheim 1976, 244-245.

tiene una forma de ojiva, hasta bastante tarde. La letra se hace regular, bien sentada, ligeramente chata sin excesos y con una ligerísima tendencia levógira. Aunque no se pueda hablar propiamente de rasgos exclusivos del escriptorio emilianense, conservó su escritura casi siempre un aire de gravedad y densidad matizada muy interesante y significativo. En ello no solamente contaron los precedentes que vamos descubriendo sino también el continuo y eficaz, pero apenas visible, influjo mozárabe, tanto del Sur de la Península como del propio valle del Ebro.

A mediados de este siglo se emprende la vasta tarea de copiar los *Moralia in Iob* de Gregorio Magno, de que nos queda una parte en el manuscrito Madrid, Academia de la Historia, *cód. 5*[28] . Trátase de un códice muy voluminoso, constituido por más de 60 cuaterniones, que por su misma extensión estaba destinado a sufrir toda clase de daños; y acabó, en efecto, por disgregarse y en parte extraviarse. De los casi 500 folios de gran tamaño de que constaba el manuscrito se conservan tan sólo unos 180, poco más de un tercio. Quizá algún día aparezca el resto y puedan reunirse los fragmentos disyectos, pues a juzgar por la diversidad de los conservados no se había tenido la ocurrencia de distribuir tantos cuaterniones en dos volúmenes separados. De haber sido así, no nos habrían llegado folios sueltos de diversas partes de la obra[29] . Conjeturo que fue en el siglo XII o XIII cuando se

28 Bibliografía sobre el códice en Apéndice XX, nº 6. Véase Lámina 7.

29 Como nunca se ha prestado excesiva atención a este manuscrito (apenas fue mencionado con la indicación de «muy incompleto» por Loewe-Hartel, —lo que por otra parte ya dice el marbete del siglo XVIII pegado en el fol. 1—, que además recalcan que «faltan comienzo y fin, y además una serie de cuadernos y hojas aisladas») y la merece por las razones que se verán, me permito, aunque sea en exceso extenso, describirlo.

Hay dos bifolios iniciales, a modo de guarda, que se corresponden con el comentario a Job 2,8; los folios 1-8, un cuaternión íntegro, llevaba el II en la numeración de cuadernos del s. XII; a otro cuaderno distinto pertenece el fol. 9, casi suelto; pero en su cabecera indica que se trata de la *Pars I Lbr VI*. El folio 10 actual (de una numeración puesta en nuestro siglo), de cuyo gemelo en el bifolio queda un fragmento notable no tenido en cuenta en la numeración, corresponde a la Parte III y libro XVI. Los folios 11-13 son un bifolio y una hoja suelta, y nos remiten a la parte IIII y libro XVIIII. Los folios 14-21, con texto de la parte cuarta y libro XX, continuaban por tanto lo anterior y constituyen el cuaderno 40. Desde el fol. 22 al 29 se extiende el cuaderno 42, lo que supone le falta del 41. Los folios 30-38, teniendo en cuenta que antes del fol. 30 hay una pestaña, debían constituir un quinión; lleva la indicación de cuaderno 43, y sobre él volveremos. Del folio 39 al 173 se siguen correctamente los cuaterniones con un ligerísimo fallo (falta un folio entre 110 y 111). Es posible que el folio 173 haya sido en algun momento el final del volumen, tanto por el desgaste y roce del pergamino como por su color. A los fols. 174-179, para constituir el cuaderno, les falta un bifolio exterior: trasmiten de la Pars VI el libro XXXIII.

desgajó, porque los cuadernos están numerados por una mano de fines del siglo XII y esta numeración corría de comienzo a final; quizá cuando se intentó copiarlo o aprovecharlo por aquel tiempo se desencuadernó, por accidente o deliberadamente, y se puso en trance de pérdida.

El manuscrito, pues, se reconstruiría así: en el cuaderno I, que falta, irían los títulos y el comienzo del texto del libro de Job, que en el actual fol. 1, del cuaderno II, se inicia con Job 21, 18, probablemente precedido, como es usual, del prólogo jeronimiano a este libro; el texto bíblico finaliza en fol. 6^{v}. A continuación, con el epígrafe *Sanctissimo ac uenerabili domino meo Eugenio aepiscopo Toletanae urbis Taius ultimus seruus seruorum dei Caesaragustanus aepiscopus,* la carta de Tajón de Zaragoza sobre la obra de Gregorio Magno[30], seguida de una breve narración *De uisione habita Taioni episcopo in Romana eclesia et de libro morali in Spania ducto*[31], que en el fol. 8 da paso a un índice de las obras gregorianas y al Capítulo biográfico dedicado a Gregorio Magno por Isidoro de Sevilla[32]. Sin duda tras estos prolegómenos se pasaba sin más a los libros Morales, con su prefacio e introducción de que no queda nada. Tal como hemos indicado, disponemos todavía de fragmentos de los libros VI (f. 9), XVI (f. 10), XVIIII (fols. 11-13), XX (fols. 14-21) y ya prácticamente completos XXI-XXXIII (fols. 22-179).

La presencia de la carta de Tajón, de la *Visio Taionis* en su versión primera, del índice y de la noticia de Isidoro nos pone en contacto con una edición tajoniana de la amplia obra del papa Gregorio, en la que tendría su origen textual remoto; no nos es posible establecer, en cambio, la procedencia inmediata del mismo. La cosa es en sí interesante si pensamos en el papel jugado por Tajón en todo este negocio que nos era conocido por dos caminos, por las narraciones relativas a su actuación y por la expansión en la Península de ejemplares de los Morales, de cuya abundancia siempre se hizo responsable al obispo de Zaragoza, sin que, a lo que se me alcanza, se haya investigado nunca directamente, en el plano textual, su actuación. Pero sobre esto volveremos en su momento, al tiempo de hacer la presentación crítica de toda esta introducción.

Veamos ahora cómo se construyó y elaboró el manuscrito. Hay distintos tra-

30 DIAZ Y DIAZ, *Index scriptorum Latinorum Medii Aevi Hispanorum,* I, Salamanca 1958, 206, donde no se cita este códice, y se producen una serie de errores que importa enmendar siquiera indirectamente; corríjase la noticia de acuerdo con las notas siguientes y el Apéndice XXI.

31 Véase el trabajo muy importante de J. MADOZ, «Tajón de Zaragoza y su viaje a Roma», en *Mélanges Joseph De Ghellinck S.J.,* Gembloux 1951, 341-360.

32 Véase Apéndice XXI, con edición global de este conjunto.

tamientos del pergamino que me limitaré a enunciar sin querer extraer consecuencias por el desorden y fragmentariedad del códice. El pergamino es bastante fino, bien tratado. El pautado, hecho antes de plegar, se hace por el recto del primer folio y verso del último, por el verso del segundo y recto del séptimo, es decir siempre por el lado exterior de la piel. Las guías para el pautado van hechas de una forma bastante peculiar, pues las que sirven para el lineado horizontal van por fuera de la segunda columna, pero no como comienza a imponerse por este tiempo por el borde exterior; su número oscila entre 42 y 43 líneas[33]. Cada una de las dos columnas va limitada por sendas verticales hasta el fol. 158 y por doble y sencilla más sencilla y doble en los folios 158 final. Por lo que hace a las rayas horizontales, cruzan el intercolumnio y el margen interior por el doblez, en todos los cuadernos del códice, con tratamiento no muy frecuente que coincide con el que se empleó en el *cód. 29* y en Madrid BN, *6126*[34].

Un problema singular plantean los dos bifolios que hemos debido considerar de guarda, cuya escritura podría inducir a tenerlos por parte desgajada del manuscrito. Su pauta es idéntica, en lo que hace a verticales, a la de los tres cuaterniones finales, pero presenta síntomas más arcaicos, como el hecho de que los pinchazos de guía para las líneas horizontales vayan por el intercolumnio. Estas son 43 y se contienen entre las verticales de cada columna, sin cruzar el intercolumnio ni cualquiera de los márgenes. ¿Nos encontramos, en realidad, ante un fragmento de otro códice? No sería imposible vistos otros casos. Tampoco podría extrañarnos que las peculiaridades descritas fueran debidas a la actuación de algún miembro «desfasado» del escriptorio encargado de preparar una parte del material necesario para un manuscrito de tanta extensión, conjetura verosímil si pensamos que desde el cuaderno II, que se cierra con el final de las piezas previas, no volvemos a tener restos del códice hasta el libro VI de Gregorio, que debería corresponder a un cuaternión situado entre el cuaderno nono y el duodécimo. Pudo, pues, anteriormente haberse mostrado activo un escriba con características netamente distinguidas respecto al resto; o pudo disponerse de un ejemplar más antiguo que éste que estamos describiendo.

¿Qué decir de las manos que intervinieron en la copia? Aunque semejantes, diferéncianse cuatro; una es la que interviene en los folios de guarda men-

[33] Fols. 1-10 y 22-29 con 42; llevan 43 los fols. 11-21 y 39 final.

[34] O dicho de otro modo, ya que se trazaron antes de plegar, el preparador rayó desde la más exterior vertical de la izquierda del bifolio hasta la vertical exterior más a la derecha, sin levantar el punzón. Véase pág. 147 y 148. Ello podría acercar más estos códices que lo que hacemos aquí; no obstante, señalemos que la relación, indiscutible, se limita a la técnica de preparación del pergamino, no a la escritura.

cionados; otra, escribe los folios 1-8, que podemos considerar que representan los primeros cuaterniones; entraría luego otra mano más, que ahora no nos ha dejado otra muestra que el folio 9, mientras que la mayor parte del volumen, la que contendría los libros XVI al menos al final, o sea los folios 10 al 179, fue producida por una única nueva mano. Esta es regular, ligeramente cuadrada, con caídos apenas redondeados, con *s* que se separan francamente del resto de las letras, astiles de alto a modo de maza pero con extremo mostrando un claro ataque de pluma, con separación normal de vocablos y buena ortografía. Innecesario resulta decir que si situamos a mediados de siglo este códice es porque multitud de rasgos nos lo refieren a este tiempo[35] , datación temprana en relación con otras que se le atribuyen[36] ; pero casi nada se opone a colocarlo por los decenios de 960 a 970.

Vengamos ahora a resumir la situación que nos revela este manuscrito. Copiado con seguridad en San Millán, parece anterior a la copia del manuscrito agustiniano con la Ciudad de Dios. Uno y otro apuntan a un escriptorio rico, con potencial humano e interés suficiente para emprender tareas tan costosas y de tanto aliento, en que por un lado se da diversidad de manos, similares, lo que supone una larga nómina de personal especializado, y, por otro, la posibilidad de confiar un trabajo constante de meses a un solo escriba, en cuya eficacia y capacidad se descansa. Buenos materiales, trabajados con esmero y regularidad, complementan una labor de copia atenta, en que apenas se descubren correcciones o complementos del propio escriba, o rectificaciones de los revisores posteriores. El escriptorio de San Millán, al que atribuimos sin dudar estos dos códices, funciona en estos decenios sin agobios y con una política de franca expansión de literatura eclesiástica de denso contenido teológico y moral.

Por lo que hace a su historia posterior son necesarias algunas precisiones. En el siglo XII fueron hechas numerosas correcciones y escritas adiciones y com-

[35] La distinción *tj* es constante; ciertos síntomas nordaragoneses, si podemos denominarlos así, se repiten: no es sólo el tipo de *f*, que encontramos en varios códices emilianenses en que el rasgo curvo se separa netamente en el cuello de la letra del trazo que configurará el caido de la letra, sino la presencia repetida de *au* como abreviatura de *autem*, que nos lleva de inmediato a región pirenaica, quizá aragonesa o leridana; pero queda sin aclarar el sentido y fundamento de otra abreviación *am* = *autem* que no es conocida en otros manuscritos, según CH. U. CLARK, *Collectanea Hispanica*, París 1920, 38. Continúense leyendo nuestras lucubraciones sobre el origen textual.

[36] Al siglo X lo remiten sin más precisiones Loewe-Hartel, Clark y Millares; en la segunda mitad del s. X lo sitúa Klein. Posterior al año 950 nos lo acreditan detalles del texto, como la evidente dependencia al copiar, y entender mal, el del códice de Florencio de Valeránica; pero los detalles paleográficos arcaizantes impiden a la vez llevar muy a la segunda mitad del siglo X la copia. Dejémosla, pues, sobre 950.

plementos que alcanzan a las veces folios enteros[37] . Más de la mitad del códice no había recibido todavía la última mano, cuando se dio por rematado; en efecto, faltan los versículos bíblicos que preceden al comentario de Gregorio y que un nuevo copista escribiría en rojo. Así, ante esta falta, copiólos rubricando la mano ya aludida del siglo XII, que, de otro lado, completó textos o añadió comentarios al margen. Por todo ello se empalma con otro producto del escriptorio emilianense a fines del siglo XII, el *códice 1* de la Academia de la Historia, copiado del nuestro, incluidas las piezas iniciales.

El manuscrito lleva algunas, poquísimas, glosas, de la mano del escriba mismo lo que significa que el apostillado correspondía al texto y no a actividad posterior de consulta o comercio con el códice.

Pasemos ahora al contenido. Tal como hemos reconstruido la estructura original del códice, y dejados de lado el texto bíblico del libro de Job y sus prólogos jeronimianos, dos cuerpos nos quedan: los Morales de Gregorio, y toda una masa introductoria que se presenta como prolegómeno a la propia obra gregoriana, de que ya hicimos mención[38] .

A propósito de ésta podemos aquí anotar lo siguiente: en la primera mitad del siglo X, en una región determinada por Valeránica, Cardeña y San Millán, aparece una recensión de los Morales caracterizada por la presencia de un corpus de iniciación que ha dejado su impronta en varios preciosos manuscritos, reducidos sin duda por azares de la trasmisión textual. ¿De dónde sale este corpus? La data está limitada en extremos por 754, fecha de la Crónica Mozárabe de que se toma un fragmento, y 914, fecha de la copia de Gómez que ya lo trasmite. En este período de 160 años se ensamblan al menos dos textos preexistentes; y probablemente se une un tercero y se redacta el cuarto, en que habla en primera persona el propio editor, por este tiempo, en la primera mitad del siglo X. Difícilmente podríamos precisar más la fecha de reunión de las piezas.

Si algo inconcreta y sólo conjetural es la data, no lo será menos el lugar de redacción. Todo apunta con verosimilitud a región riojana, sobre materiales anteriores de origen quizá zaragozano; pero otros lugares del cuarto nordoriental de la Península, hasta incluir Toledo, no serían de rechazar. Desde el punto de vista concreto de nuestro manuscrito, no deja de plantear problemas el

[37] Así fol. 37v - 38v . Por cierto que aquí, para empalmar correctamente con el texto en letra visigótica de fol. 39, no sólo se copia la frase con que se inicia éste sino que se añade una advertencia: *Transi securus nichil dubites* (fol. 38va).

[38] Véanse sobre su trasmisión manuscrita las notas introductorias a nuestro Apéndice XXI.

hecho de la presencia de extrañas abreviaturas para *autem*[39], que llevarían a situar el modelo del Emilianense en zona septimana o pirenaica; ahora bien, la conexión que con Cardeña y Valeránica establece la presencia del conjunto inicial y la probable data de nuestro manuscrito entre el de Cardeña y el de Valeránica, parecen eliminar que el modelo, peculiar del Emilianense, haya venido de una región en torno al Pirineo. Los tres forman un grupo indisoluble que apunta a que haya sido elaborado en ambientes monásticos del triángulo antes descrito el conjunto de textos que hemos reseñado.

Al filo de mediado el siglo copióse en San Millán otro precioso códice, ahora Madrid, Biblioteca de la Academia de la Historia, *cód. 38*[40]. En sus 215 folios se contienen las Homilías sobre Ezequiel de Gregorio Magno, iniciadas en el fol. 3 de la numeración actual, por pérdida de los dos primeros. El título, con inicial que en colorido y decoración recuerda el *cód. 8* de la misma colección[41], y que en sus cartelas anuncia lo que por estos mismos años serán las del Emilianense 13[42], dice así: *In nne dni nsi Ihu Xpi incipit liber beati Gregorii pape romensis in Ezecielo prophete tractatus per homelias duodecim inquoatus in baselica lateranensis que appellatur aurea uel constantiniana.* El texto comienza en fol. 3[v] hasta el fol. 116[v] donde acaba la primera parte, según señala una mano del s. XII-XIII que escribe: *explicit prima pars exechielis.* En el fol. 117 esta misma mano anuncia: *incipit secunda pars exechielis,* antes de que las oportunas cartelas vuelvan a decirnos: *in nne dni nsi ihu xpi incipiunt homeliis sci gregorii pape in ezeciel.* El manuscrito acaba exabrupto en fol. 217[v], en la décima homilía de la segunda parte.

El manuscrito se nos presenta como un producto típico de San Millán en lo que hace a preparación del pergamino: las dos columnas de cada página van enmarcadas cada una por dos parejas de verticales; las horizontales, que son 27/28 siguen la guía que marcan pinchazos situados al borde. Como es habitual, las tres primeras y las tres últimas, con ciertas irregularidades,

39 De todas formas no echemos en olvido lo que ya demostró J. GUILMAIN, en *Scriptorium,* 15 (1961), 30-33, que Florencio dibuja iniciales con evidentes e innegables influjos del Norte, técnicas y ornamentos que van a tener un éxito enorme posteriormente. Pudieron, pues, existir modelos textuales ultrapirenaicos, lo que no haría más que complicar nuestro problema, que quedará en el aire: ¿acaso habría que divorciar el texto de Gregorio del corpus de iniciación? En este supuesto, ¿de dónde habría partido la idea de iniciar con este conjunto un texto que nada tiene que ver directamente con Tajón de Zaragoza?

40 Para bibliografía del códice, Apéndice XX, nº 16. Véase también Lámina 8.

41 Véase pág. 140-143; P. KLEIN, *Der ältere Beatus-Kodex Vitr. 14-1 der Biblioteca Nacional zu Madrid,* Hildesheim 1976, 561.

42 Véase pág. 133-140.

no sólo cruzan el espacio intercolumnar, sino que alcanzan el borde exterior. La disposición de las mayúsculas iniciales de párrafo busca el destacarlas, lo que se logra gracias al ancho dejado por las verticales emparejadas. También es corriente el que se realice el pautado por el sistema de cargar el primer folio sobre el segundo, el tercero sobre el cuarto, y así sucesivamente. La letra, clara, regular, ofrece el copete conocido como remate de los astiles. Se distinguen muy bien los dos tipos de *-ti-*, lo que provoca que el asibilado ofrezca un caido muy grácil y amplio. Una mano correctora se ha cuidado de introducir modificaciones en la división de palabras y ortografía. Sin llegar a ser artificiosa, la escritura abunda en síntomas de cuidado y elaboración.

¿Cuál es el interés de este manuscrito? Nos deja ver, sobre todo, un notable desarrollo de los hábitos gráficos, que superan en calidad, delicadeza y elegancia tanto a las grandes capitales, dotadas de buenos entrelazos de tradición nórdica[43] , como a las cartelas que encuadran las mayúsculas de los grandes epígrafes. Estas no tienen todavía la seguridad que alcanzan en el códice 13; y justo es decir que tampoco otros diversos elementos decorativos consiguen imitar la belleza y proporciones del manuscrito 8.

Debemos destacar cómo cada vez más por estos decenios el escriptorio emilianense se encuentra con arrestos suficientes para emprender la copia de grandes obras, confiada a veces a escribas bien dotados, capaces de llevar a buen puerto su tarea sin desmayos, y lo que mejor revela su calidad, sin que se descubran apenas indicios de cansancio o dejadez.

Una simple ojeada nos convence de que tiene mucho que ver con San Millán de la Cogolla el manuscrito que ahora se conserva en Madrid, Biblioteca Nacional, *6126*[44] . Es un manuscrito bastante extraño, obra de una sola mano. Encuéntrase muy estropeado, sin duda por fuego, con abundantes folios cortados, unos a ras, y otros deteriorados y reducidos a columnas, o simples pestañas. Lleva sobre los folios una especie de numeración *a capite,* o el título correspondiente, o una indicación de los textos, a veces autor y destinatario. No hay numeración ni señalamiento para los cuaterniones. Curiosamente, y de forma bien inexplicable, la preparación del pergamino ofrece síntomas arcaicos que contrastan vivamente con el tipo de letra.

El pautado consiste en cuatro verticales, que dos a dos delimitan las dos columnas del texto, y en 35 horizontales, que siguen unos pinchazos hechos en el espacio entre columnas; también los pinchazos que orientan las

43 J. Guilmain, «Interlaces Decoration and the Influence of the North on Mozarabic Illumination», en *The Art Bulletin,* 42 (1960), 211-218.

44 Véase Apéndice XX, nº 33. Reproducción en Lámina 9.

líneas verticales van a medio margen superior e inferior. Además de este trazado tan sorprendente, digamos, para completar la dificultad, que las horizontales fueron trazadas antes de plegar cada bifolio corriendo de la primera a la última vertical de ambas páginas, lo que en la práctica viene a consistir en que no solamente cruzan el intercolumnio, sino que continúan por el doblez del bifolio, hasta alcanzar y seguir en la otra cara.

La letra es clara, regular, bien formada, con escasa distinción entre las palabras, pero uniforme a lo largo de los 94 folios[45] de que ahora, a pesar de tantas pérdidas, consta el manuscrito. El sistema de abreviaturas parece algo inestable; ofrece, bien que no con demasiada frecuencia, procedimientos fuera de lo corriente[46] . Todos estos rasgos apuntan a un escriba, quizá no formado en el mismo San Millán que, por razones que se nos escapan, entre las que no habría que descartar la influencia del modelo manejado, franquea de vez en cuando detalles debidos a su formación de origen.

Por lo que hace a la fecha, encuentro que hay que suponerlo copiado por los mediados del siglo X, época en que las técnicas de preparación del material y los tipos gráficos y abreviaturas pueden coincidir sin violencia. Ignoro por qué razones, desde su primer estudio de 1930, Millares Carlo lo viene atribuyendo al siglo XI, data excesivamente tardía para explicar las particularidades referidas[47] .

De otra parte, ¿es que este manuscrito está relacionado con San Millán de la Cogolla? La verdad es que, aunque nunca se ha establecido esta conexión[48] , disponemos de un argumento suficiente para sostenerla. En la parte inferior del fol. 82 en una nota del siglo XIV se lee: «Sepan cuantos esta carta vieren como yo ffijo del amo de billa porquera el que mora en Sant Myllán de la cogola conosco e otorgo que deuo a uos ffijo de... caruça mil e CCC. m de la... que fface dias... ssalud. Amen». De hecho, aunque no se han identificado estos personajes, digamos que son antiguas y frecuentes

[45] Desde el fol. 84 los folios están quemados, progresivamente. En el fol. 89 el fuego ha hecho desaparecer la columna exterior; en los fols. 90 y 91 sólo queda la columna interior; los fols. 92-94 presentan incluso buena parte de esta columna de dentro destruida.

[46] Así en fol. 8ª *usri = uestri*, junto al normal *usa = uestra; (a)epistolis* aparece escrito *epstlis* pero también *epslis* en fol. 50; *mi = mei* no aparece de ordinario en códices literarios, pero sí aquí. Añadamos todavía entre otros ejemplos que se podrían aducir, *ids = id est* fol. 86.

[47] MILLARES CARLO, *Contribución*... (v.n. 7), 135; «Manuscritos...», 376.

[48] R. FERNANDEZ POUSA, en *Verdad y Vida,* 3 (1945), 32 dice escueta pero positivamente: «Escuela castellana».

las relaciones de San Torquato de Villaporquera con San Millán[49] .

Pero es hora de que vengamos al contenido que consiste en un conjunto heterogéneo de cartas, con completo predominio de las jeronimianas. Fuera de las de Jerónimo, trascribe la carta de León Magno a Flaviano y la de Gregorio Magno al rey Recaredo[50] . Sin duda las epístolas de Jerónimo constituyen el objeto del volumen; no obstante, se nos hace difícil explicarnos las razones que han llevado a acumular en este corpus la célebre carta de León a Flaviano, y más todavía la del papa Gregorio a Recaredo, como respuesta a la comunicación por parte de éste de la conversión del pueblo godo al catolicismo. El epistolario, con todo, ha sido objeto de una atención cuidada. Cada pieza, o grupo de piezas, se ha unido siguiendo criterios que alguien deberá investigar y descubrir algún día. Basta a certificarlo la presencia de la numeración dada a cada texto, y recogida a menudo, como queda escrito, en la propia cabecera de los folios. No parece que tal ordenación haya de atribuirse a los ambientes en que se ha copiado el manuscrito. Es más probable que sea anterior y que aquí sólo dispongamos de un ejemplar de esta colección.

Con dificultad podríamos continuar nuestro análisis interno del códice sin contar con una colación de sus textos que nos proporcionara pistas para entrever su procedencia. Debemos recordar que otras colecciones de cartas de Jerónimo nos son conocidas. En una de ellas, extensa, se mezclan ciertos opúsculos jeronimianos que estuvieron en boga en medios mozárabes andaluces, lo que se nos muestra como un indicio valioso teniendo en cuenta el origen del manuscrito que trasmite tal conjunto, Escorial, *a.II.3,* de indudable ambiente castellano[51] .

El manuscrito madrileño lleva numerosas notas, de diversos tipos: unas introducen complementos o correcciones al texto, bien de la propia mano del copista, bien de un cuidadoso corrector contemporáneo[52] ; por lo que hace a

49 Véase L. SERRANO, *Cartulario de San Millán de la Cogolla,* Madrid 1930, índice p. 351. Las relaciones parecen comenzar, o al menos hacerse más frecuentes, a mediados del siglo XI.

50 Descripción detallada a que debemos referirnos de MILLARES CARLO, *Contribución al «Corpus» de códices visigóticos,* Madrid 1931, 136-141.

51 Sobre este códice me permito remitir a G. ANTOLIN, «Opúsculos desconocidos de S. Jerónimo. Codex epistolarum de la Biblioteca de El Escorial, A.II.3», en *Revista de Archivos, Bibliotecas y Museos,* 19 (1908), 207-226; 20 (1909), 60-80; id., *Catálogo de los Códices Latinos de la Real Biblioteca de El Escorial,* I, Madrid 1910, 32-36; CLARK, *Collectanea Hispanica,* Paris 1920, 31, 200. Sobre el papel jugado por Jerónimo entre los mozárabes basta recorrer los índices de la obra de J. GIL, *Corpus scriptorum muzarabicorum,* Madrid 1973, 729-730.

52 Entre las primeras llamo la atención del estudioso hacia las del fol. 20, fol. 35^v , fol. 38, fol. 39, fol. 57 y fol. 67^v ; entre las segundas son de señalar las de fol. 22, fol. 22^v, fol. 44 y fol. 45^v.

estas enmiendas textuales, el corrector del siglo XIII no solamente procede a las rectificaciones usuales en códices de San Millán para mejorar la ortografía, sino que rescribe ciertas frases corrigiéndolas según otro ejemplar[53]. Más curiosas que estos retoques del texto son las observaciones sobre el contenido del mismo que apostilla una mano visigótica, aparentemente del siglo XI, en algunos casos quizás otra anterior; el tipo de notas recuerda mucho las que encontraremos en el códice emilianense 29[54]. Por su interés reproduciré aquí alguna, porque dejan ver un ánimo despierto y curioso, consciente de los problemas de su entorno y preocupado por la moral trascendente. En el fol. 52^{v}, a propósito de la frase *fuere ludibria capti episcopi interfecti presbiteres,* se acota: *Si ad Spania uenisses, eu uidisses tantas in xristianis cabtiuitates,* lo que sólo resulta comprensible partiendo de situaciones mozárabes; en fol. 51^{v} se apostilla *uelimus nolimus moriemur sed quando nescimus*[55]. En otros casos, hay advertencias sobre la propia copia[56] o comentarios y aclaraciones diversas[57]. Aparecen asimismo algunas escasas glosas. Unas manos todavía más recientes no solamente hacen rasgueos y frases por vía de prueba de escritura, sino que añaden alguna noticia pintoresca[58].

No sé explicar cómo este códice desde San Millán, donde estuvo y de donde salió con los restantes en 1821, pudo llegar a la Biblioteca Nacional de Madrid. Tampoco he podido obtener información sobre el momento y circunstancias en que entró en ésta. Nuevos enigmas que añadir a los no pocos que plantea este manuscrito jeronimiano, copiado en un ambiente y con unos supuestos que recuerdan mucho el códice emilianense 29 que estudiaremos en breve[59].

Con los códices que acabamos de describir y sabe Dios cuántos más que no hemos tenido la fortuna de ver conservados, el taller emilianense,

53 Por ejemplo, en fol. 67-70; véase también fol. 66-66^{v}y 71.

54 Véase págs. 147-155.

55 A veces la advertencia es más concisa: fol. 37 y f. 64^{v} *miram rem;* fol. 37^{v} *ueritatem dicit;* fol. 65 *uere dicis;* fol. 35^{v} *mera dicis set ualde bona.*

56 Fol. 82^{v} *hic ampliuicando laxaui uersos uel IIII.* ¿Acaso esta grafía puede interpretarse como síntoma mozárabe?

57 Recojo por ejemplo en fol. 53 la explicación *De xerxes qui subuertit montes et amare planxit super exercitu suo,* o bien en fol. 36^{v} *hic adequabit auaritia idolorum seruitus.*

58 Aunque la época ya no justifica el que lo comentemos especialmente no me resisto a trascribir del fol. 64 lo siguiente: «Sal neutri generis condimentum notat oris, hic sal si dicas id quod sapientia signas», tomado de gramáticas escolares al uso.

59 Véase págs. 147-155.

en unos veinticinco años, adquiere singular maestría y alta clase. Todo está a punto para que este impulso produzca obras valiosas que nos van a ir llegando, como veremos, si el lector quiere continuar con nosotros nuestra excursión a través de los códices de San Millán.

VII
LA SEGUNDA MITAD DEL SIGLO X EN SAN MILLAN

A finales del siglo VII se elaboró en territorio de la antigua Galicia, en el Bierzo, una copiosa compilación hagiográfica destinada a edificación de monjes, con que éstos pudieran liberarse *de inlecebrosa labentis seculi perditione*[1], debida a la incesante y nerviosa actividad del curioso personaje que fue Valerio del Bierzo. De esta compilación hagiográfica nos restan numerosos testigos, buena parte de los cuales se caracterizan por su autonomía en el momento de copiar los textos que integran la colección que, fiel a sus objetivos, se adaptó así a las distintas circunstancias y lugares[2]. Una copia de esta compilación peregrinó desde el Bierzo hacia el Este probablemente ya al final de la época visigótica, y en todo caso en el siglo IX.

Un ejemplo conspicuo de esta colección hagiográfica procede de la Rioja, íntimamente emparentado con otro manuscrito de Silos: trátase del que se conserva en Madrid Biblioteca de la Real Academia de la Historia, *cód. 13,* que vamos a estudiar atenta aunque brevemente. Consta en la actualidad de dos sectores, que distinguimos. El sector A abarca los fols. 1-253 y parece unitario, con un procedimiento de preparación del material escriptorio muy regular, aunque en este terreno quedan huellas de dos técnicas algo diferentes[3]. El pautado se ha dispuesto sobre la base de dos columnas, delimitadas cada una por sendos pares de verticales. Las horizontales van trazadas de manera que las

[1] Valer. Berg. epit. exord. 12, ed. DIAZ Y DIAZ, *Anecdota wisigothica,* I, Salamanca 1958, 103 (= PL Suppl. IV, 2028).

[2] Dediqué especial atención a esta colección y reconstruí su orden inicial, en la medida de lo posible, en mi art. «Sobre la Compilación hagiográfica de Valerio del Bierzo», en *Hispania Sacra,* 4 (1951), 3-25. Muchas de las conclusiones de aquel trabajo todavía las estimo válidas, aunque algunas ya necesitan una reconsideración. A propósito del tema que nos ocupa ahora véase, sobre todo, págs. 12-13.

Sobre el carácter vivo y «perpetuamente rejuvenecido y actualizado que corresponde por tradición a las Vidas de Santos», y con mayor motivo todavía a colecciones como la presente, me permito remitir al agudo y sugestivo trabajo de B. DE GAIFFIER, «Hagiographie et historiographie», en *La Storiografia altomedievale,* Spoleto 1970, 139-166, en especial 148-152.

[3] Véase Apéndice XX, nº 11. A pesar de que la primera parte (hasta fol. 29v) presenta 39 líneas y a partir del fol. 30 hasta el final del sector, 40 líneas por página.

dos primeras y las dos últimas, con cierta irregularidad en este comportamiento, cruzan desde la primera vertical de la izquierda por el intercolumnio hasta alcanzar el borde exterior[4].

El manuscrito representado por este sector A se encuentra trunco por el comienzo, falto de folios e incompleto por el final[5] : en efecto, en fol. 6ᵛ está la signatura del cuaderno II (lo que supone la pérdida de un cuaternión entero y de un bifolio al comienzo), en fol. 29ᵛ va la del cuaderno V, en fol. 38ᵛ la marca Q VI y ya, finalmente, la de Q XX en fol. 151ᵛ y Q XXII en fol. 167ᵛ , con lo que actualmente acaba todo este tipo de indicaciones[6] .

El escriba presenta ciertas características que resaltan su personalidad. En primer lugar y de modo llamativo, atraen la atención las cartelas, muy bien elaboradas de dibujo y color, con los títulos de obras o sus explicits. Que no se trata de un copista cualquiera, lo deja ver su gusto por escribir en semiunciales, rojas o negras, el texto íntegro de ciertos prólogos o noticias introductorias, como es el caso en la *uita Emiliani* y en el libro II de los Diálogos de Sulpicio Severo, técnica y realización que aproxima de modo singular nuestro copista al autor de la denominada Biblia de Cava. Todavía cargaríamos en su haber el hecho de que, en fin, y aunque sin gran regularidad, por la cima de los folios corren a menudo en rojo, a veces en mayúsculas, los títulos de las obras, sobre todo cuando son vidas de santos.

El manuscrito lleva no pocas glosas de la mano del copista, esto es, incorporadas a la trasmisión textual. Un corrector del escriptorio ha revisado bastante cuidadosamente la trascripción, lo que supone, una vez más, una organización atenta para lograr el máximo efecto en la copia de libros. Aparentemente el sector A así definido se complementa con los actuales folios 286-293, de los que el primero y recto del segundo iban en blanco, comenzando el libro de vidas de santos en fol. 287ᵛ . Este sector A, como todo códice emilianense que ofrecía interés en la biblioteca, fue copiado de nuevo en el siglo XII-XIII, copia que perdura con la signatura *cód. 10* en la misma Academia

[4] Anoto ya, para ser completo, que el cuaderno 21 (fol. 152-161), que es propiamente un quinión, presenta un rasgo único, el que la línea central horizontal, esto es la 20, cruza el espacio intercolumnar y llega al margen exterior como las dos primeras y las dos últimas. El plan resulta sorprendente, por su carácter infrecuente: ¿es obra material de un colaborador particular del escriptorio? No puedo ahora presentar paralelos característicos de este tiempo.

[5] Puede asegurarse a partir del desgaste de la tinta y de la peculiar pátina del pergamino que durante algún tiempo debió cerrarse el códice en el fol. 253, que remata con el explicit de la *Vita Alexii* (v. pág. 138).

[6] Como se ve con facilidad, falta un folio más al comienzo; el cuaderno VI es propiamente un quinión.

de la Historia de Madrid; pero para sacar la copia el modelo fue objeto de un tratamiento de reescritura que a menudo se reduce a repintado de letras ya desvaídas, y en otros casos a correcciones textuales y a amelioraciones gramaticales[7].

La escritura de nuestro sector A, debida al copista cuyas habilidades acabamos de ponderar, es elegante, con no pocos puntos de contacto con la de Florencio de Valeránica; numerosas capitales decoradas están íntimamente emparentadas con las del códice de Casiodoro, *in psalmos,* copiado asimismo en San Millán[8]. Nos encontramos, con certeza, ante uno de los manuscritos realizados en la Cogolla, sobre un modelo llegado, sin duda, de región leonesa, y elaborado en el segundo tercio del siglo X.

Por lo que hace al contenido, tenemos que distinguir dos puntos de vista diversos, la continuidad de la Compilación de Valerio que trasmite, y las innovaciones que en ella se introducen. Vayamos, pues, por partes. Nuestro códice debía contener en primer lugar el Prólogo de Rufino a las *Vitae Patrum* como se comprueba con el códice 10, que lo ofrece en fols. 1-5[9]; luego la serie de Vidas de Padres de Jerónimo, quizá iniciándose como es frecuente con la Vida de Pablo el Ermitaño, seguida de la de Antonio e Hilarión[10], lo que además supone que nuestro códice conservaba puntualmente la disposición tradicional en la sucesión antigua de la colección valeriana[11].

[7] Ha prestado especial atención a este problema H.C. JAMENSON en W.A. OLDFATHER (ed.), *Studies in the Text Tradition of St. Jerome's Vitae Patrum,* Urbana 1943, 271-273, que concluye que estas correcciones cambian raras veces las variantes peculiares de la familia.

[8] Sobre Madrid BAH, *cód. 8,* véase págs. 140-143. Desde otros puntos de vista, concretamente en lo que hace a los colores empleados, el máximo de coincidencias se da con Madrid BAH, *cód. 56,* sobre el que puede verse págs. 198-199.

[9] Rufin. hist. mon. prol. (PL 21, 378).

[10] La de Antonio, que ahora acéfala inicia el manuscrito, debía comenzar en el folio primero del segundo cuaternión. En efecto, en notas tomadas por mí sobre este códice en fecha tan remota como 1947 recogí el hecho de que en la pestaña, de unos 16 mm., correspondiente a este folio 1 del segundo cuaternión (que como dijimos arriba es el primero conservado) había rastros de pintura de una capital por la parte inferior. Podría muy bien tratarse de grandes iniciales que recorren casi todo el margen interior, como se ven otras en éste y otros códices del tiempo. Me veo obligado a recordar esta situación, porque tales dos pestañas (que no se referían al solo primer folio del cuaternión sino también al segundo) han dejado de ser visibles con motivo de la restauración de que ha sido objeto el manuscrito.

[11] Así conjeturé en *Hispania Sacra,* cit. (v.n.2), 12 y 16; el cálculo de folios para todas estas piezas confirma plenamente la verosimilitud de tales conjeturas. Quiero recordar al lector que, por fortuna para nosotros, quizá de acuerdo con reglas normales en aquel tiempo (pues algo así vienen a ser los *acapite* de los manuscritos conciliares), Valerio numeró las piezas que integraban su compilación. De esta numeración original

A continuación ofrece las dos vidas de S. Germán de Auxerre, obra de Constancio de Lyon. A estas vidas subsigue todo un mazo de textos relacionados con San Martín de Tours debidos a Sulpicio Severo, con una breve introducción de Alcuino y como remate la llamada Confesión de Martín Turonense. La presencia del pequeño texto alcuiniano nos sitúa de entrada en el siglo IX. Podemos suponer no sin fundamento que nos encontramos ante uno de los primeros resultados de la expansión del culto de Martín que renuevan los contactos con la región de Tours que, desde León, tienen lugar a fines del siglo IX. Si esta suposición fuera válida tendríamos un nuevo punto de apoyo para comprender este reforzamiento del prestigio del santo turonense, prestigio que no hace más que aumentar a partir de esta época, llegando su devoción a muchas otras zonas. De nuestro códice, o algún gemelo suyo, se extendió este conjunto de textos martinianos, ya organizados, por regiones castellanas posteriormente[12] . Por otra parte, esta inclusión podría representar un indicio más del creciente afán de búsqueda de nuevas formas ascéticas en la Rioja del siglo X.

Sigue todo un surtido, que originariamente no formó parte de la Compilación, a saber la *uita Ambrosii* de Paulino de Milán, la *uita Augustini* que elaboró minuciosa y entusiásticamente Posidio, y una pieza de más inexplicable inclusión aquí, como es el *Indiculus librorum S. Augustini,* cuya difusión en la Península debe quizá ponerse en relación con los que en otro lugar hemos denominado «círculos agustinianos»[13] .

La Vida de Paulino de Nola, que escribió el presbítero Uranio, pertenecía a la Compilación en su versión original, y aparece en nuestro manuscrito en su lugar. Detrás de ella, como era debido para mantener el orden primitivo, se encuentra todo un conjunto complejo sacado de la *Historia monachorum* de Rufino, en que había seleccionado Valerio, pero quizá antes de él otros personajes preocupados por la educación ascética de monjes, aquellos capítulos de mayor interés ejemplar. Viene a continuación, como en muchos códices extrahispanos

nos quedan restos abundantes en un manuscrito leonés, de comienzos del siglo X, que sigue siendo el principal representante de esta colección hagiográfica (Madrid Biblioteca Nacional, *10007*). Combinando la secuencia de textos con los restos de numeración se ha podido establecer con gran verosimilitud, y casi en su totalidad, el contenido y disposición de la compilación.

12 La presencia activa de un núcleo turonense queda fuera de duda razonable, porque no sólo estos textos de Sulpicio Severo aparecen en este manuscrito, sino además la Vida de S. Bricio (BHL 1452), precedida por todo un amplio conjunto de textos martinianos debidos, como esta misma vida, a Gregorio de Tours (hist. Franc. I, 48; Vita Mart.).

13 Véase la Introducción al Apéndice XXI.

de los siglos IX-X, lo que probaría que se trataba efectivamente de colecciones elaboradas, la Vida de Malco, compuesta por Jerónimo, junto con la *Vita Frontonis* y, de seguida, la *Vita Fructuosi*[14].

Prodúcese desde este punto una ruptura del orden que los restantes textos seguían en la obra valeriana. Para proseguir con el índice comentado del contenido de nuestro códice, basta señalar que aparecen las siguientes piezas: la Doctrina de los Doce mandatos, de S. Atanasio, y la Vida del Abad Antíoco, antes de que nos topemos con todo un conjunto emilianense, aquí ofrecido por vez primera a lo que parece. Este conjunto está integrado por la carta de Braulio a Fronimiano, el poema eugeniano *de basilica sancti Emiliani* (escrito en preciosas letras rojas para llamar la atención sobre él), y la Vida de San Millán por Braulio. Que todo este grupo de textos ha sido introducido en la Cogolla no es dudoso, a pesar de que alguna vez se ha sostenido lo contrario[15].

De la Compilación valeriana perduran luego diversas piezas debidas a la propia pluma del anacoreta bergidense o sus ambientes: el tratadillo *de uana seculi sapientia,* los opúsculos dedicados a Donadeo y el Epitámeron que cerraba la colección hagiográfica[16]. Curiosa presencia, todavía no bien explicada, es la de las *Vitas Patrum Emeretensium,* de que nuestro códice aparece ser uno de los más importantes testigos, pero que no parece haber formado parte de la Compilación. Síguese una sarta de obras recogidas por Valerio: el tratado *de reparatione lapsi* del Crisóstomo, en traducción latina que todavía no ha sido debidamente investigada ni en su forma ni en su difusión, el opúsculo *De monachorum penitentia*[17], y el *De exultatione diaboli,* con la carta de Jerónimo *ad clericos.*

14 En la introducción a mi edición, *La Vida de San Fructuoso de Braga,* Braga 1974, 15-20, he estudiado el significado y valor de la presencia de esta obra en la Compilación de Valerio; remito a cuanto dejé dicho en aquellas páginas para no incurrir aquí en excursos impertinentes.

15 L. VAZQUEZ DE PARGA, *Sancti Braulionis... Vita S. Emiliani,* Madrid 1943, xviii-xix. Este estudioso arranca del supuesto, absolutamente incierto, de que las piezas emilianenses formaban parte de la Compilación de Valerio, por lo que concluye en sus sucintas notas que todo «hace pensar que [la Compilación] pudo haber sido la única trasmisora del texto y que posiblemente todos los códices conservados remontan a un arquetipo único: el ejemplar remitido por San Braulio a Galicia para satisfacer los deseos de San Fructuoso», y cita la carta 42 de la correspondencia de Braulio, que le fue dirigida por Fructuoso de Braga. El estudio de la Compilación parece invalidar, sin embargo, o al menos debilitar notablemente, esta hipótesis.

16 Esta pieza, más que ninguna otra razón, presta garantía de que no se fantasea al estudiar el contenido del códice en función de la colección hagiográfica de Valerio.

17 En realidad *Vitae Patrum* 5, 5, 38 (PL 71, 884).

A partir de aquí puede decirse que se pierde el contacto con la Compilación de Valerio: encontramos la Vida de San Alejo cuyo nombre no se menciona y sí solamente el de su padre Finiano. Esta vida, que tuvo un gran desarrollo en la Rioja en el siglo X, parece haber sido compuesta a finales del siglo IX a partir de materiales sirios[18] . ¿Acaso podría tenerse por una muestra de influjo mozárabe?

La segunda parte de este sector A ofrece al lector, en el típico estilo de nuestro copista, una innovación: las vidas de santas que figuraban en la Compilación de Valerio, y otras que no estaban en ella aparecen desglosadas de los lugares que habían ocupado en aquella colección para constituir un libro independiente. Según el índice abarcaba éste las vidas de Constantina, Melania, Castísima, Egeria, Pelagia y María Egipcíaca, de las que sólo la primera, y aún incompleta, se nos trasmite en la parte conservada, lo que es de lamentar porque en algunos casos nos habría gustado contar con estas biografías de las que no siempre abundan los testigos[19] . Añadamos para concluir que el destrozo actual viene de atrás, porque el fol. 253^{v} presenta huellas indudables de desgaste y roce como final.

Vengamos ya al sector B. Comprende los folios 254-285. Una simple inspección nos asegura que estamos frente a un manuscrito algo posterior, probablemente de finales de la segunda mitad del siglo X, copiado quizá por tres manos, con marcadísima influencia de los tipos litúrgicos. Si este manuscrito fue exarado en San Millán, convengamos que presenta estrechos puntos de contacto, en el tipo de letra y en sus realizaciones, con códices de región burgalesa, lo que por otro lado no sorprende mucho habida cuenta de la peculiar situación del cenobio emilianense.

La preparación del pergamino para la escritura es casi la misma que la del sector A en lo que hace a pautado, aunque con la particularidad de que el espacio intercolumnar casi no existe, por lo que el aspecto que ofrecen las líneas verticales es el de dos para iniciar la columna *a,* cuatro al centro, y

[18] El texto de este manuscrito fue publicado por primera vez por L. VAZQUEZ DE PARGA, «¿La más antigua redacción latina de la leyenda de San Alejo?», en *Revista de Bibliografía Nacional,* 2 (1941), 245-258; cf. B. DE GAIFFIER, en *Analecta Bollandiana,* 63 (1944), 281-283. Se trata de BHL 289. Nueva edición crítica basada en este Emilianense y otros tres códices por U. MÖLK, «Die älteste lateinische Alexiusvita», en *Romanistisches Jahrbuch,* 27 (1976), 293-315. (Agradezco al P. De Gaiffier haberme llamado la atención sobre este problema).

[19] La Vida de Melania, por ejemplo, tiene una interesantísima rama española que nunca ha sido debidamente estudiada: la de los códices Escorial *a.I.13* y *a.II.9,* éste último utilizado por el Cardenal Rampolla para su gran edición; cf. D. GORCE, *Vie de Sainte Mélanie,* Paris 1962, 51. Dígase casi otro tanto de la Vida de Pelagia o de Castísima.

de nuevo dos que delimitan por la derecha la columna *b*; las horizontales son 40, y también en este sector las dos primeras y las dos últimas corren sin interrupción de la primera vertical de la izquierda al borde exterior del folio.

Intervinieron en la elaboración de este sector tres manos, como queda dicho. La primera, muy artificiosa, que luego va poco a poco descuidándose y trivializándose, escribe[20] la Vida de S. Silvestre, con un apéndice sobre Constantinopla; luego de una pérdida, se sigue exabrupto la Vida de S. Marcial[21] , la de Jerónimo compuesta por Sebastián de Monte Cassino, y la del papa Gregorio por Paulo Diácono. Una segunda mano, a lo que parece, concluye este texto, para dar entrada a la tercera que trascribe la *epistola de transitu Isidori* de que fue autor el diácono de Sevilla Redempto. Como es bien sabido, este escrito se cierra mencionando la data de la muerte de Isidoro, año 636, en la forma *era sexcentesima septuagesima quarta,* lo que ha aprovechado el falsificador que tantas veces encontramos en los códices emilianenses para añadir, con tinta más desvaída y mucha artificiosidad, *Iohannes abba in sco emln.* Por la cabecera de los folios corre el título de la obra pertinente en minúscula descuidada con tinta roja. Así pues, aunque en tiempo algo posterior, el sector B de nuestro códice nos vuelve a poner en contacto con el escriptorio en que se ejecutó el sector A, que por su mayor calidad se había convertido en una especie de paradigma.

Los blancos que con seguridad ofrecía este sector fueron aprovechados en el siglo XIII para copiar textos diversos: un sermón de Agustín y una profesión de fe trinitaria[22], debida a Alcuino.

El manuscrito que estudiamos se conservó en San Millán desde que fue elaborado; pues no sólo dio pie al manuscrito 10 del mismo fondo, sino que presenta numerosas huellas de utilización posterior, nótulas locales[23] y rasgueos. Por otro lado, digamos que la presencia aquí de la Compilación hagiográfica que había preparado a fines del siglo VII Valerio en el Bierzo para los seguidores del abad Donadeo supone no solamente una notable expansión de los

20 Son los fol. 254-283.

21 Una observación curiosa: en el f. 285 se han dejado unas seis líneas en blanco; al margen va la siguiente anotación: *hic dimitto spatium quia dubito tria aut quatuor regule.* El copista era escrupuloso.

22 Aug. serm. 61 (v. J. DIVJAK, *Die handschriftliche Ueberlieferung der Werke des heiligen Augustinus,* Wien 1974, 211); Alcuin. symbolum I, 738.

23 Me permito citar la siguiente (f. 286): «fiso fazer don (raspado y sobrescrito en letra posterior «Diego de Vergara abbad») la capilla de orogos año de mill e cccc^{os} e 1.VIII e acabose de tejar este dicho año a quatro dias de agosto e comenzarase a fazer en este dicho año a XXVIII de abril».

documentos del monacato gallego[24] sino también un precioso interés por la literatura de edificación. Lamentamos sólo que, al revés de lo que acontece con otros textos, quizá de menor relevancia al respecto, nuestro códice no porte más huellas de utilización privada o comunitaria, lo que nos daría, además, luz sobre aspectos curiosos de la vida de un cenobio como el de San Millán.

Interesante sobremanera es el manuscrito Madrid Academia de la Historia, *cód. 8,* que contiene los Comentarios a los Salmos de Casiodoro[25] , ilustrados con preciosas iniciales que recuerdan mucho las del Emilianense 13 de la misma colección y consisten en entrelazos, pero abundan en figuras animales o humanas muy estilizadas, de notable variedad. El manuscrito que presenta muchos folios cortados o recortados, carece de comienzo por pérdida de seis de los ocho folios del primer cuaternión, de que quedan los que serían el 7º y 8º; falta asimismo entre los folios 9 y 10 el que sería final del segundo cuaderno. Estos no llevan en la primera parte, que comprende los actualmente numerados 1-246 debidos a una sola mano, ni número de orden ni reclamo; por el contrario, en la parte que se debe a la segunda mano, folios 274-342, van reclamos en la parte final de la mayoría de los cuaterniones. Esta comprobación nos abre nuevos modos para comprender hasta qué punto, incluso en un centro bien organizado, las directrices tecnológicas no están rígidamente establecidas sino que dependen, en cada caso, del artesano que las practica. Advertencia además para que no se deduzcan conclusiones apresuradas ni severas que muchas veces van contra la necesaria prudencia.

Toda la técnica, gráfica y codicológica, nos sitúa en la segunda mitad del siglo X, a que lleva asimismo el aspecto ornamental. La escritura clara, elegante, bien sentada, presenta astiles elevados rematados en cuidado bisel. Quizá ciertas letras tengan aspecto característico y peculiar, tales las *s*, un poco echadas atrás y con graciosa inflexión en su caída, y las *m* y *n*, con patas que rematan

[24] La propagación de textos relacionados con el monacato que simplificadamente suele denominarse gallego no es puro fenómeno literario ni obedece a éxitos de librería, si puede decirse así: se encuentra justificado y promovido por la expansión de estas modalidades monásticas, uno de cuyos principales y más completos logros reside en el mecanismo pactual. Como síntesis de lo mucho y bueno que ya se ha ido escribiendo al respecto, véase A. LINAGE CONDE, *Los orígenes del monacato benedictino en la Península Ibérica,* León 1973, 289-342.

[25] Véase Apéndice XX nº 18. Quiero subrayar que se da aquí por primera vez la identificación de estos Comentarios a los Salmos con la obra de Casiodoro. Por un descuido incomprensible tal identificación escapó a LOEWE-HARTEL, *Bibliotheca Patrum Latinorum Hispaniensis,* Wien 1886, 482-483, con lo que la mayoría de los que los siguieron en las descripciones o menciones de este manuscrito lo vinieron presentando como anónimo.

La Lámina 11 ofrece el final del comentario del Salmo 1 y el comienzo de la exposición del Salmo 2.

en ganchito visiblemente doblado hacia la derecha en lugar de ser completamente rectas. Todas estas observaciones, en la práctica, valen para las dos manos arriba distinguidas.

La pauta, hecha antes de plegados los bifolios, pero no por el lado exterior de la piel sino después de agrupados ya de dos en dos los bifolios, marca mediante doble vertical a cada lado cada una de las dos columnas. De acuerdo con la época a que se asigna el códice, los pinchazos de guía van por el exterior y establecen el número oscilante de renglones entre 41 y 43[26]. De estas líneas, de manera un poco anárquica, las dos primeras siempre y las dos últimas, a veces tres, o una sola, corren por el intercolumnio y el margen exterior, pero nunca siguen por el doblez.

Tal como queda dicho contiene este valioso códice la *Expositio psalmorum* de Casiodoro, de circulación abundante, a juzgar por los resultados, en la Península. Decir, sin embargo, que nos encontramos ante un códice de esta obra de Casiodoro, es poco si no se añade que indudablemente nuestro códice emilianense es solamente una copia del manuscrito que en 949 escribió Endura en Cerdeña, actualmente en la Biblioteca John Ryland de Manchester[27], *cód. 89 (Crawford 99)*. No deja de revestir importancia para nuestro estudio que prestemos rápida atención a este problema. La copia de Manchester lleva numerosas notas y una suscripción en letras griegas; tales notas aparecen de una u otra manera, y a veces con sólo texto latino, en las tres clásicas divisiones del Comentario de Casiodoro. En efecto, éste había previsto que el Comentario estuviera dividido en tres «códices», cada uno de los cuales abarcaría el comentario a 50 salmos. Esta división se encuentra puntualmente en el manuscrito de Endura[28].

Por el contrario, en el manuscrito emilianense, tanto al final del Comentario al salmo 50, como después de concluido el del salmo 100, aparecen sendos blancos de una media columna, indiscutiblemente destinados a recibir las notas que figuraban en el modelo y que, por razones que se nos escapan, no han sido nunca trascritas ni adaptadas. Aunque el texto del emilianense parece en general bastante correcto, su condición de copia rápida y no demasiado atenta se revela en el hecho de que la mayor parte de los signos marginales

26 La mayoría de los cuaterniones en la primera parte tienen 41 líneas; 42 se ven en los folios 231-246, 247-254, y 43 desde f. 255.

27 Abundosa y detallada descripción en la obra de M.R. JAMES, *A Descriptive Catalogue of the Latin Manuscripts in the John Rylands Library at Manchester*, I, Manchester 1921 (= reimpr. anast., 1979), 161-165, láms. 120-122.

28 Las divisiones están allí en fol. 148 *(Explicit expositio psalmorum a primo psalmo usque ad quinquagesimum)* y en fol. 283, donde, además del explicit e incipit normales, va una leyenda en letras griegas alusiva, con petición de oración por el copista.

que Casiodoro había hecho figurar en su texto para señalar los modos de interpretación, han sido deformados o interpretados erróneamente hasta hacerlos ininteligibles: así la abreviatura SCHE, que indica *hoc in schematibus*[29], aparece en el *códice 8* como SGRE o simplemente GRE, aunque en este caso cabe la duda de si no nos encontramos con la nota casiodorea GEO, esto es, *hoc in geometria.*

Un estudio comparativo meticuloso, aunque no exhaustivo, de la escritura de ambos manuscritos muestra una clara influencia de la grafía de Endura en la del copista primero de nuestro manuscrito. Por si fuera poco el hecho de la dependencia del texto, esta indiscutible relación por lo que hace al modo de escribir nos plantea una vez más el problema de las relaciones codicológicas entre la región de Burgos y San Millán. Probablemente de allá haya llegado el regusto por el empleo de letras griegas para trascribir pequeñas leyendas latinas, casi siempre fórmulas de copista más o menos amplificadas. En efecto, además de la que arriba indicamos y que tiene valor precisamente como criterio negativo, a saber los blancos en los puntos en donde deberían trascribirse leyendas de este tipo, encontramos tanto en fol. 340 como en fol. 341 los finales del comentario señalados con letras griegas, imitadas como prueban los errores: ΦΥΝΥΘ remata la exposición de los Salmos y, poco después, la conclusión general del comentario se cierra con ΦΥΝΥΤ ΛΩ ΓΡΑΤΥΑC CΗΧΠΗΡ[30].

Síguese a esta declaración el prólogo de San Jerónimo al Salterio, que remata con una fórmula atípica: *Benedico celi quoque regem qui me ad istius libri finem uenire permisit incolomem. Amen. Deo gratias.* Ninguna suscripción nos permite conocer el nombre del escriba[31]. A propósito de este final no está de más advertir que en el manuscrito de Manchester falta parte del comentario por pérdida de uno o dos cuaterniones: en la actualidad allí se remata con

[29] Para todo este problema véase la edición de M. ADRIAEN, *Magni Aurelii Cassiodori Expositio Psalmorum,* Turnhout 1958, 2 (Corpus Christianorum, XCVII-XCVIII), a que nos remitimos. Las notas marginales no coinciden siempre ni en su variedad ni en su colocación precisa entre nuestro códice y la edición que se basa fundamentalmente en tres códices de Corbie, del s. VIII (Paris BN, *lat. 12239, 12240* y *12241*).

[30] Esto es, *finit l(e)o gratyas sexper.* Los errores son evidentes para la fórmula latina: *lo,* con *l* en vez de delta dentro de la abreviatura para *deo*; asimilación de una *m* a una especie de *X*, de manera análoga a lo que se encuentra en el fol. 4 del manuscrito en Manchester (véase lám. 120 del Catálogo de JAMES, cit. nota 27), pero aquí, exagerada como resultado de la copia e imitación, e incomprensión en última instancia del diseño de la letra correspondiente.

[31] En el margen inferior del fol. 265 hay una leyenda criptográfica que confieso no haber sabido interpretar; sospecho que pueda encerrar datos importantes para la identificación del copista.

el salmo 148, pero el carácter de esta falta es indiscutible. Ningún argumento, pues, podría deducirse de este hecho contra la hipótesis de la copia que aquí, por el contrario, parece quedar confirmada[32].

En el verso del folio último se lee en letra contrahecha, aparentemente imitando la del siglo XI-XII, una nómina de personajes ilustres de San Millán. Es un doblete de la que también encontramos en la Biblia dicha de Quisio[33]; a partir del último nombre que se refiere a la era 1175 (año 1137) ya resulta ilegible[34].

A lo largo del manuscrito abundan, de manos posteriores, pero con certeza de los siglos X y XI, dibujos a pluma y varios a punzón[35].

En el fol. 27 un rasgueo nos permite leer: «a uos don Sanho por la gracia de dios rey», que probablemente se refiere a Sancho IV. Ninguna otra indicación nos permite adivinar una utilización, ni siquiera ocasional, del manuscrito que debió caer en desuso a pesar del cuidado y del esfuerzo aplicado en su elaboración.

Para proseguir nuestro estudio de la actividad de San Millán, bueno es no perder el hilo de aquellos códices que por estar datados nos proporcionan una guía insustituible. Por ello, dedicaremos ahora nuestra atención a un manuscrito copiado en 964, el que lleva la cota Madrid Academia de la Historia, *cód. 46*[36]. Se trata de uno de los varios glosarios que fueron exarados en San Millán o su entorno. Consta de 173 folios no numerados, de los que el vocabulario principal ocupa desde el fol. 1^v, en que aparece una gran A con entrelazos y dos cabezas de animales opuestas[37], hasta el fol. 168 en que

32 La edición de Adriaen menciona los códices del Escorial del s. XII que trasmiten también el Comentario de Casiodoro; de ellos uno (*P.I.5*) contiene sólo la primera parte de la *expositio,* y no está copiado en Hispania; el otro, algo más tardío (Escorial, *&.I.5*) contiene esta misma parte y no la totalidad como asegura ADRIAEN, p. ix; está copiado probablemente en región aragonesa, pero nada por el momento permite asegurar que tenga relación con nuestros manuscritos.

33 Véanse págs. 223-227. Anoto, por ejemplo: «Gomesanus ab et epus in era TCII. Eximinus monacus et eps in era TCIIII. Gomesanus alius mon et episcopus...».

34 Como dijeron ya Loewe-Hartel, tras la fórmula del fol. 342 se encuentra en rojo una indicación de la misma mano que introdujo tantas dataciones falsas en los códices emilianenses; escribe *in era DCCCCXVIIII Petrus abb. in sco emiln.*

35 A pluma en fols. 47^v, 52^v; a punzón, por ejemplo, en fol. 41^v, 46, 48^v, etc.

36 Apéndice XX, nº 31. El comienzo del glosario puede verse en Lámina 12.

37 El dibujo de esta letra es similar al de la que introduce el comentario al salmo 110 en el *cód. 8* de San Millán, sin que podamos establecer con seguridad cuál de las dos ha servido de modelo a la otra. Los entrelazos idénticos forman en una y

en letras griegas se lee ΦΥΝΥΘ ΡΩ [38].

A continuación del glosario un título dice: *Incipiunt gloss(e super) canones de c(oncilio) apostol(orum)*. Esta nueva colección comienza por *Confecta* pero como la mayor parte del folio ha sido cortado, resultaría dificilísimo reconstruir el texto, de disponer de este único códice. Los epígrafes siguientes hacen referencia a diversos concilios, de donde han sido recopiladas las glosas[39].

Síguese en fol. 170ᵛ un alfabeto griego con los nombres de las letras[40], y después un letrero que dice exactamente: Ω ΑΝΤΟΝΗϹ ΔΕΟϹ ΗΝΩΜΗΝΕ ΤΟΥΟ ϹΑΛΒΟΥ ΜΕ ΦΑΧ, esto es, o *antones deos enomene tuo salbu me fac*[41], que no acaba de resultar claro. Contemplando desde otro ángulo este problema y trascendiéndolo, diremos que una vez más por influencia de ciertas modas que, llegadas de más allá de los Pirineos, habían ido con mejor o peor fortuna arraigando en escriptorios como Cardeña, o Silos, también algún copista emilianense quiso introducirse en el manejo de las letras griegas, y ya que no componer piezas originales, al menos repetir las breves fórmulas que encontraba en sus modelos. Lamentablemente ni se llegó a conocer bien este alfabeto ni a entender del todo los mecanismos de trasliteración: la semejanza de ciertas letras añadió dificultades y provocó confusiones. Con probabilidad tenemos así algunas de las razones que fueron haciendo caer en el olvido estas ingenuas pedanterías que, en un momento, debieron deslumbrar a los monjes riojanos, atentos a admirar y adoptar cuanto de nuevo llegaba del mundo carolingio.

otra capital las mismas figuras, aquí más estilizadas. La única diferencia existente reside en el entrelazo que en el códice 8, sin funcionalidad aparente, se da en cada uno de los brazos de la A, a media altura, que en el nuestro adoptan el aspecto de unas grecas. La aproximación que cabe fundamentar en este detalle gráfico tiene otras repercusiones también, toda vez que la letra en ambos códices se asemeja extraordinariamente.

38 Hay que entender, sin duda, *Finit. d(e)o (gratias)*, aunque después de las letras griegas que quieren representar la abreviatura de *deo* un corte impide saber exactamente qué ponía. A pesar de las erratas de la deficiente trasmisión la interpretación queda asegurada por lo que dice en su lugar el manuscrito de Silos citado más abajo.

39 Son éstos: *De Concilio Antiocheno* (f. 168ᵛ), *De Concilio Sardicense* (f. 169). *De Concilio Cartaginense* (f. 169), *De Concilio Africano* (f. 169ᵛ), *Item eiusdem Affricanum* (f. 170ᵛ). Las glosas aquí han de entenderse más bien en el sentido de explicaciones que de equivalencias.

40 Así *Alfa, bitta, gama, delta, e, zita, yta, hdita, oita, kapa, lapda, mi, ni, csi, ro, pi, o, zima, tau, y, fi, sci, pzi, ω*

41 Confieso no haber logrado descifrar la primera parte de esta invocación, que bien podría encerrar el nombre del copista, no de nuestro códice probablemente sino del modelo; la oración *deus-fac* no es más que ps. 53,1. Actualmente esta leyenda ya no se encuentra en el códice de Silos que nos sirve a veces de falsilla (v. abajo nota 44).

Estos contactos explican por qué, en última instancia, ya no puede tenerse por sorprendente el hecho de que se encuentre entre los fol. 170v y 171 un poema de Ermoldo Nigelo, dedicado al rey Pipino, bajo el título de *uersus ad pueros*[42]. Y tampoco sorprende relacionar este hecho con otros dos, que adquieren así nuevas dimensiones. En primer lugar, y aun faltos como estamos de un estudio pormenorizado cuyos resultados fiables permitieran asentar cualquier conclusión, las versiones que han servido de base a las glosas conciliares no parecen coincidir con las que integran la Hispana. En segundo lugar, en estas glosas se entremezclan algunas no latinas sino germánicas de cierto interés para los estudiosos de estas lenguas[43]. De tal suerte, combinando estos tres datos, podemos lícitamente concluir que, al menos por lo que hace al Apéndice de nuestro manuscrito, es decir, los folios 168-171, habrá que suponer un modelo, más o menos inmediato, de origen renano o bávaro. ¿Forma parte de este origen tanto el alfabeto griego como la leyenda en letras griegas que arriba trascribimos? No es fácil de momento responder a esta inquietante pregunta, cuya solución nos dejaría sin duda entrever todo un mundo de relaciones, de contactos y de influencias que apenas imaginamos. El manuscrito, por otra parte, como no podía ser menos, está íntimamente relacionado con un glosario muy conocido que ahora se conserva en París Biblioteca Nacional, *nouvelles acquisitions latines 1296,* originario de Silos[44].

El manuscrito, copiado por una sola mano y preparado con una única técnica, se compone de 23 cuaterniones, no completos (el primero actualmente ha quedado reducido a dos bifolios), que, salvo excepciones, van numerados con solos números, sin la usual Q al lado. Cada dos bifolios, antes de plegarlos, se ha hecho el pautado a base de dos columnas, limitadas cada una por doble línea vertical a cada lado; las rayas horizontales, que siguen pinchazos de guía que van por el borde, son 36, que a menudo desbordan las verticales exteriores pero siempre cruzan el intercolumnio. El fol. 172 lleva un recuadro

[42] Publicado precisamente según este códice, único que lo trasmite, por E. DUEMMLER, en *Monumenta Germaniae Historica, poetae aeui carol.* II, Berlín 1895, 92.

[43] STEINMEYER-E. SIEVERS, *Die althochdeutschen Glossen,* II, Berlín 1899, 8. Unos ejemplos: *incomodum ungavori; portentuose unga hiuro; inretitus piguagan upis saget* etc. Debería añadir que el origen del glosario, y el mecanismo seguido para la interpolación de las glosas germánicas, se desvelará cuando publique los materiales inéditos de que dispone el Prof. B. Bischoff, Munich (comunicación al Coloquio de Lexicografía latina medieval, tenido en París en octubre 1978).

[44] Editado íntegramente por E. GARCIA DE DIEGO, *Glosarios latinos del Monasterio de Silos,* Murcia 1933; véase G. GOETZ, *Corpus Glossariorum Latinorum,* V, Leipzig 1894, xix. El manuscrito silense fue escrito en el s. XI, y es el más antiguo códice escrito en «pergamino de trapo» o papel. He aprovechado materiales de esta edición para algunas identificaciones y complementos.

con orla muy simple, de dibujos geométricos con rellenos en azul, amarillo y marrón, que enmarca un letrero bastante largo, totalmente escrito en rojo que lamentablemente se encuentra en mal estado, haciendo difícil la lectura. Lo que se lee actualmente, con algunas dudas, es lo siguiente: *Ex.../.../... hunc glossemarum, tibi libellum... scilicet./. que cognitio./. tionem prudentium et precipue/... ionem simplicium con... mentem/... Est uero expletum sub era millessima secunda die enim... tissimo/... idus iunias currente XII/.../.../... /... in secula seculorum Amen*[45]. Por suerte dos cosas resultan claras: que este colofón responde al glosario y que el manuscrito se acabó de copiar sobre el 13 de junio de 964. Pero ¿dónde? Tanto la escueta decoración como el sistema gráfico completo nos permiten aceptar sin duda a San Millán como el escriptorio en que se produjo este volumen, y la biblioteca en que se conservó[46].

En el siglo XI recibió, en letra visigótica acursivada, una indicación que tomamos como año *currens:* en el fol. 171 se lee *era ICXX,* nota que nos remite al año 1082. Por este tiempo, porque en apariencia son posteriores a la mano que copió el glosario, se pusieron otros dos textos en este mismo folio, uno que define «enigma» y lo ejemplifica con un pasaje de Isaías[47], y otro, de otra mano, con dos estrofas del himno *de cruce domini,* usado en la liturgia. En el verso de este mismo folio 171, una mano más reciente poco ducha en letra visigoda que tiene, por consiguiente, aire de contrahecha, o de ser a modo de calco, hace un cuadro con las notas características de tres principios, *deus, spiritus, corpus*[48]. Un nuevo texto, todavía en visigótica, en el verso del colofón, escrito con módulo menudísimo, no puede leerse actualmente; para Ewald era una crónica del siglo X, lo que lo convertiría en pieza de enorme interés[49]. Su estado de conservación no permite aventurar ninguna conclusión.

45 De todo este texto LOEWE-HARTEL, 513, ya habían indicado que se leía algo de difícil desciframiento: «auf der letzten Seite steht eine schwer zu entziffernde Subscriptio: hunc glossemarum (sic) tibi libellum... Est uero expletum era millesima secunda (= in Jahre 964)». Ignoro, pues, por qué razón KLEIN (v. Apéndice XX, nº 31), 506, sitúa este manuscrito en los siglos X-XI.

46 En fol. 39 en letra del s. XV una *probatio* dice: «Sepan quantos esta carta vieren cuemo yo don pedro por la gracia de dios e dela santa iglesia de rroma abbat del monesterio de san Millán de la cogolla»... etc.

47 «Enigma est obscura parabola siue obumbratus sensus qui difficile intelligitur nisi apperiatur ut est illud esaye prophete: Antequam parturiret peperit et antequam ueniret partus eius peperit masculum, quod sic intelligitur: Antequam uirgo parturire (sic) in carne, genuit eum pater in diuinitate. Et antequam tempus uirginis parturiendi ueniret, genuit eum pater sine tempore». La cita es de Is. 66,7.

48 Véase Apéndice XIX.

49 P. EWALD, «Reise nach Spanien im Winter von 1878 auf 1879», en *Neues Archiv der Gesellschaft für ältere deutsche Geschichtskunde,* 6 (1881), 334.

Es muy probable que haya sido este mismo códice el que sirvió de modelo directo al Silense de que arriba hicimos mención, con lo que una vez más se nos plantea la cuestión de las relaciones codicológicas entre los dos monasterios. De ser así, ¿nos resolveríamos a conjeturar que el *annus currens* de 1082 indica el tiempo en que se utilizó el manuscrito para que en Silos sacaran su propia copia? ¿O fue quizá ésta obtenida en el mismo monasterio de San Millán, y la copia resultante trasladada a su destino silense? Quédense por el momento así estos curiosos interrogantes.

No se puede dudar de que también en San Millán se produjo el manuscrito de la Academia de la Historia, *códice 29,* doblemente importante para nosotros, por su contenido y por los ricos y valiosos datos que nos suministra respecto al funcionamiento del mecanismo de copia en aquel escriptorio. Contiene casi íntegra La Ciudad de Dios de San Agustín; completa, pero ligeramente falta por el final, donde desde época antigua, a juzgar por el estado del último folio, falta un cuaternión[50] .

El manuscrito ha sido preparado de manera prácticamente unitaria: a lo largo de los 291 folios conservados, con excepción tan sólo de dos cuaterniones, y aún parece que eso incidentalmente, la preparación para recibir el texto se ha hecho siempre de la misma manera. Las dos columnas de cada página van determinadas por sendas líneas verticales, salvo en la segunda columna que cierra con doble raya vertical. Los pinchazos para guía de las horizontales, que son 36, van por el centro del folio; y éstas, que han sido trazadas antes de plegar el bifolio, no sólo cruzan el intercolumnio sino también la zona de doblez, pasando del recto de un folio al verso del parejo. Solamente en los folios 9-16 y 87-94, alguien, probablemente conocedor de una técnica que se seguía ya de forma corriente por aquella época, hizo, después de plegado y embuchado el cuaternión, pinchazos fuertes por el margen exterior del primer folio, perforando de una vez los ocho folios. Los cuadernos no llevan indicación de orden, pero sí reclamos puntualmente colocados; por cierto que parece oportuno recordar que éstos van en minúsculas hasta fol. 190 (con dos o tres excepciones), y desde aquí en cursiva, faltando toda huella de reclamo en el actual fol. 291, último del códice, aunque no del texto, desde hace algunos siglos.

Como es habitual, el recto del folio 1 se había dejado en blanco; en su verso comienza con buenas capitales emilianenses, pero sin relieve especial, la

[50] Véase Apéndice XX, nº 15. Reproducción del fol. 184 en Lámina 13. Conducido por un error mío (*Augustinus,* 13 (1968), 148), J. GIL, en *Habis,* 4 (1973), 218, artículo por demás interesante, dice que el *de ciuitate dei* no fue conocido en la Península, y sólo conservado en códices escritos fuera de España.

obra con el título: *In nomine domini Ihesu Xpisti incipit liber de ciuitate dei sancti agustini episcopi mirifice disputatus aduersus paganos demones et heorum deos ab exordio mundi usque in finem seculi.* Cada libro lleva capitulación y cuando falta, una mano del siglo XIII-XIV, con suma atención y elegancia, la ha trascrito, sacándola acaso de otro códice, que sirvió indudablemente para justificar y dar pie a las múltiples correcciones a que ha sido sometido este manuscrito.

Da la impresión de que en la copia de este emilianense intervinieron por lo menos tres manos: una que escribe más o menos los 70 primeros folios, otra a que se deben los folios 80-195, y otra que va desde aquí hasta el final, aunque no discutiría al que sostuviera que la letra chata e irregular de los folios 205-217 es producto de una mano diferente a las otras[51]. Con regularidad, las cabeceras de los folios llevan la indicación *LBR* y el número correspondiente; tan sólo cesan estas indicaciones y toda clase de noticias marginales al entrar a la copia la última de las manos, que escuetamente se limita a escribir el texto y poner los reclamos al final de cada cuaternión.

Si dejamos de lado la importancia que adquiere el contenido del manuscrito al ser uno de los contadísimos ejemplares que de esta capital obra agustiniana se conservan en la Península, donde fue tan apreciada, empero, y utilizada, son las múltiples notas marginales lo que hace de este manuscrito pieza singular y relevante. Vamos a distinguir, ahora que hemos de prestar atención a estas notas, tres grupos muy diferentes: uno que reúne todas aquellas apostillas que definiríamos como juicios de valor y llamadas al lector para atraer su interés; otro, con noticias que implican una lectura atenta, pormenorizada y crítica de la obra; y finalmente, un último grupo con suculentas informaciones que nos ilustran sobre el trabajo de copia.

Es difícil resolver de dónde han salido las notas del primer grupo, pues más que comentarios espontáneos de un lector, lo que permite suponer el tipo de escritura, parecen acaso ser simples traslados de apostillas encontradas en el códice modelo, como favorece al hecho de que algunas hayan sido hechas por el propio escriba al que se debe el texto. Aquí incluiríamos las notas del tipo de *acute* (fol. 85, 98, etc.), *uere et probe disputat* (f. 123), o bien *perge lector et dulces cibos sume*[52].

[51] Uno de los escribas se caracteriza por su caido raquítico en la *g* y letra ancha de tendencia angulosa; otro por lo que podríamos describir como letra emilianense típica a juzgar por algunos otros códices bien conocidos.

[52] Un caso límite entre este grupo y el siguiente lo representa una acotación como la de f. 84, de mano del propio copista, que dice literalmente: *intende lector et disce quia inde uiuimus mouemus et sumus et non in aliqua eius creatura quamuis pauci*

El segundo grupo, que se encuentra en los márgenes y en el intercolumnio, a veces incluidas las notas, con frecuencia larguísimas, en cartelas o recuadros, en letra menuda, casi siempre de la propia mano, está constituido por noticias y observaciones temáticas, especialmente abundantes entre los folios 80-125. Unas de estas apostillas se reducen a resumir el texto, o a hacer aclaraciones elementales al mismo, del tipo de *Plato filosofus.* Otras mencionan pasajes análogos o doctrinas, paralelas o contrarias sobre todo del propio Agustín y de Jerónimo[53] , aunque quiero recalcar que también se cita frecuentemente a Isidoro de Sevilla, y a Julián de Toledo[54] . Indudablemente hemos de rechazar la suposición de que se hayan hecho en San Millán estas anotaciones: ni había bastante conocimiento de los autores mencionados, ni se encontraría fácilmente quien estuviera en condiciones de elaborar tales notas. La comparación con obras, y doctrinas, de Agustín, Jerónimo y Ambrosio, así como esa especie de deleite en exponer conocimientos de *Quellenforschung,* referidos a un profundo contacto con Isidoro y Julián, nos demarcan un tiempo preciso. En ambiente de cultura visigótica, antes de mediados del siglo X y apostillando la Ciudad de Dios agustiniana todo concuerda para hacernos pensar en Albaro de Córdoba, quizás mejor en Samsón, o su ámbito cultural y literario. Es cosa conocida que el hondo dominio de una literatura relativamente extensa por parte de los escritores cordobeses no sólo se ha visto reflejado en sus obras, que revelan numerosas y variadas fuentes patrísticas[55] , sino en la cos-

ista intellegant sic uic uerissimus doctor testatur (me gustaría pensar que en este *uic (=huic)* por *hic* tenemos un síntoma cordobés del siglo IX; pero es probable mala lectura por *sicut*).

Advierto que otra mano, ésta de rasgos de acusado andalucismo, que no distingue *ti*, cosa sorprendentísima en esta época, escribe en f. 146: *as loquutiones scripturarum conueni omnibus nosse* (sic).

[53] En f. 125v , por ejemplo, se lee: *et de hoc in libros confessionum de scriptoris sensum multotiens tractat;* en fol. 148 otra, muy extensa, se inicia así: *beatus ambrosius diligentius dicit.*

[54] Merecería la pena un estudio minucioso de todas estas anotaciones como aportación —en el sentido que luego se indica— a la cultura y capacidad de información en estos siglos de la Alta Edad Media Hispana. Lamento mucho que, por los indicios que aduzco, no sea éste el lugar pertinente para hacerlo. Pero valgan unos ejemplos: en f. 85 se señala *in differentiarum libro beatus isidorus de hoc uolumine hoc testimonium de demonibus usus est;* en fol. 120 *et hoc beatus isidorus in ethimologiarum liber (sic) sumsit.* En fol. 137v , refiriéndose sin duda a Julián de Toledo, se lee: *et hoc in pronosticon inuenies* (ciu. dei. 13,6 = progn. 1,6 ed. J. HILLGARTH, *Sancti Iuliani Toletanae sedis episcopi opera,* Turnhout 1976 (CCh, CXV, 1), 21). Una edición comentada de casi trescientas de estas glosas en mi artículo «Agustín entre los mozárabes: un testimonio», a punto de aparecer en *Augustinus.*

[55] Remito a los copiosos índices del tomo II de J. GIL, *Corpus scriptorum muzarabicorum,* Madrid 1973; en ellos hay que separar las citas literales de las calladas, que a veces son más importantes que aquéllas, pero en otras ocasiones no pasan de aproximaciones doctrinales o temáticas.

tumbre, bien conocida para Albaro, de acotar los manuscritos que tuvo al alcance de la mano. Esta costumbre se deja ver en dos códices cordobeses del siglo IX que han llegado hasta nosotros: Escorial *&.I.14* y Madrid, Academia de la Historia, *códice 80*; y si bien es verdad que al menos una de esas notas va encabezada por su propio nombre de *Albarus,* también es cierto que no todas las notas son del mismo tipo ni llevan la misma marca[56].

En nuestro manuscrito las notas, que se reducen a partir del fol. 196, fueron trazadas casi todas por una sola mano que, en lo que se puede juzgar, a pesar del cambio de módulo y casi de trazado al hacerse éste más fino y estilizado por exigencias complementarias de claridad y escasez de espacio, es la que copia el texto. Como quiera que sea, han sido trasladadas también de otra parte; y por consiguiente podemos pensar, sin pecar de atrevidos, que tenemos aquí una trascripción fiel de un modelo enriquecido con observaciones y experiencias de algún o algunos eruditos, y que todo conviene para admitir que puedan ser del mundo andaluz. Gracias, pues, al minucioso copista nosotros conocemos el contenido integral del arquetipo: cuando este escriba deja la labor, el que lo sucede, para simplificar el trabajo, o acaso porque no se le dio lugar a ultimarlo (habiendo dejado la trascripción de las apostillas para un segundo tiempo que nunca llegó), prescindió de toda nota y se limitó al texto. Aunque sea, pues, por vía de conjetura creo lícito contar con la posibilidad de que nos encontremos aquí con el reflejo, parcial, de un manuscrito andaluz provisto de abundante apostillado.

El caso es que tendremos que detenernos en el tercer grupo de anotaciones. Son de dos clases; unas se refieren a la propia actividad del copista, dándonos referencias temporales preciosas sobre ella; otras, advierten a un eventual lector contra malas interpretaciones que podrían deducirse de la copia. Estas últimas son tres y se escriben o bien letra a letra en cada renglón para cubrir un hueco o blanco, o distribuyendo una sílaba en cada línea: dos veces escribe *perexi non dubites nil minus habet,* y otra, *perexi nicil duuites aliquid*[57]. Así anima a seguir adelante a quien pudiera pensar que el copista se había olvidado de trascribir un fragmento. Cómo se hayan producido estos blancos no logro imaginarlo; a no ser que estuvieran en el modelo, que habría utilizado una fórmula que se encuentra con alguna asiduidad en manuscritos toledanos o cordobeses[58].

56 Véase J. MADOZ, en *Estudios eclesiásticos,* 19 (1945), 519-522.

57 Fol. 128ᵛ y 195ᵛ.

58 Me refiero a la fórmula misma, bastante típica. Aparece en otros muchos casos: así arriba pág. 126 y aun en un códice Silense, ahora París BN, *n.a.l. 2180,* f. 222ᵛ, 223, 225, 244ᵛ. En este mismo códice (f. 118ᵛ), en cursiva, el copista ha puesto una nota: *in histo loco requiesci,* lo que significa que en esta segunda mitad del siglo X, tiempo al que también hay que atribuir el Silense, tales notas no sorprenden.

En lo que ya no cabe duda de que nos encontramos ante observaciones hechas directa y personalmente por el escriba, es en el último grupo, que presentaremos en su propia secuencia. Dicen así: *dominico in introytum q(uadragesimae) era MXV* (f. 63v); *hic inquoabit alius scriba ad scribere sabbato post octabas pasce* (f. 88v); *hic scripsi in dominico post ascensio et fuit illa pinna mala* (f. 106); *IIIIa fa. post pentecosten* (fol. 109v); *dominico post pentecosten* (f. 112); *IIa feria II id. Iunii* (f. 118); *uespera sancti adriani* (f. 121v); *uespera sanctarum iuste et rufine* (f. 138v), *uespera sancti bartolomei apostoli* (f. 141); las tres últimas van en letra cursiva; finalmente en fol. 162v se encuentra aun otra en que se lee apenas: *uespera sci miçaeli.* Siguen todavía cuatro letreros más, en este caso adoptando forma y técnica de anagrama, relativamente sencillo, en que, formando línea, unas series de trenzados resumen y condensan los trazos de las letras del texto que se lee sucesivamente de arriba abajo y de izquierda a derecha. Son los siguientes, una vez trascritos: *in diem sanctorum Seruandi et Germani* (f. 184); *in diem sanctorum Vincenti Sauine et Cristetis* (f. 189), y dos más finalmente que encierran mayor interés porque vienen a constituir una identificación precisa del comunicativo copista, que en el último deja su trabajo, como ha quedado reseñado al describir las diversas manos que operan en el manuscrito: en el fol. 170v , y leyendo a la inversa la serie anagramática, se encuentra *memoria diaconum moterrafe,* y de nuevo, pero ya en sentido normal *moterrafe diaconi memoria,* en folio 195v[59] .

A lo largo de unos meses, pues, del año 977 podemos seguir la obra y las dificultades del buen diácono Moterraf, cuya dedicación y entusiasmo por llevar a buen término su tarea nos ha dado dos valiosos frutos como hemos visto, la trascripción puntual de todo cuanto figuraba en los márgenes de su modelo, y era muchísimo, y la predicación detallada del progreso de su trabajo. Este personaje, cuyo nombre lo denuncia como mozárabe, no nos resulta demasiado claro. La utilización de indicaciones para tranquilizar al lector tiene paralelos cordobeses y toledanos ciertos. Los anagramas que acabamos de trascribir y explicar se asemejan, aunque en construcción mucho más elemental, a los que lleva el manuscrito 22 de la Catedral de León para designar, singularmente, los poseedores del códice[60] . Son tantos, pues, los indicios que

[59] Recuerdo que este nombre, sin aludir al ingenio del anagrama, había sido citado por M. Gomez Moreno, *Iglesias mozárabes,* Madrid 1919, 292, como uno de los indicios por él recogidos para probar el fuerte mozarabismo de San Millán; y con razón. Dos de las notas que dan fechas las había también trascrito Loewe-Hartel, *Bibliotheca patrum Latinorum Hispaniensis,* I, Wien 1886, 501, al describir sucinta pero exactamente este manuscrito.

[60] Diaz y Diaz, «El manuscrito 22 de la Catedral de León», en *Archivos Leoneses,* 45-46 (1969), 156-158.

convergen con naturalidad hacia Córdoba que uno estaría tentado a asegurar sin más que Moterraf se había formado en el Sur, de donde habría trasplantado sus técnicas a San Millán. Sólo que esta explicación no sirve para justificar cómo no queda en su grafía y en el ductus de su escritura ninguna huella indiscutible de su formación mozárabe, que debería verse realzada por el hecho de tener delante, según toda probabilidad, un manuscrito conterráneo. Otro enigma que dejaremos pendiente para otras investigaciones.

Pero, puesto este problema de lado, volvamos a unas informaciones que nos permiten hacer consideraciones sobre la actividad del escriptorio que, probablemente, se puedan generalizar a muchos otros; pero también nos dan pie para extraer enseñanzas sobre algunos aspectos.

Veamos ante todo la cadencia de fechas que implican las diferentes notas[61] : el año 977 el domingo de Carnaval, antes de iniciarse la cuaresma (f. 63v), cayó el 18 de febrero; la Pascua, el 8 de abril; la Ascensión el 17 de mayo; Pentecostés el 27 de mayo. San Adrián se celebraba el 16 de junio, las Santas Justa y Rufina el 17 de Julio, el Apóstol San Bartolomé el 24 de Julio, San Miguel el 29 de septiembre, los Santos Servando y Germán el 23 de octubre, y, en fin, los llamados Santos de Avila, Vicente, Sabina y Cristeta, se festejaban el 28 de octubre. Combinando ahora los datos

[61] Antes de seguir adelante debemos comprobar la exactitud de los datos anteriores. Tenemos dos que se presentan como complementariamente precisos: la mención del año 977 y la del lunes (*IIª feria*) 12 de junio (*IIª idus iunii*); las demás fechas o no nos sirven para comprobar la verdad de las referencias o sólo de manera incidental, pero importante, como veremos. Por desgracia debe haber un error en la fecha del mes, porque el 12 de junio de 977 fue martes y no lunes. Dos caminos se nos abren para explicar esta anomalía; o se quiso escribir *IIª f III id. iunii,* esto es, lunes 11, o al contrario *IIIª f II id.*, o sea martes 12; entiendo preferible la primera solución porque es más justificable al ser más seguro el día de la semana y más fácil la reducción del 3 de las idus a 2 por influencia del número anterior. Cabría que pensáramos que lo que está mal es la mención del año en la primera nota. Ahora bien, en este caso, cayendo el 12 de junio en lunes no podríamos pensar más que en los años 954, 965, 971, 976 y 982 (excluyo otros por incompatibles con la escritura o con otras reducciones de la era trasmitida). Pues bien, si en estos años combinamos las datas movibles que mencionan las notas marginales con los resultados del proceso de trabajo, veremos que son inaceptables. Así, si antes de la data de junio mencionada tuvo que darse necesariamente, y con una distancia, por larga o corta que sea, el domingo siguiente a Pentecostés *(dominico post pestecosten),* quedan excluidos los años 971, 976 y 982 porque tal domingo cayó entonces o el propio 11 o el 18 de junio; nos valdrían los años 954 y 965, eras 992 y 1003; pero con dificultad se ve cómo confundir ninguna de esas dos eras con 1015 que nos da la nota correspondiente. Aun en este último caso, habida cuenta del ritmo normal de copia se producirían desequilibrios injustificables. Parece, pues, que se puede aceptar el año 977, porque en tal año, corregido el ligero error de la nota f. 118, todo conviene con normalidad.

mencionados con los folios en que aparecen nos surge el siguiente significado cuadro:

f. 63v:	18 febrero
f. 88v:	21 abril
f. 106:	20 mayo
f. 109v:	31 mayo
f. 112:	3 junio
f. 118:	12 junio
f. 121v:	15 junio
f. 138v:	16 julio
f. 141:	23 julio
f. 162v:	28 septiembre
f. 184:	23 octubre
f. 189:	28 octubre

Estableceremos, pues, una media de copia de una página diaria con notables diferencias en el ritmo que marca dos máximas, entre el 31 de mayo y el 15 de junio, y progresivamente en los últimos días de septiembre y mes de octubre, cuando está a punto de concluir la tarea. Obsérvese un descenso en el rendimiento durante la última decena de mayo y todo el verano, manteniéndose los resultados también muy por debajo de la media durante la Cuaresma y Pascua[62] .

[62] Lo recoge mejor el siguiente cuadro:

	Período	días	páginas	Media
	18.II — 21.IV	62	50	0,80
	21.IV — 20.V	29	35	1,20
	20.V — 31.V	11	7	0,63
	31.V — 3.VI	3	5	1,66
	3.VI — 12.VI	9	12	1,33
	12.VI — 15.VI	3	7	2,33
	15.VI — 16.VII	31	34	1,09
	16.VII — 23.VII	7	5	0,71
	23.VII—28.IX	67	43	0,65
	28.IX—23.X	25	43	1,72
	23.X — 28.X	5	10	2
Total	18.II — 28.X	252	251	0,99

Hay que contar con un factor de desviación, no tenido aquí en cuenta: las apostillas marginales al texto, que por el módulo de letra que exigen imponen un retraso en la velocidad de copia. Para una valoración precisa de los resultados obtenidos, sería muy deseable poder tenerlas en cuenta, aunque ello a su vez plantea el problema del momento en que se trascriben; por descontado que, previamente, ha de estar ultimada la página, pero, ¿se van escribiendo página a página?

Acaso haya de atribuirse importancia al clima porque parece que no se pueden establecer las mismas relaciones con la luz. En los momentos del día dedicados normalmente en la vida monástica a la labor manual, la influencia de la luz solar tuvo importancia capital; pero no debían diferenciarse mucho las horas disponibles para estas tareas cuando se obtienen los resultados arriba reseñados. Por el contrario, se ve enseguida que la vida litúrgica y espiritual intervenía abierta y fuertemente en la labor de copia: las exigencias de la Cuaresma y la Pascua, dejarían menos momentos libres al copista.

Debe ser cierto que, como nos señala la nota correspondiente en el fol. 88^{v} , otro escriba reemprendió allí la labor de copia; pero a pesar de los esfuerzos hechos para identificar las líneas o partes correspondientes, no he logrado localizar su trabajo. De todos modos, tanto por el hecho de insistir en ello como por las consecuencias que parece deducir la nota de la situación resultante, uno descubre la importancia que debió alcanzar la preparación de las plumas. Si la pluma, en esta ocasión, resultó mala[63] y ello impidió o demoró la copia, indudablemente además de una técnica depurada y compleja de preparación habría que suponer que se exigían determinados requisitos en la materia prima utilizable, que no se obtenía con facilidad.

Otro detalle que nos interesa sobremanera, del que tenemos otros testimonios por algunas suscripciones o colofones, es que la labor de copia de códices no se consideraba a efectos religiosos como incompatible con el precepto del descanso dominical, ya que de otra manera no se señalarían en nuestra serie anterior nada menos que tres domingos como puntos de referencia de la escritura llevada a cabo. Se comprenden así en una nueva perspectiva las protestas que llevan las noticias de copista que suelen acompañar los colofones: duélense a menudo los escribas del enorme esfuerzo físico realizado, de su cansancio corporal, del deseo de terminar tan pesada labor. Hay, como se sabe, una obsesión por equiparar su trabajo tan técnico, —y no siempre tan visiblemente rentable a corto plazo como otros que requieren menor preparación—, al trabajo físico, recomendado e impuesto por las reglas.

Tenido probablemente por trabajo intelectual, o cercano a éste, todos los días y todos los descansos eran hábiles para emprenderlo, con notable discriminación. La actividad de nuestro copista, tan ansioso de demostrarnos su propio suceso, tiene además otra vertiente a que, implícitamente, hemos hecho ya referencia. El escriba, al menos ciertos escribas, gozaban de una enorme autonomía, sin que entrase en ella ni el príncipe del escriptorio ni los otros

[63] Y es indiferente a estos efectos que *pinna* esté usado material o metonímicamente, y que en este caso pueda referirse a la actuación insatisfactoria del nuevo copista.

miembros de esta sección. Esta independencia para juzgar y resolver explica que Moterraf, por escrúpulos, los mismos que le hacen ir llevando registro de su actividad, decidiera copiar todas las notas de su modelo, como tantos otros copistas; pero no es de excluir al lado de esta razón el que sintiera especial veneración por el modelo que estaba copiando, mozárabe como él, y que rindiera así tributo de admiración a sus conterráneos que habían llenado su arquetipo de tan ricas muestras de su profunda erudición.

He aquí cómo el escriptorio de San Millán, embarcado cada vez en más ambiciosas singladuras, se nos presenta como punto de encuentro de gentes, textos y costumbres de las distintas regiones.

Una de las piezas maestras salidas del escriptorio de San Millán se conserva, fresca y lozana, ahora en la Biblioteca del Escorial, donde entró ya en tiempos de Felipe II: el denominado Códice Emilianense de Concilios, de signatura *d.I.1,* acabado de copiar en 992 por obra conjunta de Velasco y Sisebuto como copistas, y Sisebuto *discipulus,* quizá como decorador[64] . Trátase de un enorme códice de gran formato y 476 folios, con piezas posteriores, probablemente elaboradas también en el monasterio de San Millán[65] .

El contenido de este códice coincide casi puntualmente con el del manuscrito Vigilano, Escorial *d.I.2* [66] , del que viene a ser una copia. Y puede

64 Se hacen lenguas de la perfección del manuscrito, que siempre fue parangonado y puesto a la par del Vigilano (v.p. 64 ss), los autores antiguos, entre ellos A. DE MORALES, *Coronica,* lib. 17, 16; G. ARGAIZ, *La Soledad Laureada,* Madrid 1675, 278v y 325v ; etc. Una larga y minuciosa descripción dió G. ANTOLIN, «El códice Emilianense del Escorial», en *La Ciudad de Dios,* 72 (1907), 184-195, 366-378, 542-551, 628-641; 73 (1907), 108-120, 279-291, 455-467; 75 (1908), 304-316, 460-471, 637-649; 76 (1908), 310-323; 457-470; 77 (1909), 48-56; 131-136, que constituyen la base de su descripción en *Catálogo... del... Escorial,* I, 1910, 322-368. Desde entonces la literatura en que se menciona este códice es inmensa; hasta 1960 véase MILLARES, *Manuscritos visigóticos,* Madrid 1962, nº 21. Añado por vía de ejemplo y sin ánimo de completar las alusiones y descripciones (especialmente en lo que se refiere a aspectos artísticos): J. GUILMAIN, en *Speculum,* 35 (1960), 25-27, 36-37; J.M. FERNANDEZ PAJARES, en *Boletín del Instituto de Estudios Asturianos,* 7 (1969), 281-304; G. MARTINEZ DIEZ, *La Colección Canónica Hispana,* I, Madrid 1966, 117-120; A. LINAGE CONDE, *Los orígenes del monacato benedictino en la Península Ibérica,* León 1973, 821-826; P.K. KLEIN, *Der ältere Beatus-Kodex Vitr. 14-1 der Biblioteca Nacional zu Madrid,* Hildesheim 1976, 558-561.

65 El primer sector añadido son los folios 230-234 bis que contiene la *Vita Ildephonsi* del pseudo-Cixila, la carta de Eugenio de Toledo a Protasio, la *Visio Taionis* y extractos de Burchard de Worms; el segundo, abarca los fols. 393-396 con parte del *Registrum* de Gregorio Magno, la conocida nótula *De missa apostolica* y el texto *De officio Ispane eclesie in Roma laudato* (nuevamente editados por J. PEREZ DE URBEL-A. GONZALEZ RUIZ-ZORRILLA, *Liber Commicus,* Madrid 1955, 713-716). La letra en estos añadidos parece única, e incluso la pluma utilizada no es del tipo normal: hay vacilación en el ductus y cierta inseguridad en las abreviaturas. Todo justifica la adscripción a la era mentada en fol. 396v: *era MCLXXVIII,* año 1140.

66 Véase págs. 64-68.

decirse que lo es en el estricto sentido medieval: como veremos más adelante, a la vez es copia y producto original. Pero procedamos por partes. Al igual que en el Albeldense, dos son las obras que constituyen la médula y razón del manuscrito: la Colección Canónica Hispana, y el Fuero Juzgo. La primera abarca en este códice los folios 19^{v}-229 para el conjunto conciliar, y 235-316 para el de decretales pontificias; el segundo los folios 396bis a 451, incluyéndose las fórmulas para juramentos y abjuraciones de judíos que se habían convertido en complemento del libro XII de la *Lex* visigótica. De la misma manera y con traza similar a la de su modelo de Vigilán lleva este códice los retratos de Chindasvindo, Recesvindo y Egica (fol. 453), a los que describe con el mismo letrero, como autores y perfeccionadores de la ordenación jurídica: *hii sunt reges qui abtauerunt librum iudicum.*

Además de estos dos textos que son el núcleo, y en los que pronto se echa de ver que puede darse por sentada la dependencia textual del Emilianense respecto al Conciliar de Albelda, nos trasmite otros conjuntos también copiados de aquél. Mencionaremos por su importancia cultural la serie *de uiris illustribus,* en los folios 346-347^{v}, representada por poco más que los índices de las correspondientes obras de Jerónimo, Genadio, Isidoro e Ildefonso, seguido de las biografías dedicadas a Julián de Toledo por Félix y a Salvo de Albelda. A Toledo, como capital del reino, y a la monarquía visigótica, apuntan otras piezas como el *Ordo de celebrando concilio* y la *Exhortatio ad principem,* amplificada con fragmentos sacados de Gregorio Magno, y acompañada del símbolo *Quicumque,* como prueba de ortodoxia[67]. También nos trasmite este códice el tratado *de officiis ecclesiasticis* de Isidoro de Sevilla, ahora bajo el nombre antiguo y probablemente original de *de generibus officiorum,* y la capitulación de los libros *aduersus Iudaeos* del escritor sevillano; entre ellos la *Epistola ad Leudefredum episcopum,* que se atribuye en la mayor parte de los códices a Isidoro pero que, con certeza como probó Silva-Tarouca[68], pertenece a fines del siglo VIII o comienzos del siglo IX, y que quizá se originó en región pirenaica, probablemente catalana, o, añadiría yo, rosellonesa, lo que podría explicar su compleja tradición.

En este conjunto, comenzamos a descubrir uno de los rasgos peculiares del Emilianense: al lado de la fidelidad a la copia del modelo se da una

[67] Véase además pág. 67.

[68] En *Gregoriana,* 12 (1931), 588-590, que creía que debía incluso haber sido compuesta fuera de la Península; mis dudas al respecto ya las manifesté en *Index Scriptorum latinorum medii aevi Hispanorum,* Salamanca 1958, nº 453. Reproducción del texto y traducción inglesa de G.B. FORD, *The Letters of St. Isidore of Seville,* Amsterdam 1970², 10-17. Para la tradición manuscrita de esta pieza es importante L. ROBLES CARCEDO, *Prolegómenos a un «Corpus Isidorianum»,* tesis, Valencia 1971, 8-10.

especie de reinterpretación que consiste en la introducción de nuevas piezas, cuya conexión con las anteriores cuesta a menudo explicar. Si resultaba difícil en el caso del Albeldense justificar el interés por el tratado *aduersus Iudaeos,* para el que aventuré que pudiera responder a necesidades y situaciones de la región de Albelda en la segunda mitad del siglo X, y en todo caso, para la región zaragozana en que los judíos habían alcanzado a lo que parece una posición que les permitía ejercer toda clase de presiones[69], no parece ya que en los ambientes emilianenses, o relacionados con San Millán, tal presión judía llegara a sentirse ni siquiera como justificación de la copia de nuestro texto. Pero si se entiende, como quizá lo hicieron Velasco y Sisebuto en cuanto ordenadores del contenido del manuscrito, esta pieza como parte de la formación doctrinal y disciplinar de los clérigos, se comprende que hayan querido completar este conjunto con las dos obras que por su cuenta añade el Emilianense: el *de officiis ecclesiasticis* isidoriano y la *Epistola ad Leudefredum*. Otro problema que nos interesa ha de quedar de momento pendiente por falta de pruebas: de qué fuentes se obtuvieron estos dos textos, de muy divergente trasmisión textual; pero como quiera que esto sea, queda claro que el escriptorio de San Millán estaba en condiciones de disponer de ellos y copiarlos en este gran manuscrito.

Una abigarrada serie de textos que podríamos denominar de ambiente monástico vuelven a ser copiados aquí, pero mediante una suerte de readaptación respecto al códice de Vigilán. Efectivamente, los fragmentos de la Regla de San Benito, combinados con sentencias sacadas de Casiano, parecen buscar, a juicio de los entendidos[70], un avance importante respecto al ensayo iniciado en el Albeldense de manera algo más tímida, para obtener nuevas formas monásticas en la Rioja del siglo X.

Trasmite también el Emilianense el conjunto historiográfico que nos sale al paso en el Albeldense, en que entra la llamada Crónica de Albelda, la historiola de Mahoma y la *Norma fidei,* que combina un sentimiento de renovación y afirmación cristiana con una actitud antimahometana cerrada. Me atrevería a afirmar que disponemos de una prueba de cómo estas piezas, a pesar de todo, nunca eran trascritas de manera mecánica sino consciente. Cuando en el fol. 395 se trascribe la *Norma fidei nostra perenniter retinenda,* el copista Sisebuto ha querido hacer profesión de su fe ortodoxa escribiendo: *Inter cre-*

[69] Véase págs. 67-68; como allí indico, y quiero subrayarlo, puede que todo el planteamiento de uso de la obra carezca de actualidad y obedezca a supuestos anteriores que se perpetuaron en los manuscritos justificándose en las sucesivas copias.

[70] Me remito a cuanto escribe LINAGE CONDE, *Los orígenes...* (v.n. 64), 821-823 a este respecto.

dentes fidei criste salba tibi sisebutum confitentem, que recoge en su afirmación mucho del espíritu de la pieza correspondiente.

Al igual que en su modelo el Albeldense, encontramos aquí asimismo los prolegómenos que, en su mayor parte extraidos de las Etimologías isidorianas, constituyen la parte inicial del manuscrito: las edades del mundo, seguidas de una breve crónica, el calendario y funcionamiento de los cómputos pascuales, con descripción de ciclos y un tratadillo elemental de cálculo que conserva el nombre de *Ars proficua arithmetice,* para rematar con la rosa de los vientos y el poemita visigótico *De uentis*[71] , y el fragmento geográfico *De orbe.* La más notable diferencia con Escorial *d.I.2* reside en que aquél había puesto a continuación los opúsculos *De adfinitatibus* y *De gradibus arbor,* que el Emilianense ha relegado a los folios 455-460 al amplificarlos con otros tratados similares, aquí de alguna manera atribuidos, ignoramos en realidad con que sólido fundamento, a Samsón de Córdoba[72] . El indicio resultante de la mención del nombre del abad cordobés combina bien con el que resulta de tantos otros contactos con ambientes mozárabes como podemos señalar. Así el Emilianense se convierte en pieza fundamental al tiempo de estudiar la continuidad de estos contactos mozárabes.

¿Qué sentido y qué objetivo se había propuesto quien se resolvió a copiar en f. 360ᵛ y en 363 dos piezas tan dispares como la Nómina de los Obispos de las sedes de Sevilla, Toledo e Ilíberis, y la Nómina de las sedes episcopales hispanas? Para esta segunda nómina, podríamos tomar en consideración el hecho de que el copista Sisebuto era, o llegó a ser, obispo como nos hace notar en su lugar; quizá los problemas que comenzaban a apuntar entre las diócesis de Pamplona, Nájera, Valpuesta, Oca y Burgos justifican de sobra este recordatorio de las viejas divisiones y denominaciones episcopales, en un momento en que en la Rioja se siente la necesidad de entroncar con las antiguas bases del ordenamiento jurídico hispano[73] . Por lo que hace a los Díp-

[71] *Index scriptorum latinorum medii aevi Hispanorum,* Salamanca 1958, n° 263. Identificación de las perícopas isidorianas en *Las Etimologías en la tradición manuscrita medieval estudiada por el Prof. Dr. Anspach* (ed. de J.M. FERNANDEZ CATON), León 1966, 102-103.

[72] La atribución hecha al editar el texto por primera vez por G. ANTOLIN, en *La Ciudad de Dios,* 74 (1907), 645-648, fue acogida por mí como verosímil (*Index,* n. 510), y ahora por J. GIL, *Corpus scriptorum muzarabicorum,* Madrid 1973, 659-664. En realidad, el manuscrito menciona un *Samson* en fol. 456 y *Samson abba* en fol. 457.

[73] Sobre los problemas diocesanos de esta región por este tiempo véanse, sin ánimo de ser completo, obras tan dispares como L. SERRANO, *El Obispado de Burgos y Castilla primitiva,* I, Madrid 1935; A.E. MAÑARICUA, «Obispados de Alava, Guipúzcoa y Vizcaya hasta finales del siglo XI», en *Victoriensia,* 19 (1964); 183; A. UBIETO ARTETA, «Episcopologio de Alava (siglos IX-XI)», en *Hispania Sacra,* 6 (1953), 37-55; D. MANSILLA,

ticos episcopales de las tres diócesis del Sur, hay que tener en cuenta los hechos siguientes: en primer lugar, que la diócesis de Sevilla vaya en cabeza de la Nómina parece significar que nos encontramos ante un testimonio del mundo mozárabe andaluz del que aquella iglesia es metropolitana; en segundo lugar, los dípticos toledanos implican el reconocimiento de la primacía siempre aceptada de esta sede; en tercer lugar, probablemente el que la iglesia de Ilíberis se coloque en el mismo plano que las otras dos metropolitanas se explica por proceder de allí estos materiales que nos trasmite en exclusiva el códice Emilianense. La cronología de la Nómina puede de alguna manera establecerse en la intersección de las tres series de obispos y, en consecuencia, habida cuenta de que no se incluyen los que pontificaban actualmente, sería de situar en torno a 970. Ya que no nos es dado fijar el sentido de la inclusión de esta Nómina, digamos al menos que una vez más descubrimos aquí otra muestra del contacto profundo y permanente de San Millán con el mundo mozárabe. Acaso tendrían relación este hecho y los antes mencionados, así como por su lado la presencia del códice mozárabe de Leobigildo de Córdoba[74], con el incremento de mozarabismo que descubre en el último cuarto del siglo X la construcción o reedificación de la nueva basílica de San Millán de Suso, según en su momento puso tan de relieve el maestro Gómez Moreno[75].

No se circunscribe, empero, el interés del Códice conciliar de San Millán a este influjo mozárabe que nos deja ver. La Hispana, que, por su misma naturaleza de ordenación sistemática no uniforme de piezas diversas, permite establecer filiaciones y relaciones que no siempre descubren los propios textos, ofrece aquí no pocas peculiaridades respecto al Vigilano, para quebradero de cabeza y obsesión de los investigadores. Tendremos que resumir las conclusiones a que llegan los estudios pormenorizados de Martínez Díez[76]. Tanto el Albeldense como el Emilianense coinciden en el índice conciliar, los concilios griegos, los de Africa y los de Galia, con las mismas piezas, idéntico orden y la misma distribución de índices y rúbricas. En la masa del material conciliar hispano, concuerda el Emilianense con las novedades propias

«Antecedentes históricos de la diócesis de Vitoria», en *Victoriensia,* 19 (1964), 185-238; F. FITA, «Santa María la Real de Nájera en el primer siglo de su existencia», en *Boletín de la Real Academia de la Historia,* 26 (1895), 55-195, 222-275; L. BARRAU-DIHIGO, «Chartes de l'église de Valpuesta», en *Revue Hispanique,* 7 (1900), 274-391.

[74] Véase págs. 235-241.

[75] *Iglesias mozárabes,* Madrid 1919, 291-294.

[76] G. MARTINEZ DIEZ, *La Colección Canónica Hispana,* I, Madrid 1966, 117-120. Difieren de las noticias muy superficiales de A. ARIÑO ALAFONT, *Colección Canónica Hispana,* Avila 1941; y de las que suelen encontrarse al respecto en los muchos autores que se limitan a describir Escorial, *d.I.1* como gemelo y copia de Escorial, *d.I.2.*

del Vigilano en que éste manejó una fuente distinta de su modelo constante, el denominado Oxomense, Escorial *e.I.12*[77], pero difiere en la ordenación y en varias supresiones y adiciones. Así, por ejemplo, es diversa aquélla respecto al decreto suplementario del Concilio VIII de Toledo y los dos decretos que acompañan al Concilio X de Toledo. Entre las adiciones aparece el Concilio XIII de Toledo, limitado a sus cánones, sin índice ni firmas, y el III de Zaragoza, así como las *Sententiae que in ueteribus exemplaribus non habentur* (fol. 210ᵛ-211ᵛ) que no sólo ignora el Albeldense sino el modelo de éste y otros ejemplares de la misma familia. Añádese todo un conjunto que nos ha conservado como único testigo, y cuyo carácter aditicio se observa bien con sólo considerar que interrumpe el corpus de concilios extravagantes: en este conjunto (fols. 219-229) señalemos el Concilio de Zaragoza II, el de Barcelona, junto con el *Decretum de fisco Barcinonense,* el de Narbona y el de Huesca. De las supresiones señalamos parte de estos concilios extravagantes. Algunas veces causa sorpresa el texto que nos brinda el Emilianense, como en el caso del índice de las Decretales que se presenta en el mismo orden especial del manuscrito vienés de la Hispana[78], frente al de los códices de Osma y de Vigilán.

¿Qué deducir de todas estas variedades peculiares del Emilianense? Como queda dicho, es indudable que en San Millán se ha contado con más de un manuscrito conciliar, con el que se ha producido contaminación en cuanto al contenido y la forma del Albeldense que, a pesar de todos estos añadidos, sigue siendo el gran modelo del códice de la Cogolla.

Supongamos, por consiguiente, que todo este corpus de nuevas piezas conciliares ha sido tomado de un manuscrito especial: este códice, o el conjunto organizado que comprendía, tenía origen catalán-pirenaico indudable a juzgar por las zonas de interés que recubre. Descubrimos así otro de los ingredientes que alcanzaron suma importancia en San Millán: el influjo del Nordeste peninsular que a veces se superpone o confunde con el de la Narbonense y Septimania.

Nos referimos asimismo al pequeño sector de los folios 230-234 bis, en que, como hemos indicado, tienen la máxima importancia unos excerpta que derivan de Burchard de Worms. Este texto ha tenido que entrar por vía pirenaica probablemente a través de la Marca Hispánica. A su lado situaríamos la titulada epístola de Eugenio de Toledo a Protasio de Tarragona, en tanto que la

[77] Véase págs. 82-84.

[78] Viena Oesterreichische Nationalbibliothek, *cod. 411,* descrito últimamente por MARTINEZ DIEZ, *op. cit.* (n. 76). 104-109. Este códice ha sido objeto de una preciosa reproducción recientemente en 1974.

leyenda de la Visión de Tajón y la Vida de Ildefonso quizá deban ponerse en relación con Albelda y materiales del propio cenobio emilianense. El códice a que perteneció este sector es dudoso que pueda atribuirse al escriptorio de la Cogolla, pero es seguro que estaba allí ya en los últimos años del siglo XI cuando se unió al resto del códice conciliar[79].

Quizá la razón de que éste haya recibido los dos añadidos ya descritos resida en su carácter de inconcluso. Esto que a nosotros hoy no se nos impone más que tras una atenta observación del manuscrito, probablemente era más visible para las gentes de aquellos siglos. Los escribas que intervinieron en la preparación del Emilianense habían resuelto imitar con atención su modelo básico, el Albeldense. En éste había dejado Vigilán, y en alguna medida Sarracino, la talla de su capacidad y habilidades: los acrósticos, las páginas mosaico eran tan personales que podían y debían los copistas de San Millán tenerlos en cuenta, inspirándose en ellos, pero de ninguna manera copiarlos. Intentaron hacerlo así, pero acaso les faltarían fuerzas e ingenio, ya que no voluntad. Todavía antes del fol. 1 hay un folio suelto ahora en cuyo verso todo está preparado para dentro de un recuadro decorado recibir una leyenda, al modo de la que lleva el códice de Vigilán[80]. En el fol. 13 hay un poema introductorio, en que se hace memoria de Sisebuto el obispo, que yo atribuiría a Belasco, como homenaje al primer copista, ya fallecido[81]. El hecho de que uno de los es-

[79] A efectos indicativos, y sin profundizar más en el tema, recordaré al lector que un códice del *Penitentiale* (o *Decretum*) de Burchard de Worms, del año 1105, procedente quizá del monasterio de Sahagún, se conserva en Madrid BN, *6767 (R. 216).* Aun no ha sido debidamente estudiado en lo que hace a su origen y forma precisa. Por otro lado, sería de calcular si la visión de Tajón, en esta forma aislada, no puede estar en relación con su circulación dentro del conjunto previo a los Morales de Gregorio en la recensión tajoniana, sobre lo que puede verse nuestro Apéndice XXII.

[80] Véase pág. 69.

[81] Texto del poema en Apéndice XI.

Permítaseme justificar este aserto: cuando en 992 se dibujan los retratos y se le añaden las pertinentes leyendas nada nos hace sospechar que no estén vivos y trabajando a la vez los tres responsables del códice: *Sisebutus episcopus cum scriba Belasco presbitero pariterque cum Sisebuto discipulo suo edidit hunc librum.* La fórmula es usual y no exige ninguna interpretación especial. Asimismo la oración final, *mementote memorie eorum semper in benedictione,* es clásica y normal aunque presente alguna variante sobre la fórmula corriente. Ahora bien, en el poema del fol. 13 hay dos cosas sorprendentes. En primer lugar, se pide por Sisebuto el copista obispo y por su discípulo del mismo nombre, que segun se deduce de aquí era sobrino suyo *(cum nepote suo equiuoco iam fato).* Pero no se menciona a Belasco; y ello a pesar de que en el contexto hay alguien más, ya que después de suplicar oraciones por ellos, *non pigeas obsecrare clementem ob illos,* se incorpora al texto el que lo compone que no se da nombre: *ut munia orantum uitemur mergi ereuo.* Es cierto que podría todo ello entenderse como tránsito a la sentencia común, esto es, que en *uitemur* no tanto se busque incluirse el propio redactor del texto como generalizar a cualquier hombre.

cribas evoque y pida oraciones por otro colega, nos es conocido también por uno de los poemas figurados del manuscrito de Albelda. Antes de este poema, todo estaba dispuesto para recibir en el fol. 12 otro poema: un rectángulo orlado, inacabado, así lo hace suponer.

El afán de imitar en toda la medida posible el códice modelo se descubre definitivamente en los fols. 17-19, en los que están casi ultimadas las decoraciones que enmarcan los cuadrados, rombos o círculos, en blanco aún, destinados a recoger poemas figurativos análogos a los de Vigilán y Sarracino. Como en la obra de éstos, serían cinco láminas equivalentes a los cinco textos que editamos aquí[82] . También se encuentra dispuesto el fol. 453v para recibir un texto semejante al poema del fol. 428v del códice de Albelda. De todo ello dedúcese como conclusión que en 992 fue terminada la copia, pero que antes de que se ultimaran todas las piezas complementarias, habiendo fallecido Sisebuto el copista obispo, quedóse parte de la decoración sin rematar, y lo que nos importa más, no hubo ya quien imitara dignamente la rica variedad de los poemas y oraciones del Albeldense, de acuerdo con el plan previsto en un principio.

Tales resultados de nuestro estudio del Emilianense parecen probar que, a pesar de todo, la disposición y la efectividad de un escriptorio, como tarea humana, dependían excesivamente quizá del dinamismo y la capacidad de alguno de sus miembros. La continuidad en él debía darse de manera funcional más que en virtud de mecanismos de organización y acaso se basaría en la labor menos brillante del cuadro de notarios: los verdaderos escribas, como hemos encontrado a veces en la Rioja y hubo sin duda en tantos otros centros, aquellos capaces de trabajar y crear a la vez, siquiera en niveles humildes, sólo se manifiestan de vez en cuando. La aparición y desaparición de estos personajes singulares conlleva el esplendor o la miseria del escriptorio de una comunidad; por eso la importancia de aquél en un momento dado no guarda necesariamente paralelo con la del grupo o comunidad en que se asienta. Misterios de la vida, y misterios del trabajo de los hombres.

Un golpe de fortuna nos permite, finalmente, describir aquí por vez primera un nuevo testigo de la actividad del escriptorio de San Millán: un simple

Ahora bien, en segundo lugar, a *Sisebuti episcopi* se le aplica el adverbio *olim* que entiendo usado, como su casi doblete *quondam*, para atribuirle la condición de ya no vivo. Aunque se pretenda que *olim* funciona más bien con *qui cuduit istum*, ganaríamos poco, toda vez que volvería a planteársenos la distancia al año de remate de la copia, 992; y nos encontraríamos con que este poema es posterior y no necesariamente debido a Sisebuto, sino a otro. Con lo que nuestra conjetura de que se debe a Belasco sin ser comprobable se hace altamente verosímil.

82 Véanse los cinco cuadros, con su transcripción, en Apéndice XXII, nº 2-6.

folio, en bastante buen estado, que constituyó en tiempos el primero o tercero de un cuaternión situado hacia el centro de un voluminoso códice de los Morales del papa Gregorio[83]. La letra, clara y bien trazada, con las debidas separaciones de palabras y sin exceso de abreviaciones, se asemeja a la del códice 8 de Casiodoro, arriba descrito[84], y parece más regular y más tradicional que la del códice 29 con la Ciudad de Dios agustiniana[85]; desde todos los puntos de vista la divergencia en ductus caligráfico y ortografía es muy notable respecto al códice 5[86], que nos trasmite también los Morales de Gregorio Magno. El códice al que perteneció este folio[87] tenía gran formato[88]. Las iniciales, bastante sencillas, llevan relleno verde. Las frases del libro de Job que van siendo objeto de comentario se escriben en rojo. ¿A qué recensión perteneció este códice? No lo sabemos; lo que nos ha llegado de él se corresponde con varios capítulos de los Morales[89].

Ahora serían pertinentes unas preguntas por parte del lector: ¿de dónde ha salido el fragmento? ¿Con qué base se atribuye a San Millán de la Cogolla? ¿Tiene algunas maneras características? Me tomo la libertad de comenzar por el final. Antes indicamos que la letra parece situarse entre la del cód. 8 y la del cód. 29, pues todos los detalles nos empujan a colocarla en los últimos decenios del siglo X. Como rasgo personal curioso, llamaríamos la atención sobre la peculiaridad de un trazo de las *r*, y algunas *s*, sobre todo en

[83] Santiago de Compostela, Colección M. Díaz, *fragm. 2.* Véase Lámina 14.

[84] Véase págs. 140-143.

[85] Véase págs. 147-155.

[86] Véase págs. 122-125.

[87] He aquí algunos datos interesantes. A dos columnas, lleva 46 líneas, justificadas con pauta trazada por guías, visibles, que van por el borde exterior. Las pautas cruzan el intercolumnio y quedan contenidas entre la primera de la doble vertical de la izquierda y la segunda de las dos verticales por su parte interior. Las ocho verticales resultantes siguen unas guías de las que quedan breves huellas en el borde inferior. La pauta realizada con instrumento agudo pero no excesivamente cortante, se trazó según el sistema de rayar cada dos bifolios como lo prueba la escasa incisión del mismo (que el folio haya sido un folio A o C según los esquemas dados arriba, pág. 17-18, se deduce del hecho de que los pinchazos de guía horizontal habían sido ejecutados desde el interior del cuaternión, como aún puede comprobarse en el fragmento).

[88] Medidas mínimas del folio: 490 x 355. Caja de escritura sobre 365 x 260. Estas medidas vienen a corresponder a dos rectángulos de Pitágoras superpuestos.

[89] Greg. M. mor. 12,5 (PL 75, 990 C) *omnis homo nisi puluis* — mor. 12,11 (PL 75, 994 A) *ero morsus tuus inverne.* Advierto que en el verso del folio, en la parte alta del intercolumnio, se escribe: *Lib. XII;* no hay, en cambio, indicación alguna para el título de la obra, al menos visible. Nótese además que tampoco quedan huellas, como en el *cód. 5* (v.p. 122-125), de la distribución de libros en partes. ¿Significa acaso esto que no pertenecía a la recensión tajoniana, tal como la estudiamos en el Apéndice XXI?

los casos en que van en nexo con otras letras: en lugar de que el movimiento de caida y ascenso de la línea se superpongan estrictamente, hasta dar a menudo la impresión de excesivo engrosamiento de la parte alta de la letra, aquí descubrimos una tendencia frecuente a que ambos movimientos se sucedan dejando a modo de una horquilla entre ellos, lo que no es poco frecuente en otros códices. Tal rasgo, peculiar, se compensa con la calidad de la escritura y la finura y ligereza con que se tagoretean los signos de abreviación. A pesar de todo, la similitud de distribución con códices emilianenses, la calidad del pergamino, las iniciales, el contenido mismo del folio, que no puede ser obra más que de un escriptorio poderoso y bien organizado, parecen llevarnos a San Millán o a algún centro de su dependencia. Mayores precisiones son imposibles porque se ignora casi todo sobre su proveniencia[90] . Que se conservó como cubierta de un libro, folleto o cuaderno del tipo que fuera es evidente, pero no lleva sobre sí ninguna indicación que nos dé una pista respecto al contenido o interés de tal pieza.

Si es, pues, cierto como parece que también estos Morales han salido de San Millán, sumando así un nuevo ejemplar al que habíamos descrito antes, disponemos de un valioso nuevo códice en aquella librería, cuya riqueza, antes de los asaltos de Almanzor, se dibuja cada vez con mayor precisión.

[90] Me lo entregó en Logroño el Profesor Lacarra el 26 de enero de 1979 con la condición de que su estudio se sumara al presente libro, cosa que hago muy gustoso; y aprovecho esta ocasión para darle las gracias por su generosa cesión. A él le había sido entregado por un riojano que lo recuperó de documentación de su propiedad, todo ello en las cercanías de Logroño. Así pues, la proveniencia parece garantizada por el momento. A no ser que prefiriéramos pensar en Albelda; pero los detalles paleográficos arriba reseñados apuntan con mucha más fuerza hacia San Millán, o algun centro dependiente de este monasterio.

VIII
LA DIFICIL SITUACION EMILIANENSE EN EL SIGLO XI

Pasadas las furias de Almanzor que llevaron a muchos pusilánimes a suponer cercano el fin del mundo, hundido el malvado en el infierno como se complacía en señalar el monje autor del llamado Cronicón de Burgos[1] recogiendo impresiones contemporáneas, el monasterio de San Millán quedó abrasado y arruinado. Muchos años de esfuerzo y de nuevas generosidades fueron necesarios para restaurar en su antiguo estado el monasterio, que recomenzó con dobladas fuerzas. Con todo, el impulso de su escriptorio se retardó, no se desvaneció. Poco a poco se fueron reconstruyendo los medios, recreando los designios y restableciendo los caminos para igualar las viejas glorias. No cabe duda, como vamos a ver, que el empuje del siglo X operó y favoreció la nueva arrancada; sin embargo, con los tiempos cambiados algo se había transformado. Una nueva espiritualidad parece abrirse vía, y los viejos autores no siempre alcanzan la misma devoción y afecto. Cambia el interés. La riquísima bibioteca que podemos imaginar en los últimos decenios del siglo X se empobrece por momentos. Las novedades son pocas y desiguales. Pero dejemos hablar a los libros.

El manuscrito Madrid, Academia de la Historia, *cód. 39* figura entre los más importantes de tan valioso fondo[2] . Trátase de la suma de dos códices distintos, de época bastante diferente, que analizaremos por separado.

[1] Chron. Burg. (ed. FLOREZ, *España Sagrada*, 23, Madrid 1779, 309, segun el códice de Burgos Bibl. Capit., *28*, del s. XIII): *Era MXL mortuus est Almanzor et sepultus est in inferno*. De manera análoga, recogiendo bien el ambiente que se respira en las pobres fuentes documentales de comienzos del siglo XI, el anónimo monje quizá leonés que compuso la llamada Historia Silense pudo escribir: *post multas christianorum horriferas strages Almanzor a demonio quod eum uiuentem possederat interceptus apud Metinacelim maximam ciuitatem in inferno sepultus est (Historia Silense*, 71, p. 176 ed. J. PEREZ DE URBEL - A. GONZALEZ RUIZ ZORRILLA, Madrid 1959). Permítaseme que señale que el autor de esta Historia era monje, según entiendo, en una *domus sci Ioannis* (de donde ha salido el falso e inconcebible *domus seminis*); pienso que se profesa monje de San Juan Bautista de León. En todo caso, su información suele ser excelente, y en este caso los puntos de vista de un riojano y de un leonés no distaban tanto que no podamos dar aquí esta impresión sobre las razias de Almanzor, especialmente violentas en el caso de San Millán.

[2] Véase Apéndice XX, nº 13.

El sector A comprende los folios 3-158 y consiste en primer lugar (fols. 3-64) en un sermonario y homiliario; a los sermones preceden en varios casos diversas lecciones evangélicas. Una gran parte de estos sermones están sin identificar; algunos dependen, con grandes alteraciones, de Agustín y de Gregorio[3]. En segundo lugar contiene el tratado sobre el Evangelio de Mateo de Jerónimo, con sus cuatro libros completos, encabezados el primero y cuarto por la correspondiente capitulación (fols. 64ᵛ - 158ᵛ). A este respecto es de advertir, que este sector se debe a dos manos: a la primera atribuimos los folios 1-107, y la segunda entra en fol. 108 y trabaja hasta el final en el folio 158.

En fol. 158ᵛ se descubren restos de una suscripción que levanta un cúmulo de problemas que vamos a enumerar, ya que no resolver. La suscripción parece raida ahora, de tal modo que sólo se lee con inseguridad el final, que aparentemente para algunos de los estudiosos que se ocuparon del tema dice: *era dccccxviiiia:* así la habían leido ya Loewe-Hartel[4], que lógicamente concluían por el año 881. Pero la cosa no es tan simple. El último de los cuaterniones tiene sus dos últimos folios, que, sin duda, irían en blanco, cortados; no sabemos cuándo tuvo lugar este recorte. Se aprovechó el trozo de columna vacía que había quedado en f. 158ᵛ para ingerir esta suscripción, que podría ocurrir que hubiera sido trasladada aquí desde otro lado. A pesar de la afirmación contraria de Loewe y Hartel, ni la tinta ni la mano son las mismas que copian el texto de estos cuaterniones; pero resulta difícil probar que sean diferentes, dados los escasos restos visibles. Lo que sí puede asegurarse es que ni paleográfica ni codicológicamente se compaginan los datos que resultan del manuscrito con una fecha tan temprana como el año 881. Las dudas se aumentan por los rasgos del propio numeral, porque mejor que la fecha comúnmente admitida podría leerse no XVIIII, sino XLVIIII, con lo que nos situaríamos en el año 911 que tampoco satisface, pero podría encontrarse algo más cerca de la realidad. No estamos, pues, seguros de que la suscripción haya sido puesta allí mismo por el propio escriba que compuso el códice; y no estamos ciertos de la fecha, pueda leerse 919 o 949, siendo una y otra razonablemen-

[3] Por ejemplo, de Agustín los que comienzan en f. 24 (serm. 232), f. 39 (serm. 110); a los tratados *in Iohannis euangelium,* 105 corresponde el de f. 56; a Gregorio pertenecen el sermón de f. 46ᵛ y las homilías de fols. 51ᵛ, 53 y 58. Descripción detalladísima de estas piezas en J. DIVJAK, *Die handschriftliche Ueberlieferung der Werke des heiligen Augustinus,* Wien 1974, 212-215 que las analizó por primera vez. Bajo el nombre de Gregorio se da otro en f. 48ᵛ que este joven investigador ha identificado como de Rabano Mauro (PL 110, 141).

[4] *Bibliotheca Patrum Latinorum Hispaniensis,* I, Wien 1886, 499: «drei fast ausgewischte Zeilen derselben Hand folgen, von welchen der Schluss lesbar ist: *sub era 919 a.* Demnach mag die Handschrift 881 geschrieben sein».

te discutibles por motivos paleográficos, pues tal suscripción se presenta burdamente trazada, con la letra alargada y rizada que encontramos en posiciones análogas en otros manuscritos[5], y que por numerosos motivos no podemos menos de considerar falseada. ¿Nos hallaremos ante otra de las dataciones fantásticas que han proliferado en los códices emilianenses, para atribuirles mayor antigüedad que la que les corresponde? Nos atrevemos a contestar afirmativamente. Como es sabido tratóse de una maniobra interesada que buscaba justificar antigüedad y continuidad visigótica para el cenobio de la Cogolla a través de los manuscritos. Para que pudiera apreciarse el argumento de antigüedad del monasterio gracias a la remota fecha de los manuscritos se partía de un supuesto que ha sido aceptado durante siglos y que sólo poco a poco intentamos destruir: todos los códices de San Millán habían sido escritos en San Millán, postura a todas luces falsa pero cuyos ecos todavía percibimos con los intentos de explicar las diferencias insalvables de escritura, decoración o técnica codicológica mediante influencias diversas a través de distintos técnicos o artífices que aportan sus peculiaridades, sin tomar en consideración el comercio de manuscritos, los viajes de éstos y las circunstancias de épocas posteriores en que a veces se intentó a cualquier precio conseguir un manuscrito para satisfacer vanidades locales o justificar necesidades de otro tipo[6].

El sector B abarca los fols. 159 al final, constituyendo un corpus complejo que vamos a tratar de describir con claridad, ya que las noticias existentes o son fragmentarias o anteriores a la situación actual de este sector, por lo que haremos breve historia del códice.

El manuscrito tenía ya aglutinados los dos sectores en el siglo XIII. En 1239 fue este códice, entre otros varios, aducido como pieza testimonial en el magno proceso que desató la discusión sobre la provincia eclesiástica a que correspondía la iglesia de Valencia después de ganada esta ciudad por Jaime I: disputaron acremente Tarragona y Toledo, que adujeron toda clase de piezas de convicción ante un tribunal romano. Mensajeros de una y otra metrópoli recorrieron antiguos monasterios para buscar manuscritos que contuvieran textos que dieran fe: casi siempre se acabó recayendo en las Nóminas diocesanas y

[5] LOEWE-HARTEL, 499, a pesar de su trascripción de la era como año 881, atribuyen finalmente el códice al siglo X in.

[6] Valga como ejemplo, aunque no sea aquí muy pertinente, el caso del manuscrito de Albaro de Córdoba, conservado en la catedral de Córdoba. A simple vista trátase de un caso normal de conservación de las obras de un escritor en su patria; pero tan romántica justificación no esta acorde con la realidad, porque indudablemente el manuscrito de Albaro fue copiado en algún punto de la Meseta Norte en el siglo X. De alguna manera llegó a Córdoba, quizá en los siglos XIV o XV, y allí quedó como tesoro que garantizaba la obra de una de las glorias cordobesas.

en las diversas recensiones de la llamada División de Wamba[7]. Ante jueces o dignidades eclesiásticas neutrales se hacía inspección y atenta descripción de los manuscritos, lo que en varios casos nos sirve de preciosa información. Pues bien, entre los libros consultados se aduce precisamente este manuscrito de San Millán que estudiamos ahora y ello de manera inequívoca. Según la detallada descripción «luego vimos otro libro de San Millán en cuyo inicio había unas imágenes de Santa María con el niño en su brazo y José, y encima un ángel, y tenía escrito en rojo *Lectio sancti Euangelii secundum Matteum* y seguía en negro... y después de unas exposiciones de los evangelios que allí había se encontraba en rojo *In nomine domini* y en azul *incipit liber,* y seguía en rojo *commentariorum* y en azul *sancti Ieronimi*...; pasada la mitad del volumen está esta rúbrica: *In nomine domini incipit Encheridion sancti Augusti*...»[8]. Sigue la enumeración de las piezas cronísticas, donde residía el mayor interés para los litigantes. De esta relación podemos extraer dos consecuencias importantes, que los dos sectores estaban ya a la sazón, como queda dicho, conglutinados, y que el manuscrito contenía el abigarrado conjunto cronístico final, ya que no sólo se enuncia la *Exquisitio tocius mundi* sino la *Exquisitio Hispanie* y aún se añade que «siguen en el mismo volumen muchas cosas de diversas materias», indiscutible alusión a las piezas que aparecen en los fols. 245-261. De la misma manera, en 1821 se decía de él que contenía «diferentes homilías de Stos. padres, el enquiridion de San Agustín... y a su fo. 245 bto. el cronicón emilianense»[9]. Cuando Loewe y Hartel lo describieron como resultado del viaje efectuado por Loewe a España en 1878 el manuscrito acababa exabrupto en el fol. 244[10]. En el segundo cuarto del siglo XIX, antes de que los códices ingresaran en la Academia de la Historia, ya se habían perdido los folios 245-267, pues en la descripción que se publicó en 1851

[7] Véase F. MARTORELL, «Fragmentos inéditos de la Ordinatio ecclesiae Valentinae», en *Escuela Española de Arqueología e Historia en Roma. Cuadernos de trabajos,* I, Madrid 1912, 81-127. El protocolo del proceso se guarda en el Archivo Vaticano (AA, XI-XI, 1). Aunque se conservan bastantes códices de los presentados al pleito, las descripciones proporcionan base inagotable de consideraciones; véase L. VAZQUEZ DE PARGA, *La División de Wamba,* Madrid 1943, passim; id., «El Pasionario hispánico de San Millán de la Cogolla», en *Bulletino dell' Archivio paleografico italiano,* n.s. 2-3 (1956-7), 367-368.

[8] MARTORELL, 112 (la traducción es mía). La minuciosidad con que operaban los jueces es tal que no me resisto a copiar un párrafo de la noticia consagrada a este manuscrito. Dice así: «et postea ante finem uoluminis continetur rubrica *Incipit liber* et sequitur ut uidetur *cronice,* quare iste littere *croni* bene legebantur sed utrum sequebatur *ce* uel *ca* non poteramus perfecta legere». Esto es rigurosamente exacto.

[9] Véase Apéndice XX, n° 13.

[10] Lo describen en p. 498-499 como de 244 folios; en la enunciación del contenido dicen: «abrupt schliessend:... *ascendebant et quidem hoc//*».

se dice estar falto de hojas al principio y fin, y concluir con la obra de Euquerio, o sea en el folio 244[11]. Estos cuadernos cayeron recientemente en manos de una persona que se apresuró a devolverlos a la Academia de la Historia donde se encuentran en la actualidad incorporados de manera definitiva al manuscrito, así completado nuevamente. Esta feliz circunstancia, que tuvo lugar sobre 1953, nos permite estudiar el sector B en su integridad.

Contiénense aquí piezas diversas: en primer término, un corpus patrístico nos ofrece de Agustín el Enquiridion (fols. 159ᵛ - 196) y el Diálogo de Cuestiones (fols. 196ᵛ - 214ᵛ) y de Euquerio de Lyon las Instrucciones (fols. 215-244)[12]; en segundo término, un conjunto cronístico[13] y los Enigmas de Sinfosio (f. 260), completado y adicionado con numerosas notas y acotaciones de época posterior[14], a las que parece poder dárseles como rasgo característico el de buscar edificación moral. Además de dos fábulas y dos nuevas adivinanzas no sinfosianas, que ofrecemos en Apéndice con las pertinentes referencias bibliográficas que pueden aclararlas y ayudar a comprenderlas[15], tenemos unos fragmentos contra las riquezas y vanidades del mundo (fol. 263ᵛ), unos extractos del libro III de las Sentencias de Isidoro (fol. 264-266ᵛ), y acto seguido, una serie de otras máximas que concluyen en fol. 267, cuyo verso, final del manuscrito y hoy sólo con rasgueos y una nota del siglo XVIII debida al bibliotecario de San Millán, Fr. Diego de Mecolaeta, estuvo originariamente en

[11] *Memorial histórico español*, 2 (1851), xi-xii. Texto para este códice reproducido fidedignamente por D. ALONSO, art. cit. (nota 14).

[12] Del Enquiridion no se conserva que yo sepa, más códice en la Península que Barcelona Archivo de la Corona de Aragón, *Ripoll 151*, de comienzos del s. XI; del Diálogo de Cuestiones hay un manuscrito en El Escorial, *b.IV.17*, del s. X, no escrito en la Península, pero con numerosas notas marginales, quizá oraciones, en letra visigótica, lo que supone uso en algún centro peninsular; de las Instrucciones de Euquerio hay otro ejemplar procedente de San Millán (v.p. 112).

[13] Folios 245-259. Contiene, con una serie de noticias previas, no peculiares de este códice pero interesantes, la *Exquisitio totius mundi*, la *Exquisitio Spanie* y en fin el Cronicón Albeldense (véase en Apéndice XIII, d) 1-8. A continuación una *Notitia apostolorum ubi requiescunt* y una *Notitia martirum*, publicadas por L. VAZQUEZ DE PARGA, (citado n. 7), 373-377; además de la edición propiamente dicha, Vázquez de Parga sostuvo que se resumía aquí la situación cultual de San Millán en el siglo X con lo que estas dos noticias permitían reconstruir el esquema del pasionario emilianense; discutió y rechazó esta teoría J. VIVES, en *Hispania Sacra*, 12 (1959), 445-453, que reiteró la edición ya dada por Vázquez de Parga.

[14] Para esta parte llamo la atención sobre los siguientes trabajos de entre los citados en Apéndice XX, nº 13: D. ALONSO, «La primitiva épica francesa a la luz de una Nota emilianense», en *Revista de Filología española*, 37 (1953), 1-94; G. MENENDEZ PIDAL, «Sobre el escritorio emilianense en los siglos X a XI», en *Boletín de la Real Academia de la Real Academia de la Historia*, 143 (1958), 7-19; DIAZ Y DIAZ, «Para la crítica de los Aenigmata de Sinfosio», en *Helmantica*, 28 (1977), 121-136.

[15] Apéndice XIII.

blanco. Así pues, en este sector B disponemos de un códice completo, del que ya sólo es necesario ahora proporcionar al lector los datos codicológicos pertinentes.

En el siglo XI se aprovecharon los varios blancos que había ido dejando el escriba al copiar los diversos textos para rellenarlos con notas que han sido objeto de suma atención por parte de los estudiosos de la épica francesa, ya que una de ellas, la que Alonso nombró «Nota Emilianense», da una interesante situación de la leyenda de Carlomagno y Roldán[16] ; este mismo autor atribuyó la copia de la Nota a un escriba Munio que intervino como notario en varios documentos de San Millán en torno a 1050-1070[17] .

Lo que nos interesa especialmente no es esta Nota posterior, sino la riqueza y variedad de fuentes que, mediata o inmediatamente, se han puesto a contribución para compilar la pequeña colección de acertijos que se leen en los folios finales, así como los excerpta de las Sentencias de Isidoro y restantes refranes y máximas. Hemos de llamar la atención, como ya dijimos en otra ocasión[18] , sobre la importancia de que se trasmita aquí una selección de los enigmas de Sinfosio, bajo el título de *Enigma Sinposi,* en una ordenación y con unos límites no fáciles de explicar. Como es bien sabido los poemas enigmáticos de Sinfosio (siglo V-VI) han llegado hasta nosotros por dos caminos, el uno directo, incorporados a la *Anthologia Latina* del Códice Salmasiano[19] , y otro más indirecto, reelaborados, refundidos y adaptados en otras colecciones de enigmas, posteriores, entre las que por su extensión y valor prima la de Tatuino[20] .

16 Publicóla acompañada de rico comentario D. ALONSO, art. cit., (v.n.14), 9.

17 Ibid., 9 y 87-93. Concluye muy discretamente que esta identificación no es segura porque «el enmascaramiento caligráfico de la letra personal hace imposible la afirmación decidida»; lo cual débese agradecer a quien estaría sumamente interesado en probar a toda costa sus tesis. Aunque la identificación quede sin resolver, de lo que no puede caber la menor duda es de que la Nota ha de situarse, paleográficamente hablando, en el último tercio del s. XI.

18 DIAZ Y DIAZ, art. cit. (nota 14), 136. Por lo que hace a las dos fábulas (Apéndice XIII, a-b), la segunda conviene con Fedro 4,24; la primera, desconocida, tiene algo que ver con Fedro 3,17 y la fábula Hausrath 239; cf. Calímaco, Yambo IV y Aftonio 24 (información por la que doy las gracias al Prof. F. Rodríguez Adrados). Véase nota 20.

19 Códice de Paris Bibliothèque Nationale, *latin 10318*, siglo VII, de origen, como se piensa hoy, italiano. Es probable que un gemelo de este códice haya pasado en el s. VII med. por Toledo, o al menos por el litoral levantino, a juzgar por huellas por él dejadas.

20 Reciente edición, muy aceptable aunque no exhaustiva en lo que a tradición textual se refiere, de Fr. GLORIE, *Tatuini opera omnia. Variae collectiones aenigmatum merovingiae aetatis. Anonymus de dubiis nominibus* (Corpus Christianorum, CXXXIII-CXXXIII A), Turnhout 1968, 611-723. El Emilianense acredita la existencia de una tradición bastante independiente (DIAZ Y DIAZ, art. cit. (v.n. 14), 125).

Como he hecho en otro momento análisis de las conclusiones a que lleva la colación del códice, no estimo necesario repetir los fundamentos de aquéllas, pero sí presentarlas una vez más: el texto del Emilianense brinda la oportunidad de hacer variadas correcciones a un texto particularmente difícil y aún de plantear la conjetura de que en determinados pasajes no haya simples variantes de versos o hemistiquios, atribuibles a la tradición textual, sino verdaderos dobletes textuales que pueden remontarse al propio autor. No es fácil situar el Emilianense dentro de la reducida trasmisión de Sinfosio, pero las relaciones con el códice Salmasiano, no tan relevantes como las que presenta con los códices de Leiden, dan nueva luz para el estudio de la difusión de este autor. Su pura presencia aquí, realzada por la de las otras adivinanzas, ya no es poca cosa.

Todo un mundo cultural permanece detrás de nuestro códice. El interés que se había tenido en Albelda por copiar y difundir el corpus de noticias que rodeaba la obra historiográfica del monje palatino que compuso el Cronicón Albeldense, llamado en los manuscritos *Ordo annorum*, acusa una relación con Albelda, bien justificable en San Millán, pero también un interés y una relación con León y la monarquía leonesa que merece que destaquemos. En los entornos de la Cogolla, bajo la influencia inmediata de Nájera, el copista de nuestro manuscrito sintió necesidad —y dispuso de los materiales necesarios para satisfacerla— de puntualizar la serie de reyes de León, nómina que aparece en la margen del fol. 252^{v}, precisamente, y la colocación no parece arbitraria, al lado del título que dice *Ordo Gotorum Regum*[21] presentándolos así, de manera consciente probablemente, como continuación del *Ordo gothorum* con la mejor ortodoxia ovetense de finales del siglo IX. La Nómina se encuentra ingerida en el texto del Cronicón, en los manuscritos Albeldense y Rotense[22]. En nuestro manuscrito concluye el Cronicón con Ramiro II, que, por la forma adoptada en la enumeración, se considera reinante: se ha elaborado, por tanto, esta nota en torno a 950, y ha sido copiada poco después. El texto y la presentación de la Nómina leonesa en los tres códices citados ha conducido con razón a Alonso a establecer como muy verosímil que «el orden de estas tres listas sería: la más antigua, la de este códice 39; después, la de Roda; por último, la del códice Conciliar Albeldense. Todo esto —continúa D. Alonso— iría bien con la atribución a la lista (de nuestro manuscrito) de una fecha no posterior a 951»[23]. Hétenos, pues, con unos resultados con-

[21] Edición paleográfica, fotografía y comentarios en el art. de D. ALONSO, cit. (nota 14), 80-82.

[22] Esto es, Escorial, *d.I.2* y Madrid BAH, *cód. 78*; edición global de M. GOMEZ MORENO, «Las primeras Crónicas de la Reconquista», en *Boletín de la Real Academia de la Historia*, 100 (1932), 600-632.

[23] Art. cit., 82.

cretos. Sobre materiales leoneses, la preocupación historiográfica de San Millán lleva a una primera elaboración de la Crónica llegada de Oviedo, que luego va a ser objeto de estudio y copia en Nájera, en Albelda, y en el propio San Millán.

No es improbable, aunque nos falten materiales en que cimentar la afirmación como definitiva, que el corpus de enigmas arriba mencionado pueda haber llegado a San Millán por vía pirenaica, cosa poco creible en razón de la independencia de la tradición textual que implican; pero tengamos en cuenta el hecho de que encontramos a la vez en nuestro manuscrito una copia, la segunda conocida, del enigma *Verbis crede meis* que ya Traube, su editor, al tomarlo del códice probablemente cordobés, Madrid Biblioteca Nacional *10029*[24] , quería atribuir a ambientes cordobeses, y que en todo caso hay que tener por hispano y no muy posterior a Isidoro de Sevilla. Se nos abriría así una puerta hacia otra serie de elementos venidos del Sur.

Además de las estrechas relaciones que quedan manifiestas entre Nájera y San Millán, aludiremos a los hechos puestos de relieve no hace muchos años que aclaran la vigencia posterior de este manuscrito: tanto en el códice que estudiamos como en el Rotense un mismo monje apasionado por la historia hizo anotaciones más o menos simultáneas. Sorprende la paridad entre las notas de ambos manuscritos, paridad que se descubre en coincidencia de letra y de texto. Gonzalo Menéndez Pidal, al estudiarlas por menudo, piensa que se pueda concluir que estas apostillas, que revelan además un uso de ambos códices, hechas en parte para consignar noticias de actualidad, se escribieron por el tercer cuarto del siglo XI. El monje autor de ellas —digámoslo con las propias palabras de Menéndez Pidal— «era hombre de edad avanzada, su letra resulta arcaizante para esa fecha... Hay los que se adelantan a su época y los que siguen aferrados a los modos del pasado. Nuestro monje era de estos últimos en cuanto a su grafía de entre 1050 y 1076 al trazar letra que parece del siglo X»[25] .

Después todavía siguió en uso nuestro manuscrito. Numerosas páginas presentan huellas de esa revisión, tan típica del siglo XIII en San Millán, cuando algunos pasajes borrosos fueron sobrescritos en letra francesa, al tiempo en que

[24] L. TRAUBE, *MGH. poet. car. aeui,* III, Leipzig 1896, 749. Véase Apéndice X. Sobre el códice usualmente denominado «Códice de Azagra», que es un misceláneo integrado por sectores diversos, véase ahora M. VENDRELL PEÑARANDA, *Las Antologías poéticas hispanas. Contribución al estudio de la vida literaria de los siglos VI-IX,* tesis mec., Santiago 1976, 118-208; según este estudio, el sector del manuscrito en que se trasmite este poema ofrece materiales cordobeses pertenecientes al siglo IX.

[25] G. MENENDEZ PIDAL, «Sobre el escritorio emilianense en los siglos X al XI», en *Boletín de la Real Academia de la Historia,* 143 (1958), 18.

se preparaban copias de muchos códices. Fueron, sin embargo, los textos patrísticos que menos nos han ocupado, los preferidos para estas lecturas y revisiones.

De gran interés para el estudio del escritorio emilianense en el siglo XI se revela el actual manuscrito Madrid Academia de la Historia, *cód. 53*[26], misceláneo integrado por cuatro sectores, de épocas diferentes que describiremos y comentaremos.

El sector A está representado por un solo folio, cuyo recto estuvo en blanco y en cuyo verso se inicia una copia del *prognosticon* de Julián de Toledo. En capitales estilizadas, con tendencias a rasgueo, pero sin letras embebidas se dice: *In nomine domini nostri Ihesu Xpisti incipit liber pronosticum futuri seculi a beato Iuliano episcopo edito.* La letra, de inicios del siglo XI, recuerda muchísimo la de alguna mano de las que intervinieron en la segunda parte del códice Rotense[27]. El tratamiento a que fue sometido el pergamino todavía resulta visible: a una sola columna, delimitada a cada lado por dos pautas verticales, lleva 22 líneas horizontales trazadas sobre unos fuertes pinchazos de guía. Tanto la limpieza de la ejecución como la buena disposición de los preparativos nos llevan de la mano a un centro bien provisto y organizado. No se guardó en San Millán, aunque no podamos aclarar las razones por las que fue desguazado y destruido el resto. Este folio hubo de andar suelto algún tiempo hasta que vino a ser utilizado como guarda del manuscrito 53: bastaría a probarlo su propia colocación pero también el hecho de que el sector B que describo a continuación presenta la traza característica del exterior de los manuscritos de San Millán[28].

El sector B comprende 77 folios y contiene exclusivamente el *prognosticon* de Julián de Toledo. El folio 1, semisuelto porque su gemelo, que debería ir entre los actuales 7 y 8, fue cortado, llevaba su recto en blanco; en el verso, en capitales similares a las del título del sector A, pero con más embebidos y con más marcados rasgueos, va el título de la obra, idéntico al ya des-

[26] Apéndice XX, nº 23. Nuestra Lámina 15 representa una muestra del sector A.

[27] Véase págs. 34-42.

[28] En el siglo XVI se le puso la consabida nota: «Del monasterio de San Millán»; en el siglo XIV se habían escrito dos notas de manos y tiempos diversos. Una de ellas es una receta, no concluida, que dice: «accipe flor de steppa et flor de apio et de fer... o et de aneto et mel et piper et olio» y en otra línea, de modo que no se sabe en qué punto empalma, «et... coquito simul in uino uel in aceto». La otra, al pie del folio, en letra mayor, también aparentemente sin terminar, dice así: «Notum sit omnibus hominibus quod tabula argentea altaris sancti Emiliani continet in se c. et x. marchas argenti puri et cc. et LIII. morabetinos in deauracione eius».

crito. Las tres primeras líneas del texto en este folio parecen clara contrahechura del folio del sector A; en las dos líneas del texto restante, el copista, que ya ha rebasado la mitad del siglo XI, comienza a despreocuparse de lo que, en principio, podemos considerar su modelo para adoptar su aire propio. La letra sin ser muy elegante es sobria, con tendencias ligeramente levógiras. La preparación del pergamino es en todo semejante a la que hemos descrito para el sector A: la pauta vertical es de doble raya a cada lado de la única columna del texto, y las horizontales, determinadas por pinchazos que corren por el margen exterior y que, aparentemente, fueron hechos para cada dos folios después de plegados, son 22, trazadas de manera que la primera y la última, por lo menos, rebasan las verticales exteriores para alcanzar los bordes. Obra de una sola mano, lleva iniciales de perfil rojo rellenas de violeta, amarillo y azul preferentemente. Los cuaterniones, no numerados, llevan reclamo, en letra de módulo casi normal, por el centro, o algo hacia el interior, del margen inferior del último folio de cada cuaderno. En el fol. 6^v, después del prefacio y la oración que preceden el tratado de Julián y antes de iniciarse la capitulación del libro I, se lee. ΑΜΗΝ ΦΗΛΥΧΥΘΗΡ ΑΜ ΔΩ ΓΡC[29]. A continuación una mano reciente que quiso darse aire de antigüedad en el ductus añade, según el modelo que hemos visto sucederse repetidamente en otros códices emilianenses: *scrip. era dccLv,* esto es, año 717[30].

El texto acaba exabrupto en f. 77^v correspondiendo a *prognosticon* 2, 62; lleva abundantes notas marginales, algunas encerradas en cartela, unas de mano del propio escriba y otras posteriores. Son de distinto contenido, desde las que derivan de las Etimologías de Isidoro hasta las que comprenden recomendaciones para el lector teniendo en cuenta la doctrina que sostiene el texto[31]. Tanto los rasgos de la escritura como la frecuencia de ciertas abreviaturas parecen justificar la impresión que se saca al estudiar conjuntamente muchos manuscritos del siglo XI, de diversos y diferentes orígenes, de que poco a poco

[29] Loewe leyó algo distintamente este letrero, que no admite dudas: *Amen, feliciter amen, d(e)o gr(atia)s*; cf. LOEWE-HARTEL, *Bibliotheca Patrum Latinorum Hispaniensis,* I, Wien 1886, 516.

[30] Esta nueva leyenda escapó malamente a la excelente descripción que del manuscrito hicieran Loewe-Hartel. Como no la distinguió con claridad Clark, tampoco pudo aludir a ella.

[31] En fol. 30 *sensibus* del texto se apostilla: *dicti sensus quia per eos anima subtilissime totum corpus agitat uigorem sentiendi. sunt uisus, auditus, odoratus, custus et tactus. Duo aperiuntur et clauduntur, duo patent semperque;* f. 74^v *uisus dictus quod uiuacius sit ceteris sensus; uicinior est enim cerebro ex quo omnia manant ea que ad alios pertinent sensu sui dedicamus sicut uiuus quomodo sapit, quomodo sonat.* En fol. 38, en cartela, de mano posterior a las restantes, se lee: *non minimum orandum pro eis qui in supplicio detinentur eterno iusto domini iudicio.*

se va produciendo una nivelación que rompiendo con los rasgos distintivos de cada escriptorio o región iguala la producción de códices, extendiendo unas normas caligráficas en que apenas si es posible otra cosa que establecer límites cronológicos amplios, y suposiciones geográficas, en parte apoyadas y favorecidas por la historia conocida o medio adivinada de los volúmenes. En el caso de este sector B habría que llamar la atención sobre la adopción de algunos sistemas más vinculados a la zona de Burgos-Silos, con la que ahora se producen equilibrios e intercambios de tipos y estilo y no solamente de códices como antes[32] . Tales son los rasgos comunes que podríamos pensar en una de estas soluciones, o se trata de un copista llegado a San Millán desde una zona más centrocastellana, o se dispuso de un modelo muy llamativamente originario de aquella región, cuyo impacto produjo la modificación en los hábitos del copista emilianense. La primera solución no puede aceptarse sin pruebas, dado el prestigio y la importancia que por este tiempo ya se había ganado el escriptorio de la Cogolla; la segunda, es apenas admisible por las mismas razones. Sólo la adaptación progresiva de los hallazgos de una región o centro por otros puede explicar esta nivelación, que adquiere más bien entonces caracteres de una intencionalidad decidida. Por otra parte, la trasliteración griega de una fórmula, una de cuyas variantes ya habíamos encontrado en la copia hecha por Jimeno de esta misma obra del escritor Julián de Toledo[33] , nos pone en contacto con una especie de tradición emilianense de doble sentido, la que se refiere a la copia de esta obra y la que tiene en cuenta esta pequeña pedantería del uso de mayúsculas griegas, que constituyó rasgo distintivo de algunos centros de producción libresca en el siglo X[34] .

Curioso problema es el que nos plantea la coincidencia temática y formal de los sectores A y B a que acabamos de prestar atención. Aunque en términos estrictamente paleográficos pueden establecerse diferencias de tiempo, poco importantes ciertamente, entre ambas copias de Julián de Toledo, y todo

32 Así, en la abreviatura *-ius* alternan la *i longa* con el signo en forma de *s* cuyo remate inferior toca el astil de la *i* a media altura con la *i longa* cruzada a media altura por una especie de ancha tilde, de remates curvos muy precisos que cierra por la derecha hasta tocar nuevamente el palo de la *i* con lo que se produce una especie de ojo. Ciertas *b* han sido enmendadas en *u* mediante la adición de un trazo inclinado que siega el astil. Para *per* aparece el amplio arco libre que cruza el caido, etc.

33 Véase págs. 113 y 120 a propósito de los manuscritos Madrid Archivo Histórico Nacional, *1007 B,* y Madrid BAH, *cód. 25.*

34 Sobre el error que se descubre en la doxología, por confusión de letras griegas, véase cuanto comentamos arriba en pág. 142 y pág. 144, tratando de los códices 8 y 46 respectivamente. Me permito recordar que usos semejantes se pueden descubrir en otros escriptorios, como por ejemplo en Cardeña, según puede verse en A. FABREGA GRAU, *Pasionario Hispánico,* II, Madrid-Barcelona 1955, 118.

apunta a que el fol. 1 del sector B, como queda dicho, sea poco más de una contrahechura del sector A, la verdad es que disponemos así del testimonio de dos copias idénticas de la obra de Julián de Toledo. ¿Qué razón hay para esta duplicación? ¿Se produjeron más copias de este mismo tratado? ¿Con qué finalidad? Pienso, como conjetura, si en algún momento el interés por las cuestiones escatológicas suscitadas por Julián de Toledo, favoreció la producción de diversas copias para centros, grupos o personas especialmente vinculadas con San Millán; un azar nos habría conservado estas dos muestras que serían la única prueba a favor de la producción reiterada y simultánea de una sola obra.

Pero pasemos ya al sector C, que lleva doble paginación, una independiente y otra corrida[35] . Contiene la *uita Iohannis eleemosynarii*, precedida del prefacio de Anastasio enderezado al papa Nicolás. Copiado por una sola mano, sensible a los cambios de pluma, presenta una escritura alta, regular, de trazos algo gruesos con tendencias ligeramente angulosas; la separación de palabras es escasa. La poquísima decoración consiste en unas capitales simples, de perfiles gruesos, no muy logradas, con rellenos en azul, amarillo pajizo y rojo. Tanto el formato como la disposición del pergamino convienen totalmente con lo ya señalado para el sector B, es decir que como allí la única columna va enmarcada por dos rayas verticales a cada lado, el número de líneas horizontales es de 22, y se mantiene la tendencia, no uso regular, de que la primera al menos y la última de estas rayas horizontales rebasen la caja de la columna y alcancen borde exterior y pliegue[36] . Una mano reciente ha añadido al final la palabra EXPLYCIT para confirmar que allí acaba la obra, que no presenta doxología.

Hemos de llamar la atención sobre un hecho que parece relevante: repetidamente hemos señalado como principio bibliográfico elemental en estos siglos el hecho de que el primer folio de un códice lleva su recto en blanco, que sirve así de guarda; el texto, título o inicio del tipo que sea sólo comienza en el verso de ese folio primero. Este principio puede y debe convertirse en criterio válido para definir un códice como tal. Aplicado aquí, como hemos hecho, llegamos a considerar el sector A y el B de este manuscrito como restos de dos códices independientes. Pues bien, no es éste el caso para el sector C, que ni en su inicio ni en su final observa la regla antes formulada. La coincidencia en el modo de preparación del material escriptorio y una

[35] Fols. 1-56 de la numeración propia, y 78-132 de la correlativa.

[36] Para no cansar al lector añadiré tan sólo que el pautado aquí está hecho antes de plegar, pues aparece por el recto del primer folio y verso del último en cada cuaternión, y así sucesivamente.

larguísima serie de analogías gráficas nos permite pensar que bien podemos encontrarnos ante restos de un solo códice, que se había desgajado en época antigua, pues es evidente que faltan por el final cuaterniones en la obra de Julián de Toledo. Y si no se admitiese esta explicación, tendríamos como alternativa la de que ambos sectores procedentes de códices distintos representen un momento similar en la producción del escriptorio emilianense. La paginación independiente significa acaso que estos dos sectores andaban sueltos en el siglo XVI, quizá antes.

Todavía forma parte de este volumen un cuarto sector D, constituido por 31 folios, que nuevamente llevan numeración propia. El tipo de escritura, de aire emilianense, nos sitúa en este caso ante un producto del último cuarto de siglo X[37] . Contiene la Regla de Leandro de Sevilla, en la llamada versión tradicional o corta porque sólo consta de 20 capítulos, cuya enumeración precede en nuestro libro al texto de la obra. Justamente al final de la capitulación encontramos otra de las dataciones falsas que hemos visto ya en otros volúmenes emilianenses; dícese aquí (f.1 = 133) *script sub era DCLVIIIa.* El que quiso referir a tiempos muy antiguos los libros de San Millán adscribió éste al año 621, data cercana a aquélla en que la obra fue compuesta. Ahora bien, también nos interesa señalar que, aunque la obra de Leandro es parte desgajada de un códice, ya que no fue planeada como inicial al carecer de recto blanco para el primer folio, debía figurar ya como suelta en el tiempo en que se suplantó la datación de los antiguos manuscritos de San Millán, pues arriba hemos visto cómo también lleva supuesta fecha de escritura el fol. 6v del sector B[38] . Importa más señalar aquí que este sector D debió pertenecer a un códice escrito quizá para alguna comunidad femenina, relacionada con San Millán de alguna manera. En efecto, como señaló hace ya años el profesor Ch. Bishko[39] , a la Regla de Leandro, compuesta por el obispo de Sevilla para la comunidad regida por su hermana Florentina, se añadieron sin

[37] Ignoro con qué fundamento varios autores consideran este sector como del siglo XI (así Bishko y Linage, obras citadas en la bibliografía del Apéndice XX, nº 23), a no ser porque trasladan la data de los otros sectores a éste.

[38] Y como allí se atribuye la copia al año 717, no tendría sentido (ni caería en tan craso error el hábil falsificador) llevar este sector al año 621, si en el momento de realizar el fraude los dos sectores estuvieran ya reunidos como actualmente. Es lástima que no podamos fijar el tiempo en que actuó, o actuaron, quien se dedicó a otorgar tanta antigüedad a las copias existentes en la librería emilianense, en su obsesión, como hemos señalado, por dotar de la nobleza de antigüedad a los libros y, por consiguiente, al monasterio. De saberlo, tendríamos ahora un argumento para fechar la época en que los sectores de nuestro manuscrito se conservaban desgajados e independientes. Sobre este problema véanse las consideraciones generales de página 109, a que nos remitimos.

[39] *Speculum,* 23 (1958), 578.

solución de continuidad[40] únos textos, a modo de capítulos, tomados del Comentario de la Regla benedictina de Esmaragdo, abreviados y adaptados para uso de monjas mediante feminización de todas las referencias. El añadido atribuye especial importancia al capítulo *de obedientia,* y luego tiene en cuenta otros principios siempre referidos a los doce grados de humildad. Trátase de «un simple código de espiritualidad ascética anejo a una regla aceptada», lo que hay que entender como «otro interesante experimento de síntesis monástica hispanocarolingia»[41] que ya había producido en la región de Nájera el *Libellus* conservado en el manuscrito procedente de San Millán debido al copista Enneco Garseani, que data de 975[42] , fecha que quizá no hayamos de considerar lejana de la que corresponde por grafía y contenido a nuestro sector D[43] .

Su importancia rebasa, por consiguiente, su propio contenido, y contribuye a hacer del volumen que comentamos una pieza de notable valor en el conjunto emilianense.

Singularmente interesante es el manuscrito Madrid Archivo Histórico Nacional, *1006 B (1277),* complejo y formado por dos códices conglutinados de antiguo, de los que uno contiene el Salterio y Libro de Cánticos de la antigua liturgia, y el otro la obra de Prudencio Galindo, *liber ex floribus psalmorum,* de épocas algo diferentes aunque ambos atribuibles con certeza al siglo XI[44] . El sector A, que comprende los folios 1-122 más unos pequeños fragmentos de folio, inútiles desde el punto de vista del contenido, es obra de una mano de mediados del siglo XI. El material ha sido dispuesto según los normales procedimientos seguidos en los códices de uso litúrgico: una sola columna delimitada por sendos grupos de doble vertical, con 19 líneas horizontales, de las que las dos primeras y las dos últimas corren de la primera vertical de la izquierda al margen exterior, de acuerdo con pinchazos de guía que ya han desaparecido. La letra, del precioso tipo litúrgico emilianense de este tiempo, lleva copetes sobre los astiles a modo de bisel inclinado. Muchas letras han sido rectificadas según el uso de San Millán en las revisiones de los siglos XII-XIII. Ofrece el Salterio completo y mínima parte del *Liber canticorum,*

40 Desde el fol. 24ᵛ hasta el final en f. 31ᵛ.

41 BISHKO, art. cit., 578 n. 90.

42 Véase págs. 30-32.

43 BISHKO, loc. cit., ya vio que «el texto puede creerse que sea anterior al siglo XI y ocasionalmente es paralelo a ciertos pasajes del *Libellus*». Para esta justísima precisión téngase presente que Bishko atribuye nuestro sector D al siglo XI, data que, repetimos, conviene propiamente a los sectores B y C.

44 Véase Apéndice XX n° 21.

lo que invita a entender que se encuentra incompleto. Lleva miniaturas, obra de un artista románico que, sin embargo, deja traslucir influencias mozárabes, probablemente a partir de los modelos utilizados. Por lo que hace a las relaciones de contenido, téngase en cuenta que todas las apariencias apuntan a un máximo de concordancias para el Salterio con códices originarios de región leonesa, lo que quizá explica algunos de los rasgos del manuscrito[45].

El sector B abarca desde el fol. 123 al final, ahora en fol. 151. El folio inicial presentaba el recto en blanco, ahora ocupado[46]. El verso lleva el título de la obra principal que suena así: *In ne dni incipit liber ex floribus psalmorum a beato Prudentio editus,* y luego su comienzo. Allí mismo, en fol. 123^{v}, una mano del siglo XVIII ha hecho esta advertencia al lector: «Parte de lo que aquí falta a esta obra se hallará al principio del códice 6 en unas ojas que quasi están sueltas»; y todavía, a propósito del hecho de que entre fol. 125 y 126 falta un folio, añade: «La oja que aquí falta se hallara en otro códice 6 al principio». Efectivamente, en el manuscrito 1007 B del mismo Archivo, al que hemos dedicado algunas páginas más atrás[47], se encuentran seis folios, que no son otros que algunos de los que faltan a nuestro códice.

[45] Ayuso, ignoro con qué criterios, lo atribuye a los siglos IX-X; García Villada a finales del siglo XI. Por lo que hace al origen del texto, advierto que una rápida comprobación de las variantes en T. AYUSO, *Biblia Polyglotta Matritensia,* XXI: Psalterium visigothicum, Madrid 1957, 10-11 y passim, lleva a la convicción de que los máximos de coincidencia se dan con el manuscrito de Santiago de Compostela Bibl. Universitaria, *ms. 609,* llamado Diurno de Fernando I, que se atribuye a escriptorio leonés y se considera, con no muy claro fundamento, gemelo del manuscrito de Salamanca Bibl. Univ., *ms. 2668* «Horas de Doña Sancha». Ahora bien, vistas ciertas conexiones me pregunto si no habrá que estimar más de ambiente castellano-riojano ambos manuscritos lo que exigiría una investigación a la que ya no responde el trabajo de M. FEROTIN, «Deux manuscrits wisigothiques de la bibliothèque de Ferdinand I, roi de Castille et de León», en *Bibliothèque de l'Ecole des Chartes,* 62 (1901), 374-383. Véase además para ciertos detalles del Compostelano, A. LOPEZ, *Estudios críticos,* Santiago 1916, 64-83.

[46] En el fol. 123, dejado en blanco, se ha copiado un himno del Breviario romano, que se encuentra también en el Breviario gótico de Ortiz, lo que parece indicar que ya había ido tomando carta de naturaleza en la liturgia hispánica desde el siglo XI. Lo escribió un copista en letra medianamente cuidada, y dice así (doy el texto como curiosidad): *Iste confessor domini sacratus festa plebi cuius celebrat fidelis hodie letus meruit secreta scandere celi. Hic pius, prudens, humilis, pudicus, sobrius, castus fuit et quietus uita dum presens uettauit eius corporis artus ad sacrum cuius tumulum frequenter membra languentum modo sanitati quolibet morbo fuerint grabata restituuntur. Inde nunc noster cetus in onore ipsius imnum canit hunc libenter ut piis eius meritis iubemur omne per euum. Sit salus illi, decus atque uirtus qui supra celo uidens cacumen totius mundi macina gubernat trinus et unus. Amen.*

[47] Véase págs. 111-112. Allí mismo expuse las razones que me movían a suponer que la integración no era anterior a 1714, en que la presencia de los folios disyectos no había sido anotada.

Actualmente, en el manuscrito que describimos, que no se completa del todo ni siquiera echando mano de los folios unidos al otro, se conservan los parágrafos I-V y XXXV-XLIII. Tampoco por el final está íntegro el tratado del escritor trecense, que ahora concluye en fol. 139ᵛ. En este sector todo prácticamente coincide con el sector A, salvo pequeñas diferencias en la técnica preparatoria del pergamino: son las tres primeras horizontales, como norma general, las que rebasan la caja de composición y llegan al borde, siguiendo unas guías que van menos por el borde que en A, por lo que se conservan a pesar de las igualaciones de encuadernaciones sucesivas; en cambio, casi sistemáticamente las últimas no rebasan la vertical de la derecha. A pesar de que la procedencia del texto no se deduce claramente en nuestro manuscrito de la lectura del mismo, porque haría falta una colación atenta que apoyara una clasificación de los códices que conservan la obra, indiscutiblemente tuvo que llegar a San Millán de manera más o menos mediata desde Francia[48].

Los folios 139ᵛ - 144, escritos por una mano que ya había intervenido en la última parte del libro de Prudencio, contienen oraciones sacadas de los salmos; los folios 144ᵛ - 151ᵛ son obra de otra mano similar a la anterior, pero con más tendencia al rasgueo, y que muestra inclinación a trazar los copetes de remate de astiles en forma bífida, con ángulo bastante notable. Entre las peculiaridades, numerosas, de esta mano, anotemos rasgos de modernidad como la abreviatura para *qui*, que antes usaba en exclusiva la escritura cursiva y la abreviación sistemática de la nasal en *con-*. Por lo que hace a la preparación del pergamino, señalemos que este cuaternión se escribe en pauta de 22 líneas[49]. En este cuaternión se han trascrito unas oraciones atribuidas a S. Agustín, a S. Gregorio, a San Benito y a San Efrén[50]. Todas estas oraciones han sido trascritas en la segunda mitad del siglo XI. Las oraciones llevaron un tiempo algunas glosas contemporáneas que, copiadas por el margen exterior, han desaparecido en su mayor parte.

El manuscrito guarda diversos rasgueos y frases, de las que citaremos sólo una de fol. 131; entre otras cosas léese allí «santa maria de rroncesvalles porque mataron a olyveros»... Inicios de carta son casi todas las restantes frases.

[48] Sobre Prudencio, obispo de Troyes, y su producción literaria véase M. MANITIUS, *Geschichte der lateinischen Literatur des Mittelalters,* I, München 1911, 344-348; Fr. STEGMUELLER, *Repertorium biblicum medii aevi,* IV, Madrid 1953, 493.

[49] Hay que decir que, no sé por qué razones, en los folios 126-127 se había acrecentado la pauta usual hasta allí de 19 horizontales con una raya más, que se añade precisamente por arriba. Los dos folios citados, con el texto de Prudencio, son finales de cuaternión.

[50] Edición y atribución de GONZALEZ RUIZ-ZORRILLA, art. cit, (v.n.44), 144-152. La atribuida a S. Benito, que yo sepa, aun no ha sido identificada, y tampoco la última de la serie.

No sabría valorar debidamente este códice que, por contenido y por presentación, está más cerca de los manuscritos litúrgicos que de los literarios. Pero sí que debemos destacar el papel que representa la obra de Prudencio Galindo de Troyes que, aunque hispano de origen, apenas fue conocido en la Península. Su presencia en la Cogolla pone una vez más de relieve la importancia de nuestro cenobio en el ir y venir de libros y tendencias culturales.

También, más que entre los códices literarios que venimos estudiando, debería incluirse entre los litúrgicos el de Madrid, Academia de la Historia, *cód. 47*, que sin vacilación adscribiremos a bien entrado el siglo XI[51]. Y ello porque a pesar de que su contenido suele describirse no sin razón como *Vitae Sanctorum*, es tan patente su finalidad litúrgica que no cabe desconocer este carácter. Lo estudiaremos ahora, con todo.

Manuscrito de 141 folios, y pequeño formato, contiene el *liber de uita et uirtutibus sancti Martini episcopi* de Sulpicio Severo (fols. 1-27), la Vida de San Millán por Braulio de Zaragoza (f. 27-49^{v}), la obra de Ildefonso de Toledo precedida de la biografía de éste (f. 51^{v} - 126) y de unos cánones del concilio X de Toledo, unas lecciones *De natiuitate domini* que se dicen extraídas de la Ciudad de Dios de Agustín, aunque tienen otras procedencias (f. 126-136), y la biografía de Ildefonso por Cixila (f. 136-141).

El sentido litúrgico del manuscrito viene dado por la orientación de todo su contenido: así la *Vita Martini* está dividida en cuatro lecciones y acaba con la doxología usual de Cristo[52]; la *uita Emiliani* también aparece distribuida en lecciones, tratamiento que se da asimismo a la obra de Ildefonso *de uirginitate*. Más explícitamente se presentan las lecturas sacadas de San Agustín porque ya en el título se describen como lecciones para uso en maitines[53].

Pero a este argumento añadimos otro sacado de la forma misma del códice. Escrito a línea tirada, presenta la columna definida a cada lado por dos pautas verticales, orientadas por pinchazos que van por los bordes; también por el borde exterior van las guías de la pauta horizontal, marcando 19 líneas

51 Véase Apéndice XX, n° 25. Una muestra de su escritura puede verse en Lámina 31.

52 Señalada en el códice, fol. 29^{v}, por la sola presencia de la abreviatura *per (dominum nostrum*, etc).

53 Fol. 126 *lectiones de natibitate domini ad matutinum ex libro cibitatis dei beati agustini legende per singulas missas ad mututinum.* Estas lecciones son 7, y su contenido ha sido identificado, con alguna excepción, por J. DIVJAK, *Die handschriftliche Ueberlieferung der Werke des heiligen Augustinus,* Wien 1974, 215: cinco son sermones o fragmentos; de las dos restantes nada puede decirse con seguridad salvo que no han sido extraidas de las obras que conocemos de Agustín.

por folio. Todo el pautado se ha hecho antes de plegar por el lado externo del pergamino. La distribución es, pues, típica de los manuscritos litúrgicos: y se emplea asimismo la letra que hemos visto utilizada normalmente en esta clase de libros, grande, regular, con los apartes destacados para facilitar la lectura, a menudo marcadas las iniciales con sombreados rojos.

El manuscrito, sin embargo, no es unitario. Podemos separar dos partes, que no deben aislarse: la primera abarca los fols. 1-53 y contiene la Vida de San Martín y la de S. Millán; la segunda, escrita en su mayor parte por la misma mano que exara la primera, va del fol. 54 a 141, aunque originalmente sólo se copió hasta el fol. 136 haciendo entrar ahí una especie de corpus mariano, que comprende el tratado ildefonsiano con sus complementos y las lecciones agustinianas, a que hemos hecho referencia. Ha sido aquí donde, aprovechando unos folios en blanco, una mano posterior, de fines del siglo XI[54], trascribió la leyenda de Ildefonso que corre, y aquí va expresamente atribuida a él, bajo el nombre de Cixila de Toledo. También en el primer sector se utilizó un blanco para meter, de la propia mano que copiara el códice, la nótula *Ut in quadragesima non licet natales martirūm nec nuptias celebrare* (fol. 53^{v}). Esta disposición del manuscrito queda ahora menos visible porque le faltan los dos folios iniciales, cortados, al primer cuaternión, pero basta para que observemos un contenido diverso en los dos sectores, aunque resulten unidos por su orientación.

Una vez más tropezamos con la huella del falsificador emilianense que antedató tantos códices. En el fol. 1^{v}, a continuación de la capitulatio de la *Vita Martini* se lee: *script era dca lxla VIIIa,* lo que llevaría a poner la copia en 660[55], fecha que no responde más que muy aproximadamente al período de florecimiento de Ildefonso, es posterior a la muerte de Braulio de Zaragoza, y probablemente anterior en cuatro siglos al tiempo a que puede referirse el manuscrito[56].

54 Esta mano imita el módulo y rasgos de la anterior, pero es todavía mucho más afectada. En especial, hay que llamar la atención sobre la peculiar forma del cuerpo superior de *e* y *f*, cuya artificiosidad deriva de las letras más estilizadas de ciertas páginas de Florencio de Valeránica. La abreviatura de *-us* en *-ius* semeja un epísemon invertido, cuyo arco corta la vertical de la *i* longa. La semejanza de la letra, no obstante, se encuentra en pequeños detalles como un remate a modo de banderín en los astiles, exagerado por esta mano, pero que se ve a menudo en la letra de base del códice.

55 EWALD-LOEWE, *Exempla scripturae Visigothicae,* Heidelberg 1883, 27 leen era 668 y año 630; los siguen Loewe-Hartel en esta lectura.

56 Hubo un códice gemelo suyo en la Biblioteca Capitular de Toledo, *cód. 33-2,* que desapareció después de 1865, y del que continúa ignorándose el paradero. Los intentos por identificar este códice con el Emilianense, a partir de la similitud de con-

Ninguna huella he encontrado de utilización posterior. Por lo que hace a los textos recordemos que en el texto de la Vida de San Millán este manuscrito presenta un máximo de coincidencias con Escorial, *a.II.9,* sector C, originario probablemente de ambientes monásticos vinculados con San Millán de la Cogolla[57], sin que podamos considerarlos dependientes de este cenobio. Por otro lado, ya se ha señalado que este manuscrito de San Millán está más cerca del de Gomesano, originario de Albelda en 951[58], que del del Escorial, sector A del códice *a.II.9,* en cuanto hace al tratado *de uirginitate* de Ildefonso de Toledo, transmitido en ambos. Así pues, se saca la impresión de que el texto ildefonsiano circuló en unos manuscritos gemelos por la Rioja que dieron lugar independientemente al códice Albeldense y al Emilianense. Algún día habrá que hacer un análisis más detallado de estas dos tradiciones para obtener las precisiones que necesitaríamos.

Una de las joyas que avaloran la colección de códices provenientes de San Millán de la Cogolla es, sin ningún género de dudas, el manuscrito de Madrid, Biblioteca de la Academia de la Historia, *cód. 22*[59], que contiene el *Liber commicus.* Escrito a dos columnas, de 29 líneas, está constituido por 25 cuadernos, todos cuaterniones excepto el último[60], que no van numerados pero llevan en sus folios últimos sendos reclamos. La escritura, bellísima, ofrece la factura emilianense típica; la ortografía, sin llegar a la corrección, no escandaliza al lector, a pesar de que, reunidos en índice, muchos usos sorprenden. Se ha realzado alguna vez el hecho de que, en lo tocante a elementos de decoración, el escriba de este manuscrito, o sus colaboradores, ha querido dotarlo de toda la riqueza posible. Las iniciales, que aparecen en numerosísimas páginas, combinan variadísimos colores con un dibujo delicado y seguro, en que entre-

tenido, pues también aquel ofrecía los textos de S. Martín, de S. Millán y unas lecciones sobre la Asunción de María, quedan anulados sin más al comparar la escritura de uno y otro y analizar de cerca los textos que contienen. Historia del problema y resolución definitiva del mismo por A. MILLARES CARLO, *Contribución al «Corpus» de códices visigóticos,* Madrid 1931, 35-44; véase además J. JANINI-R. GONZALVEZ, *Catálogo de los manuscritos litúrgicos de la Catedral de Toledo,* Toledo 1977, 22, 332.

57 Subrayo que se trata del sector C, porque el sector B, del año 954, obra del notario Juan fue copiado en región burgalesa lindante con la Rioja; del sector A hablaremos algo más abajo. Para establecer esta relación, ya que las ediciones de ella no son muy explícitas al respecto, he tenido en cuenta una serie suficiente de variantes, entre las que anoto 11 p. 16, 21 (ed. L. VAZQUEZ DE PARGA, *Sancti Braulionis Caesaraugustani episcopi Vita S. Emiliani,* Madrid 1943); 14 p. 20, 15; 24, p. 24, 14, etc.

58 Véase págs. 55 ss.

59 Véase Apéndice XX, nº 17. Puede verse una reproducción en Lámina 30.

60 El primero, como consecuencia de accidente, cuenta ahora con sólo siete folios; el último es un binión.

lazos y pequeñas escenas con representaciones animales, vegetales y hasta humanas brindan un alarde de ingenio y calidad. Todo parece apuntar a una especie de desesperada reacción del autor del libro frente a las modas ultrapirenaicas que lo invaden todo por los años en que trabaja. Conocemos la personalidad del exquisito y tradicional copista al que debemos este *Commicus*, completo y además adornado de otros textos de extraordinario interés. En el fol. 193, que en tiempos fue el último con texto original, se lee esta suscripción: *Explicitus est hic liber comitis a domni petri abbatis sub era ICXIa*[61] . En 1073, por consiguiente, el abad Pedro concluye su obra en San Millán, donde lo vemos actuar desde 1059, como resulta de la documentación conservada[62] , en calidad de abad coadjutor, siendo el titular el obispo de Calahorra, Gómez. Cuál fue la actitud de este abad Pedro lo resumió en palabras certeras Fr. Justo Pérez de Urbel: «Si al lado del abad Pedro se desarrolló la lucha de las espadas entre castellanos y navarros, en torno suyo se encendió otra lucha de ideas, a la cual él no pudo permanecer indiferente... Las formas tradicionales españolas estaban en peligro y fueron muchos los que no se resignaron a dejar que desapareciesen sin lucha. Entre ellos hay que contar a este abad Pedro. Mientras en Aragón ha sido suprimida la liturgia mozárabe, él sigue copiando y miniando su liber commicus, y no quiere terminar su obra sin dejar en la última página un testimonio de su ferviente admiración por aquella liturgia que los exagerados perseguían como una cosa abominable»[63] .

Actualmente el libro comprende un prólogo que ni es original del abad Pedro, como parece querer dar a entender el epígrafe bajo el que los recientes editores estudian este problema[64] , ni siquiera redactado comó introduc-

[61] Como en el caso de este manuscrito sería muy poco provechoso añadir una anotación cronológica de las que hemos visto que en tantas ocasiones hizo el falseador moderno de la antigüedad de San Millán, este curioso personaje, sin pararse en barras, no tuvo mejor ocurrencia que escribir, con su mano inhábil, la nota: «In era dCCXLLIIII abbas emilianus in sancto emiliano» en un hueco bajo la cruz ovetense que aparece en fol. 3, dibujada y ornada a página entera. Se refiere, pues, al año 756.
Aunque muchos eruditos quieran atribuirle carácter de nota que responde a una antigua tradición, me parece que no pasa de una especie de juego el dibujo de guerrero, con lanza, escudo redondo, espada en la diestra y collar en la garganta, bajo cuya imagen un letrero dice: *Tellu comes ruconum sub era dCCXLXVI* en mayúsculas visigóticas. A pesar de la buena traza de éstas, me sorprende la cercanía de ambos números en función de una época en que ya se juega con traducciones de era. No me atrevería a hacer deducciones de este añadido (véanse ya en la edición citada en la nota siguiente, las dudas al respecto, p. lxv-lxvi).

[62] L. Serrano, *Cartulario de San Millán de la Cogolla*, Madrid 1939, 173; Perez de Urbel-Gonzalez y Ruiz Zorrilla, *Liber commicus*, Madrid 1950, lxxii.

[63] Perez de Urbel-Gonzalez y Ruiz Zorrilla, *cit.*, lxxii-lxxiii.

[64] *Op. cit.*, cxxxix.

ción general a este libro litúrgico[65]. Trátase de un estudio preparado para un ejemplar en que se reunían Epístolas y Evangelios para lectura litúrgica, siguiendo el rito romano: en efecto, ni se menciona el nombre usual del libro en las provincias hispanas ni aparece recordado el empleo de lecciones del Antiguo Testamento. De dónde lo haya podido sacar Pedro se ignora todavía. La indicación allí destacada de que se escribe por orden y encargo de un amigo suyo al que va enderezado el prólogo, tampoco ayuda más, porque como es frecuente en estas adaptaciones han sido suprimidas las alusiones personales, cuando existían, o si éstas no existían se perdieron las ambientaciones que podrían orientar al lector.

Todavía otras piezas aparecen en el códice: unas noticias biográficas sucintas sobre personajes bíblicos[66] sacadas con mayor o menor precisión del tratado isidoriano *de ortu et obitu patrum*, de tan escasa incidencia en la Península[67]. Y a renglón seguido encontramos lo que los editores han querido nombrar «Notas litúrgicas» y «Defensa de la liturgia mozárabe», dos pequeños textos en que la reacción hispana, un poco desnortada y sin comprender todavía bien las razones últimas de los ataques contra su liturgia, levanta su voz, segura pero abatida ya, en medio del griterío. Finalmente, el manuscrito ofrece una larga serie de oraciones que, según parece, debían recitarse tras el *Gloria in excelsis* y que no se encuentran más que en el Emilianense[68]. Los editores entienden que podríamos hallarnos aquí ante una serie de oraciones debidas a Salvo de Albelda. La proximidad de Albelda y San Millán los conduce a sostener que tales oraciones «son las mismas que, según el monje Vigilán, compuso su maestro en la abadía de Albelda»[69]. Innecesario decir que se trata de una simple conjetura, que no puede de ninguna manera transformarse en certeza porque carecemos de toda posible referencia.

[65] Me permito recordar que el *Liber commicus* (de *comma*, esto es, perícopa o distribución de un texto en trozos) contiene los pasajes bíblicos que se leen en la celebración eucarística; en la liturgia hispánica, con gran profusión de textos, se distribuían en Evangelios, Profetas y Apóstoles, lo que hoy entenderíamos como Evangelio, Antiguo Testamento y Cartas apostólicas, generalmente de Pablo; véase PEREZ DE URBEL-GONZALEZ Y RUIZ ZORRILLA, *cit.*, xii-xv; J. PINELL en *Estudios sobre la liturgia mozárabe*, Toledo 1965, 116-118, resumido en su art. «Liturgia» en *Diccionario de historia eclesiástica de España*, Madrid 1972, 1307-1308. Además de los datos allí ofrecidos, véase DIAZ Y DIAZ, «De manuscritos Visigóticos», en *Archivos Leoneses*, 53 (1973), 77-85.

[66] Editan PEREZ DE URBEL-GONZALEZ Y RUIZ-ZORRILLA, *cit.*, 705-707.

[67] Noticias al respecto en DIAZ Y DIAZ, *De Isidoro al siglo XI*, Barcelona 1976, 168.

[68] Edición de PEREZ DE URBEL-GONZALEZ Y RUIZ-ZORRILLA, *cit.*, 721-728; estudio y comentarios, *ibid.*, cxlvii-cl.

[69] *Ibid.*, cl. Véase pág. 63.

Me atrevería a decir que este *Commicus* representa, si no el momento último de la liturgia hispánica en San Millán, sí uno de los postreros testimonios de la vida litúrgica del cenobio. La calidad de la confección del códice nos grita su carácter un poco excepcional, como si hubiera sido ejecutado pensando en el propio monasterio. No estamos ante los ejemplares de una producción casi masiva para utilización en los centros de culto que rodearían la Cogolla; pero la supone y la continúa. Este manuscrito litúrgico, último en fecha de los códices datados o datables del escriptorio emilianense, nos abre el camino y nos incita a hablar de los manuscritos que allí se produjeron con vistas al servicio del altar, tema no poco interesante que va a ocupar las próximas páginas.

También en el siglo XI, sin que sea dable por el momento precisar más, situaremos el manuscrito Madrid, Academia de la Historia, *cód. 31*[70] , que quizá fue copiado en los primeros decenios, pero que también podríamos atribuir a casi la mitad de aquella centuria. Trátase de un glosario, que actualmente comienza con la glosa *aspernatus: contemptus* y concluye con *stipulator: promissor,* de donde deducimos que son importantes las pérdidas por un lado y otro. Intimamente dependiente del *Liber glossarum,* como probó en su momento Goetz[71] , está escrito a tres columnas, preparadas especialmente de manera poco regular al romper esta distribución la usual en la técnica común de los escriptorios. Sobre 42 renglones, muy prietos, se distribuyen por orden alfabético, bastante bien conservado, las numerosas glosas que llenan sus páginas. Las iniciales, fuera de columna, parecen trazadas independientemente del texto en minúsculas; hasta tal punto bailan a menudo respecto del resto de la glosa. La letra tiene rasgos peculiares: con frecuencia el copete que remata los astiles parece una verdadera tapa sobre ellos; las *a* tienden a presentar sus dos trazos con altura desigual, las *r* aguzan y elevan el ángulo de su remate que empalma descendiendo rápidamente en la letra siguiente, las *f* tienden a mostrar algo retrasado el primer ataque del caido, dando la impresión de descolgarse hacia atrás. Las glosas van separadas, por punto y lineola inclinada alta, de su explicación. En general la letra da una impresión de comprimida y alargada, y el conjunto impone la sensación de densidad y de cierta pesadez.

El principal problema que presenta este códice es el de su origen. El tipo de letra, y algunos otros rasgos, apuntan sin duda alguna a San Millán

[70] Véase Apéndice XX, nº 34. En la Lámina 32 se presentan dos páginas de este Glosario.

[71] G. GOETZ, *Corpus Glossariorum Latinorum,* I, Leipzig 1923, 186-187, que lo define como «sui generis glossarium».

de la Cogolla donde estuvo hace siglos. Pero el caso es que el manuscrito, que presentaba columnas enteras en blanco rematando los conjuntos iniciados por cada letra, ofrece al final de la *c* un curioso texto, que creo inédito, que nos pone en relación inmediata con San Juan de la Peña, monasterio en el que bien podría haberse originado este manuscrito[72]. ¿Cómo ha llegado hasta este códice *31* tal narración, orientada indudablemente a exaltar la iglesia de San Juan de la Peña? La nota tal como nos la trasmite actualmente el códice, se copió muy en la segunda mitad del siglo XII, con lo que habría que pensar que por aquella época el manuscrito estaba en San Juan de la Peña, cosa poco creíble. Sin adivinar en absoluto cómo y por qué motivos tal anotación llegó a San Millán en ese tiempo, tenemos que concluir que existieron contactos que incitaron a algún aragonés (?) a trascribir aquí tan curiosa y elocuente nota. No es de excluir, por otro lado, que ella haya provocado la relación emilianense[73].

De todos modos con gusto conjeturaríamos otro camino más directo recordando que en El Escorial hay una copia reciente de un glosario de San Juan de la Peña, de sobre 1000, que en tiempos estuvo en poder del Conde-Duque de Olivares y que ahora no parece haberse identificado; este glosario está textualmente relacionado con el que nos ocupa[74].

A pesar de esta relación innegable con el cenobio Pinnatense creo tener razón al incluir aquí resueltamente este códice interesante.

72 A pesar de no ser pertinente, me he permitido ofrecer el texto en el Apéndice XVIII. Advierto que no es éste el único texto allí intercalado; además de unas oraciones aparece también un elenco de indulgencias que se pueden lucrar cada Cuaresma en Roma.

73 Sin comentar tan larga lista, baste, no obstante, comparar su texto con el que referente a San Millán de la Cogolla editó B. DE GAIFFIER, «Les reliques de l' abbaye de San Millán de la Cogolla au XIIIe siècle», en *Analecta Bollandiana,* 53 (1935), 90-100. Precisamente esta comparación nos permite desde ahora explicar que, contra lo que parece, probablemente nos trasmite nuestro códice solamente una copia de la lista; habiendo instancias intermedias de trascripción se comprenden mejor ciertas lecturas pintorescas (¿acaso «de petrone domini» en la lista pinatense quiere decir «de petra natiuitatis domini», como en la otra lista?).

74 Escorial, *L.II.15*; cf. G. ANTOLIN, *Catálogo de los Códices Latinos de la Real Biblioteca del Escorial,* III, Madrid 1914; LOEWE-HARTEL, *Bibliotheca Patrum Latinorum Hispaniensis,* I, Wien 1886, 186-187; G. GOETZ, *Corpus Glossariorum Latinorum,* I, Leipzig 1923, 187-188. En el manuscrito se presenta la copia bajo el epígrafe «Glossarium Latinum. In codice uestustissimo literis Langobardicis (seu ut uocant Gothicis) scripto ante annos sexcentos. Ex bibliotheca st. Ioannis de la Peña in regno Aragoniae»... etc.

IX
MAS LIBROS LITURGICOS EMILIANENSES

La rebusca de fragmentos y códices litúrgicos se ha incrementado en nuestro tiempo, consecuencia y base a la vez de un interés redoblado por la liturgia hispánica. Basta recorrer un elenco de manuscritos reciente para notar las fechas en que fueron dados a conocer o publicados por vez primera[1].

Al emprender ahora la presentación de unas notas sobre los códices litúrgicos de San Millán, me gustaría que el lector recordase las coordenadas en que habríamos de movernos, supuesta la realidad que fue la liturgia mozárabe. Se me perdonará, pues, que haga una breve introducción que, al fin y a la postre, resultará muy pertinente, tanto más cuanto ni la terminología ni los contenidos de los libros litúrgicos se corresponden con los de los demás ritos[2].

Los libros propios para la celebración de la misa eran varios: el *Commicus,* del que ya hemos hablado a propósito del códice emilianense copiado en 1073[3], que contenía, recordémoslo, las lecturas bíblicas, del Viejo Testamento, del Evangelio y de los Apóstoles; el *Liber manualis* o *Manuale,* que contiene las oraciones que pronuncia el sacerdote, y el *Antiphonarium,* que no solamente ofrece el texto de las antífonas y versículos de cada oficio sino la música correspondiente. Un *Liber sermonum* recogía todos los pasajes o sermones que se habían espigado de los grandes escritores cristianos, en su mayor parte, pero no exclusivamente, latinos. En época tardía, antes de la supresión del rito hispánico, se elaboró un libro denominado *Misticus,* que mezclaba para cada celebración el contenido del *Commicus,* del *Manuale* y del *Antiphonarium,* a veces también del *Liber sermonum.*

[1] Que yo sepa el repertorio más completo y crítico es el de J. PINELL, en *Estudios sobre la liturgia mozárabe,* Toledo 1965, 109-164; compárese con F. CABROL, «Mozarabe (La liturgie)», en *Dictionnaire d'Archéologie chrétienne et de Liturgie,* XII, Paris 1935, 390-491, y antes las copiosas pero incompletas descripciones de M. FEROTIN, *Le liber mozarabicus sacramentorum et les manuscrits mozarabes,* Paris 1912, 830-960.

[2] Para las definiciones y terminología sigo a PINELL, art. cit., 109-111, que ha introducido las denominaciones antiguas y prescindido de las que se venían utilizando indebidamente desde el siglo XVII.

[3] Véase págs. 183-186.

Más complejo era el oficio divino celebrado en las catedrales. En el oficio festivo, que comprende las fiestas y solemnidades pero también todos los domingos del año y períodos completos como Adviento-Epifanía, Cuaresma-Pasión y Semana Pascual, se utilizaba además del *Antiphonarium* el *Liber orationum,* con el texto de las oraciones que cerraban en ciertas horas el canto de las antífonas, así como el *Liber canticorum* (que da los cánticos contenidos en los distintos libros bíblicos) y el *Liber hymnorum.* Para las fiestas de mártires se disponía del *Passionarium,* con los textos que luego más o menos abreviadamente se leían dentro de las lecciones del oficio. El *Liber misticus* de este oficio festivo catedral contiene ordenado todo este material, excepto lo referente a lecciones. Y no difiere mayormente en este caso del *Misticus,* empleado en el oficio monástico.

En el llamado oficio ferial, que se aplicaba a todos los días de la semana que no correspondían al festivo, el libro de base era el *Psalterium,* complementado con el *Liber canticorum* y el *Liber hymnorum.* En el caso del oficio monástico, las diferencias con el oficio catedral, eran muy notables. El libro base era aquí el *Liber horarum,* que se completaba con el *Psalterium* y el *Liber canticorum.* Antes de que se hubiera constituido el *Liber horarum* debían utilizarse el *Liber hymnorum* y el *Liber precum.*

Todos los ritos y ceremonias que en la liturgia romana figuran en el ritual y el pontifical se encuentran reunidos en el *Liber ordinum,* que además contiene las celebraciones de Semana Santa y las misas y oficios votivos.

El manuscrito Madrid Biblioteca de la Academia de la Historia, *cód. 64 bis*[4] es un Salterio que contiene además el *Liber canticorum.* Trátase de un códice típico, que presenta vestigios de mucho uso, y actualmente se encuentra bastante estropeado. El salterio acaba en fol. 91[5], habiéndose dejado en blanco el verso; ahora se inicia exabrupto en el fol. 1 con el salmo 26; en fol. 92 continúa el manuscrito *In nomine domini nostri Ihesu Xristi incipiunt cantici de toto circulo anni,* para acabar incompleto con el número LXXXIII *canticum Iheremie prophete.* El pergamino es basto, la decoración sin terminar o burdamente dibujada[6]. No hay ninguna indicación para los cuaterniones. Algunos folios han sido desgarrados o se encuentran inservibles[7].

[4] Véase Apéndice XX, nº 20. Una reproducción en nuestra Lámina 16.

[5] *Expliciunt psalmi numero CL,* dice aquí el texto (*CL* va sobre rasura, como corrección de la cifra).

[6] En el fol. 92 los entrelazados de una D están pintados pero no delineados previamente, sin dibujo. En ciertos casos (fol. 101, 106^v) quedan sólo siluetas; en otros se ha rellenado directamente el color (fol. 84^v, 100^v, etc.).

[7] Falta uno entre fol. 77 y 78; solos los fol. 78, 82, 89 bis, 91, así como 107 y 108; no resta más que un trozo de fol. 99.

No ofrece el códice ninguna pista que oriente sobre copista o fechas. Por lo que hace a su origen, hemos de decir que la técnica de preparación del pergamino es la usual en San Millán, aunque no falte en otros escriptorios: a una sola columna, definida por dobles verticales, con 25 rayas horizontales que siguen unos pinchazos situados justo en el borde exterior, y que quedan normalmente contenidas por las verticales interiores salvo en el caso de la primera y última que recorren todo el margen exterior. La letra, como todo el conjunto, revela que el copista estaba muy habituado a escribir códices litúrgicos, pero hizo su trabajo con poca delicadeza. Ya no es sólo que se hayan quedado sin dibujar muchas iniciales, sino que el comportamiento descuidado se observa también en la grafía. Cuando estrena pluma, escribe con figura y aire suelto, pero pronto se despreocupa y vuelve a sus trazos, que son claros y seguros, pero menos esbeltos y apenas cuidados. Todo señala el siglo X más que mediado como data probable del códice.

De estas notas, y del contenido del manuscrito en función de lo que indicamos arriba, puede deducirse que nos hallamos ante un producto del taller emilianense, hecho en serie con destino a un centro monástico dependiente de aquél para uso en el rezo del oficio divino. Esta destinación, digamos secundaria, y el procedimiento de ejecución nos induce a pensar que el escriptorio de San Millán se ocupaba en parte en la confección de manuscritos que tenían que utilizar los centros de culto relacionados con él, o las pequeñas comunidades que de él dependían.

También del siglo X, según se puede asegurar, es el manuscrito Madrid, Biblioteca de la Academia de la Historia, *cód. 30*[8]. Pinell ha demostrado[9] que se trata propiamente de un *Misticus,* y contiene toda la liturgia desde el comienzo del Adviento, esto es la fiesta de San Acisclo, hasta la introducción de la Cuaresma. Lamentablemente se encuentra en muy mal estado, —en

[8] Descrito por G. LOEWE-W. VON HARTEL, *Bibliotheca Patrum Latinorum Hispaniensis,* Wien 1886, 504; M. FEROTIN *Le liber mozarabicus sacramentorum,* Paris 1912, 893-898; CH. UPSON CLARK, *Collectanea Hispanica,* Paris 1920, 41.228; Z. GARCIA VILLADA, *Paleografía española,* Madrid 1923, 108; A. MILLARES CARLO, *Paleografía española,* Madrid 1932; J. PINELL, en *Hispania Sacra,* 9 (1956), 60-77; A. FABREGA GRAU, *Santa Eulalia de Barcelona,* Roma 1958, 41-43; J. PINELL, en *Estudios sobre la liturgia mozárabe,* Toledo 1965, 134; A. MILLARES, en *Hispania Sacra,* 14 (1961), 385; M. RANDEL, *An Index to the Chant of the Mozarabic Rite,* Princeton 1973, xviii; FABREGA, cit. editó buena parte del folio de Santa Eulalia según este manuscrito, que en tiempos llevó las signaturas F. 190 y 27.

Se ignora la razón de que este códice, emilianense a no dudar, no figure en la lista preparada en 1821, cf. pág. 331. Véase una página de este códice en la Lámina 17.

[9] Art. cit., (v. nota 1), 134.

parte está dañado por el agua—, y tiene numerosas lagunas. Como, según ya expusimos, tiene por base el *Antiphonarium*, esto implica que muchas piezas están neumadas. La presencia de estos elementos musicales había determinado todos los juicios hechos hasta ahora respecto a este manuscrito.

Preparado al modo emilianense, a base de dos verticales a cada lado de la única columna del texto, está pautado con 26 líneas horizontales. La confección es muy cuidadosa, al revés de lo que habíamos visto en el caso del manuscrito antes descrito. La letra tiende a preciosista y amanerada, con rasgos de enorme estilización, a menudo superior a la de la escritura de muchos códices literarios. Las antífonas, en módulo menor, presentan una grafía igualmente elegante y cuidada. Los astiles, esbeltos, no resultan en exceso largos, los caidos amplios y rematados en una graciosa lineola ligeramente doblada a la izquierda. La distribución del texto, muy lograda, no tiene empacho en rebasar a menudo las verticales por la derecha para ampliar el contenido de cada renglón; pero este exceso se hace sin daño del aspecto estético del conjunto. Las iniciales van casi siempre con rellenos de color, finamente dibujadas, con rasgueos punteados por vía de adorno.

Hemos, pues, de convenir que nos encontramos ante un manuscrito bien confeccionado, que podía estar destinado al uso de altar en el propio San Millán.

Algo posterior probablemente en época, pero no en delicadeza de confección, se nos aparecen unos brevísimos fragmentos conservados en parte como simple refuerzo de encuadernación en el manuscrito Madrid Academia de la Historia, *cód. 75,* un buen manuscrito de la *diadema monachorum* de Esmaragdo, del siglo XIII[10] . El códice está sin foliar, pero en los folios 12 y 16 hay unas flechas, indicadoras de pasajes interesantes, recortadas en pergamino, de las que una en blanco; la segunda ciertamente pertenece al mismo manuscrito de que se han tomado las guardas del final. Estas no pasan de ser actualmente una pestaña, con unas cinco líneas de texto más bien no completas. En módulo reducido, de acuerdo con el procedimiento normal, llevan sobre la línea, aprovechando el pautado dispuesto según los mecanismos corrientes, los neumas de las antífonas. Pues bien, en la madera de la tapa posterior y en los nervios de la encuadernación quedan huellas mal conservadas de la cara de un folio que allí estuvo pegada. Se distinguen los dos módulos usados en esta clase de manuscritos, pero me ha sido imposible identificar el fragmento porque a la brevedad se une la mala conservación del negativo.

[10] No lo encuentro citado en ninguno de los repertorios recientes. Tampoco ha llamado nunca nadie la atención sobre estos fragmentos que describimos por primera vez.

Lo que sí puede asegurarse sin vacilar es que todos los trozos, flechas, pestañas y negativo, pertenecen a un solo manuscrito[11] que, sin duda, fue desencuadernado y desvencijado en el siglo XVI, ya que en el reverso del pedazo conservado como pestaña hay una anotación todavía hecha en letra de aquel tiempo. La presencia de los textos neumados y la traza de los renglones de texto, normal, mueven a pensar sin más en un *Misticus*. Por lo que hace a la calidad de la ejecución, debemos decir que no logra cotas de calidad pero tampoco es del todo vituperable. No me atrevería a deducir de estos minúsculos fragmentos, que tienen la originalidad de no mantener relación con ningún otro manuscrito conocido, conclusión alguna que nos oriente sobre la finalidad y destino de la copia[12] .

En la misma Academia de la Historia se han reunido, en una carpeta que lleva la signatura de *códice 118,* tres fragmentos diversos, de los que los dos primeros recogidos del códice 14 del que constituían las guardas, y el tercero, completamente distinto de los anteriores, procedente del códice 18 del mismo fondo, sobre el que volveremos luego. A pesar del innegable interés de esta última pieza, son las dos primeras las que se llevan la palma, por la calidad del manuscrito de que procedían y por su importante contenido. Como guardas del códice 14 ya habían merecido una ligera atención de los estudiosos[13] : el manuscrito que protegía como guarda anterior el que denominaremos, falto

[11] Iba escrito a dos columnas, definidas por cuatro verticales, una a cada lado. Como el fragmento corresponde aproximadamente al centro de un folio, conjeturamos que el tamaño mínimo era de 20 cm. de ancho. No quedan rastros de los pinchazos de guía, señal evidente de que aparecerían en el margen.

[12] Indico, no obstante, que, por lo que se averigua sobre todo a partir del negativo, la letra está bien trazada, con soltura y separación; los astiles tienden a ser más largos que en el códice descrito antes, y rematan en una especie de copete en bisel. Las patas de la *u* densas y fuertes no son muy rectas, las de *m* y *n* vuelven los remates hacia la derecha. A pesar de que no se trata de una pieza particularmente valiosa, sería muy deseable que se rescatara la cutícula adherida a la tabla y se fijara adecuadamente.

[13] Antes F. 184. Había sido citado sólo por C. PEREZ PASTOR, «Indice por títulos de los códices procedentes de los monasterios de San Millán de la Cogolla y San Pedro de Cardeña», en *Boletín de la Real Academia de la Historia,* 53 (1908), 481; J. LECLERQ, en *Hispania Sacra,* 2 (1949), 101-102; A. MILLARES CARLO, en *Hispania Sacra,* 14 (1961), 384 y 426; J. PINELL, en *Estudios sobre la liturgia mozárabe,* Toledo 1965, 122.

Llamo la atención sobre el hecho de que unas imprecisiones en las notas de Leclerq han producido bastantes confusiones respecto al contenido de estos fragmentos, como ya vió muy bien Pinell. Los himnos inéditos, de liturgia romana, que ponderó y editó Leclerq, no aparecen en el fragmento visigótico sino dentro del Homiliario del siglo XIII. Sirva esto de justificación al detalle con el que describimos los fragmentos que en tiempos protegieron el códice 14.

de referencia en la carpeta referida, fragmento A, y como guarda posterior el fragmento B, es un Homiliario del siglo XIII probablemente producto del escriptorio emilianense. El primero que atrajo la atención de los liturgistas sobre el contenido de estos fragmentos fue el benedictino Dom J. Leclerq, sin que hasta la fecha se les haya dedicado un estudio completo.

El fragmento A representa un bifolio del que se conserva la segunda hoja y la mitad superior de la columna *a* de la primera. Escrito a dos columnas, éstas quedan delimitadas por dobles verticales por ambos lados de cada columna; las líneas horizontales son 27, lo que supone una nueva cuenta en la variada pauta de los códices litúrgicos. La letra, como ya habían indicado los que mencionaron el fragmento, es una preciosa visigótica del siglo XI, típica de los códices litúrgicos emilianenses, realizada en los dos módulos usuales. Digamos, además, que no sólo hay capitales historiadas, sino una bella inicial antropomórfica, dibujada después de escrito el texto[14] .

El fragmento que nos ocupa corresponde a una parte del *Liber hymnorum,* y tiene grandísimo interés, tanto por el contenido como por ciertas indicaciones que aparecen allí. Como las noticias que se han dado hasta ahora pecan por someras, me permito describirlo con alguna detención. En el reducido trozo de la primera hoja encontramos, en el recto, palabras aisladas que nos permiten, sin embargo, asegurar que aquí estaba copiado el himno *De primitiuis,* con una disposición extrañísima e inesperada[15] .

En el verso de este mismo trozo, bajo el epígrafe *ymnu]M SCI [Cucufat]IS,* se leen también vocablos sueltos del himno del santo barcelonés, que descubren que en este trozo se trasmitían los versos 1-11. En el folio 2 de este fragmento, que aunque recortado en los bordes conserva íntegro prácticamente su texto, leemos el final del himno de San Cipriano[16] , seguido del *Ymnus in decollatione sci Iohannis: Hic Ioannes mire natus,* que por cierto lleva al margen la indicación en anagrama de *Metro dmi Ildefonsi,* reseña

[14] En efecto, la falda del vestido, en verde botella, recubre totalmente la inicial de la palabra *uiscera.*

[15] BLUME, 274-275. El fragmento contuvo las tres últimas estrofas (incluyendo la doxología), pero en una ordenación diferente de la que presenta el otro códice que trasmite el himno (Toledo BC, *35-6,* s. X-XI, sobre el que puede verse ahora J. JANINI-R. GONZALVEZ, *Catálogo de los Manuscritos litúrgicos de la Catedral de Toledo,* Toledo 1977, 102-103), pues en el nuestro el orden era, indudablemente, 8, 7, 9. A esta divergencia añádase el interés de que este himno apareciera para alguna fecha antes de junio.

[16] Versos 24-28, con el inicio de la doxología y el versículo como en Londres British Museum, *add. 30851* (GILSON, *The Mozarabic Psalter,* Londres 1905, 249), cf. C. BLUME, *Hymnodia Gothica,* Leipzig 1897, 152-153.

interesante como pista para el estudio de la paternidad de este poema que quizá habría de relacionarse con el himno en el Nacimiento de S. Juan Bautista para el que ofrece idéntico anagrama uno de los antiguos códices que lo trasmiten[17]. Síguese el himno en honor de San Miguel[18] y el de los Santos Fausto, Genaro y Marcial[19], que cesa iniciado el tercer verso.

La serie nos enseña que este himnario no tiene el desarrollo de santoral que se descubre en otros; tal comprobación podría favorecer un estudio del origen de su texto, sin duda antiguo como prueba la conservación del anagrama para marcar la autoría ildefonsiana, caso que aparentemente no es único en este códice, como veremos.

El fragmento B, que fue la guarda posterior del códice 14, consiste en otro fragmento, citado únicamente por Pinell, en que se trasmite una pequeña parte del *Ordo peculiaris uigiliae,* que en el fondo forma parte del *Liber horarum*[20]. También en este folio encontramos la misma letra del fragmento A con los dos módulos diferenciados. La mayor divergencia con aquél es el estado de conservación: en tanto que buena parte del fragmento A se man-

17 Para el himno en la fiesta de la Degollación, GILSON, 254; BLUME 196-197. El Himno del Nacimiento del Bautista (*Puer hic sonat...*; GILSON, 234; BLUME, 191) fue atribuido en virtud de un indicio similar a Ildefonso de Toledo por J. PEREZ DE URBEL, en *Bulletin Hispanique,* 28 (1925), 212, probablemente con razón. La coincidencia de ambas atribuciones debe hacernos reflexionar.

La atribución del himno a Ildefonso en este caso suscita problemas curiosos, entre los que llamaremos la atención sobre el hecho de que la difusión del himno se realizó quizá en época antigua, pues aparece en el himnario de Moissac, en el s. X. Hacen falta mayores investigaciones del asunto.

18 Aunque el comienzo, que se encontraba en la parte superior del verso del folio, ha desaparecido, puede identificarse sin dificultad con el himno *Prompta cuncta catholicae* (GILSON, 254; BLUME, 226), trasmitido hasta ahora sólo por Londres BM, *add. 30851,* fol. 146 y Londres BM, *add. 30845*, fol. 118v, ambos originarios de Silos, con lo que se extiende el campo y antigüedad del himno, de acuerdo con lo que se dice en pág. 244; cf. Apéndice XVI b). El texto, en lo que se puede leer, ofrece algunas variantes valiosas que aprovechamos en nuestra nueva edición.

19 La parte conservada dice así en el fragmento:

Gaudet caterba nobilis
dei repleta gratia;
trium sanctorum martyrum
preclara est sollemnitas.
Templum beata trinitas...

Véase BLUME, 174 (versos 1-5); es conocido a partir del Silense (Londres British Museum, *add. 30845,* fol. 127v) y de la edición de Ortiz.

20 PINELL, cit. (nota 13), 145. Se trataría, por consiguiente, de un códice análogo al Silense de Londres que publicó íntegro Gilson: el texto del fragmento conviene con GILSON, 301-302.

tiene correctamente legible, éste a fuerza de roce y desgaste ofrece, en su mayor parte[21], lectura difícil.

En el verso del folio, además de las antífonas y versículos pertinentes, se lee el himno *Surgentes ad te domine*[22], junto a cuyo inicio parecen quedar huellas de un anagrama, acaso de autoría, similar al que habíamos encontrado en el fragmento A; en este caso, lamentablemente, es imposible interpretarlo por fragmentario[23], y aun alcanzar la certeza de que se tratase en verdad de mención de autor. El himno sólo puede leerse con cierta facilidad en las primeras estrofas[24].

La presencia junto al *Liber hymnorum* de esta parte del *Liber horarum* nos pone en contacto con un libro del oficio monástico, utilizado en el propio San Millán: el hecho de que se haya desencuadernado y reutilizado para reforzar unas encuadernaciones del siglo XIII significa, a no dudar, que había dejado de ser empleado en el propio centro[25].

El conjunto, pues, se presenta como lleno de información; no solamente nos brinda un nuevo dato para la discusión de la producción litúrgica de Ildefonso de Toledo, sino que el contenido, no del todo ajustado a la costumbre de otros manuscritos, requiere nuevos estudios para situar estos textos en su verdadera tradición.

No son sólo pequeños restos lo que conocemos de manuscritos litúrgicos en San Millán. También disponemos de manuscritos práctica o totalmente enteros, alguno ya estudiado anteriormente[26]. Entre ellos, destaca un libro, análogo al que se conserva en el Archivo Histórico Nacional de Madrid, aunque más antiguo que éste, con el Salterio y los Cánticos, ahora en Madrid Academia de la Historia, *cód. 64 ter*[27]. Confeccionado a una columna, como habitual

21 Por otro lado digamos que la desigualdad de los recortes contribuye a esta dificultad de lectura.

22 Véase GILSON, 302-304; BLUME, 113-114. Se trata de un himno de la media noche.

23 Lo que se lee, en rojo, es lo siguiente: ymnu]s *dni/ ale/ s/ e.* Más abajo, en lila (y rojo el final)]*NVM.*

24 Realmente los versos 1-8, con ciertos desgastes; a partir de v. 9 ya no se lee el texto, aunque se puede colacionar parcialmente.

25 Nótese que esta dilaceración se produjo cuando se adquirió conciencia de la inutilidad del libro, acaso ya estropeado de otra manera. Aún arrinconados, los manuscritos en buen estado se conservaron, en general, cuidadosamente.

26 Así el *Liber Comicus,* debido al abad Pedro en 1073, cf. pág. 183-186; el *Psalterium y Liber canticorum* del Archivo Histórico Nacional, *1006 B,* véase págs. 178-181; y el *Liber misticus,* arriba analizado (págs. 191-192).

27 Véase Apéndice XX, nº 19; véase también en págs. 233-235, a propósito de su valiosa guarda.

para esta clase de libros, lleva pauta de doble vertical a cada lado y 23 renglones dispuestos para recibir escritura. Las guías, hechas con punta plana muy aguzada e incisas diagonalmente, van tan por los bordes superior, inferior y exterior, respectivamente, que han sido casi del todo eliminadas. Se hizo el pautado cargando desde el recto del primer folio exterior del cuaternión para los cuatro primeros, y desde el recto del primer folio de doblez, quinto del cuaternión, para los cuatro restantes: técnica tan curiosa, cómoda pero bruta, no podía por menos de producir una pauta excesivamente rehundida en los folios afectados. Ninguna de las horizontales rebasa las líneas verticales, que van dispuestas de manera que no se observa la proporción usual entre margen interior y margen exterior: éste aquí es notablemente amplio. Lleva en rojo los títulos de salmos y cánticos. Las capitales, abundantes, son de entrelazos toscos y simples, aunque con singular variedad de colores; algunas adoptan formas antropomórficas o zoomórficas[28]. Contiene los salmos en los fols. 1-122, donde acaban: *Explicit liber psalmorum.* Sigue el libro de Cánticos bíblicos precedido por el prólogo de Isidoro de Sevilla a este libro[29], con miniatura que quiere representar la gloria de Dios en el Sinaí. El manuscrito acaba exabrupto en f. 126, con el cántico IIII. Un hecho interesante por demás es que, precisamente aquí, se lee reclamo al final de este cuaternión anunciando el siguiente ya perdido, cuando no se descubren reclamos en ninguno de los otros cuadernos.

La letra no tiene nada de esbelta, y el trazado poco de elegante: da la impresión de apretado, como hecho con roñosería por la estrechez de las líneas; los astiles son rabicortos y con remates que semejan una especie de tejadillo inclinado; ciertas letras ofrecen resabios de tipo navarro-pirenaico, y aún parecen descubrirse ciertas peculiaridades en las abreviaciones, como es el caso para *quoniam,* que se reduce a *qnm* o simplemente a *qm.* Hay huellas de correcciones gráficas posteriores, de las conocidas de San Millán, y no pocos rasgueos y probationes. En algún folio además se han hecho recortes quizá para aprovechar trozos del pergamino con fines diversos.

De estos comentarios ya deducirá el lector que todo el códice es obra de una sola mano, que podríamos situar a fines del siglo X. ¿Fue el códice realizado en el propio escriptorio de San Millán? La verdad es que no me resol-

[28] Antropomórficas, por ejemplo, en f. 15v, 19, 22v, 26v; zoomórficas en f. 11v, 25v, etc.

[29] Fol. 122v *Incipit prologus be///Ysidori in libro canticorum;* de este códice precisamente lo publicó E. ANSPACH, *Taionis et Isidori nova fragmenta et opera,* Madrid 1930, 86-87; cf. DIAZ Y DIAZ, *Index scriptorum latinorum medii aeui Hispanorum,* Salamanca 1958, nº 132.

vería por la afirmativa de manera fácil; quédese por ello el interrogante ahí, pendiente para cuando se disponga de más estudios que aclaren la situación de algunos otros manuscritos y permitan establecer un cuadro más completo en que colocar como es debido todos estos códices litúrgicos. Porque, digámoslo una vez más, según vamos observando, las técnicas y los medios que se ponen en juego para la confección de manuscritos destinados al culto, pero lo que más importa, la actitud misma de usuarios y artesanos ante estos manuscritos, difiere completamente de los ambientes y expectativas que supone un códice literario.

Continuemos nuestro recorrido por los manuscritos litúrgicos emilianenses. Un precioso *Liber ordinum* es el de Madrid Academia de la Historia, *cód. 56*[30], escrito con atención y esmero a fines del siglo X, sin ningún género de duda en el propio San Millán. Incompleto al comienzo y al final, podemos establecer unos cuantos hechos referentes a él que son de interés. Tal como señaló Férotin, al describirlo como preparativo para su edición del *Liber ordinum*[31], el texto propiamente dicho de este libro litúrgico comienza en el actual fol. 1 con el *Exorcismum olei;* y, por el final, los tirantes de la encuadernación dejan ver que faltan ahora al menos seis cuaterniones. Antes del exorcismo con el que se abre ahora el texto propio del *Ordinum,* van unas piezas que se corresponden con un fragmento de Antifonario, provistas aquí, como tantas otras veces, de notación visigótica, a menudo raspada y sobrecargada con notación aquitana. Pues bien, una de las piezas aquí intercaladas[32], una oración, alude a la iglesia de la Cogolla: *qui locum istum sancti Emiliani confessoris consecrasti,* lo que impone la certeza del origen.

Por si fuera poca esta seguridad, disponemos de otra noticia en el margen del fol. 123 que nos informa del nombre y condición del copista[33]: *Dominicus presbiter,* del que no sabemos nada más, pero que nos pone en relación con uno de los poquísimos nombres personales con que contamos para establecer la nómina de colaboradores del escriptorio emilianense[34].

30 Apéndice XX, nº 27. Véase también la Lámina 18.

31 París 1904, xxiv-xxvii.

32 Indudablemente hace siglos que el manuscrito se abre como hoy, pero también es cierto que antes del actual folio inicial tuvo que haber, por lo menos, un cuaternión previo.

33 *Dominicus scriptor memorare tu, sacrificiorum offertor. Infirmitate subiacens, a mole meorum peccatorum opprimens presuiter uocor, indignum nomine fungor, queso me adesse memor* (FEROTIN, *cit.*, xxiv).

34 En relación con San Millán y utilizando su documentación, sólo hemos encontrado un *Dominico abba sancte Columbe* atestiguando en un documento del año 992, otor-

La letra de Dominico está bellamente estilizada, en el más puro estilo emilianense de los grandes códices de esta época. Los astiles, finos y rectos, con ligerísimas inflexiones, rematan en una especie de tumescencia, no biselada; las patas de *m* y *n* se vuelven a la derecha sin apenas asentarse en la línea; los signos de abreviación, bien situados, diríamos que con criterios estéticos, ofrecen fino rasgueo. Las mayúsculas, algo levógiras, son del tipo capital no alargado que encontramos en tantos títulos y epígrafes emilianenses. La preparación del pergamino para escritura es la usual: dos líneas verticales a cada lado de la única columna y sólo 19 renglones muy regulares con guías por el margen exterior. Así pues, una técnica simple y ya tradicional, combinada con una grafía elegante y enormemente regular, aunque a menudo con una ortografía bastante caprichosa y extravagante.

De bella factura emilianense tenemos, lamentablemente simple brizna, un precioso fragmento de *Liber ordinum* en Madrid Academia de la Historia, *cód. 21,* al que hemos de dedicar unas líneas porque como folio de guarda para un texto isidoriano se conserva en este manuscrito, que además nos ofrece restos de otro fragmento[35]. En un momento indeterminado, al realizarse la encuadernación del códice, que atribuyo al siglo XIII, se utilizó como refuerzo de la tabla un folio, o mejor fragmento de folio desgajado de un códice litúrgico, que fue encolado sobre aquélla. No sabemos cuándo fue arrancado tal fragmento de la tabla a que se había pegado, pero lo cierto es que la cola funcionó bien por suerte para nosotros y la cutícula del pergamino siguió adherida a la tabla, formando una especie de película en negativo sobre ella. El grado de conservación es bueno, por lo que podemos estudiarlo sin mayores dificultades. Nunca ha sido tenido en cuenta, lo que, a pesar de su pequeñez, le confiere algún interés[36]. El manuscrito que representa estaba escrito a dos columnas, de gran formato, con una pauta que, en el rayado vertical, consistía en dos líneas por la izquierda y una por la derecha. Por lo que ha-

gado por el rey Sancho de Navarra a favor de San Millán, por el que cede a éste la villa de Cárdenas en sufragio del príncipe Ramiro su hijo. El monasterio de Santa Coloma, estaba cerca de Nájera; se supone fundado en 923 por Ordoño II según un documento evidentemente falsificado (cf. I. RODRIGUEZ DE LAMA, *Colección diplomática medieval de la Rioja,* Logroño 1976, 17-19, de acuerdo con A. UBIETO, en *Estudios de Edad Media de la Corona de Aragón,* Zaragoza 1948, y M.R. MORALEJO ALVAREZ, *Documentos de Santa María la Real de Nájera,* Santiago 1957, 72; J. PEREZ DE URBEL, *Sancho el Mayor de Navarra,* Pamplona 1950, 285-286). ¿Podríamos identificar ambos personajes? Parece sugestiva la hipótesis.

35 Véase pág. 229 y la bibliografía, escasa por cierto, allí aducida. Para el segundo fragmento, de otro origen, véase págs. 229-230.

36 No citado por J. PINELL, en *Estudios sobre la liturgia mozárabe,* Toledo 1965, 147-149.

ce a los renglones, digamos que ahora 19 son visibles, pero debemos pensar que fueron quizá unos 39, ya que el número de ellos[37] suele ser impar. La letra es amplia y recuerda la de otros códices litúrgicos de S. Millán. Se conserva la imagen de dos capitales, una diseñada en negro con relleno rojo, y otra con repaso de bordes rojos, rellena de azul; todavía el título de cada oración como la palabra iniciada por capital van en rojo. Estos detalles nos confirman en la idea, que ya se deduce directamente de la consideración de la letra, de que nos encontramos no ante un libro litúrgico de batalla, sino ante un ejemplar cuidado, aunque se corresponda con lo que Pinell[38] denomina *Minor uel Sacerdotalis*, es decir el de uso normal para presbíteros que no contiene numerosos ritos de exclusiva competencia episcopal. Los que nos ofrece nuestro pequeño fragmento son parte de la misa *de sacerdote defuncto*[39], y de la *de uno defuncto*[40], en esta sucesión, que no conviene con la de los otros manuscritos conocidos. El fragmento es demasiado breve para que podamos deducir conclusiones fidedignas de las pequeñas variantes que cabe registrar respecto al códice de Monte Laturce que hemos estudiado, en sus líneas generales, en otro lugar[41].

Más complejo en su presentación actual, aparece el manuscrito Madrid, Academia de la Historia, *cód. 18*[42]. Hasta hace poco tiempo estuvo formado por dos sectores diferentes que comentamos apartadamente. El antiguo sector A, hoy ya separado del códice al que vino sirviendo de guarda durante siglos, constituye la segunda pieza de la carpeta en que se han reunido varios folios sueltos de manuscritos procedentes de encuadernaciones y que lleva dentro de la Biblioteca de la Academia de la Historia la signatura de *códice 118*. Consiste en un solo folio, del siglo XI, que contiene parte de un Calendario, con los cuatro primeros meses, cuyos nombres van enmarcados en sendos arcos de herradura inscritos en otro mayor. Bastante mal conservado, presenta indicios de no haber sido elaborado cuidadosamente: no sólo lo indica así el tex-

37 Teniendo en cuenta las medidas de la caja de escritura que podemos tomar horizontalmente, 320 mm., debemos tantear entre 460 y 490/500 para la dimensión vertical de la caja. Según esto habría que pensar en unos 39 renglones, lo que significa que poseemos más o menos medio folio. Estas cuentas se conforman bien con lo que podría deducirse del análisis del texto perdido, a pesar del problema que plantea el orden peculiar que ofrecía el manuscrito.

38 Cit., 147; véase ibid., 109.

39 M. FEROTIN, *Le liber ordinum*, París 1904, 408, 37 *(quumque ante)* — 409, 12.

40 *Ibid.*, 395, 19 *unda edax* — 395, 38.

41 Págs. 76-79.

42 Apéndice XX, nº 29. Nuestra Lámina 19 reproduce el comienzo del sector B de este códice.

to mismo sino el hecho de haberse olvidado de escribir muchas de las iniciales dispuestas para dibujarse en rojo. Perteneció a un manuscrito de no mucho tamaño (270x180 mm., aproximadamente) cuyo pautado, que se ve con dificultad, está representado por 30 horizontales y doble vertical a cada lado de la caja de escritura; da la impresión, aunque no puede asegurarse por lo recortado del fragmento, que la pauta horizontal cruzaba el pliegue del bifolio correspondiente. Su índice de fiestas lo asemeja al Calendario de Silos, también de mediados del siglo XI; probablemente, como piensa Janini[43], fue elaborado poco antes del cambio de rito. La letra de base del Calendario es de ámbito emilianense, pero no puede decirse ni cuidada ni elegante. Por su parte, en lo que hace al contenido, reune elementos de diversos orígenes y tradiciones, pues conmemora a la vez el aniversario de Quírico de Barcelona y los de Ildefonso de Toledo y Leandro e Isidoro de Sevilla. Tal mescolanza parece coincidir en suponerle una fecha tardía.

El verdadero contenido del misal de rito romano que constituía el sector B antes, y ahora todo el *códice 18,* se abre en fol. 6 con un nuevo calendario que abarca los folios 6-11, de la mano que compone la totalidad del volumen. El calendario abunda en fiestas del Santoral hispánico, incorporadas al nuevo rito. Se incluyen conmemoraciones locales, como la de la traslación de San Félix, que según anotación marginal tuvo lugar *era Icxxviiii,* esto es en 1090, y tres dedicadas a San Millán[44]. Pero también hay una misa en honor de Santo Domingo de Silos, salido de la Rioja para reformar y reorganizar el viejo cenobio castellano; el hecho de que muriese en 1073 nos da una nueva data segura que exige fecha posterior para nuestro misal.

El códice, escrito todo él a dos columnas, con 29 renglones, es obra de un copista elegante, cuidadoso y seguro. Hemos querido ponderar estas calificaciones porque no dejan de sorprendernos; en efecto, el manuscrito tuvo que ser trascrito sobre 1095 o algo después, en un momento en que en la liturgia debía hacerse más y más asfixiante la inundación de libros litúrgicos romanos, escritos en letra carolingia, con creciente abandono de la letra nacional. Podría pensarse que, en el caso de un manuscrito tan tardío, deberíamos contar con un monje contumaz que se resistía a los nuevos tiempos. Pero esta estampa acaso no se ajusta a la realidad: nada hay en la confección del códice que denuncie arcaismo en la escritura ni que nos permita descubrir el

[43] J. JANINI, en *Hispania Sacra,* 15 (1972), 178. Sobre este códice 118 véanse más detalles arriba, págs. 193-196; recuérdese asimismo cuanto hemos escrito a propósito del supuesto catálogo de la librería de San Millán, pág. 102.

[44] La traslación de sus restos a 26 de setiembre, su tránsito en 12 de noviembre, y la octava de esta fiesta principal el día 19.

temblor en el pulso que debería corresponder a una persona de edad; ni siquiera los sistemas gráficos o abreviativos parecen excesivamente influenciados por el modelo galicano.

También aquí, como en otros casos, la irradiación de San Millán es patente. Permítaseme estudiar ahora otros dos pequeños fragmentos, cuya relación con el estilo, y casi con seguridad con el propio escriptorio emilianense, queda fuera de duda. Conocidos desde hace poco se conservan en Santo Domingo de la Calzada Archivo Catedral, *fragmento A* y *B*[45] . El *fragmento A* está constituido por un bifolio, exterior de un cuaternión, a una columna, delimitada por doble raya vertical a cada lado, y aparentemente 23 líneas horizontales. Contiene salmo 96, 12-98,7, más 101, 19-102, 11. Las iniciales de los versículos van fuera de la caja, en rojo. Tanto el salmo 97 como el 98 llevan unas anotaciones marginales incluidas en sendos recuadros[46] . La letra es muy regular. El pautado se hizo por el sistema de cargar desde un folio sobre el siguiente, después de plegados los bifolios. Las pocas variantes que se hallan en el Salterio relacionan de cerca este fragmento con Madrid BAH, *cód. 64 ter,* lo que añade un indicio atractivo a los que se derivan de la preparación del manuscrito y la grafía en la orientación hacia San Millán. El *fragmento B* procede probablemente de un códice gemelo del *fragmento A,* aunque aquí, con idénticos tratamientos y medidas, parecen escribirse sólo 22 líneas. Lleva notación musical, que da la impresión de añadida posteriormente; en todo caso, aunque provengan escritura y notación de la misma fecha, la mano y tinta son diferentes. Es el bifolio central de un cuaternión[47] . Muestra por lo que hace al texto estrecho parentesco con un códice de Silos, lo que una vez más suscita la cuestión de las relaciones codicológicas entre Silos y la Rioja. Este fragmento está muy estropeado por agua, y desgaste, como consecuencia del uso a que fue destinado. El primer fragmento formaba parte central de un *Psalterium,* que contenía además el *Liber canticorum.* El segundo, según Pinell, sería minúsculo resto de *Liber horarum,* destinado al oficio monástico. A partir de estas precisiones se impondría la conclusión de hallarnos ante dos manus-

45 Mª L. POVES, «Los fragmentos de códices visigóticos de la Catedral de Santo Domingo de la Calzada», en *Revista de Archivos, Bibliotecas y Museos,* 58 (1952), 517-520; A. MILLARES CARLO, en *Hispania Sacra,* 14 (1961), 429; J. PINELL, en *Estudios sobre la liturgia mozárabe,* Toledo 1968, 120 y 145.

46 Aunque no originales, como se deduce de la errata final, salmo 97: *uox apostolorum ad populum quia confusus est cultura ydolorum;* al salmo 98: *uox apostolorum ad iudeos ut credant potius quam irascantur. Xristus tamen deus obtinet regnat (sic).*

47 El texto fluye normalmente del fol. 2ᵛ a 1ʳ : para el contenido, baste decir que contiene el *Ordo ad nocturnos* y la *Oratio de quadragesima,* en todo similar al manuscrito de Silos editado por GILSON, *The Mozarabic Psalter,* Londres 1905, 312-317.

critos diferentes; pero las coincidencias codicológicas presuponen, o por lo menos apoyan con fuerza, que provengan de un solo códice, muy probablemente emilianense, copiado en torno al año 1000.

Me veo precisado a incluir aquí, en fin, un nuevo fragmento inédito de mediados del siglo XI, de origen desconocido, cuyos rasgos paleográficos parecen ponerlo en estrecho contacto con la región de Covarrubias - Silos, pero que más bien debió haber sido ejecutado en la Rioja. Se trata de un fragmento conservado como documento en Calahorra Archivo Catedral, *doc.* 6, cuya primera noticia fue publicada hace dos años en un contexto que fácilmente la hacía pasar desapercibida[48] . Contiénese en él una pequeña parte de *Liber misticus,* la que corresponde al formulario de Adviento. Lleva neumas, las indicaciones de versículos y las referencias usuales para las Antífonas.

No es éste el lugar de intentar clasificar el texto, que presenta ciertos problemas de identificación. Actualmente las Antífonas que se leen en el fragmento corresponden a Isaías 66, 15; 29, 18 y 30,26, en una secuencia que en el Antifonario de León parece corresponderse con el día de Sta. Eulalia[49] , y con el oficio del primer domingo de Adviento[50] .

Quédese ahí la noticia hasta que a alguien se le depare ocasión propicia de estudiarlo por menudo.

Así concluimos nuestro recorrido por las escasas reliquias de la librería litúrgica emilianense. De tanto como hubo, bien poco atravesó los siglos; y aún lo que nos llega, ¡qué lejos está de contar con la calidad que hemos de suponer en los productos, incluso de serie, del escriptorio emilianense!

48 I. RODRIGUEZ DE LAMA, *Colección Diplomática Medieval de la Rioja,* Documentos, II, Logroño 1976, 58-59. Dícese allí, en la anotación a una información sobre la cesión de la villa de Oyón por parte del obispo de Calahorra a favor del de Pamplona, lo siguiente: «El pergamino parece ser un trozo cortado y acaso también raspado en el anverso, de un libro de rezo, pues el reverso está escrito en su totalidad con letra visigótica minúscula y comienza así: «Ecce dominus in igne ueniet quasi turbo...». De esta noticia deduje el carácter litúrgico del texto. Posteriormente el Dr. Rodríguez de Lama me hizo llegar, a ruegos míos, una fotografía aceptable. El documento, que ocupa ahora el anverso del fragmento, nos deja ver que las medidas que valen para nuestra pieza son 280x140 mm. Agradezco a mi distinguido colega su gentileza, que ha aumentado con unas notas en que se escribe: «Al principio creí que se trataba de un trozo de Isaías todo seguido, como resto de alguna Biblia, pero luego he podido ver que se debe tratar de una cita de ésta en un párrafo de un Homiliario o algo por el estilo» (16.XI.78).

49 L. BROU-J. VIVES, *Antifonario visigótico mozárabe de la Catedral de León,* I, Barcelona 1959, 58.

50 *Ibid.*, 31.

X
LOS BRAZOS LARGOS DEL ESCRIPTORIO EMILIANENSE

Cuando se habla de San Millán de la Cogolla en el siglo X y en buena parte del siglo XI, no puede menos de evocarse el rincón de Suso en que la vieja iglesia mozárabe y las pequeñas cuevas que, probablemente, sirvieron de refugio a sus monjes, configuran un paisaje duro, umbroso y sobrecogedor. Se hace más difícil imaginarse aquel rincón del valle del Cárdenas como centro de una actividad incesante que cuajará en la constitución de un dominio poderoso, con una economía sólida aunque de rendimientos desiguales, y con un peso específico notable que jugar cuando se trataba de establecer equilibrio entre la monarquía navarra y el reino de Castilla.

Estudiar los códices emilianenses, como nos hemos propuesto, no acaba con la investigación de los manuscritos ejecutados en su escriptorio: con ser bastantes y escalonados a lo largo de siglo y medio, no se agota en su análisis la comprensión del papel cultural jugado por el monasterio de la Cogolla. Tienen razón los historiadores que hablan de la cultura literaria de que fue centro insigne aquel monasterio: porque fue centro y no único refugio ni único punto de producción. En torno a San Millán florecieron, sin duda, muchos copistas que, formados allí, sin constituir escriptorios durables dotados de organización y distribución de tareas, dieron cima a manuscritos que, por suerte, han llegado a veces hasta nosotros. A menudo tenemos la impresión de que los libros eran patrimonio de las grandes bibliotecas. Sin embargo, las donaciones y ofrendas de libros, que no están prácticamente atestiguadas en la Rioja pero que tuvieron que darse por este tiempo, ofrecen un panorama diferente: seglares o clérigos entregan o dejan en herencia libros litúrgicos o espirituales, en la terminología de la época, a iglesias y monasterios, enriqueciendo así sus bibibliotecas o proveyéndolas de códices para usos del culto. Estos personajes se habían hecho en algún lugar con estos manuscritos: pudieron haberlos comprado en cualquiera de los monasterios que realizaban, si podemos decirlo así, ediciones con cuyo producto contribuir a sanear su propia economía, o encargarlos a algún amanuense ducho, formado en un buen escriptorio, que con mayor o menor pericia llevara a cabo su trabajo. Igual que en otras regiones encontramos a quienes se confiesan entregados a la elaboración de libros por su cuenta, debieron existir estos copistas en la Rioja, quizá para trabajar al servicio de algún poderoso o de personas devotas que esperaban así ganarse el cielo con su generosidad. Muchos libros, en efecto, se producían como elementos de edificación, para lectura espiritual reposada, o para ilustración de las largas horas del oficio divino; otros, como manda para después de la muerte a fin de convertir bienes terrenales en instrumentos de salvación para el prójimo; otros, por interés personal o por utilidad inmediata en razón de la índole misma de las obras copiadas.

Me parece que estas situaciones, concretas aunque no ajustadas a una plantilla uniforme, explican y traban la existencia de manuscritos en los que se descubren huellas indiscutibles del monasterio de San Millán, incluida la permanencia en su biblioteca por algún tiempo, pero que a la vez proporcionan indicios bastantes para excluir, o dar por insegura, la confección en aquel escriptorio. Ha sido tan intensa y varia la actividad libraria en el monasterio de la Cogolla, como hemos ido viendo a través de los contados testimonios conservados, que no podemos extrañarnos de que en su entorno se hayan ido creando núcleos secundarios, que han existido y quizás llevado una vida de mediana actividad, aunque nosotros ya no podamos definirlos ni situarlos. Estos núcleos ofrecen un máximo de posibles influencias de otros centros distintos al emilianense. En ellos se explica sin obstáculos el que algunos códices presenten rasgos de indeterminación respecto a si son riojanos o burgaleses, y sirven de transición insensible entre zonas cuyas características, consideradas en bloque, instigan a establecer oposiciones completas.

¿Por dónde, pues, estarían ubicados estos pequeños puntos, capaces de producir libros al modo emilianense, sin verdadera relación con San Millán? Ni lo sabemos ni podríamos precisarlo; pero ahí están los manuscritos reclamando nuestra atención. Vamos a estudiar unos cuantos. Quizá podríamos y deberíamos incluir otros que hoy suelen describirse, sin mayor delimitación como castellanos o de escuela castellana. En este terreno, sin embargo, más vale caminar lento que imaginar explicaciones indemostrables.

Muy grande debió ser el impacto producido en los cenobios hispánicos por los Comentarios al Apocalipsis que abreviadamente, y partiendo de la aceptación de su autoría por Beato de Liébana, suelen denominarse Beatos. Poco a poco, la difusión de esta obra, con su doble plano de comunicación gráfica y comunicación literaria, trascendió a las bibliotecas monásticas para convertirse en uno de los libros básicos de espiritualidad en los siglos X y XI. El mensaje de esperanza ultraterrena, de aceptación de los designios providenciales que combinan el triunfo de los elegidos con la derrota del Anticristo llevó a los espíritus tranquilidad y confianza en medio de los graves problemas, económicos y políticos, del siglo X. Como es sabido, la búsqueda de este consuelo había provocado el desarrollo de profecías que hablaban a los hombres de la caída de los poderes que los sojuzgaban. Estas profecías a la larga se revelaban insatisfactorias, porque el paso del tiempo dejaba ver claro que no consistían más que en reflejos de un deseo, vivo y profundo, pero desconectado de la dura realidad que se quería evitar. La visión apocalíptica cambiaba las tornas, porque lo relevante no eran las fechas que se podían calcular para contemplar el triunfo final de los justos, sino la certeza de este triunfo, la disposición de ánimo que obraba para prepararse a él, y la visión descrita, y dibujada al lado, de la victoria última de Cristo y sus fieles. Al entroncar la vida futura, el vencimiento del mal con todas sus encarnaciones y la llamada al reino de Dios se abrían nuevas perspectivas a los creyentes[1]. Así esta obra que combina exégesis bíblica con tratados de edificación, y una interpretación moral con un exaltado misticismo, pasó a convertirse en un libro interesante para extensos núcleos de fieles.

Con gran probabilidad al menos dos códices fueron ejecutados en ambientes próximos a San Millán entre fines del siglo X y el comienzo del siglo XI, a pesar de que a decir verdad no consta de su origen preciso. Por esta misma razón confío en que el benévolo lector no muestre extrañeza ante el hecho de que aborde conjuntamente su estudio aquí. De ellos el primero en orden cronológico se encuentra en El Escorial, *&.II.5*[2], manuscrito de los alrededores del año 1000, mútilo, que consta actualmente de 151 folios, a dos columnas. El manuscrito llevó originariamente numerados los cuadernos, porque todavía

[1] Véase ahora en *Actas del Simposio,* citado en nota 2, los trabajos de J. Fontaine (sobre el método espiritual de Beato), de S. Alvarez Campos (sobre fuentes literarias) y de J. Gil (sobre los terrores del año 800).

[2] Descripción en G. ANTOLIN, *Catálogo de los Códices Latinos de la Real Biblioteca del Escorial,* II, Madrid 1911, 375-376; y más extensamente «Un códice visigodo de la Explanación de Apocalipsis por San Beato de Liébana», en *La Ciudad de Dios,* 71 (1916), 180-191 y 620-630. Lo habían poco más que mencionado G. LOEWE-W. VON HARTEL, 75, y H.L. RAMSAY, en *Revue des bibliothèques,* 12 (1902), 82; y luego los repertorios al uso, como E.A. LOEW, *Scripta Paleographica,* München 1909, nº 83; CLARK, *Collectanea Hispanica,* París 1920, nº 525; Z. GARCIA VILLADA, *Paleografía española,* Madrid 1923, nº 28; M. DOMINGUEZ BORDONA, *Manuscritos con pinturas,* Madrid 1933, 32; MILLARES CARLO, *Paleografía española,* Madrid 1932, nº 35; W. NEUSS, *Die Apokalypse des hl. Johannes in der altspanischen und altchristlichen Bibel-Illustration,* Münster 1931, 27-29; G. MENENDEZ PIDAL, en *Boletín de la Real Academia de la Historia,* 143 (1958), 8; MILLARES CARLO, *Manuscritos visigóticos,* Madrid 1962, nº 25; M. MENTRE, en *Information d' histoire de l' Art,* 17 (1972), 55-63; G. DE ANDRES, en *Celtiberia,* 51 (1976), 107-108; G. DE ANDRES, en *Cuadernos bibliográficos,* 31 (1974), 17; P.K. KLEIN, *Der ältere Beatus-Kodex Vitr. 14-1 der Biblioteca Nacional zu Madrid,* Hildesheim 1976, 559; T. MARIN MARTINEZ, en *Beati in Apocalipsin libri duodecim,* Madrid 1975, 179; J. CAMON, *ibid.,* 96; A. MUNDO-SANCHEZ MARIANA, *El Comentario de Beato al Apocalipsis. Catálogo de los Códices.* Madrid 1976, 23-24; DIAZ Y DIAZ, en *Actas del Simposio para el estudio de los Códices del «Comentario al Apocalipsis» de Beato de Liébana,* Madrid 1978, 168; A. MUNDÓ, *ibidem,* 114.

en el fol. 7v se ve la marca IIIQ, lo que a la vez supone que faltan dos cuaterniones completos por el comienzo (el texto se inicia exabrupto con 1,2,33).

El códice por razones que se escapan, no parece ultimado por el miniaturista, ya que ciertas iluminaciones nunca han sido dotadas de color. El pautado está preparado a base de que cada columna queda delimitada por dos pares de verticales; las horizontales, que son 35, van rayadas de manera que al menos la primera y la última corren de la primera vertical de la izquierda hasta el margen exterior, realización encontrada en muchos otros manuscritos de los que hemos venido estudiando. Estímase que la influencia del Beato de Madrid (*Vitr. 14-1 [Hh, 58]*) ha sido suficiente para provocar que en el Escurialense la mayoría de las miniaturas vayan intercaladas en las columnas del texto en lugar de ocupar hoja u hojas enteras. La escritura, muy regular, presenta ya los remates achaflanados de los astiles, con separación poco marcada de las palabras, y con rasgos peculiares de la grafía emilianense en las patas de *m, n,* y en la leve tendencia a trazar angulosamente la *a.* Por su parte, teniendo en cuenta pequeños detalles, como un extraño dentado en la indumentaria y el tipo de perfiles del rostro de las figuras, G. Menéndez Pidal sostuvo con énfasis la pertenencia del códice a la escuela caligráfica de San Millán, argumento que no acepta Klein como definitivo porque encuentra rasgos similares en otros manuscritos con certeza originarios de Valeránica, de Albelda o de San Juan de la Peña: de esta manera se enunciará una extensa zona dentro de la cual cualquier punto sería admisible a juicio de este investigador. Ahora bien, la proximidad innegable de la escritura a la del Códice Conciliar Emilianense[3], no sólo puede servirnos para aproximar la fecha del manuscrito al año 1000[4], sino para apoyar una vez más el origen riojano del códice. Este no se ha manifestado a los investigadores porque no se ha conservado el manuscrito entre los de San Millán que acabaron llegando, en bloque bastante compacto, a la Academia de la Historia: por el contrario, entró en la Biblioteca del Escorial de manera bastante oscura, quizá dentro del legado del caballero de Soria Don Jorge de Beteta a Felipe II[5]. De hecho hay una nota de la mano del P. Sigüenza, bibliotecario del Escorial, en que se le compara con otros dos códices similares de la misma librería[6].

[3] Véase pág. 155 ss.

[4] Asi NEUSS, *cit.*, 28.

[5] Según conjetura muy verosímil de ANDRES, cit. (v.n.2), 106.

[6] «Apocalipsis explanatio incerti acephala. Desunt 6 Versus primi capitis, de fine uero caput 20, 21 et 22 desiderantur, Codex litteris goticis, perantiquus. Hec expositio est Apringii ut patet ex aliis duobus manuscriptis codicibus in eadem bibliotheca», en la guarda anterior.

Como no se tiene seguridad del camino seguido para ingresar en El Escorial, Ramsay había sugerido que pudiera tratarse del códice que A. de Morales dice haber visto en la Catedral de Oviedo[7]. Interesante, pero poco creíble, es la conjetura de Andrés de que más fácilmente se explicaría que proceda de Albelda que de San Millán[8], porque con certeza se encontraba todavía en la Cogolla antes de mediar el siglo XVI cuando de alguna manera su texto fue comparado con el del otro manuscrito emilianense que estudiamos a continuación[9].

Una vez más habrán de ser los estudios textuales los que permitan, quizá, aclarar estos puntos oscuros y conflictivos. Y quizá lleguemos a establecer con seguridad admisible los primeros senderos recorridos en la confección del manuscrito. De todos modos, ya que ninguna razón válida se opone al origen casi emilianense de este códice y, en todo caso, puede admitirse como cierto el origen riojano, región en que todos los indicios confluyen con naturalidad, he preferido situarlo en los entornos de San Millán, con todas las reservas del caso, porque, como he escrito en otra ocasión, pienso que el monasterio emilianense, por devoción, por conveniencias o por entusiasmo ante la obra, jugó un papel relevante en la trasmisión de los Comentarios de Beato.

Escrito tiempo después, el manuscrito Madrid Academia de la Historia, *cód. 33* acumula dificultades de todo tipo para quien quiere estudiarlo críticamente y, desde luego, para situarlo en un escriptorio determinado[10]. En principio uno se siente inclinado a considerarlo originario de ambiente marcadamente emilianense, especialmente por lo que hace a la primera mano, que escribe hasta f. 228; pero no dejaré de consignar que la presencia y calidad de las restantes, toscas e inseguras, de las que una, la que sigue a la principal, con notorios rasgos carolinos, producen inquietud e indecisión.

Trátase, como queda dicho, de un manuscrito con los Comentarios al Apocalipsis de Beato de Liébana[11], que ha sido ejecutado en varios momentos:

[7] A. DE MORALES, *Viage de Ambrosio de Morales por orden del Rey...*, Madrid 1765, 95 y *Coronica general de España,* Córdoba 1585, XIII, 27, 6. Véase además N. ANTONIO, *Censura de historias fabulosas,* Valencia 1742; RAMSAY, art. cit. (v.n.2), 82; así ANTOLIN, en *La Ciudad de Dios,* 71 (1916), 628-630.

[8] En *Celtiberia,* 51 (1976), 106-107; id., en *Cuadernos bibliográficos,* 31 (1974), 17 pensaba en la posibilidad de identificar este escurialense con el denominado Beato de Guadalupe.

[9] Han llamado la atención sobre este dato y su importancia para la localización del manuscrito MUNDO-SANCHEZ MARIANA, *El Comentario...* (v.n.2), 23-24 y 30-31.

[10] Véase Apéndice XX, nº 8.

[11] Contiene íntegro el Comentario, incluyendo la definición isidoriana de *codex*; sigue el comento de Jerónimo a Daniel (f. 233-282) que acaba incompleto.

en primer lugar, el primer copista realizó su trabajo muy a principios del s. XI —o quizá unos pocos ãños antes del milenio— en un ambiente de pobreza de medios o escasas disponibilidades; me parece apuntar a esta explicación no sólo la calidad del pergamino, a diferencia de lo habitual en los centros riojanos, sino el hecho, quizá más significativo, de que cuando se realizó la copia no se pudo pensar en la decoración, que sólo tuvo lugar tiempo más tarde, con diversas participaciones en que jugaron papel principal uno o unos iluminadores mozárabes que usaron colores muy distintos de los acostumbrados en esta región. Por otro lado, el hecho de que incluso en la escritura haya habido una demora y diferencias notables de escribas, que dan la impresión de ponerse al trabajo en aluvión, sin coordinación de tipos y técnicas, acaso apunta en la misma dirección. ¿Habrá sido éste un manuscrito copiado en los aciagos días en que Almanzor atacó con furia y repetidamente a la Rioja, reduciendo casi a la nada el monasterio emilianense que con dificultad, y sólo tras gigantescos esfuerzos, se rehizo bien entrado ya el siglo XI? Con gusto permitiríamos volar a la fantasía para imaginar cómo se buscó quizá, en medio de los males y desgracias del tiempo, un consuelo y una esperanza en la obra de Beato frente a un mundo que amenazaba derrumbarse. Pero no es así como tendremos que solucionar el acuciante problema de este manuscrito: importa más señalar que desde el punto de vista del tenor textual está muy próximo al Escurialense arriba descrito, y que ambos estaban juntos en la biblioteca emilianense a comienzos del siglo XVI cuando se anotó en el nuestro el punto en que concluía, por pérdidas accidentales, el texto del otro[12] .

De todos modos no escapó este códice a la obsesión del falsificador que se propuso dotar de antigüedad fantástica a los códices emilianenses. En el fol. 58, en escritura visigótica imitada, una nota dentro de recuadro rojo, a modo de cartela, dice: *Tempore Benedicti abbatis VIIII sci Emyliani fideliter scriptum per Albinum monachum eiusdem in era dCCVIII*[13] . Salvo unos errores, ya se le fue algo la mano al personaje que cometió la fechoría de estas antedataciones.

Ruego ahora al lector que me permita romper el orden cronológico estricto para pasar a considerar un manuscrito de gran interés. No me he resuelto, huelga decirlo, a tenerlo por emilianense de origen; ciertas realizaciones lo impiden o hacen inverosímil. Probablemente sea producto de un pequeño taller que, en algún momento, debió mantener relaciones intensas con San Millán de la

12 En fol. 210v; véase MUNDO, en *Actas del Simposio*... (v.n.2), 114.

13 Anoto que en este caso la apostilla cronológica difiere algo de las usuales, y que, junto con la coincidencia de tinta y tipos, reaparece aquí la grafía *sciptu* por *scriptum*, sobre la que ya había llamado la atención, véase pág. 110.

Cogolla. Ante él, podríamos con toda razón formularnos la siguiente pregunta: ¿de dónde habrá salido el códice del Fuero Juzgo que ahora se conserva en Madrid Academia de la Historia, *cód. 34*[14] ? Este manuscrito, muy fragmentario, parece importante por su forma y su presentación. Escrito a una sola columna, con preciosas cartelas para marcar el comienzo de cada libro, debió haber sido realizado antes de acabar la primera mitad del siglo X, quizá más exactamente en los primeros decenios[15] . Actualmente se inicia exabrupto con la ley 3,5,9 y acaba, también exabrupto, en 7,2,16. Lo conservado corresponde a los cuaterniones 7 a 14. Estos van numerados, bajo ángulo, sin la usual abreviatura del cuaternión, con solo el número. Se conserva por fortuna, y no puede ya decirse esto de muchos códices visigóticos, la encuadernación original: sin cubiertas, deja ver los tirantes a que se sujetan los hilos de la encuadernación, en que quedan las huellas ciertas de la presión de las cuerdas de los seis primeros cuaterniones. A juzgar por estas huellas todavía debió tener el códice otros 6 ó 7 cuadernos más a continuación del XIIII, último que ahora persiste[16] . Da la impresión, falto de un estudio codicológico exhaustivo, de que los bordes de los folios presentan el corte original en todas direcciones; los pinchazos de guía para el pautado que están hacia el borde del folio no van tan cerca de él como se hará luego costumbre para que la encuadernación los elimine. El número de horizontales es de 26. Por lo que hace a la pauta vertical, encontramos aquí una técnica muy poco frecuente, pues la columna queda marcada por una sola vertical en la parte izquierda del folio y dos, bastante próximas entre sí, pero dos a fin de cuentas, a la derecha[17] .

He creído poder distinguir cuatro manos en los ocho cuaterniones conservados: tres de ellas más que arcaicas, arcaizantes, podríamos situarlas escribiendo en el primer cuarto del siglo X, con rasgos anteriores que se mezclan con otros más modernos en una notable inestabilidad[18] ; la cuarta que la

[14] Véase Apéndice XX, nº 26. Una reproducción de dos páginas de este códice en Lámina 20.

[15] Al siglo IX lo atribuyen, por ejemplo, LOEWE-HARTEL, *Bibliotheca Patrum Latinorum Hispaniensis*, Wien 1886, 510.

[16] Hay una foliación del siglo XVII, cuando ya estaba trunco, pero no a la manera actual, pues comienza ahora en folio 9, lo que significa que se ha perdido entre tanto un cuaderno entero. Faltaba ya entonces un folio en el cuaternión VIII. Parece que originariamente el cuaderno XII pudo haber sido sólo ternión, si se tiene en cuenta lo que se deduce del pautado; por el contrario, el propio pautado nos da la seguridad de que en el cuaderno XIV, ahora de seis folios, falta un bifolio.

[17] Véase a propósito del fragmento del códice 21 arriba pág. 199. Tratamiento idéntico en los cuaterniones centrales del Emilianense 60, véase p. 237; este peculiar tratamiento justifica una aproximación entre ambos códices.

[18] He aquí una primera aproximación para definir el trabajo de cada una (con referencia a la foliación mencionada en la nota anterior): mano A, fol. 9-28; 31-47 y 48v-66; mano B, fol. 29-31; mano C, fol. 47v-48; mano D, fol. 66-final.

única distingue dos formas para *-ti-* no tiene todavía conciencia de los principios que rigen, a partir del entorno del 900, la diferenciación del sonido duro y del asibilado[19] . Desde el punto de vista de las rúbricas, digamos que parece haber más de un rubricador al trabajo. Una de las manos, por su lado, muestra una notable tendencia a dibujar con ángulos los trazos abiertos de la *a,* lo que parece característico de escrituras pirenaicas. Pero, por otro lado, es de advertir, en honor a la verdad, que la primera mano descubre ciertos impactos de la escritura mozárabe, como puede ser la forma de la *E* o los momentos de trazado de la *t.* Las tres manos primeras tienden a hacer el copetillo, o golpe de remate de los astiles, alargado hacia la derecha, como si la pluma atacara lateralmente el astil antes de encontrar la vertical; por el contrario, la mano D, sin duda imitando, presenta una inclinación a dibujar remates bífidos, lo que es característico del siglo X riojano, aunque aparezca de vez en cuando en otras regiones. Para sintetizar estas notas que pueden descorazonar al lector, digamos que la mano D da la impresión de haberse habituado primero a escribir en cursiva —¿se trataría de un simple notario documental?— y no de manera constante en escritura libraria visigótica, que no conoce bien ni trascribe con facilidad. Uno se sentiría tentado a pensar en un centro cántabro o navarro, con la presencia de algún personaje de formación no visigótica; pero, naturalmente, se trata de una simple conjetura de difícil comprobación[20] .

Digamos todavía unas palabras sobre el texto y su posición en la compleja tradición de la *Lex visigothorum*[21] . Este códice tiene relación estrecha, aunque no dependencia total, con los códices más antiguos del Fuero Juzgo, origina-

[19] Anoto en esta mano pintoresca grafías del tipo *tjntjnabulum, satjs, ectiam; rextjtuat, pecunia, sublaceuit, settuplo, permictimus, sublaceat,* etc.

Algunas otras particularidades gráficas habían sido ya señaladas en mi art. en *Anuario de Historia del Derecho Español,* 46 (1976), 192-194. La índole de muchas de ellas lleva a pensar si el modelo de este manuscrito no sería un Fuero Juzgo copiado por un amanuense del Sur de la Galia, donde muchas de estas irregularidades se dan a menudo en las trasliteraciones a escrituras no visigóticas. En el trabajo citado avancé la hipótesis de que nuestro manuscrito pudiera haber llegado a San Millán desde el Alto Aragón o región pirenaica. Sin embargo, múltiples detalles inducen a pensar si no habrá sido más bien el modelo de que se sirvió el copista de este códice el que ya presentaba estas peculiaridades. La historia del texto de la *Lex Visigotorum* hace verosímil esta conjetura, que me permito avanzar sin muy fuerte convicción.

[20] Más de una vez me he planteado la cuestión de la autenticidad de una mano que, además de las pintorescas grafías que entre muchas he seleccionado para la nota anterior, comete errores tan groseros como escribir *facilias* por *facilius, sagramento* o *sublaceat* por *subiaceat.* Pero la fuerza de los datos codicológicos parece excluir cualquier fundamento a la sospecha.

[21] Me permito remitir a mi art. (cit. n. 19), 192-194.

rios uno de la región de Urgel o la Cerdaña, y otro de región de Limoges, conexión que no dejará de resultar interesante el día que una nueva edición verdaderamente crítica de la *Lex* nos permita establecer con justeza las interdependencias de los códices que la trasmiten. Un acercamiento, pues, a la región cántabro-pirenaica para nuestro manuscrito nos dejará explicar por qué contiene leyes posteriores a la redacción de Recesvindo, preferentemente representada por los manuscritos antes mencionados, sin que ello quiera en absoluto decir que se acerque al común de la tradición. O sea, por decirlo lisa y llanamente, su posición viene a ser clave en la relación entre las recensiones más importantes. Nadie hasta ahora, con todo, lo ha tomado muy en serio porque sus faltas, su descuido, su aire desmañado desilusionan al investigador. Pero ahí está con sus problemas y sus eventuales soluciones.

Más interesante resulta contemplar una tradición que ha tenido recientemente un eco desproporcionado. En un estudio de conjunto muy valioso sobre la enseñanza del derecho en la Península[22] , se recoge una leyenda según la cual este manuscrito habría sido propiedad del eremita Pedro de Grañón que en torno al año 1000, antes de su muerte, lo habría cedido al monasterio de San Millán; Nicolás Antonio conocería esta tradición cuando mantuvo contactos literarios con los monasterios de la Rioja. Ignoramos el verdadero sentido de las frases, un tanto cabalísticas, que escribió Antonio a este respecto, de las que parecería más bien desprenderse otra cosa diferente. Porque, todo bien mirado, lo que dice Nicolás Antonio, siguiendo una información en verdad poco cuidada (¿o la entendió él mal?) es que se sabía de una obra en dos volúmenes que había pertenecido (?) a Pedro de Grañón; que este códice tenía unos poemas latinos que resumían las leyes correspondientes a los emperadores romanos; y que luego se contenía el Fuero Juzgo. Añádese todavía que en el códice no se podían leer, por su gran antigüedad, bastantes folios. Lo más desconcertante a primera vista es la alusión a los emperadores romanos y a las Doce Tablas; pero no basta esta mala descripción para impedirnos reconocer el manuscrito[23] .

[22] R. GIBERT, en *Ius Romanum Medii Aevi,* I, Milán 1967.

[23] N. ANTONIO, *Bibliotheca Hispana Vetus,* I, Roma 1969, 349 (ed. PEREZ BAYER, Madrid 1788, I, 518) dice: «Reliquisse hunc Petrum de Grañón in eo monasterio nuntiatum nobis fuit uolumina duo leges Gothorum et Regum inscripta, quorum prius LXIII, posterius uero LXVII capitibus absoluitur. In principio elogium posuit auctor Legum XII Tabularum quas omnes carmine latino comprehendit, deinde Imperatorum Romanorum, deinde Gothorum regum leges quod Forum Iudicum uulgo appellant adiecit. Codex prae nimia uetustate aliquod (*sic*) iam foliis non legitur; quod iniuria temporis malum antiquis libris inferre solet. Habemus id totum ex relationibus ad nos missis ab eodem monasterio».

A mi entender se trata, no de nuestro códice con el que no tiene más semejanza que parte del contenido, la Ley de los Visigodos, sino de un doblete de manuscritos como los Conciliares de Albelda y San Millán[24] . En efecto, el informador se basó en datos muy externos, pues cuanto dice de los emperadores no pasa de estar tomado del título de los denominados *Excerpta canonum* que encabezan en numerosos manuscritos la Colección Canónica Hispana[25] y que siempre llevan como título *Incipit liber canonum a totius orbis ius imperiale tenentes editus*. Estos excerpta presentan también los conocidos poemas que figuran un diálogo escolar que explica el contenido de cada uno de los libros, aunque el versificador se haya cansado antes de concluir y haya dejado varios sin los correspondientes versos. Por si esto fuera poco, recuérdese que en el texto de los Excerpta las referencias se hacen al texto de los Concilios que integran la Hispana, y que en ésta aquéllos van numerados siguiendo lo que en la terminología de los propios códices se llama *acapite;* pues bien, en los manuscritos relacionados con el de Albelda, a que antes aludimos[26] , aunque los números no convienen totalmente con los que se dan en la obra impresa de Nicolás Antonio, presentan una aproximación significativa. La mezcla de la Hispana con el Fuero Juzgo es patrimonio del Albeldense y del Emilianense. Y uno podría preguntarse: ¿acaso el manuscrito de Pedro de Grañón podría identificarse con el que en 980 había escrito Vigilán con destino a Montano? ¿Se trataría de otro códice diferente, emparentado sin embargo con los dos dichos, que se conservaría también hacia mediados del siglo XVII en San Millán de la Cogolla? Parece de excluir una identificación absoluta con el Emilianense porque a éste propiamente no le conviene el detalle de que bastantes folios ya no son legibles por su antigüedad; y tampoco esto le va al Albeldense que queda fuera de juego por partida doble (y ello sin contar con que desde mediados del siglo XVI ambos manuscritos se guardaban ya celosamente en El Escorial y Nicolás Antonio lo sabía). Conste, en todo caso, que es casi imposible identificar el códice de que hablaba el corresponsal de Nicolás Antonio con nuestro manuscrito del Fuero Juzgo; pero, por el momento, tampoco puede identificarse con ningún otro códice conocido.

Ha sido un largo desvío el que hemos hecho, una vez más, a propósito del códice 34; pero quizá el lector curioso, que gusta de obtener siempre

[24] Véanse los comentarios que sobre ellos hicimos, pág. 65 ss. y 155 ss.

[25] G. MARTINEZ DIEZ, *La Colección Canónica Hispana*, II, Madrid 1976, 3-33; edición crítica, 43-214.

[26] Los códices son Madrid BN, *1872,* de Sahagún; Madrid BN, *10041,* originario de Toledo, y Toledo BC, *XV-17,* del mismo probable origen: véase MARTINEZ DIEZ, *op. cit.*, 15-18.

nuevas informaciones, nos agradecerá que hayamos tenido ocasión de vislumbrar la existencia de un importante códice del que no parecen quedar noticias demasiado concretas; y que, por esta misma razón, se nos hace más doloroso haber perdido.

Volvamos a situarnos en ambientes riojanos, influenciados por San Millán, en el siglo XI. En un lugar impreciso, próximo a ambientes castellanos que por este tiempo van poco a poco invadiendo los alrededores de la Cogolla, ya a punto de caer definitivamente en órbita de Castilla, se realiza la primorosa copia de un Esmaragdo, del que ahora conocemos un solo cuaternión que se conserva dentro de un manuscrito misceláneo, Madrid, Biblioteca Nacional, *18672-99*[27] , en el que ocupa los folios 268-275. El manuscrito iba a dos columnas, delimitadas por doble raya vertical a cada lado, y 28 líneas horizontales, guiadas por pinchazos que se encontraban tan al borde que ahora, tras diversas encuadernaciones, ya no se descubren en ninguna parte. Sí es curioso que los pinchazos para la pauta vertical hayan sido efectuados con una técnica muy poco frecuente: se perforaron los cuatro primeros folios (268-271) y luego independientemente, los otros cuatro (272-275)[28] . Según una técnica que se ha ido extendiendo poco a poco, las dos primeras rayas horizontales y las dos inferiores no sólo cruzan el intercolumnio sino que rebasan la caja de escritura para llegar al borde exterior. Y un procedimiento semejante se sigue con una de las centrales, que suele ser la décimocuarta. La incisión en cualquier caso es muy cargada. Las capitales van, en general, situadas sobre la vertical, y las iniciales se sacan en blanco entre las verticales de la izquierda de cada columna. Algunos versículos bíblicos van en verde[29] , o en rojo.

Contenía el manuscrito los Comentarios de Esmaragdo a la Regla Benedictina, de los que queda tan sólo una parte de la exposición al libro I[30] . Ciertos detalles del texto permiten asegurar la relación de este manuscrito con el grupo riojano que hemos considerado en otro lugar[31] . Por otra parte, casi

27 R. Fernandez Pousa, «Los manuscritos visigóticos de la Biblioteca Nacional», en *Verdad y Vida,* 3 (1945), 30; A. Millares Carlo, «Manuscritos visigóticos», en *Hispania Sacra,* 14 (1961); A. Linage Conde, *Los orígenes del monacato benedictino en la Península Ibérica,* León 1973, 801; A. Spannagel-P. Engelbert, *Smaragdi abbatis Expositio in regulam S. Benedicti,* Siegburg 1974, xvii.

28 Véase idéntico tratamiento en Madrid BAH, *cód. 64 ter,* descrito arriba págs. 196-197.

29 Así en fol. 268v.

30 Smaragd. reg. Bened. I, prol. 8 (p. 24, 14 ed. Spannagel-Engelbert) - I prol. 21 (p. 35, 16).

31 Véase págs. 89-93 a propósito del manuscrito de Valvanera, y págs. 218-220, en que se estudia el Emilianense *26.*

podríamos asegurar que éste debería ser el tercer cuaternión del manuscrito a juzgar por la pérdida que antecede al fragmento conservado.

La letra que escribe es clara, muy regular, bien sentada, con cierta tendencia a achatarse. Como en tantos otros casos, las patas de algunas letras propenden a girar a la derecha; los astiles rematan alternativamente en bífido o en copete en que apenas se aprecia el biselado de la pluma. Tanto en iniciales como en el ductus general se manifiestan influencias castellanas, que no bastan, a mi entender, para anular del todo la base emilianense del conjunto.

Antes de dar por concluido este recorrido por los varios manuscritos en que se aprecia la patente influencia de San Millán, digamos que una rebusca meticulosa aumentará el caudal de códices, probablemente riojanos, que con razón se nos pediría que incluyéramos aquí. Quede, sin embargo, para nuevas investigaciones esta preocupación, pues por hoy nos basta a nosotros.

XI
HUELLAS DE ESCRIPTORIOS DIVERSOS EN EL MONASTERIO DE SAN MILLAN

A pesar de que desde los mismos comienzos del siglo X San Millán comenzó a recibir cada vez con más fuerza la presión castellana, nunca dejó de mostrar la marca que le habían impuesto sus orígenes con la acción del rey navarro y de sus primeros repobladores alaveses. Como ya hemos tenido ocasión de subrayar, los monjes que llegaron a la Cogolla sobre 925 indudablemente venían cargados con sus libros litúrgicos y espirituales y probablemente con manuscritos de gramática y de artes: la conjetura no es, en absoluto, gratuita, porque tales medios se tenían por inexcusables en cualquier fundación, y porque creemos que aún nos restan elementos de esta primitiva librería. Pronto la influencia navarra, ejercida fuertemente a lo largo del siglo X, facilitó con las donaciones regias la llegada de gentes del valle del Ebro, probablemente de aquellas regiones sobre las que poco a poco se iban proyectando los planes reconquistadores de los cristianos. En San Millán, como en Albelda, aparecieron luego grupos mozárabes más o menos numerosos, pero con la actitud y la actividad de quienes habían perdido o abandonado todo, después de disponer y disfrutar de unas técnicas, una cultura y unos medios más depurados, en líneas generales, que los que poseían los reinos cristianos del Norte.

El influjo leonés en San Millán constituye uno de los cimientos de su recia personalidad. Sirvió de base primero y luego de contrapeso cada vez que necesitaba el cenobio emilianense despegarse de Castilla, o de Navarra, o de ambas a un tiempo. Esta influencia leonesa se ejerció por dos caminos distintos aunque convergentes: directamente, a través de las tierras alavesas y de la Montaña, o por intermedio de Castilla. Uno adivina, siguiendo los rastros de los manuscritos, ambas rutas, aunque luego hayamos de renunciar a separar los que pudieran acreditar una de los que, aparentemente, señalan la otra. En las páginas que siguen vamos a estudiar la pequeña muestra que el azar nos ha conservado de los manuscritos que razones paleográficas o críticas nos empujan a situar originariamente en territorio de la monarquía leonesa, llegados a San Millán en los primordios de su librería o en época posterior en el saco de cualquier monje viajero. El entendido echará de menos muchos manuscritos: quiero explicarme. Aquí se comentan aquellos que se han conservado en la biblioteca de San Millán: alguno podría, y deberá en su momento, ser estudiado como ejemplo de tal o cual escriptorio concreto cuando un estudioso aborde su investigación. Por el momento nuestro punto de partida ha sido, y sigue siendo, el preciado lote emilianense. Vamos, pues, a considerarlos, con la atención que requieren ya que estuvieron por siglos a disposición de los monjes de San Millán.

Copiado a fines del siglo IX, es el manuscrito de la Biblioteca de la Academia de la Historia de Madrid que lleva entre los emilianenses la cota *cód. 26*[1], que tradicionalmente se tiene por de escritorio castellano desconocido. Gómez Moreno anotó su parentesco con ciertos códices de Cardeña y le supuso origen andaluz, por unos bebedores con turbante y zaragüelles de su decoración, y porque la obra de Defensor de Ligugé que en él se trasmite aparece atribuida a Albaro de Córdoba[2], opinión que comparte Domínguez Bordona; Klein[3], por el contrario, siguiendo a Werckmeister que había notado la total falta de relación de aquellas figuras con el texto[4], advierte las diferencias fundamentales con las características más acusadas de la decoración propia del códice, y concluye que «derivan de una mano distinta, y verosímilmente posterior, que puede suponerse de un emigrante mozárabe venido del Sur de la Península sometido al poder islámico», con paralelos en los marfiles cordobeses. Para este investigador, las decoraciones peculiares del Emilianense 26 se relacionan con las del Emilianense 24, así como con algunos rasgos del Emilianense 60 y mejor todavía con un Casiano, procedente de Silos, que se conserva en París[5]. Otros paralelos vinculan el códice 26 con la Biblia de Cava dei Tirreni. De aquí su conclusión de que «con ello se alcanzan argumentos en conjunto suficientes contra el origen andaluz del códice y a favor de su producción en el Norte de España, y más concretamente en San Millán»[6].

Parecía necesario tomar en consideración estas conclusiones porque no coinciden del todo con las que se obtienen del estudio paleográfico y codicológico del manuscrito. Digamos que parece muy aventurado aceptar una fecha

[1] La bibliografía en el Apéndice XX, nº 14. Véase también nuestra Lámina 21.

[2] *Iglesias mozárabes,* Madrid 1919, 359: «por semejanza con otros códices de Cardeña es presumible inferir que de allí vino; mas por encima está el atribuirle origen andaluz». Los bebedores a que se alude están dibujados en fols. 151-154.

[3] P.K. KLEIN, *Der ältere Beatus-Kodex Vitr. 14-1 der Biblioteca Nacional zu Madrid,* Hildesheim 1976, 245-247.

[4] O.K. WERCKMEISTER, en *L'Occidente e l'Islam nell'alto medioevo,* Spoleto 1965 (Settimane di studio, 12), 939.

[5] París Bibliothèque Nationale, *nouv. acq. lat. 2170,* del año 928.

[6] *Op. cit.*, 247.

posterior al 900 para la confección del códice; y aunque nada acaso se opone a que se haya copiado en San Millán, tendremos en cuenta las siguientes observaciones. El manuscrito es, gráficamente, obra de cuatro manos que se pueden identificar no sólo por sus rasgos y ductus sino también por sus hábitos[7]. Consta de 212 folios, de mediano formato, a dos columnas, distribuidos con irregularidad, como hemos señalado, en pergamino grueso pero bastante bien trabajado; los pinchazos de guía horizontal van por el intercolumnio, detalle que acusa antigüedad. El número de líneas no es constante y las modificaciones del pautado no se corresponden con las de las manos que van copiando el texto, de donde inferimos que son personajes distintos los que escriben y los que disponen el pergamino[8].

Así pues, el manuscrito ha salido de un escriptorio bastante organizado, aunque carente de una gran tradición como basta a probarlo la frecuencia con que se han introducido en la copia ciertos detalles de los modelos, que indudablemente eran ultrapirenaicos[9]. En él se procedió a copiar la obra de Esmaragdo, *in regulam Benedicti explanatio,* de que viene a ser uno de los tres más antiguos testigos hispanos[10], fols. 5-144^{v}; sigue la *Omelia sancti Iohannis*

[7] Por su importancia doy los datos al respecto. Los cuaterniones no llevan marcas, pero es seguro que falta el primero porque aparece trunco al comienzo. El primero conservado es sólo ternión, así como el 7; entre 208 y 209 falta un folio; puede conjeturarse que el último también lo sería. Las manos escriben: a) folios 5-36^{v}; b) 36^{v}-146; c) 146-209 y d) 209-212. La mano a) presenta algunos rasgos y sistemas que recuerdan las de manuscritos mozárabes (abreviatura *us* como punto y coma, tocando ésta el astil) pero con detalles extraños a este mundo, como la abreviatura *u* por *un*. La mano b) escribe *au* por *autem* en varias ocasiones, al lado de *aum* regular, pero traba de manera poco usual la *s* en *est* (f. 65^{r}). La mano c) no ofrece detalles peculiares en este sentido, pero d), además de abreviar *au*, traza nexos de *-at* y *-as* sobre todo en final de línea. Ninguna de ellas conoce otra grafía que *ti* en cualquier posición.

[8] Las pautas horizontales son 25 en los fols. 13-57 y 138-144; 26 en fols. 90-113 y en fol. 12. Las pautas verticales son solamente cuatro líneas, delimitando cada dos una columnna.

[9] Contra lo que dice Gómez Moreno, de que arriba se ha hecho memoria, no hay en el manuscrito atribución del *liber scintillarum* a Albaro de Córdoba. En fol. 147^{v} donde comienza el título de esta obra se lee: *incipiunt capitula libelli scintillae scribturarum,* y en fol. 148 *In nomine dei summi incipit liber sententiarum de diuersis uoluminibus.* De donde salió el error del arqueólogo granadino, luego a menudo repetido, fue de la nota del s. XVII, adherida al folio inicial y que reza así: «La exposición de la Regla de Sn. Benito = Una homilía de San Chrisostomo = Y la obra de Paulo Albaro Cordobés».

[10] Véase el estudio fundamental de CH. J. BISHKO, «Salvus of Albelda and frontier Monasticism in tenth-century Navarre», en *Speculum,* 23 (1948), 586; añádase A. LINAGE CONDE, *Los orígenes del monacato benedictino en la Península Ibérica,* León 1973, 797-801; y la edición de A. SPANNAGEL-P. ENGELBERT, *Smaragdi abbatis Expositio in regulam S. Benedicti,* Siegburg 1974, xvii, xlv-xlviii, que encuentran más normal el texto de este manuscrito.

Constantinopolitani de agenda penitentia (fol. 144ᵛ - 146ᵛ). En el fol. 147 ha sido dibujada una cruz de Oviedo, con orla inacabada, y desde el fol. 147ᵛa 211 la obra, aquí adéspota, de Defensor de Ligugé.

Los parecidos gráficos y de tratamiento, en general, con el Emilianense 24[11] aconsejan considerar a ambos como obra de un solo escriptorio. Más difícil se hace situar este escriptorio. Con las coordenadas que hemos alcanzado hasta este momento más bien parece que habría de colocarse en región navarra. Y acaso podríamos intentar unas mayores precisiones. No pocos detalles nos sitúan en un contexto fuertemente influenciado por lo carolingio: la obra misma de Esmaragdo, la de Defensor, pero también el aire general de distribución del manuscrito que evoca, sin encontrar paralelos precisos, esa es la verdad, algunos códices pirenaicos. Nos inclinaríamos como conjetura a favor de una comarca al Oeste de Navarra, y considero muy probable que este códice, tan interesante, haya sido uno de los primeros que renovaron la biblioteca emilianense. Renovar, porque la sola presencia de Esmaragdo, con su nueva concepción del monacato en relación con el monasticismo hispano de ascendencia visigótica, ya significa mucho. Más adelante volveremos sobre este ensayo de localización.

Por lo que hace a la datación no ha habido unanimidad en los estudiosos hasta este momento: mientras Millares Carlo lo ha venido fechando en el siglo IX, Domínguez Bordona lo ponía en el siglo X, siguiendo quizá a Gómez Moreno[12], Klein lo sitúa a fines del siglo X[13]. A mí, con todo, me parece nuestro Esmaragdo anterior al Emilianense 24, por lo que lo situaría resueltamente en el último decenio del siglo IX.

Pero pues nos hemos referido a este emilianense, justo es que le prestemos ahora atención. El manuscrito, que también se conserva en la Biblioteca de la Real Academia de la Historia de Madrid, con la signatura *cód. 24*, llevó antes allí mismo las cotas F. 188 y 25[14]. Consta de 154 folios a dos columnas, aunque no todos homogéneos: del fol. 1 al fol. 149 contiene, incompletas por el principio por pérdida de siete folios, las Colaciones de Ca-

[11] Me permito, como simple ilustración, señalar la similitud rigurosa de la G del folio 144ᵛ del Emilianense 26 con la de fol. 82 del Emilianense 24.

[12] MILLARES CARLO, *Paleografía española,* Madrid 1932, 462; DOMINGUEZ BORDONA, *Manuscritos con pinturas,* Madrid 1933, I, 209; GOMEZ MORENO, *Iglesias mozárabes,* Madrid 1919, 359.

[13] KLEIN, *op. cit.* (v.n.3), 247, 555.

[14] Bibliografía descriptiva en Apéndice XX, nº 12. Recuerdo una vez más que Clark lo confundió con Emilianense 32; v. pág. 250. La Lámina 22 ofrece una reproducción del fol. 10 de este manuscrito.

siano. Los cuaterniones llevan numeración por el margen inferior del verso de los últimos folios, alcanzando a XXIII[15].

Es muy curiosa la preparación del pergamino que encontramos en este códice. En los 9 primeros folios entre las dos columnas, además de la línea vertical que delimita por dentro cada una de ellas, va otra raya al centro del intercolumnio. En el resto del sector A (folios 1-149) la pauta que dispone las columnas consiste en dos rayas a cada lado de cada una, pero con la particularidad no muy común de que apenas si estas rayas alcanzan los pinchazos que abajo les han servido de guía, y apenas la primera horizontal. Mayor variedad todavía en la pauta horizontal, marcada por pinchazos que corren por el intercolumnio: oscilan entre 37 y 35 (36 en fols. 81-87 y 35 en fols. 88-95); atraviesan de la primera a la última vertical, sin cesar en el espacio libre entre las columnas.

Ya aquí, pues, descubrimos intervenciones de especialistas diferentes, cosa interesante si tenemos presente que, aunque parecen poder aislarse varias manos, son éstas tan semejantes que entran dudas para establecer los campos de trabajo de cada una[16]. Por lo que hace a otros detalles, digamos que en los folios 12-42 se usa con profusión tinta verde, a veces alternando con roja, para los comienzos de determinados capítulos; desde el fol. 81 cambia completamente el estilo de las capitales que, de simples líneas con relleno, pasan a tener rica decoración fitomórfica, con múltiples rasgueos en los remates. Quizá podría ponerse este cambio en relación con la última mano, notablemente arcaizante, que entra por este folio. El verso del folio 149 había sido dejado en blanco, ocasión que aprovechó un monje devoto en el siglo XII para in-

[15] Los cuaterniones llevan no sólo numeración (falta la del nº VI, por pérdida de su último folio que iría entre fol. 40 y 41; la del XIIII y del XV que se corresponden con los fol. 80 y 95 conservados, que no sé explicar; la del XV, porque falta el folio que iría entre 82 y 83), sino además reclamo (que falta, sin embargo, al menos ahora, en IIII, VIIII y del XIIII al XXIII). El cuaderno XVIII es quinión. Quiero subrayar que desde el cuaternión XIIII faltan sistemáticamente los reclamos, situación que implica un cambio de técnica.

[16] Me parece seguro que de fol. 73 a fin hay una mano, aunque algunos folios podrían estar escritos por copistas distintos; creo que puede separarse otra mano que actúa en los fols. 43-64; el fol. 1 y los fols. 65-72 quizá se deban a otro escriba; para los fols. 2-42 pensaría en más de un copista, pero las pequeñas diferencias acaso sólo son variantes ocasionales. Curiosamente la mano que he señalado en primer lugar es la más arcaica, nunca distingue los dos tipos de *ti* y traza una abreviatura de *per* distinta a los otros. En cualquier caso, digamos que tanto el tratamiento del pergamino como la escritura y sistema de abreviaturas son casi idénticos en todos los copistas y se corresponden con la época del colofón, como no sometido a las nuevas modas ya vigentes en otras regiones.

cluir una completa relación de las reliquias veneradas en el monasterio de San Millán[17] .

Muchos pequeños detalles se pierden porque el manuscrito, que debió estar en uso durante toda la época medieval, fue objeto de revisión, quizá en el siglo XIII, cuando alguien, probablemente para sacar una copia como ha pasado con otros códices antiguos de la librería emilianense, se dedicó a marcar la separación de palabras (la escritura del manuscrito es casi continua) y a hacer correcciones gramaticales u ortográficas. Otra mano diferente, a lo que parece, preparó no pocas explicaciones o resúmenes del texto para ilustración de algún lector.

Pero ya antes había sido objeto de atención nuestro texto: hay unas notas en letra visigótica tardía, sin duda del siglo XI avanzado, en que se puede leer: *adtende o monace* (fol. 113v), o *metuendum ualde* (fol. 114). La forma misma adoptada por estas amonestaciones presuponen una lectura individualizada del texto, y no colectiva, conclusión que, de inmediato, interesa para la historia de la utilización de una librería monástica. Además de las advertencias de este tipo encontramos una serie no muy larga, pero significativa, de glosas latinas[18] .

El manuscrito está provisto de un colofón, en el fol. 149 recto, según el cual, como traduce una mano del siglo XVI en el borde del primer folio, acabóse de escribir a 16 de las calendas de septiembre de la era 955, que viene a ser el 17 de agosto de 917. En esta datación es curiosa la falta de sincronismos, detalle que parece excluir totalmente ambientes dominados por el reino de León o el incipiente condado de Castilla. Más aún, la mención simple de la era nos remite probablemente a un reino poco estabilizado o prácticamente inoperante: podía esto situarnos en región zaragozana, donde nadie se atrevería normalmente a datar por los años de los Beni-Qasi, pero tampoco se hacía por el califa de Córdoba, o probablemente mejor más al Norte del Ebro, en la zona de Leire-San Juan de la Peña, donde fácilmente podrían darse todas las condiciones que reclama ya que no este manuscrito 24, sí su pariente cercano el códice 26 de la misma biblioteca[19] .

Los folios 150-154 constituyen un sector independiente, probablemente con-

[17] B. DE GAIFFIER, «Les reliques de l'abbaye de San Millán de la Cogolla au XIIIe siècle», en *Analecta Bollandiana,* 53 (1935), 90-100. Confróntese su contenido con nuestro Apéndice XVIII, y pág. 187.

[18] Véase mi trabajo *Las primeras glosas hispánicas,* Barcelona 1978,

[19] Edición del colofón en nuestro Apéndice VII. Allí mismo se hace historia de la vacilación en la lectura e interpretación de su data.

temporáneo del resto del manuscrito, con un fragmento de glosario a dos columnas, trunco por el comienzo y que remata exabrupto en el actual folio 154[20] . Dado el carácter especial del texto que contiene, adquiere poca importancia la disposición del pautado, aunque hay que decir que también aquí el pergamino se había preparado de la misma manera que hemos visto en el primer cuaderno del sector A; también como allí va una línea vertical por el centro del intercolumnio y las rayas horizontales atraviesan siempre éste. No sabría explicar por qué razón una mano diferente ha escrito en el margen exterior de tres folios consecutivos, una vez en mayúsculas y dos en minúsculas, la frase *Pumici testis,* quizá una *probatio*[21] .

El glosario, que contiene las glosas correspondientes a las iniciales D a P se corresponde, aproximadamente, con el de uno de los glosarios de Silos que ahora se encuentran en París[22] .

Muy misteriosa se nos presenta la denominada Biblia de Quisio, actualmente Madrid Biblioteca de la Academia de la Historia, *cód. 20* (F. 296), quizá de principios del siglo X[23] . Según una suscripción que se lee en el folio 144 sería obra de un Quisio monje de San Millán en la era 700, es decir en el año 662, data a todas luces imposible. Pero digamos a renglón seguido que si la data a que se atribuye no es admisible, sí es verdad que la verdadera suscripción[24] fue grabada por el copista de nuestro códice, toda vez que la manera personal e inconfundible de trazar las A, o las M, por poner dos ejemplos, son simple continuación de la empleada a lo largo del texto. Pero, ¿qué habremos de entender por verdadera suscripción? Intentaremos más adelante llegar a una conclusión aceptable. El manuscrito contiene toda la Biblia.

20 Empieza actualmente en *da dexteram: presta auxilium.* Acaba en *panurus.*

21 En el fol. 152 hay un anagrama, probablemente incompleto, que da las letras THA o algo similar, y que no entiendo.

22 Editados por E. GARCIA DE DIEGO, *Glosarios latinos del monasterio de Silos,* Murcia 1933.

23 Apéndice XX, nº 3 para bibliografía. Reproducción del fol. 208 en Lámina 23.

24 Dice así, después del explicit de los libros de los Macabeos: *Tandem finitis ueteris instrumenti libris quos eclesia catholica recipit scributurarum, ad euangelia nouumque testamentum xpisto iubante peruenimus amen. Per Quisium monachum sati Emiliani sub era DCC scipt.* A continuación se lee: *Martinus abbas in sancto Emiliano,* en letra que es muy posterior a la del copista, aunque falseada para que se le parezca; ya lo habían notado EWALD-LOEWE, *Exempla scripturae visigothicae,* Heidelberg 1883, 19, que dan a nuestro códice la signatura 22 (F. 186). Véase Apéndice XX, nº 3, ya citado. Como una superchería más emilianense la presenta G. MENENDEZ PIDAL, *Sobre miniatura española en la Alta Edad Media. Corrientes culturales que revela,* Madrid 1958 (Discurso leído ante la Real Academia de la Historia), 48.

Los estudiosos han discutido largamente su posible origen; nada obsta a que sea copia de un códice que efectivamente correspondiese a la data de 662 reseñada, de la que se habría copiado con el texto también la suscripción. Quizá esta copia se haya hecho en región frontera, o acaso en el propio San Millán al tiempo de la reconquista cristiana, pues indudablemente la grafía es de aire y módulo mozárabe, con influencia de diversos tipos en iniciales, capitales y adornos. Por lo que hace a éstos, Menéndez Pidal[25], partiendo de los estrechos paralelos formales con la Biblia de León de 920, la sitúa en el reino de León; por el contrario Gómez Moreno[26], basándose entre otras razones en una nota árabe, bien escrita pero ininteligible[27], se inclina sin manifestarlo expresamente por su carácter lleno de mozarabismo andaluz. Klein[28] concluye a favor de un escriptorio del Norte hispánico, quizá el propio San Millán, con influencias del Sur (Toledo y Andalucía) y de León. El impacto mozárabe puede ser obra de desplazados mozárabes, directamente o con mediación de ambientes leoneses. Interesantes estas conclusiones de los estudiosos del arte porque aportan unos elementos firmes, aunque parciales, a nuestro enfoque del problema. Desde el punto de vista paleográfico ni la fecha ni el ambiente de la escritura ofrece dificultades: estamos ante una obra de los primeros decenios del siglo X, y ante mano claramente mozárabe. Apoya aquella data el hecho, por ejemplo, de que en la primera parte ya se observa la distinción gráfica entre *ti* y *tj*, que se extiende y normaliza en el Norte de la Península al filo del 900, y con más retraso en zonas mozárabes; pero tampoco puede avanzarse mucho su época porque presenta el códice muchos rasgos arcaicos, como los pinchazos de guía por el espacio intercolumnar; aunque tal arcaísmo queda contrastado por el lanzamiento fuera de la columna de la mayoría de las iniciales, rasgo normal en el siglo X.

El tipo gráfico, sin admitir en absoluto una localización mozárabe simple como podría ser en Sevilla o Córdoba, parece poder incluirse entre las mozárabes de emigración propiamente dichas. Quiero con esto significar que veo en este códice una muestra de un peculiar estilo mozárabe, desarrollada en ambientes cristianos del Norte, que conserva trazos y aire andaluces, preferentemente de Córdoba o su área de influencia, modificados y estilizados por influjo de otros elementos norteños. Aunque cada manuscrito plantea problemas independientes como vamos viendo, no podemos por menos de poner en

[25] G. Menendez Pidal, *op. cit.*, 48.

[26] *Iglesias mozárabes*, Madrid 1919, 292.

[27] En el fol. 70. Intento de lectura, *op. cit.*, 292 n. 1.

[28] P. Klein, *Der ältere Beatus-Kodex Vitr. 14-1 der Biblioteca Nacional zu Madrid*, Hildesheim 1976, 247-249.

relación la Biblia de Quisio con otros códices conservados; en primer lugar, son llamativos los numerosos puntos de contacto, en lo que hace a grafía desde luego, con la primera parte del manuscrito silense ahora en París, Bibliothèque Nationale, ***nouv. acq.*** *lat. 2170,* que se sitúa en el año 928; pero también ha de relacionarse con un fragmento bíblico, procedente de Oña, que se guarda en el Archivo Histórico Nacional de Madrid[29] . Indudablemente la Biblia de Quisio presenta un tipo mayor de estilización gráfica, lo que tiene que obedecer a los movimientos de nivelación y regularización que se observan en León y Castilla al comenzar el segundo cuarto del siglo X, probablemente por influencia de modelos carolinos que hubieron de producir fuerte impacto en los escribas hispanos. En este contexto, tanto lo que se refiere a los elementos de decoración o ilustración como los más estrictamente paleográficos, coinciden en situarnos en los primeros decenios del siglo X.

¿Qué decir, pues, de la supuesta atribución al siglo VII que tanta tinta ha hecho correr? En primer lugar, digamos que es más que sorprendente, y como arriba pusimos de relieve, del todo inaceptable. En segundo lugar, tratándose de un códice bíblico de esta supuesta antigüedad, ¿cómo no se le prestó cuanta atención merecía en el siglo XVI? ¿Es creible que hubiera escapado tal pieza de las razzias efectuadas en la segunda mitad del siglo XVI para reunir en el recién fundado monasterio del Escorial lo más antiguo y mejor de los tesoros manuscritos de la Península? De San Millán fue llevado a la librería escurialense con certeza, y toda clase de testimonios documentales, el Códice Emilianense de los Concilios; y acaso el Beato Escurialense, con menos aparato, fue llevado allá desde San Millán por uno u otro camino. Como tesoro bibliográfico no ha atraído, pues, el interés en tales circunstancias; y, lo que quizá resulta todavía más extraordinario, tampoco la Biblia de Quisio fue objeto de una atención muy especial por parte de los eruditos que iniciaron los preparativos para la revisión de la Vulgata.

Quizá toda esta atribución sea resultado de una manipulación en San Millán, bien documentada en otros campos también[30] , que debió tener lugar sobre 1600. De nuestra Biblia gótica los primeros testimonios precisos, justamente para ponderar la antigüedad y continuidad del monasterio de la Cogolla, están en Argaiz[31] , que los utiliza para elaborar su serie abacial. Aunque haría falta un

[29] Sobre el códice silense, véase L. DELISLE, *Melánges de Paléographie et de Bibliographie,* París 1888, 137; KLEIN, *op. cit.,* 563; sobre el fragmento oniense, que consiste en dos trozos de folio, con Evangelio de Lucas (17, 28-19, 12), encontrados en dos momentos distintos, véase MILLARES CARLO, *Manuscritos visigóticos,* Madrid 1963, nº 213 (actual cota Madrid Archivo Histórico Nacional, *Códices 1452 B 5-6).*

[30] M. GOMEZ MORENO, *Iglesias mozárabes,* Madrid 1919, 291.

[31] G. DE ARGAIZ, *La Soledad Laureada,* II, Madrid 1675, 311, 370.

análisis fotoquímico de la tinta y del pergamino, podríamos avanzar que no es tan sólo, como ya habían hecho notar Ewald y Loewe[32] , una parte de la suscripción lo que, en verdad, fue añadido posteriormente sino que a mi modo de ver no existió originalmente tal suscripción, pues lo que llevaba el códice consistía tan sólo en el explicit del Antiguo Testamento, finalizando con la palabra *Amen*[33] . A partir de aquí fueron añadidas en tres fases diferentes tres partes distinguibles: en primer lugar, la frase *per-scriptum*; en segundo lugar, el sincronismo Martinus-Emilianus y luego, en fin, los catálogos de abades. De que éstos hayan sido grafiados en el siglo XVII no cabe duda, por los errores que se han introducido en las abreviaturas y el aire de letra falsificada que tiene el conjunto[34] . Ahora bien, tres fases no quiere en absoluto decir que haya habido tres manos —lo que evidentemente complicaría por complicidad el asunto—; todo se debe a la misma como prueban ciertos detalles intrascendentes pero suficientes[35] .

Pero vengamos a la pieza capital de la falsificación, a saber la frase *per—scriptum.* Cuando se analicen los pigmentos, acaso se llegue a descubrir que tampoco estas dos líneas pertenecían al letrero original. En esta línea, ya desde ahora al menos, a mí me resulta más que sospechoso por razones de construcción el giro *per Quisium... scriptum...,* insólito en las descripciones hispánicas; no se puede aceptar bajo ningún punto de vista que *sati* pueda representar una abreviatura para *sancti,* y cabe decir otro tanto de la curiosa abreviación *scipt* para *scriptum.* Quien hizo ésta parece que tenía hábito de abreviar el grupo *ri,* lo que si es frecuente en letra de los siglos XV y siguientes no lo es de ningún modo en el siglo VII. Por el contrario, la forma *sub era,* análoga a la tradicional y común *sub die,* representa un hallazgo en otros manuscritos por parte del falsificador que tomó esta construcción normal de otro texto a su disposición. El mismo trazado, artificioso y pesado, de las letras confirma estas impresiones, de modo que si no pueden darse argumentos definitivos y apodícticos para comprobar la refacción en el siglo

32 Véase arriba nota 24.

33 Recuérdese la suscripción completa tal como ha sido reproducida en la nota 24.

34 Para no fastidiar al lector, recuerdo el título entero de la primera serie (fol. 144 col. a) en que todo hace pensar que el audaz falsificador quiso hacer una comprobación de su habilidad. Basta descubrir la inseguridad en los trazos distintivos de *a* y *u*; la presencia insólita de *sanctum* escrito con todas las letras; su inicial que, contra toda lógica paleográfica, quería ser mayúscula, etc. En la primera nómina de abades, la grafía *Iohannes* hace más que sospechar. En la segunda nómina, ciertos nexos son increibles e insólitos.

35 Me limito a señalar los peculiares tipos de *S*, que no pasan de ser intentos fallidos de trasponer un ductus especial en las *S* del explicit auténtico.

XVI, la acumulación de estos indicios hace más que razonable que rechacemos decididamente esta suscripción, no admitiendo siquiera que represente un simple traslado de lo que nuestro escriba del siglo X encontró en su modelo.

Relegada a su verdadera época y relaciones, la Biblia Gótica de San Millán, como se denominaba en el siglo XVII, puede haber formado parte del fondo inicial de San Millán; nada se opone, antes al contrario, a que sea producto de un escriptorio establecido en la zona centro-oriental del reino de León, en ambiente mozárabe, abierto a otras influencias. Las relaciones que establecimos arriba con otros códices nos permiten adivinar que la región al Norte de Burgos podía ser la patria y origen de este curioso e interesante manuscrito que nos ha conducido por unos derroteros distintos de los acostumbrados hasta ahora.

Interesante por mil detalles es el precioso Beato que custodia la Biblioteca Nacional de Madrid, *Vitr. 14-1* (antes *Hh 58*)[36] . Muy deteriorado, consta actualmente de 144 folios, a dos columnas: faltan dos cuaterniones enteros al principio, y probablemente dos o tres al final, y más de 30 folios intermedios. Riquísimo en ilustraciones de excelente factura, le han sido arrancadas muchísimas, por lo que ahora sólo cuenta con 27. Tanto por su escritura como por su estilo artístico plantea innúmeros problemas que han sido puestos de relieve y discutidos recientemente. Por su interés, y por las consecuencias que se derivan de la solución que para aquéllos propongamos, se nos permitirá que nos fijemos por unos momentos en él.

Contiene el Comentario al Apocalipsis, incompleto, pues comienza en I, 5, 54 y termina en X, 1, 18. A juzgar por la extensión de lo conservado y de las pérdidas contendría, probablemente, los prólogos y el prefacio. La escritura, con resabios mozárabes, recuerda más la letra castellana, sobre todo de la región de Burgos, que cualquier otra. Según el exhaustivo análisis de Klein[37] , desde el punto de vista artístico, mientras la escritura y las iniciales «hacen pensar en un influjo fortísimo del sur de Hispania, verosímilmente de Andalucía, o más exactamente en un origen directo del escriba en el Sur de la Península, se orienta diversamente el miniador con un estilo para las figuras que claramente no es de origen meridional. Muestra, con todo, el miniador en la técnica ornamental y en el colorido, en parte, huellas de in-

36 Véase Apéndice XX, nº 9 con la bibliografía pertinente.

37 P.K. Klein, *Der ältere Beatus-Kodex Vitr. 14-1 der Biblioteca Nacional zu Madrid*, I, Hildesheim 1976. No es sólo monografía importante para este códice sino obra fundamental en muchos aspectos, como ya habrá ido deduciendo el lector.

flujo mozaraboislámico». Y concluye de todo su minucioso estudio una datación hacia mediados del siglo X, en el Sur o Sureste de León[38] .

Por mi parte, preferiría situarlo con mayores relaciones respecto a Oña y Valeránica, sin ignorar la presencia de otros elementos divergentes, que convierten a este Beato en una pieza difícil pero de mucho relieve. ¿Podría ayudarnos algo el estudio del texto mismo? Este está estrechamente emparentado con el del códice de Saint-Sever[39] y con otros códices vinculados con San Millán como Madrid BAH, *cód. 33* y Escorial, *&.II.5,* por lo que podríamos pensar que se tratara del arquetipo para todos ellos, ciertamente posteriores al Matritense que estamos considerando. Pero el atento estudio del texto nos prueba hallarnos ante distintas familias. En verdad es cierto que ya se encontraba hace siglos en San Millán, como señala una nota del s. XVI en el f. 3v[40] , y que como de allí lo conoció Flórez, que alude a él como «alter Emilianensis»[41] ; aparece asímismo como segundo, a juzgar por el orden de presentación, en la lista de 1821 cuya edición figura en nuestros Apéndices[42] . No consta en absoluto el camino por el que ha llegado a la Biblioteca Nacional: conjeturo si sería llevado allá a mediados del siglo XIX, por razón de su rica ilustración, antes de que el resto de los códices emilianenses fueran depositados en la Real Academia de la Historia. De todas maneras, remontándonos más en el tiempo, tenemos fundamento para creer que ya en el siglo XII estaba en San Millán de la Cogolla; encuéntranse, en efecto, en él las huellas de revisión ortográfica, y a menudo morfológica, que caracteriza la mayor parte de los códices de aquella biblioteca[43] .

Sea cual sea el origen del manuscrito, cuestión que poco nos importa aquí a fin de cuentas ya que el propio San Millán viene a quedar excluido, lo que nos interesa ahora subrayar es que el Beato que nos ocupa ha llegado allá de una región situada más al Oeste de San Millán quizá en el mismo siglo X

38 *Ibid.*, 290-297.

39 Paris Bibl. Nat., *lat. 8878,* del s. XI, originario de Saint-Sever-sur-l' Adour, Gascuña, decorado por Garsia Placidus; véase A. MUNDO-M. SANCHEZ MARIANA, *El comentario de Beato al Apocalipsis. Catálogo de los Códices,* Madrid 1976, 42-43.

40 Muchas veces trascrita dice: «porque yo Pedro de Fryas mayordomo de la Yglesya de San Myllán de Suso».

41 H. FLOREZ, *Sancti Beati Presbyteri Hispani Liebanensis in Apocalypsin,* Madrid 1770, xxxiv-xxxv.

42 Apéndice XX, nº 9.

43 KLEIN, 24, que aduce en nota unos pocos ejemplos. Sobre las condiciones de esta corrección ya hablamos arriba, págs. 106-107.

o poco después, incorporándose como tantos otros códices a la biblioteca del cenobio[44] .

De zona castellana, lindera con la Rioja alavesa, pero con fuertes relaciones con Valpuesta y su ámbito llegó, no sabemos cuándo, a San Millán un manuscrito, de aparente carácter teológico, del que ahora sólo conservamos un folio, inserto como guarda en Madrid Academia de la Historia, *cód. 21*[45] , que en carolina del s. XI contiene entre otras cosas la serie *prooemia, de ortu* y *differentiae* de Isidoro de Sevilla[46] . El fragmento, uno de los dos que todavía acompañan a este códice posterior[47] , consiste, como acabamos de señalar, en un solo folio, escrito a dos columnas, delimitadas por cuatro pautas verticales, dos para cada columna. La pauta horizontal consta de 19 líneas, trazadas de modo desigual. Las guías para esta pauta iban por el borde exterior y han desaparecido. El pergamino es fino y la letra elegante, con rasgos que acusan el siglo XI bien entrado, y con una influencia impresionante de la cursiva tanto en numerosos nexos como en el trazado de letras sueltas, entre las que recuerdo *t* y *a*. A pesar de la claridad y limpieza general de la letra, no es muy grande el cuidado con que se escribe, a juzgar por la escasa regularidad con que se observan los márgenes marcados por la pauta vertical[48] .

[44] Considero casi innecesario hacer aquí memoria de los principales puntos de vista enunciados a propósito de este manuscrito; los reseñaré sucintamente para ilustración del lector. Por lo que hace al punto de elaboración del manuscrito nunca parece haberse discutido a fondo el origen hasta ahora: se venía siempre confundiendo origen y proveniencia, por lo que Sanders se opone a que venga de San Millán: R. FERNANDEZ POUSA, en *Verdad y Vida,* 3 (1945), 37 lo cree «de escuela toledana con ligeros influjos de la castellana»; Klein, como queda dicho, piensa en un origen del S. o SE. del reino de León en zona muy influenciada por la tradición mozárabe; yo, por mi parte, he pensado en región castellano-burgalesa. La fecha admite menos variaciones: entre 920 y 930 lo sitúa NEUSS, *Die Apokalypse des hl. Johannes in der altspanischen und altchristlichen Bibel-Illustration,* Münster 1931, 26; entre 930 y 950 KLEIN, 296; en la primera mitad del s. X FERNANDEZ POUSA, cit., 30; data a que lo llevaba también Sanders en los prolegómenos de su edición y los autores del Catálogo, *cit.* (nota 39), 33, en tanto que lo retrasan a la segunda mitad del siglo X M. DE LA TORRE-P. LONGÁS, *Catálogo de Códices Latinos* (de la Biblioteca Nacional), Bíblicos, Madrid 1935, 203.

[45] Descripción de este códice en LOEWE-HARTEL, *Bibliotheca Patrum Latinorum Hispaniensis,* I, Wien 1886, 504-505, con el nº 28; J. PEREZ DE URBEL-A. GONZALEZ Y RUIZ-ZORRILLA, *Liber commicus,* Madrid 1950, cxlvii y 717-719 (edición del fragmento).

[46] Sobre esta serie véanse mis notas en *De Isidoro al siglo XI,* Barcelona 1976, 144.

[47] El otro fragmento ha sido descrito arriba, págs. 199-200.

[48] Todo presenta extraordinaria semejanza con varias de las manos que confeccionaron el Cartulario de Valpuesta, Madrid Archivo Histórico Nacional, *códice 1166 B,* por ejemplo en fol. 6^v y 7, aunque en este caso se perfila neta tendencia a exagerar la altura y esbeltez de los astiles.

El fragmento, no ha mucho editado[49], consiste en el comienzo de una explicación del Padre nuestro, en que se van siguiendo las siete peticiones que encierra[50]. Aunque incompleto por el final, pues se queda en el comienzo de la explicación de la quinta súplica, tampoco se trata de una pieza autónoma, sino que ha sido desgajado el fragmento de otro comentario bíblico más desarrollado, que no he logrado identificar[51].

De poderse admitir la vinculación aquí apuntada hacia territorio castellano del Norte, no sería fácil decir por qué medios y con qué objeto se hizo llegar esta copia a San Millán donde estaba ya al menos en el siglo XIII, fecha en que parece probable la utilización del folio en la encuadernación del manuscrito isidoriano[52].

49 Véase nota 44.

50 Ignoro con qué fundamento PEREZ DE URBEL, *cit.* (v.n. 45), clxvii, dice que el fragmento «nos habla de la oración dominical y de sus siete peticiones en relación con las siete oraciones que forman el canon de la misa entre los mozárabes».

51 Véase no sólo el extraño comienzo de la perícopa bíblica: *Et factum est,* sino la referencia *neque ullus ex aliis prophetis in suo cantico ut diximus, ausus fuit dicere* (p. 718).

52 Para el otro fragmento litúrgico, véase págs. 199-200.

XII
LIBROS PIRENAICOS Y LIBROS NAVARROS

Quizá sea éste un extraño epígrafe para nuestro capítulo. Trataremos de explicarlo. Reiteradamente hemos hecho notar que la presión navarra sobre San Millán fue en todo momento tan intensa que llegó a suplantar durante un tiempo a la castellana. Es verdad que las relaciones monásticas, a juzgar por los datos que proporciona el estudio comparado de la onomástica en los cartorales de San Millán, de Cardeña, de Valpuesta y otros monasterios próximos, parece más bien apoyar la tesis de los que piensan que han sido monjes castellanos y leoneses en su caso los que mayor papel y más relevante jugaron en el siglo X. Pero también tienen su modesta voz los manuscritos que reclaman su puesto.

En el estado actual de nuestros conocimientos resultaría arduo y peligroso intentar situar cada uno de los de la serie emilianense en un lugar adecuado a su origen. Corriendo no pocos riesgos, y exponiéndome a críticas, severas por fundadas, estoy intentando, mediante un análisis de cada uno de los códices de San Millán, constituir pequeños grupos que rasgos más o menos probantes permitan adscribir a unas zonas o regiones. Entre ellas ocupan puestos eminentes el Pirineo y Navarra. ¿Cómo distinguir entre una y otra denominación? Confieso que mis criterios, aun no definitivamente establecidos, actuando por aproximaciones sucesivas, me han llevado a denominar de región navarra aquellos manuscritos que a la vez presentan síntomas inconcusos de influencia ultrapirenaica y ciertos rasgos de semejanza a manuscritos riojanos o castellanos. Por descontado que, bajo estos supuestos, no coincide exactamente la denominación «navarra» que utilizamos con la que correspondería al territorio actual del reino de Navarra. Es posible que en algún caso tuviéramos que entrarnos en Gascuña, y seguro que casi toda Alava y regiones limítrofes pueden quedar abarcadas por nuestra designación.

Ahora bien, concedido esto, ¿qué sentido puede tener el término «pirenaico» que a menudo aparece en nuestras referencias? Sin duda, pirenaico y bien pirenaico es Leire, y sobre todo el monasterio aquel consagrado a San Zacarías del que se hacía lenguas Eulogio de Córdoba, asombrado del vigor y la riqueza espiritual de los numerosos cenobios navarros[1]. Hemos querido, no obstante, reservar esta determinación para todos aquellos centros que desde la Marca hasta Navarra dispusieron de libros y entraron, cuando antes cuando después, en contacto con la Rioja. Si en otros momentos pudimos hacer mención de los influjos mozárabes atestiguados, por ejemplo, en los dípticos de iglesias andaluzas, ahora podemos recordar asimismo cómo en el Códice Conciliar Emilianense se nos han conservado documentos privativos de la Tarraconense, que de alguna manera y por algún cauce hubieron de alcanzar la Cogolla, porque no figuraban en el códice arquetipo[2]. El camino, largo y penoso, pasaba sin duda por los pequeños e insignificantes núcleos monásticos de la montaña, alguno de los cuales, mejor dotado, pudo también contribuir a la producción de manuscritos. Así pues, decir «pirenaíco» quiere significar que los elementos tramontanos dominan, que se observa a la vez un cierto llamativo arcaismo y que se descubre un reflejo de las nuevas corrientes avasalladoras que cruzaban los Pirineos. En algunos momentos habríamos debido tomar en cuenta una novedosa realidad, la afluencia de peregrinos a Santiago, que convirtió el camino que cruza la Rioja de Logroño a Belorado en puerta de entrada de corrientes europeas. Pero este fenómeno, curiosamente, tuvo pocas repercusiones en el mundo de los libros hasta más que entrado el siglo XI, y aún más tarde.

Baste ya de explicaciones previas, y demos paso al estudio de un grupo de códices a los que parecen convenir las dos determinaciones arriba aclaradas; y con ellos, consideramos los textos que transmiten.

Alguna vez se ha mostrado la natural sorpresa ante el hecho de que en la Península Ibérica no se nos haya conservado ningún códice copiado con las Diferencias de Isidoro de Sevilla en la Edad Media. Todos los manuscritos que conocemos no sólo se conservan en librerías extrahispanas sino que son originarios de allende los Pirineos[3]. La obra, quizá la primera aparecida entre

[1] Eulog. Cord. ep. Wiles. 2 (p. 498 ed. GIL, *Corpus scriptorum muzarabicorum*, Madrid 1973). La bibliografía sobre esta carta y sobre los datos que en ella se nos ofrecen es enorme. Permítaseme remitir en última instancia a las bellas y ponderadas páginas que dedica al problema J.M. LACARRA, *Historia del reino de Navarra en la Edad Media*, Pamplona 1976, 80-86.

[2] Véase pág. 160.

[3] DIAZ Y DIAZ, *Index scriptorum latinorum Medii Aevi Hispanorum*, Salamanca 1958 (= Madrid 1959), nº 101. Discutible, por el momento, el origen del manuscrito Paris, Bibliothèque Nationale, *lat. 2994 A*, que contiene nuestra obra con los dos libro separados por selecciones de *origines*, aunque no puede dudarse de su origen sudgálico. Bastan a inducir esta localización el sistema abreviativo, los rasgos gráficos (visibles especialmente en los tratamientos de *d, f, s,* etc), y las formas de las variadas manos que entran en la copia de este códice, que parece hecho para uso privado. Sobre la estrecha relación textual del manuscrito de París con nuestro fragmento véase nota 13.

la rica y varia producción del obispo hispalense, se difundió con notable éxito por casi toda Europa. Desde muy pronto fue bien conocida también en Hispania, donde se han podido recoger testimonios de su utilización; pero aún así, no hay paralelo entre este conocimiento y la carencia total de copias en que nos movemos[4]. Por ello adquiere todavía mayor interés encontrar un fragmento que nos trasmite esta obra, a pesar de los problemas que suscitará su localización exacta. En el manuscrito de Madrid Academia de la Historia, *cód. 64 ter,* como guarda inicial[5] se conserva un fragmento de bifolio con parte de las Diferencias de Isidoro[6]. Vamos, en primer lugar, a intentar hacernos una idea de cómo sería el códice del que se ha desprendido para luego ensayar una justificación de su origen e importancia.

Tratábase de un manuscrito a dos columnas, de un ancho de unos 185 mm., como se deduce de la parte conservada. Su alto debía alcanzar los 240 mm.; aunque a partir del estudio del texto que falta podemos inferir el tamaño de las columnas, se hace casi imposible reconstruir los márgenes, con lo que nos quedamos sin lograr imaginarnos la forma y dimensiones reales del folio. Si partimos del hecho de que los márgenes inferiores apenas sobrepasan los 10 mm., tendremos que el códice no era muy grueso pero también que se había aprovechado al máximo el pergamino. Primera conclusión, pues, importante: no se trata de copia elaborada para una gran librería, porque en una obra de carácter gramatical y lexicográfico como ésta las medidas y formato harían el códice poco apto para uso común. Más bien pensaríamos en que fue elaborado con destino a una biblioteca, si puede decirse así, privada. El pautado horizontal se hace sobre guías para las que se ha picado por el intercolumnio. Las columnas van delimitadas cada una de ellas a cada lado por dos pautas verticales. El número de líneas debían rondar las 40.

[4] DIAZ Y DIAZ, «Isidoro en la Edad Media Hispana», en *Isidoriana,* León 1961, 369. 381 (ahora en *De Isidoro al siglo XI,* Barcelona 1976, 167. 176). Las citas recogidas aquí o las identificadas por J. GIL, *Corpus scriptorum muzarabicorum,* Madrid 1973, 730 para Elipando, Albaro de Córdoba y Samsón, se refieren tan sólo al libro II; de donde el relieve del fragmento que comentamos.

[5] Antes F. 215. Véase Apéndice XX nº 19 para el manuscrito, y aquí mismo págs. 196-198. Creo que nadie hasta ahora ha prestado especial atención al fragmento de guarda. Una parte del fragmento se reproduce en Lámina 25.

[6] La colocación actual es la siguiente: el bifolio abierto está cosido a la encuadernación del códice por el margen inferior. Lo que sería primera cara del primer folio se encuentra ahora en el recto de la guarda, parte inferior, de donde el texto sigue en el verso parte inferior, para pasar en las condiciones que detallo más abajo, a la parte superior del verso actual y concluir en la parte superior del recto. Para simplificar denominaré A al primer folio (columnas *a* y *b* en su recto y *c, d* en su verso) y B al segundo, con idéntico sistema para las columnas.

Por razón del texto que trasmite, nos hallamos indudablemente ante el bifolio central del cuaternión (A y B se siguen, con las faltas usuales en recto).

Así pues, medidas, disposición y distribución del texto nos llevan a un manual de fácil utilización. No se ha ahorrado, sin embargo, en un cierto cuidado de su elaboración. Cada diferencia va iniciada por un anagrama que representa *inter,* que, al igual que otras muchas iniciales y a veces las palabras entre las que se establecen distingos, van en verde y, a menudo, en rojo. Esta disposición no sólo debía encontrarse en el modelo, sino que se consideraría idónea para obras de este tipo. Ahora bien, cuando el copista entra en acción, muestra su indelicadeza en la irregularidad continuada de las columnas, en la ortografía[7], y en la separación o división de palabras[8]. Más interés ofrecen algunas abreviaturas que deben situarse en un contexto general en que hay diferencia de grafías para *ti*; anotemos tan sólo *sut* por *sunt, co-* por *con-, nominadus,* pero sobre todo *pro* escrito mediante una *p* cuyo caido va atravesado por una lineola horizontal, que el copista, atento a su labor, a la vez ha copiado cuidadosamente[9]; añadamos que *autem* se escribe *aute* o pleno. Otras pruebas de copia servil pueden encontrarse, como *tamñ.*

Todos estos detalles nos conducen a un modelo ultrapirenaico, o influido por ambientes ultrapirenaicos. El tipo de letra recuerda, aunque con mayor desgarro y desgarbamiento, el del manuscrito silense que contiene el Oracional Gótico[10], de claro origen pirenaico y, sin duda, del siglo IX muy avanzado. Si ello es así, y aún reconociendo el interés de que haya existido un manuscrito de las Diferencias de Isidoro en la biblioteca de la Cogolla, parece que tenemos que pensar nuevamente que nos encontramos sin tradición manuscrita hispana[11]. Por lo que hace al texto, no nos es fácil filiarlo dado que los estudios para preparación de la edición crítica de este tratado isidoriano no están todavía concluidos[12]. De todas maneras advertimos lo siguiente: nuestro

[7] Anoto *aruor, bero, bel, hostendit, occidid, autores, set, alico; quinetum* (por *uinetum); co* (= *quo).*

[8] Así *il-lo* en Aa 15 (véase nuestra trascripción en el Apéndice XV); *abeba-nt* en Ac 11; *pati-entia* Ad 5; *metu-et* Ad 16; *qui atransgreditur* Ad 34; *in delubra* con haplografía, por *inde delubra,* Ac 9; *grabe do* Bd 18, etc.

[9] Así *profanus,* donde *pro* con signo abreviativo; y *promen* (sic) por *praenomen,* lo que supone además mala resolución de la abreviatura. El modelo habría dejado pasar un síntoma insular; véase más adelante, sin que lo entendiera el copista, *prono* por *praenomen* que exigen los otros códices y el contexto.

[10] Londres British Museum, *addit. 30852,* sobre el que puede verse LECLERCQ, *Dictionnaire d'Archéologie et de Liturgie,* IX, 2383-2387 y J. CLAVERAS, en J. VIVES, *Oracional visigótico,* Barcelona 1946, xli-xlvi.

[11] Recuérdase nuevamente lo dicho a propósito del códice de París arriba pág. 232.

[12] Una edición crítica está siendo preparada actualmente por la Prof. Codoñer Merino (Salamanca), a quien debo las precisiones textuales que señalo. Que reciba aquí mi agradecimiento por ello.

bifolio se corresponde con diff. I, 377-458, con ciertos rasgos peculiares que van desde una primera agrupación a la indicación, por otro lado deducible, de la posición del bifolio en el cuaternión correspondiente[13].

De los manuscritos llegados en diversa época a San Millán pocos han hecho correr tanta tinta como Madrid Biblioteca de la Academia de la Historia, *cód. 60*, bien conocido de los estudiosos, y aun ahora me atrevería a añadir que del público culto, por contener las denominadas Glosas Emilianenses, tenidas por el más antiguo testimonio de la lengua castellana. Recientemente, con motivo de las celebraciones con que se honró el supuesto milenario de dichas glosas, fue objeto de diversos estudios y aún de una reproducción fotográfica de aceptable calidad, aunque con lamentables fallos. Gracias a esta reproducción y a los muchos trabajos que se le han dedicado, buena parte de los cuales por cierto no se han basado en el estudio directo del mismo códice, podemos abordarlo con mayor seguridad y gran provecho[14].

El manuscrito emilianense está constituido parcialmente por la unión al menos de dos códices, diferentes por contenido y formación. El primero de estos dos sectores comprende actualmente los folios 1-28, y el segundo abarca los fol. 50-96; aquél contiene una de las antiguas recensiones de los *Apophthegmata Patrum* dispuestos por Pascasio de Dumio[15]; el segundo sector ofrece fundamentalmente un Libro de Sermones, indebidamente titulado como *Liber Sententiarum*, parte de cuyas piezas, como ya fue señalado, por G. Morin primero y por Franquesa después, no son más que selecta de las llamadas *Homiliae Toletanae*[16]. Me baso para asegurar que estos sectores correspondían a códices

13 Por lo que hace a su relación con otros testigos de la tradición textual de las Diferencias de Isidoro, digamos que las variantes de nuestro fragmento coinciden casi totalmente con las del ms. Paris Bibl. Nat., *lat. 2994A*, incluso en lo que se refiere a cuestiones de carácter ortográfico. Este manuscrito parisino, de tradición muy especial dentro del conjunto de códices de esta obra, ofrece tantas analogías, incluso de tipo de escritura como señalamos en nota 3, con el fragmento que hay que concluir que se trata de códices casi gemelos. Que no sean copia uno del otro parece que puede probarse, a pesar de la brevedad del fragmento de Madrid. En un caso, en Ac 28, frente al resto de los manuscritos, nuestro fragmento conviene (*crimine poetarum* frente a *discrimine poetae*), a diferencia del códice de París, con manuscritos más recientes (p. ej., Saint Omer Bibl. Munic. *365*, Nápoles Bibl. Naz. *VII. D.36* y *IV.A.33*). Es de advertir, asimismo, que contra la impresión que pudieran causar las notas de nuestro Apéndice XV, casi todas las omisiones allí señaladas son comunes a la tradición manuscrita. Indicaciones facilitadas por la Prof. Codoñer.

14 Véase Apéndice XX, nº 5.

15 J. GERALDES FREIRE, *A versão latina por Páscasio de Dume dos Apophthegmata Patrum*, Coimbra 1971, II, 61-64.

16 G. MORIN, *Liber Comicus*, Maredsous 1883, 417-420; FRANQUESA, art. cit., (nota 14), 426-428.

distintos en un hecho que hasta ahora ha pasado inadvertido, que se conservan dos seriaciones para los cuaterniones respectivos: en efecto en el fol. 21ᵛ aparece la nota III Q, siendo así que se han perdido o recortado las restantes; efectivamente el fol. 6 no es el final del primer cuaternión, ni tenemos el final del segundo en el fol. 12. No necesita probarse que entre fol. 6 y fol. 7 no continúa el texto, y otro tanto sucede entre fol. 12 y 13, lo que se debe, ciertamente, a la pérdida de los bifolios exteriores de estos cuaterniones.

De nuevo nos encontramos con otra serie en el fol. 57ᵛ donde pone I Q, fol. 64ᵛ donde se lee II Q, fol. 72ᵛ donde encontramos III Q, fol. 80ᵛ, que presenta IIII Q, y fol. 88ᵛ, en que se puede aún leer V Q: nada se puede asegurar para fol. 96ᵛ porque su estado de conservación impide tenerlo en cuenta. Es bien sabido que esta numeración de cuaterniones tuvo siempre una importancia capital para la correcta conservación e interpretación de la secuencia de los códices. Es indudable, pues, que en origen contamos con dos manuscritos diferentes, que, además, se nos revelan muy distintos en su presentación codicológica. Permítaseme aludir brevemente al aspecto técnico de la distribución de ambos. El sector A (fol. 1-28) presenta un pautado en que la caja de escritura para la única columna va delimitada por cuatro líneas verticales, dos a cada lado; los pinchazos de guía para este pautado vertical van a medio margen superior e inferior, pero cerca de la caja de composición. El pautado horizontal está formado por 15 líneas; los pinchazos que lo ordenan, de corte plano, van por el exterior después de la última vertical. El sector B (fol. 50-96) ofrece un aspecto más curioso: aunque para el pautado vertical tiene las mismas características del sector A, el horizontal presenta notables diferencias con aquél y entre sí, pues obedece a tratamientos particulares según los cuaterniones. Los dos primeros de ellos (fol. 50-64) presentan 18 líneas, el tercero y quinto (fol. 65-72 y 81-88) 16 líneas, en tanto que el cuarto está pautado sobre la base de 17 (fol. 73-80), para encontrarnos con el sistema de 15 en el último cuaternión (fol. 89-96). Ahora bien, lo que resulta más interesante es que, con notable posterioridad a la escritura de estos dos sectores, se procedió a una curiosa refundición de uno y otro, con voluntad manifiesta de elaborar un nuevo producto. Pienso que sólo entonces, aprovechando el hecho, que no sé explicar, de que el texto encabezado como *Liber Sententiarum* comenzaba en el fol. 6ᵛ del primer cuaternión del manuscrito B, con lo que se dejaban así cinco folios y medio completos en blanco, se intercalaron entre ambos manuscritos nuevos cuaterniones que se emplearon en copiar textos litúrgicos en relación con los Santos Cosme y Damián. Esta conclusión, sorprendente, se basa en la numeración de cuaterniones, a que antes me referí, del sector A. Puesto que en el sector A sólo tenemos referencia al cuaternión III en el folio 21ᵛ, podríamos considerar estos folios 29-40 como cuaterniones 5°, 6° y 7°, aunque no lleven referenciador; pero a tal explicación se opone claramente el peculiar tratamiento codicológico de estos cuaterniones que llevan la curiosísima distribución de una línea vertical al comienzo de la columna y dos, muy cercanas, al final de ella, distribución que más que la plantilla de un folio que escribir a una columna recuerda el de ciertas segundas columnas en folios que reparten el texto en dos columnas. Las líneas horizontales son 15, pero no se guardan de manera uniforme, porque los folios 45-48 presentan 16 renglones escritos.

Ambos códices salieron de un mismo escriptorio, y no me sorprendería si se llegara a probar que tanto los folios del sector A como los del B son debidos a una sola mano. Su escritura no carece de paralelos muy cercanos que exigirían quizá considerarla producto de un mismo centro: el más próximo indudablemente es un códice silense que ahora se encuentra en la Biblioteca Nacional de París[17] , aunque habría que señalar que el emilianense acusa un aire más descuidado y burdo, como inhábil e inseguro. Analogías algo menos firmes presenta también el Emilianense 63, en el que son visibles rasgos diferenciadores, que no compensan, sin embargo, las similitudes. Recuérdense además ciertos contactos llamativos con Emilianense 34[18] .

Estos tres manuscritos, que prácticamente podemos considerar formando grupo por lo que toca a su origen, nos orientan sobre la región en que hemos de situar éste: excluida la Septimania, pero también cualquier región de León y Castilla por los indudables indicios pirenaicos que escritura y abreviaciones ofrecen, se hace más y más verosímil la conjetura de ver en estos tres códices del siglo IX restos de la biblioteca de uno de los monasterios que acabaron relacionados con San Millán y con Silos a finales del siglo X, quizá en zona pirenaica[19] . Este monasterio, alguno relacionado con él, o una iglesia

[17] París Bibliothèque Nationale, *nouv. acq. lat. 2167,* sobre el cual puede verse la literatura citada por MILLARES CARLO, *Manuscritos visigóticos,* Madrid 1963. Suele datarse en el siglo IX; contiene la *Regula Pastoralis* de Gregorio Magno. Los puntos de contacto, numerosos, podrían reducirse a los siguientes muy significativos: la *a,* abierta al modo visigótico, y aún el trazo curvo de la *u* inflexionan al centro hasta convertirse casi en un ángulo; los caidos largos tienden a volverse en ganchito; los astiles, muy aporrados, muestran inclinación a no ser totalmente verticales, sino levógiros como el aire general de esta escritura. La Q mayúscula alarga el trazo izquierdo hasta pasarlo bajo las letras siguientes volviendo en curva ancha su extremo. Hay también rasgos no coincidentes; pero el conjunto presenta una semejanza llamativa y que se impone al observador.

[18] Sobre aquel códice véase págs. 247-249; sobre éste, p. 211-212.

[19] Advierto al lector, sin insistir demasiado en el paralelo para evitar conclusiones precipitadas e inexactas, que algunos de los rasgos que hemos distinguido en estos manuscritos se dan de una manera más estilizada y elegante, pero igualmente característica, en el códice de Concilios Escorial, *e.I.12,* en cuyo folio 28, por ejemplo, encontramos las mismas *a,* unas *d* muy similares y el mismo ductus de los astiles

de su dependencia, debía estar colocado bajo la advocación de los Santos Cosme y Damián[20].

Tratemos ahora de puntualizar el contenido del códice. Como se ha dicho[21], el sector A contiene una versión de las Sentencias de Padres que tradujo al latín Pascasio de Dumio, incompleta en su texto[22]. Concluye en el fol. 28 recto actual, quedando en blanco el verso del folio.

El sector B, que, según queda escrito arriba, comenzaba con el fol. 50, presenta en el fol. 50^{v}, y por consiguiente con la distribución usual en un códice, las *Orationes in diem sanctorum Cosme et Damiani,* que se inician con el Vespertinum, el cual lleva la Completuria y la Benedictio; siguen luego nueve oraciones, tres para cada uno de los grupos de cantos y oraciones que constituían las denominadas «missae». Franquesa[23], considerando esta presencia de tres misas, inusual, entiende que este manuscrito «representaría la tradición de un lugar donde la fiesta de los santos médicos fuese celebrada con especial solemnidad. ¿Sería un monasterio o iglesia dedicados a estos Santos?» Estudiando las fuentes de estas oraciones, llega este mismo autor a la conclusión de que las tres primeras figuran, como normales, en el Oracional visigótico,

que a menudo dejan ver el movimiento de la subida y bajada de la pluma, en lugar de trazado único. Este códice podría ser originario de una zona que convencionalmente designaríamos como soriana, quizá de algunos de los centros cristianos mozárabes de aquella zona; véase pág. 159.

20 Aunque excesivamente numerosos los centros monásticos con este patrocinio, reduciendo los límites de encuesta a la zona que nos ocupa y colindantes, no se pueden tomar en consideración más que los siguientes: Caozolos, mencionado en documentos de 946 (cf. A. LINAGE CONDE, *Los orígenes del monacato benedictino en la Península Ibérica,* León 1973, III: «Monasticum Hispanum», 121); Congosto, Burgos, también mencionado en 950 (*ibid.*, 153); Covarrubias, Burgos, que quizá no deberíamos poner en cuenta por razones paleográficas; Ordejón, Burgos, relacionado con el anterior (*ibid.*, 293); Pontacre, cerca de Miranda de Ebro (*ibid.*, 327); una iglesia que fue entregada a San Félix de Oca (segun el *Cartulario de San Millán de la Cogolla,* Madrid 1930, 86; cf. LINAGE, 392) en 1008; otro cenobio relacionado con Fanlo, conocido en torno a 1030 (LINAGE, 393), y finalmente Viguera (Logroño). Y entre ellos, aun aceptando el principio de que fueran todas las posibilidades reales con que deberíamos contar, carecemos de fundamentos para elegir. Dadas las situaciones, nos inclinaríamos, sin embargo, hacia la pequeña iglesia relacionada con San Felix de Oca, o hacia Viguera; pero por lo que hace a esta última no parece creíble que un centro político como llegó a ser Viguera desde su conquista por el rey de Navarra necesitara disponer del oficio de sus santos patronos de esta guisa. A no ser que se tratara solamente de una copia privada para uso personal, según ya he conjeturado.

21 Véase arriba pág. 235.

22 El texto del fol. 6^{v} no se sigue en el fol. 7, acusando pérdida; entre fol. 12 y 13 también debe faltar un folio. Finalmente el 4° cuaternión (fol. 22-28) está incompleto como tal.

23 Art. cit. (v. nota 14), 432.

las tres segundas son ya de origen diverso, pues en buena parte están elaboradas íntegramente, o a retazos, de las oraciones de la Misa correspondiente, en tanto que las tres últimas están tomadas del común con la simple adición de los nombres de los dos mártires. Alguien, pues, se ha tomado el trabajo, aunque sea poco original, de recopilar y refundir todas estas oraciones, para lo cual, indudablemente ha debido tener notable interés[24].

Todo este conjunto de oraciones concluye en folio 59^v donde se ha quedado medio folio en blanco. Desde fol. 55^v se lee una serie de homilías, introducidas, como queda dicho, por el epígrafe *Incipit liber sententiarum.* Las dos primeras han sido debidamente identificadas[25]. En el fol. 67^v *Incipiunt sermones cotidiani beati Agustini,* que son coincidentes en parte con textos también transmitidos en las llamadas Homilías toledanas[26], las cuales se caracterizan, cuando no son más que piezas tomadas de grandes sermonarios, como los de Agustín, León Magno, Máximo de Turín y singularmente Cesáreo de Arles, por la libertad con que han sido tratadas, abundando las supresiones, alteraciones y contaminaciones de todo tipo, de suerte que, si dejamos de lado nuestra obsesión por descubrir las fuentes de todo texto medieval, —en buena parte inducidos a ello por una visceral desconfianza hacia la capacidad creadora de aquellos hombres, y por un sentimiento vivamente hipertrofiado del concepto de originalidad—, puédese en la mayoría de los casos considerarlas obras de edificación y acción pastoral bastante desarrolladas. Pero no atribuyamos ahora estas posiciones a nuestro copista, sino a los liturgistas de los siglos VI-VIII que dotaron a la Iglesia hispana de una colección homilética que todavía no ha librado sus misterios a nuestra observación.

24 Franquesa ha hecho en su trabajo no sólo la edición de estos textos litúrgicos sino también una severa comparación con los otros materiales de que disponemos para el culto de los santos Cosme y Damián (art. cit., 434-444).

25 No creo que el título se refiera al solo primer texto de estas homilías o enseñanzas. La primera (fol. 55-64) empieza: *Scire debetis, ff.kk., quomodo Ionas profeta et Erecie rex egerunt penitentiam;* la segunda (fols. 64-67): *Incipit interrogatio de nobissimo. Rex Aristotelis Alexandro episcopo: indica mihi de nobissimis temporibus.*

26 Se corresponden así (la primera identificación la hizo Franquesa): 1. (fols. 67^v - 70) *Gaudemus ff.kk. et deo gratias agimus quia uos=* Cesáreo de Arles, serm. 16, acortado; 2. (fol. 70-72^v) *Item alius sermo. kmi. quotienscumque ad ecclesiam uel ad sollemnitatem=* Caes. Arel. serm. 55, 4; 3. (fol. 72^v - 75^v) *Homelia· sci. Agustini episcopi. Primum quidem decet nobis=* para G. Morin es texto paralelo de la Homilia 22 de San Macario, PG 34, 659; 4. (fols. 75^v - 76) *Item beati Agustini de quotidie. Ecce fratres ostendimus uobis quales xpiani sunt boni=* Caes. Arel. serm. 16; 5. (fols. 76^v - 86^v) *Item sermo. Rogo uos, ff.kk., ut adtentius cogitemus=* Caes. Arel. serm. 13; 6. (fols. 86^v - 91) *Item sermo cotidiani. Rogo uos, ff.kk., nemo dicat in corde=* August. serm. 81, 10-12; 7. (fol. 91-96^v) *Item sermo. Homo quidam erat diues et fruebatur=* Caes. Arel. serm. 165.

El primer y grave problema que nos afecta es el de los añadidos al códice. En efecto, el primero de ellos consiste[27] en la *Passio beatissimorum martirum cosme et damiani,* copiada por letra similar a la del sector A, pero de módulo más grande, bien que con rasgos idénticos. Escribe la *n* con la segunda pata trazada como con dos ángulos, la *M* como dos O tangentes, prácticamente de ojo cerrado, usa la abreviatura *aum* o más frecuentemente *autem* íntegro, abrevia *ne=nomine*[28] ; por descontado no conoce el escriba la diferencia entre los dos *ti.* En el fol. 42 se inicia la *Missa in diem sanctorum cosme et damiani,* que concluye en fol. 48v [29] . Al final de este texto aparece la firma del copista, que se repite en fol. 28. El texto del fol. 48v dice: *Munnionem indignum memorare pusillum,* mientras en fol. 28 había escrito: *munioni presbiteri librum*[30] . Si combinamos los datos proporcionados por ambos letreros, resulta que un presbítero Muño escribe (la fórmula *memorare* señala siempre el calígrafo o el miniaturista) los textos litúrgicos en un libro de su propiedad. Como quiera que, según todas las apariencias, la letra de los textos litúrgicos es prácticamente la misma que la de los sectores A y B, y que en ellos ya se había planteado la cuestión de hacer de dos piezas distintas un solo libro, podemos concluir que en el manuscrito emilianense 60 tenemos la obra de un presbítero llamado Muño que, quizá en un punto donde se rendía fervoroso culto a los santos mártires médicos, lo compuso para su uso particular. Cuál sea el sentido de este libro no se entiende bien si no se piensa en un libro de formación o de espiritualidad, probablemente monástica.

Todavía ha tenido el manuscrito una vida mucho más agitada. Una mano algo posterior, muy burda y desaliñada, incorporó aprovechando los blancos restantes un *Officium de litanias,* que se inicia en fol. 28 vuelto, corre por el

[27] Fol. 27 vuelto, lo que da a entender acaso que se trata normalmente como primera pieza de un códice.

[28] Esta abreviación se encuentra también, según CLARK, *Collectanea Hispanica,* Paris 1920, 91, en Escorial, *P.I.8,* de Maguelonne, del s. IX, y Escorial, *a.I.13* que presenta influencias de todo tipo en una zona muy oriental del reino de León, y en otros de otras proveniencias, aunque todos arcaizantes.

[29] Edición en el art. citado de FRANQUESA, v. nota 14.

[30] A la misma mano obedece otra pequeña leyenda, que no vacilo en separar del letrero de propiedad, en que se ha escrito *hec est uia et opus monaci,* aludiendo indudablemente a las enseñanzas del texto de Pascasio. Tanto uno como otro letrero son posteriores a no dudar a una especie de greca rudimentaria en rojo y relleno verde que cerraba la mencionada obra de Pascasio. Lo han entendido de otro modo P. EWALD, «Reise nach Spanien», en *Neues Archiv,* 6 (1881), 334 y C. ROJO-G. PRADO, *El Canto mozárabe,* Barcelona 1929, 22. Mi interpretación adopta una conjetura que se presenta como viable en FRANQUESA, art. cit., 426.

folio 29 recto y sigue ocupando los folios 48 vuelto - 49 íntegro y 50 recto. Se corresponden con las denominadas «letanías apostólicas» y «contienen —usando palabras precisas de Franquesa[31] — sólo las antífonas y responsorios con notación, y únicamente del primero de los tres días de las letanías. No hay, por lo tanto, ni oraciones ni bendiciones ni lecturas: escuetamente las antífonas y responsorios que algún monje o clérigo se anotara para su uso personal, con una escritura más bien descuidada. La última antífona de Nona que ya no cabía en el fol. 50, al parecer otra mano la escribió en los márgenes interiores de los fols. 49^{v} y 50. Esta misma mano tuvo quizás la intención de proseguir los dos días restantes de Letanías, pues en el margen inferior del fol. 50^{v} consiguió las del segundo día de letanías. Y continuó en el margen inferior del fol. 51. Desistiría, con todo de su propósito, pues no quedaba ya ningún folio más en blanco».

¿Puede establecerse la data de esta adición? No disponemos para ello de otros criterios, en la práctica, que los paleográficos. Nos remitimos, pues, a lo que ellos nos descubren.

Posteriormente, en el siglo XI, el manuscrito fue abundantemente glosado, en los sectores más antiguos A y B: para entonces, como queda dicho, ya el códice se encontraba en la forma actual. En un momento, una mano coloca aquí y allá glosas latinas, que no sólo vierten vocablos aislados sino presentan explicaciones del texto; en una segunda fase posterior, una o dos manos introdujeron las glosas romances, que han hecho célebre este libro. Pero sobre ellas volvemos en otro lugar[32] . Continuó el manuscrito siendo manejado, de una u otra manera: unas manos góticas, si pueden denominarse así, en el siglo XIII o XIV, rescribieron muchos vocablos entre líneas o los repitieron en los márgenes libres.

He aquí expuestos sin rebozo los múltiples problemas y cuestiones que suscita este pequeño manuscrito del siglo IX, que llegado a San Millán no sabemos por qué caminos concretos recibió de manos de un monje, acaso en el propio San Millán aunque no me parece en absoluto seguro, un regalo singular, el de sus preciosas glosas, que permitieron quizá a aquél una más correcta interpretación gramatical y textual de los temas monásticos y de edificación que le proporcionaban los textos agrupados, probablemente, por el presbítero Muño.

El manuscrito de la Real Academia de la Historia de Madrid, *cód. 27,* es un códice del siglo IX que, como reza un marbete al comienzo, contiene «la obra de San Juan Chrisostomo»[33] . El manuscrito se encuentra incompleto,

[31] Art. cit., 430.

[32] Véase *Las primeras glosas hispánicas,* Barcelona 1978.

[33] Véase Apéndice XX, nº 30. Reproducimos dos páginas en Lámina 26.

lo que hace sospechar que debió desencuadernarse en época antigua y perderse, en consecuencia, muchos de sus folios: no solamente se comprueba por las faltas y desorden de encuadernación, sino por el hecho, no señalado hasta ahora, de que cuatro de sus folios han sido utilizados para reforzar la encuadernación de otro códice de San Millán, Madrid BAH, *ms. 11*, copiado probablemente en ese monasterio en el siglo XII/XIII con la *historia scholastica* de Pedro Comestor. No es muy contemporánea esta utilización porque los folios que conserva el manuscrito 11 estuvieron previamente sueltos, como se deduce de los rasgueos y probationes pennae que presentan; el aprovechamiento de los cuatro folios se corresponde, pues, con la época de encuadernación de este manuscrito que, tal como se ve actualmente, debe haber sido ejecutada en los siglos XV o XVI.

El códice *ms. 27* (+ *ms. 11* guardas) parece con seguridad escrito en el siglo IX; sus 56 (+ 4) folios se encuentran en buena parte recortados o rotos. La paginación actual, a tinta, remonta al siglo XVIII. Cinco de los cuadernos conservan todavía la numeración de los cuaterniones, con lo que de alguna manera podemos reconstruir la forma antigua del manuscrito: llevan su número los cuaterniones 2, 3, 10, 12 y 16; conservan la Q pero no el número correspondiente, por haber sido raspado, otros tres. Los recortes de las hojas no permiten identificar en su caso los folios guardados en el códice[34]. Así pues, faltan los cuadernos 1, 4-9, 11, 13-15 por lo menos; van mal dispuestos los que se corresponden con los fols. 8-15 y 18-27; estos últimos, probablemente, como quinión, deberían ser de los postreros cuadernos del manuscrito. De manera firme puédese asegurar que éste tenía al menos 128 folios, contra los sesenta conservados.

Entre las obras del Crisóstomo que nos transmite este manuscrito aparecen el *de ieiunio Ninniuitarum*[35] y el *de compunctione cordis ad Demetrium*[36]; transmite además anónimos los tratados *De conuersione hominis*[37], *De initio con-*

[34] He aquí la distribución actual del manuscrito (los números árabes remiten a la actual foliación; el signo // señala el doblez que presenta el cosido de la encuadernación): Q II (1,2, pestaña, 3 // 4, 5, 6, 7); Q ? (8, 9, 10, 11 // 12, 13, 14, 15); Q III (16 // 17); Q ? (18, 19, 20, 21, 22 // 23, 24, 25, 26, 27: aparentemente, pues, un quinión); Q X (28, 29, pestaña, 30 // 31, 32, 33, 34); Q XIII (35, 36, 37, 38 // 39, 40, 41, 42); Q XVI (43, 44, 45, 46 // 47, 48, 49, 50); Q ? (51, 52, 53 // 54, 55, 56).

[35] Fol. 1v; cf. M. Geerard, *Clavis Patrum Graecorum*, Turnhout 1974, II, nº 4442.

[36] Fol. 5r; cf. *ibid.*, 4308.

[37] Fol. 29v; inc. *Omnes qui sese student humo tollere*... Por dificultades de identificación ofrezco los comienzos para uso de interesados. Esta obra en el epígrafe se presenta sólo con *Incipit* como si se tratara de algo independiente de lo anterior.

uersionis suae[38] , *Ad quosdam contemtores mundi*[39] , *De sacramento babtismi*[40] y el *liber ad Gregoriam matronam*[41] .

En los folios cosidos al manuscrito 11 aparece un comentario a un pasaje evangélico también del Crisóstomo, que no he logrado identificar completamente por hallarse su inicio pegado a la tapa del libro.

El manuscrito, de una grafía peculiar, brinda al lector numerosas huellas de origen pirenaico, más llamativas por cuanto la totalidad de lo conservado está copiado por una sola mano, no muy cuidadosa como dejan ver las frecuentes adiciones al margen, a menudo con llamadas de reenvío, hechas en el momento de la corrección. Para orientarnos sobre el origen, probablemente navarro, como es el caso en no pocos códices que se recogieron en San Millán de la Cogolla, contamos con varios hechos: el sistema de abreviaturas, *au = autem,* frente a la abreviación usual en la Península; *no = non, ia = iam, omibs = omnibus,* etc; el tipo de pautado antiguo con los pinchazos de guía por el centro del folio, lo que deja de ser normal en el siglo X, y el rayado, hecho después de plegados los bifolios, agrupando éstos de dos en dos; una cierta semejanza de letra con Escorial *S.I.17,* aunque éste presenta un aire más pirenaico-oriental, y con algunos otros de región aquitana; y, en fin, la forma de algunas letras como la *a,* abierta por arriba al modo visigótico, pero con sus dos rasgos que tienden a quebrarse en ángulo, la *d*, de tipo uncial en dos trazos sueltos, y sobre todo los caidos que se comban a la izquierda graciosamente para rematar en un punto o bola. Toda la escritura tiene un aire levógiro y relativamente suelto, bien que no tanto como en los manuscritos narbonenses. Por otra parte, puede asegurarse que debió incorporarse pronto al monasterio emilianense porque a finales del siglo XI o comienzos del

38 Fol. 36^r ; inc.: *Cum erga paruitatem meam*... También este opúsculo se introduce con la sola mención *epistola.*

39 Fol. 36^r ; inc.: *Quod antequ(a)m omnes diuitias*... Este tratadillo, aparentemente, al iniciarse con *item,* se ofrece al lector como hermano del anterior; a no ser que aquí *item* haga más bien relación al carácter de epístola antes significado.

40 Fol. 42^r ; inc.: *Ut de baptismi sacramento aliquid*... No cabe duda de la intención del que reunió los textos porque éste dice terminantemente *item eiusdem,* con lo que queda patente la hermandad con el copiado antes.

41 Fol. 49^v ; falta el comienzo, después de las capitulaciones; en el fol. 51^r aparece desde el cap. 6. Acaba exabrupto después del cap. 15 en las palabras... *peccauerit premia sue castitatis admitit* (ed. cit., 237[20]). Se trata en realidad del libro genuino de Arnobio el Joven que editó Dom G. MORIN, *Etudes, Textes, Découvertes,* Maredsous 1913, 383-439 [= PLS, 3, 221-256] (cfr. E. DEKKERS, *Clavis Patrum Latinorum,* 2ª ed., Steenbrugge 1961, nº 241), a partir de tres manuscritos entre los cuales nuestro emilianense. Sería necesario un estudio profundo de la historia de esta curiosa trasmisión, que daría luz sobre la procedencia de nuestro texto.

s. XII numerosas palabras o pasajes fueron reparados por una mano de San Millán o su zona de influencia que ya escribía naturalmente *tj,* frente al *ti* exclusivo del códice, y, posteriormente, como sucedió en otros manuscritos, en letra francesa (por ejemplo, en fol. 54 recto). También es de notar que en el fol. 50 hay un verso aleluyático, neumado, en la letra y modo conocidos para códices de uso litúrgico originarios de la Rioja.

Pero no es el manuscrito en sí, a pesar del interés que suscita, lo que ahora nos va a ocupar. En el fol. 50, cuyo recto se había dejado libre en casi tres cuartos y cuyo verso está totalmente exento de escritura, dos manos, según me parece, diferentes, aunque del mismo tipo, época y lugar, por su semejanza, han copiado dos himnos, de los que uno a lo que parece inédito y el otro, ya conocido, en honor de San Miguel. Los copistas, desgarbados de trazo, de ortografía peculiar[42] , recuerdan por su escritura y sus hábitos al que confeccionó el célebre manuscrito Madrid BAH, *cód. 60*, del que acabamos de hablar[43] . La forma descuidada de la trascripción, los esfuerzos por acomodarse al espacio disponible nos advierten de que se trata de una utilización ocasional para recordar unos textos, tomados de alguna fuente poco corriente, que se desearon tener a mano.

Me permito estudiar estos himnos brevemente. El primero no había sido identificado como tal por Loewe-Hartel en su descripción del manuscrito[44] ya que ni siquiera recogen el epígrafe; el segundo lo introducen con el título *Innus sci micahelis* lo que es suficiente. Ahora bien, toda vez que este himno no pasa de ser una nueva copia de cierto interés para la corrección del texto, y desde luego para el estudio de su tradición, que así de simplemente vinculada a Silos amplía su base, de modo que permite mejorar bastante la edición de Blume[45] con dos manuscritos emilianenses, me

[42] En el himno I: *adgregacti, illut (= illius), dulior (= durior ?), sta (= ista,* equivalencia usual en la Península en los siglos VII-IX y que se corresponde en la medida del verso), *eum eum e (= eu eheu), vincinitas, susipiat, a (= ad), adque.* En el himno II: *cattolice, pleps, sumi, mune/re/, conserbadum (= conservandum), et deus te (= est iste), devellando, homnium.*

[43] Véase págs. 235-241 y Apéndice XX, nº 5.

[44] Después de describir someramente los tratados del Crisóstomo dice: «Nach der Capitulatio (25 capp.): Adgregati simul in unum deploremus proximum miserere proclamemus - lugeamus nosque illum divites et pauperi omnis etas adque sexus ad ipsum concurrite» (p. 494).

[45] C. Blume, *Hymnodia Gothica,* (Analecta Hymnica, 27) Leipzig 1897 (= Hildesheim 1961), 226. Segun los mss. Londres BM, *add. 30845,* s. X; Londres BM, *add. 30851,* s. XI, ambos provenientes de Silos, y el Breviario Gótico de A. Ortiz, Toledo 1502. El segundo de los códices silenses fue editado íntegramente por J.P. Gilson, *The Mozarabic Psalter,* Londres 1905; nuestro himno en pág. 254-255. Un nuevo testigo en Ma-

limito a dar un nuevo texto crítico sin mayores comentarios. Voy a intentar explicar el himno I, desconocido; para ello, además del texto a una con el del himno de San Miguel[46] daré algunas notas que hagan posible una mejor comprensión del mismo.

Trátase de un canto funerario de tipo litúrgico, que no se identifica por lo que he podido ver hasta el momento con ninguno de los himnos conocidos[47]. Es alfabético, pero sólo se conservan las estrofas de la A a la L; lleva un estribillo o refrán que quizá se repitiera periódicamente; parece compuesto para el funeral de un gran personaje, quizá un abad o alto dignatario político, a juzgar por los versos 2.1: *pius in subditis*[48]; 4.1: *luctus advenit/in ista provincia,* y 11.1: *omnemque familiam.*

Numerosos giros evocan de inmediato los hábitos de la liturgia visigótica afianzando la sospecha de que tal sea el origen de nuestro poema que está en relación íntima con textos del siglo VII. A este ambiente debe, por ejemplo, la expresión *rugiamus acriter*[49], cuyo adverbio con poca destreza se repite pocos versos más abajo. De la misma manera la segunda parte de los versos 3.1 y 10.1, idéntica, se inserta en dos contextos análogos. Esta limitación expresiva se descubre nuevamente en lo conceptual y en el léxico: en efecto, *deploremus* (v.1.1), *plangamus* (v.3.2), *plangent* (v.4.2), *plangamus* (v.5.1), *flebile* (v.5.2), *lugeamus* (v.11.1) representan excesiva insistencia en la idea del llanto de duelo, sin que intervengan razones estilísticas de abundancia en razón del tema; *omnes cari et sua propinquitas* (vv.4.2), *omnis vicinitas* (v.6.1) y *domum suam omnemque familiam* (vv.10.2) convienen del todo, o casi, en concepto y en formulación, sin que *omnes* del v.3.2, *nosque* del v.11.1 y *nos* de v.5.1 y 7.1 añadan nada nuevo ni en la forma ni en el sentido[50]. Reiteración, pesadez

drid BAH, *cód. 118 A* (v.p. 194-195). Edición nueva, partiendo de los cuatro testimonios descritos, en Apéndice XVI b).

46 Véase Apéndice XVI a). El himno funerario ha sido editado críticamente y estudiado con mayor detalle en mi art. «Sobre un himno funerario de época postvisigótica», en *Ecclesia orans* (en prensa).

47 No aparece registrado, por ejemplo, en D. SCHALLER-E. KONSGEN, *Initia carminum latinorum saeculo undecimo antiquiorum,* Göttingen 1977; y tampoco en el *Repertorium Hymnologicum* de U. CHEVALIER.

48 Conviene con la invocación del *Ordo conuersorum,* cf. M. FEROTIN, *Le liber ordinum,* Paris 1904, 84.

49 Verso 3.2: cf. también en oficio funeral el tipo Lib. ord. ''4 *ruitum nostrum pius intende;* ibid. 114 *exaudi, Christe, ruitum nostrum;* en el ordo para la conversión de un judío (Lib. ord. 107): *dum ciuitatem suam rugitu cordis inlacrimat,* ordo que se remonta sin la menor duda al siglo VII; y en oficios litúrgicos del santoral (Lib. Sacram. 265, 390, 559, 605).

50 Todavía pueden sumarse las formas *non* en vv. 5,1. 7,1. 9,1.2 y 10,1.

y pobreza enunciativa parecen características de este pequeño poema que carece asimismo de todo artificio si se excluye el hecho de llevar estrofas abecedarias.

Desde el punto de vista métrico está construído según el conocido esquema tetrámetro trocaico cataléctico que suele resolverse en el himnario en estructuras de 8 + 7 sílabas: en la segunda secuencia un vocablo esdrújulo final basta para realizar el ritmo marcado en la primera por acento fijo en la séptima sílaba. Abunda en hiatos, hasta parecer que son considerados normales. Los versos se presentan agrupados en estrofas dísticas, lo que es novedad, porque en los numerosos himnos, nunca muy antiguos, que en este mismo ritmo tiene la liturgia visigótica[51] las estrofas están formadas por tres versos, distribución que aquí excluye el recurso alfabético.

Nada podemos señalar de preciso en lo que hace a su origen; el metro utilizado, el acróstico abecedario, el léxico, los elementos rituales del duelo nos sitúan en ambiente relacionado con la liturgia visigótica. La fecha de la copia, a mi entender anterior a 900, nos da un término ante quem máximo, sin que se pueda aludir más que al hecho de que el tenor de la copia exige, indudablemente, suponer que nos encontramos ante una fase no inicial de la transmisión. El que la copia se haya realizado antes de 900 en región navarro-alavesa probablemente, tampoco nos ayuda mucho más para tratar de situar este engendro en un lugar y un tiempo. Que no es producto de un poeta verdadero ni ha salido de un centro de calidad no necesita mayor demostración. Quédese, pues, ahí la única conclusión posible: obra de un autor de pocas luces, quizá elaborado sobre plantillas para una ocasión determinada, probablemente la muerte de algún personaje, que podríamos sin riesgo situar entre 650 y 850, quizá más cerca de la primera data que de la segunda. Por lo que hace al punto de origen, tratándose de un poema de exequias, no hay referencia posible; la compañía del himno de S. Miguel tampoco nos ayuda porque, como mucho, si fuera posible, nos permitiría ajustar más la zona en que se utilizó para copiarlo en el manuscrito emilianense.

[51] Al siglo VII remontan los de S. Cosme (BLUME, (v.n.45), 148-149), Sta. Eulalia (B. 167-168), S. Fausto (B. 175-176), S. Félix (B. 177-178), Sta. Justa (B. 207) y en la restauración de una basílica (B. 264-265); al s. VIII/IX, el de S. Cristóbal (B. 143-144); al s. IX, el de S. Facundo (B. 171-172), de S. Miguel (B. 223-225) y Sto. Tomás (B. 246-247); son posteriores el de Sta. Nunilón (B. 227) y de primicias (B. 272-273). Es notable el conjunto que suele tenerse, con fundamentos más o menos definitivos, por extrahispano: los himnos de S. Adrián (B. 122-124). Sta. Cecilia (V. 140-141), Sta. Cristina (B. 141-142 y 142-143), de la Circuncisión (B. 67), de la Sta. Cruz (B. 90-95), de S. Juan Bautista (B. 196-197; 191-192 y 192-194), de S. Juan Evangelista (B. 197-198), S. Lucas (B. 213-214), S. Miguel, nuestro himno II (B. 226), en el natalicio de un obispo (B. 268), en la ordenación del rey (B. 269), Purificación de María (B. 117), Santiago Alfeo (B. 184), y S. Servando (B. 241-2). Como se ve, ni por su origen ni por su época cabe sacar conclusiones.

El manuscrito Madrid Academia de la Historia, *cód. 63*, que se encuentra en bastante mal estado a pesar de la restauración de que ha sido objeto, presenta muchos de sus folios cortados, y notables pérdidas[52], aunque no pueden achacarse a malos tratos en la transmisión todos sus fallos, pues ya se habían utilizado muchos folios defectuosos en su preparación, indicio claro de ser producto de un centro poco tecnificado y de escasos recursos. Consta ahora de 53 folios, en que se contiene una serie de homilías, sobre pasajes del Antiguo Testamento que el catalogador emilianense del siglo XVII identificó en un marbete pegado en el fol. 53^v como «Exposición sobre algunos lugares de la escritura», en tanto que en el fol. 1 se alude a «La historia... Judit y Josue».

Estos folios que constituyen ahora el manuscrito, de pequeñísimo formato[53], se distribuyen en dos partes, debidas a manos muy diferentes con técnicas de preparación distinta. La parte A que abarca los folios 1-37 presenta una escritura levógira, con los caidos de la *q* que vuelven en un rasgueo, con unas *s* que dan impresión de haber sido trazadas en dos movimientos no continuos, sin distinguir los dos tipos de *ti*: esta mano escribe siempre *autem*, sin usar abreviatura, delimita la columna con doble raya vertical a cada lado, y presenta 18 líneas horizontales, o 20 según los cuaterniones, que van numerados[54]. En esta parte los títulos de las homilías van en letra común, pero en tinta que varía del rojo al anaranjado.

En la parte B, que comprende los folios 38 a 53, se delimita también la columna con dos verticales a cada lado, pero las horizontales, que son constantemente 22, tienen un tratamiento diferente, pues las dos primeras y las dos últimas rebasan las verticales y alcanzan el borde exterior, aunque tal técnica, como ciertos detalles de la copia, no se observa constantemente por virtud de numerosos descuidos. La letra da impresión de saltarina, con bastantes rasgos cursivizantes; son de notar los remates a modo de línea que cruza el astil o barra superior, el trazado de la *I* longa que sólo se distingue de la *l* en que ésta amplía el remate inferior para trabar con la letra siguiente y la variedad de signos de abreviación en *per*. En general, dentro de un aire descuidado y nada estable, la letra recuerda la de algunas partes del códice Ro-

52 Véase Apéndice XX, nº 32. Una reproducción en Lámina 27.

53 En la parte A mide de media 190 por 150 mm., en la parte B 195 por 140, lo que hace que la diferencia de ancho, aunque minúscula, sea sensible. Para ilustración del lector baste decir que aún son más reducidas las medidas del *códice 60* (180x130), con el que presenta notabilísimas analogías.

54 En fol. 8^v aparece el número XI; este cuaderno lleva 18 líneas; en fol. 15^v y 23^v los números son XII y XIII respectivamente, con 20 rayas por página. Aparentemente en fol. 17 hay un cambio de mano, que escribe *aum*, pero se asemeja notablemente en tipos y ductus a la anterior; esta mano escribiría de fol. 17 a f. 22.

tense, aunque en tipo más ramplón. El mayor parecido con la parte A lo ofrece el hecho de que la *a* tiende a angularse por el centro; por otro lado, algunos detalles nos acercan a la escritura de manuscritos como el *códice 8,* tales las patas de *m* y *n* que en lugar de rematar sobre la línea vuelven en gancho hacia la derecha. Apunta ya *ti* tímidamente, pero con neta distinción de ambos sonidos. Aquí no se numeran los cuaterniones y todo el conjunto hecho con pluma más fina que la primera parte, da una notable impresión de artificioso, sin espontaneidad y sin condiciones caligráficas. Por lo que hace a la ortografía hay más irresponsabilidad que en la parte A, sin que las irregularidades lleguen a ser muy chocantes[55] ; por el contrario, en la parte A o no hay separación cierta de palabras o se hacen las divisiones por sílabas o partiendo sílabas, esto es, con notable inconsistencia.

Que el códice está incompleto, como hemos visto, lo revela no sólo la numeración de cuaterniones que denuncia la falta de no menos de ochenta folios, sino también el propio contenido, pues comienza en la homilía undécima de la serie, iniciada exabrupto y trunca por tanto. Así sucede también en el final, que no poseemos, porque acaba de pronto en la homilía XXI sin que de momento sepamos cuál sería la extensión original. Tampoco hemos sido capaces hasta el momento de concretar la obra y su autor.

Interesa mucho que subrayemos aquí que la escritura de la parte A de este manuscrito casi puede identificarse con la del sector A del Emilianense *cód. 60,* repetidamente mencionado. La mano de la parte B tiene a su vez notable analogía con la del sector B de aquel mismo códice. No me atrevería a afirmar sin más que hayan sido las mismas las que elaboraron ambos códices, pero no falta mucho para que por esto pueda ponerse la mano al fuego. En cualquier caso son unas y otras tan próximas, y las técnicas de pautado y preparación tan similares, que pensaríamos en dos productos de un mismo centro. El contenido de ambos códices, por otra parte, no difiere mucho, pues se trata de homilías de edificación y exégesis. ¿Dónde fueron escritos uno y otro manuscrito? Acabamos de ver que ciertas realizaciones, como por ejemplo el pautado en la parte B, acercan el centro donde se produjo a hábitos emilianenses bastante marcados; pero la época en que éstos se introducen en San Millán parece decididamente posterior a la data que podríamos adjudicar a estos manuscritos, que con dificultad rebasan el año 900. Lo cierto es que, ante la carencia de términos fehacientes de comparación, debemos ser cautos en atribuir a un lugar cualquiera estos libros. No obstante, con todas las reservas posibles, y a la vista de algunas conexiones de los textos, quizá no andaríamos

[55] En la parte A anoto: *inquid, populys, adibenda, hac= ac,* etc; en la parte B *aliut, menbrum, conbersionis, nosce potest, dextruerat,* etc.

lejos de la realidad si los situáramos en región navarro-pirenaica, de donde habrían llegado a San Millán quizá ya en los siglos XI o XII, aunque no deja de sorprender la carencia de notas, rasgueos e indicios que suelen decorar, y estropear, los manuscritos emilianenses pero también garantizar su última proveniencia. Podría haber ocurrido que la copia se hubiera hecho en las proximidades de San Millán, pero entonces habrían debido actuar escribas procedentes de regiones más al Norte; pues al propio escriptorio emilianense, que dio lugar a veces a productos poco logrados, no puede hacérsele responsable de ejemplares como los que comentamos, interesantes por su contenido y en el caso del *códice 60* por sus glosas posteriores, probablemente sin embargo, según decimos en su sitio, apuestas en algún lugar de menos densidad cultural que el cenobio de Suso.

Ya en el siglo X damos por copiado un interesante códice, el actual Madrid, Biblioteca de la Real Academia de la Historia, *cód. 32*[56]. Contiene las Instrucciones y las Conversaciones de Casiano, prácticamente completas, pues sólo se nota la pérdida de dos folios, de acuerdo con las indicaciones suministradas por la signatura de los cuaterniones. Esta comienza regularmente en el sexto, en la forma del numeral seguido de Q, y corre sin interrupción hasta el final. Distribuido en dos columnas, difieren notablemente los tratamientos codicológicos a lo largo del códice, y las diferentes manos, al menos cuatro, que intervienen en su confección, se comportan muy diversamente. El número de líneas horizontales varía de 34 a 37 según los cuadernos (incluso en los folios 8-14 se llega a 43 líneas). Es curioso que en un cuaderno entero el copista deja de las 36 líneas de la pauta la última totalmente en blanco, o sea que estaba habituado a escribir sobre 35. Es difícil aislar las diversas manos que parecen participar en la copia, porque algunas que dan la impresión de ser distintas acaso no pasen de variantes de pulso en el mismo escriba; probablemente la que más se distancia de las restantes es la que copia los folios 148-154; de los folios 159 al final opera un calígrafo que usa pluma de mucho bisel, no siempre bien preparada.

Las *Instituta* ocupan los folios 1-60, y su distribución es la normal y correcta, pues la minuciosa rúbrica (*in nomine domini nostri Ihesu Xpisti incipit liber institutionum beati iohannis qui et cassiani ad papam castorem directum libros XII id est de regulis monacorum libros IIII et de principalibus uitiis libri VIII hoc ordine eos disponens,* y sigue el contenido de cada libro, hasta iniciarse el prefacio) comienza en el verso del fol. 1, habiendo quedado el recto

[56] Signaturas antiguas: F. 189 y 26. En la bibliografía, que se anota en el Apéndice XX, nº 12, téngase en cuenta que la datación varía del siglo IX al X. Reproducción del recto de su folio 102 en Lámina 28.

del mismo en blanco. En los folios 61-236 se copian las *collationes*, dotadas asimismo de copioso incipit: *in nomine domini incipit liber conlationum patrum sanctorum a beato cassiano presbitero tripertito ordine editum, nam idem cassianus idemque et ihoannes est appellatus qui spiritali fraglatus ardore hoc opus in uiginti quatuor conlationes disponens decem ex his celestibus pigmentis opimus ad elladium et leontium episcopos ordine primo hoc modo confecit*, siguiendo el índice.

Las abreviaturas son las corrientes en la escritura visigótica: alguna como *prfa: propheta* se encuentra aquí y en algún manuscrito de Florencio de Valeránica; por el contrario *ids* por *id est* aparece también en algunos códices toledanos como el de las Etimologías de Isidoro. El signo *per* adopta normalmente las formas usuales, pero en la primera mano recuerda más bien el tipo continental. Hay, pues, desde este punto de vista una curiosa mezcla que implica la existencia de diversas corrientes influyentes en los escribas que actúan en un escriptorio no muy estable, a juzgar por la falta de normas precisas y técnicas constantes para la preparación del pergamino, pero sometido a curiosas presiones. Pues lo que llama la atención sobre todo es el tipo de letra que dentro de la mayor pureza visigótica presenta un resuelto aire carolingio tanto en el ductus como en numerosos rasgos. Su escritura se asemeja extraordinariamente a la de un códice que contiene la segunda parte de la Ciudad de Dios de Agustín, actualmente en El Escorial con la signatura *S.I.16*, que Clark había marcado como presentando «una semejanza llamativa con la escritura de San Galo en Suiza»[57], y con más agudeza sitúa Mundó en la Septimania, donde lo considera escrito[58]. Lo que parece innegable es que el manuscrito no fue copiado en San Millán, sino en un punto mucho más al Norte, bajo influjo carolino pero por escribas atentos a la estricta observancia de los principios visigóticos.

¿Cuándo entró en la librería emilianense? Una serie de llamadas de atención y acotaciones, difíciles de localizar pero datables en los siglos XIII-XIV, nos indican que el manuscrito seguía en uso. Hay que decir que su estado de conservación casi perfecto, así como la calidad y nitidez de su escritura, y los buenos márgenes de que dispone, causan la impresión de que nunca ha sido muy utilizado. Como rastro de su historia sólo encuentro en el folio 166 vuelto un comienzo de texto del siglo XV que dice: «El dicho sancho fer-

[57] CLARK, *Collectanea Hispanica,* Paris 1920, 34. Advierto al lector que tenga presente que Clark confunde en su correspondiente descripción la del Emilianense 32 que nos ocupa con la del Emilianense 24. Véase nuestro Apéndice XX nº 12.

[58] M. MUNDO, «El Commicus Palimsest lat. 2269...», en *Liturgica I. Cardinali I. A. Schuster in memoriam*, Montserrat 1956, 175.

nandez de matute del da...». Este letrero si bien nos sitúa en la zona de influencia de San Millán nos ilustra poco sobre el origen y vicisitudes del manuscrito, que acaso para entonces andaba ya por San Millán o cerca de él. Valga como simple conjetura la de que llegó a la Rioja ya en el siglo XI, como parecen probar las glosas que se pusieron en sus márgenes en los siglos XI y XII anotando perfectamente la primera Colación de Casiano. Las glosas no parecen espontáneas sino trascritas de otro manuscrito; cabe asegurar que no son de las manos que grafían el texto de Casiano, sino de otra u otras distintas de ellas[59] .

¿Cuándo pudo llegar, y en qué condiciones, un códice del Alto Aragón, probablemente de Roda, copiado allá sobre 1070, al monasterio de S. Millán? Tales problemas nos plantea el manuscrito Madrid Academia de la Historia, *cód. 52* (antes F. 220 y 54), del último tercio del siglo XI[60] , un sacramentario preparado y copiado probablemente para uso episcopal en la Catedral de Roda. Estropeadísimo por agua y barro, resultado quizá de alguna inundación por él sufrida, tiene enorme interés por su peculiar ordenación; por su contenido también, ya que se trata en el fondo de un Misal romano, con ciertos añadidos, necesario después de la sustitución de la liturgia visigótica por la romana. Consta de 139 folios, de 21 líneas y tamaño medio[61] . Su estado de conservación impide la lectura de los textos en tinta normal: se leen, en cambio, aceptablemente los epígrafes y rúbricas que van en tinta roja. El códice estaba en San Millán en el siglo XV según prueba una nota en el margen del fol. 62, que entre otras cosas ya no descifrables dice: «A mi señor el abad de S. Millán de la Cogolla...». Janini dedujo, con toda razón, el origen del texto en Roda. Por lo que hace al manuscrito mismo, nada se opone a este origen en principio, aunque tampoco sea fácil probarlo[62] , lo que

59 A partir del fol. 61; después de la Colación I decrece su frecuencia hasta desaparecer antes de finalizar la Colación II.

60 J. JANINI, «Un singular sacramentario aragonés», en *Boletín de la Real Academia de la Historia,* 51 (1962), 133-150, con bibliografía. Véase Apéndice XX, nº 35. Reproducción de la única página que puede ser fotografiada en Lámina 29.

61 El códice mide 265x190; la caja 210x140, lo que supone doble rectángulo de Pitágoras muy precisamente dibujado.

62 «Las hojas del códice están arrugadas y a veces retorcidas, desde que fue puesto a secar. En sus folios hay abundante polvo rojizo (restos de barro seco), que se va desprendiendo en cada sesión de estudio. Todavía se hallan restos vegetales entre sus hojas. Así se explica perfectamente la casi total desaparición de las tintas negras, en las que se cebó la acción corrosiva del agua y del barro. Prácticamente no hay ninguna oración que se pueda leer completa. Desaparecieron igualmente la mayoría de las iniciales negras. Afortunadamente, las tintas rojas, más consistentes, resistieron mejor la dura prueba de la inundación» (JANINI, art. cit., 134-135).

de alguna manera intentaremos. Todo, rúbrica y texto, es de la misma mano. La letra, como corresponde a la época, es clara, redonda, recta, de caidos muy largos incluso en letras como *s* y *r.* Varias letras están trazadas con los movimientos típicos de la letra carolina; a modelos de allá referiremos abreviaturas, como *per,* escrito con *p* que lleva lineola horizontal atravesando el caido, *aut* por *autem, oro* por *oratio, prefco* por *praefatio* y *sct=sicut.* En los títulos las panzas de las capitales embeben otras letras, a menudo en abreviatura. Así pues, la grafía nos pone en contacto con el Sur de la Galia, a donde parece asimismo conducir el texto.

Por algún motivo que ahora ya no descubrimos llegó a San Millán, probablemente como influjo aragonés a través de San Juan de la Peña, en el tiempo en que también San Millán adoptó la liturgia romana. La conjetura se hace más verosímil si pensamos cómo la innovación litúrgica se precipitó en el reino de Aragón, no sin resistencias encarnizadas, que no alcanzaron, con todo, la violencia y tesón que en Castilla. Sin duda hubo que proveer rápidamente con nuevos textos a los grandes monasterios que se iban incorporando a la liturgia romana; y en este contexto debió entrar en la Cogolla este manuscrito rotense.

XIII
TAMBIEN LIBROS DE AMBIENTES MOZARABES EN SAN MILLAN

Artistas y artesanos andaluces trabajaron en San Millán en el siglo X. Además de andaluces se habían adivinado artistas mozárabes zaragozanos: detalles de ornamentación, y aún de construcción, así lo acreditan. Por lo que hace a libros, hemos tenido ya ocasión de señalar cómo, por ejemplo, el conocimiento de los dípticos episcopales de Toledo, Sevilla e Ilíberis, trascritos en el Códice Emilianense de Concilios, supone la actividad, y un innegable prestigio, de la mozarabía andaluza en tierras de Rioja. Quizá de no haberse hecho tan visible la presencia artística de estos grupos en la Cogolla, se habría pensado en un impacto mozárabe a partir del reino de León. Pero no; las relaciones del monasterio emilianense con el mundo cordobés están bien acreditadas[1] , y fueron profundas ya que se extendieron del arte a los libros y a los textos.

Una evaluación correcta de este influjo mozárabe debería partir de los minúsculos vestigios dejados en el ductus o aire gráfico de numerosos códices. También sería útil enristrar aquí todos aquellos textos o pasajes en que se descubre un momento de paso por el mundo andaluz. Ahora bien, a fin de cuentas, todos estos detalles con ser muy importantes no pasarían de exteriores si no dispusiéramos de libros que enseñasen por sí mismos su origen mozárabe. Y afortunadamente los poseemos.

Vamos, pues, a analizar de cerca y con cierta minuciosidad estos manuscritos para que, como botón de muestra, nos dejen adivinar lo que pudieron haber sido las verdaderas relaciones entre San Millán y el mundo mozárabe, no necesariamente andaluz. Que hablen, por consiguiente, ellos.

[1] Por poner un ejemplo, citemos el taller local emilianense en que se trabajó el marfil con prácticas que imitaban las de los talleres de Córdoba, cf. J. FERRANDIS, *Marfiles árabes de Occidente,* I, Madrid 1935, 47-49. Sobre este problema, véanse mis notas «La circulation des manuscrits dans la Péninsule Ibérique du VIIIe au XIe siècle», en *Cahiers de civilisation médiévale,* 12 (1969), 223-229, donde a los datos precitados añado el recuerdo de la historieta de Mahoma como falso profeta.

Quizá uno de los más antiguos códices de San Millán es el sector A del manuscrito Madrid, Biblioteca de la Academia de la Historia, *cód. 44,* folios 1-15, constituyendo los dos primeros cuaterniones de un códice interesantísimo. Este volumen contenía una curiosa e importante colección de documentos canónicos, cuya composición se remontaría al siglo VI[2]: son los «únicos restos canónicos anteriores a la Colección Hispánica e incluso al mismo Epítome Hispánico»[3], y consisten en la Decretal de Hormisda y fragmentos de la Colección propiamente dicha, con una versión latina del Concilio de Nicea anterior e independiente de todos los códices de la Hispana, tanto en su forma peninsular como en su forma gálica; para el concilio de Ancira ofrece la forma primitiva en que los canónes de Ancira y Neocesárea circularon en la Hispania visigótica y que sirvió de fuente al Epítome hispánico y a la Colección del manuscrito de Novara[4]. Tanto las variantes textuales, señala Martínez Díez, como la división en capítulos difieren mucho de las lecciones propias de la Hispana. En el fol. 15^{v} se iniciaban los Cánones del Concilio de Constantinopla, lamentablemente incompletos. Dos apostillas marginales derivan de Isidoro de Sevilla[5].

Todos estos datos nos indican que el contenido de la obra, elaborada como compilación canónica en el siglo VI, o acaso comienzos del VII, fue revisado y actualizado en algún momento ya pasado el primer tercio del siglo VIII. Luego, a lo que parece, se redujo su interés después de que la Colección Canónica Hispana adquirió carácter oficial, pero no tanto como para que no se nos hayan conservado otros exiguos restos.

Este sector A del manuscrito *44*[6] integrado por dos cuaterniones, como hemos dicho, conserva la seriación de éstos, marcada por el sistema de números y letras (si es que éstas son antiguas como parece), en la parte de abajo del último folio de cada uno. Los pinchazos de guía para la pauta horizontal van por el centro del folio; y esta pauta cruza de folio a folio incluyendo el doblez del bifolio, y se hace antes de plegar y cortar cada dos bifolios, con lo que resulta el pautado realizado siempre por el lado carne. Los títulos que no tienen

[2] G. MARTINEZ DIEZ, «Fragmentos canónicos del siglo VI», en *Hispania Sacra,* 15 (1962), 389-399.

[3] Ibid., 399.

[4] Para todo este complejo problema, véanse los estudios fundamentales de G. MARTINEZ DIEZ, *La Colección Canónica Hispana,* I, Madrid 1966; II-III, Madrid 1977.

[5] Junto al canon 19 del Concilio Niceno se lee una nota también en visigótica que está tomada de Isidoro (*origines* 8, 5, 29).

[6] Descripciones incompletas del manuscrito, prestando mínima atención a este sector, en la literatura que al respecto menciona el Apéndice XX, nº 22. Véase Lámina 24, con reproducción del fol. 13^{v}.

tratamiento especial, van escritos en rojo naranja. La letra es muy arcaica, y presenta rasgos peculiares, como la *l* semiuncial, que permiten establecer unas conexiones de que haremos mención en su momento. Hay indicaciones, posteriores, en letra medio cursiva y tinta aguada, que atestiguan que el manuscrito había sido utilizado en un escriptorio, y así da normas el jefe del mismo a un copista: *noli scri*[7], *perquire hic noli scrb*[8], y *noli scribere*[9]. En el fol. 13ᵛ hay una nota criptográfica que nos ha sido imposible, hasta el momento, interpretar: parece que podría leerse *librum sancti*..., pero esta traducción resulta insegura. Las pocas abreviaturas que se observan tienen apariencia de bastante antiguas[10]. Estos datos nos llevan, con cierto fundamento por lo menos, al valle del Ebro. A una conclusión similar conduce la comparación de la letra y ductus con los restantes manuscritos visigóticos; pues el mayor grado de parecido, hasta alcanzar no identidad pero sí cercanía extraordinaria, se observa con el célebre Oracional de Verona, que tradicionalmente y no sin razón se considera originario de Tarragona en los comienzos del siglo VIII[11]. Por lo que hace a datar este códice emilianense, digamos que le sobra razón a Clark cuando sostiene que no puede ser posterior al siglo IX; yo lo situaría a fines del siglo VIII o comienzos del siglo siguiente, aunque es verdad que las notas marginales deben ser más bien de este último siglo. La zona de intersección del manuscrito de París y del Veronense apunta a que nuestro sector A pueda ser originario de Cataluña, o del Este del valle del Ebro. Volveremos sobre este particular.

El sector B del mismo códice 44 contiene las Sentencias de Tajón de Zaragoza y abarca los folios 16-253, de los que uno está roto. Varias manos que se mezclan han intervenido en la confección del manuscrito. Los cuaterniones, hasta el 23, van numerados por el final de cada cuaderno; los siete restan-

7 Fol. 12ᵛ.

8 Fol. 6ᵛ: al lado de donde pone *capitula nicheni concilii.*

9 Fol. 7ᵛ: junto a la rúbrica: *incipiunt capitula concilii nicheni.*

10 Recogemos por su importancia *diacn = diaconus y dicm = diaconum,* que se ven en Paris, Bibliothèque Nationale, *latin 1796,* del siglo IX; otras abreviaciones acercan a Escorial, *a.II.3.* Otras como *epsps* parecen en la práctica exclusivas de este códice.

11 La bibliografía sobre este manuscrito es extensísima: remitimos al estudio de J. Claveras, en J. Vives, *Oracional Visigótico,* Barcelona 1943, xxv-xl. Más de una vez, desde otros puntos de vista (que no del paleográfico para el que hasta ahora no había referencia posible), he sostenido que los argumentos aducidos a favor del origen tarraconense del manuscrito no pasan de indicios (cf. p. ej. *Estudios sobre la liturgia mozárabe,* Toledo 1965, 57). Corrijo en parte ahora esa negativa a reconocer la posibilidad de que en el Veronense LXXXIX tengamos el producto singular de un escriptorio de Tarragona; pero no puede excluirse su región porque los principales indicios, que son litúrgicos, valen acaso igualmente para la provincia eclesiástica tarraconense.

tes ahora carecen de indicación. El manuscrito constaría de alguno más porque se encuentra trunco por él final[12]. El pautado horizontal, que cruza el intercolumnio, está trazado después de plegar los dos bifolios de cada pieza, aunque hay variantes de acuerdo con las manos que trabajan en la copia. La guía para este pautado (las pautas consisten en dos líneas por el exterior de cada una de las dos columnas y sólo una por el interior) sigue pinchazos redondos hechos por el centro del espacio intercolumnar. El número de versos oscila entre 32 y 33.

La escritura, pese a las diferencias que implican las manos diversas, parece del valle del Ebro con fuerte influencia o aspecto toledano; representa bien los fines del siglo IX en que la situamos, y se asemeja extraordinariamente a la que produjo un manuscrito que durante siglos se conservó en el monasterio de Silos y ahora para en la Biblioteca Nacional de París[13], quizá acabado en 927 y que contiene las *institutiones* de Casiano; muy parecida es también a la de un fragmento silense procedente de Nájera, a que ya hemos prestado atención[14]. Casi con seguridad todos estos manuscritos se encuentran en íntima relación con el de Urgel, Biblioteca Catedral, *Gregorio,* que contiene, entre otras piezas, los Diálogos de Gregorio Magno y las Sentencias de Padres del desierto de Pascasio de Dumio, y que va datado por Abderrahman III en 938[15]. No pecaríamos de atrevidos situando toda esta producción en un centro monástico único de fuerte tradición visigótica a comienzos del siglo X.

Es probable, a juzgar por los puntos en que parece producirse la dispersión de los diferentes manuscritos, que estemos reconstruyendo en parte la librería de una comunidad emigrada al Norte cristiano, que haya buscado asentarse en comarcas de repoblación, o haya llegado aquí a través de una emigración por el valle del Ebro. Un ambiente andaluz podría admitirse habida cuenta de la datación del códice de Urgel por Abderramán; pero justamente entre 937-938 el califa se hace definitivamente dueño del territorio árabe con-

[12] Véase E. ANSPACH, *Taionis et Isidori nova fragmenta et opera,* Madrid 1930, 1-6.

[13] París Bibliothèque Nationale, *nouv. acq. lat. 260;* cf. A. MILLARES CARLO, «Manuscritos visigóticos», en *Hispania Sacra,* 14 (1961), 402.

[14] Silos, *fragmento 17.* Véase págs. 43-44.

[15] La mejor descripción de este códice, muy poco estudiado, fue hecha por J. VILLANUEVA, *Viage literario a las Iglesias de España,* XI, Madrid 1850, 72-175; sobre él ha escrito además J. GERALDES FREIRE, *A versão latina por Pascásio de Dume dos Apophthegmata Patrum,* Coimbra 1971, II, 64-69 con la bibliografía pertinente. Según dice este autor, a Urgel llegó acaso del monasterio de Codinet donde habría entrado a través de algún mozárabe. Su texto está emparentado con Madrid BAH, *cód. 60* (sobre el que véase págs. 235-241) y con Madrid BAH, *cód. 80,* manuscrito de origen cordobés, del siglo IX (cf. MILLARES CARLO, *Manuscritos visigóticos,* Madrid 1963, 90).

trolado antes por los reyezuelos de Zaragoza. Creo que atribuir todos estos manuscritos a un mismo grupo monástico no se pasa de audacia, ya que nos encontramos ante dos códices de Casiano, uno de Gregorio Magno y otro del fervoroso admirador de este papa, el obispo Tajón de Zaragoza. La situación, pues, de este sector explica una temprana conglutinación con el sector A de contenido canónico para el que hemos supuesto un origen del Sur de Cataluña o región oriental del Ebro. Cabría, por consiguiente, que conjeturáramos que uno y otro sector acabaron por encuadernarse juntos ya antes de haberse incorporado —o al tiempo de incorporarse— a la colección manuscrita emilianense.

Pues bien estas conclusiones nos llevan de la mano a explicar una nota, a mi entender del siglo XI, que sumamente desvaida se encuentra en el recto del primer folio de este sector B del códice 44. En la actualidad, sin utilizar procedimientos químicos o físicos, no se alcanza a leer más que el final, y aún con dificultades; pero, por suerte para nosotros, alguien la trascribió en el siglo pasado, tras usar un reactivo que acabó por destruirla. La publicaron Loewe y Hartel, aunque pasó casi inadvertida, y parece confirmarnos cuanto acabamos de concluir por medios estrictamente codicológicos. Según esta nota[16], la biblioteca que hemos reconstruido contendría el libro de Tajón, que sin vacilación ha de identificarse con nuestro sector, la Ciudad de Dios agustiniana, presencia muy significativa, unas *Vitae Patrum* que bien podría ser la denominación que encubriese el códice de Urgel de que hemos hecho mención, y una serie de códices litúrgicos de uso normal. Fuera de este elenco queda todavía lo que los editores de la nota han trascrito como San Cipriano, de difícil identificación exacta a no ser que este nombre sirviese para designar la advocación del monasterio, dependiendo de *libros*, y el códice de Esmaragdo que no sabemos con cuál de los conservados cabría hacer coincidir. Pero sea de ello lo que se quiera, es cierto que la lista, de un centro con medios nada llamativos, nos pone en relación con una comunidad interesada en problemas monásticos y ascéticos, cuyos libros, al menos en parte, han llegado, aparentemente, hasta nosotros.

¿Por qué caminos ha llegado el códice andaluz que hoy se guarda en la Biblioteca Heredia Spínola de Madrid, con la obra de Leobigildo de Córdoba[17]?

[16] G. LOEWE-W. VON HARTEL, *Bibliotheca patrum Latinorum Hispaniensis,* Wien 1886, 518 (que la suponen, ignoro con qué fundamento, de los siglos IX-X, posterior a la fecha del códice): *Annotatio de libros sententiarum —Sci cipriani— liber civitatis dei —uitas patrum— duos ordinos —manuale— regula sci izmaracdi —psalterio— antifonarium.* Ahora se lee desde *ordinos* hasta el final. La letra no tiene ningún rasgo análogo a los del propio manuscrito, sino que recuerda letra riojana de comienzos del s. XI.

[17] La biblioteca se denominaba anteriormente Zabálburu; en ella se conserva, con otros códices posteriores, el Becerro Gótico de Cardeña. Para bibliografía en torno al códice de Leobigildo, véase Apéndice XX, nº 1.

Su formato y presentación lo acredita como un libro de bolsillo de tipo bibliófilo. Constituye una especie de edición de lujo, con rasgos codicológicos peculiares[18], con 12 líneas por página, a una sola columna. El tamaño mismo del manuscrito, de sólo 130x160 mm., demuestra la calidad de la confección. Las indicaciones de los capítulos, numerados, al margen bajo cubiertas; las iniciales sencillas y de color minio, color que se utiliza asimismo para títulos y epígrafes, van sacadas de la caja de escritura sin excesos, ocupando el espacio delimitado por las dos pautas verticales que señalan a un lado y otro la zona de pergamino utilizable para la escritura. Los cuaterniones van numerados por la propia mano del copista.

Contiene el tratado *de habitu clericorum* del escritor de Córdoba, a lo largo de 72 folios, seguido de parte de una oración y un simple párrafo de la atribuida comúnmente a San Agustín *Da mihi domine lacrimas*. No se puede en absoluto identificar este manuscrito con el que estuvo en la Biblioteca del Escorial en el siglo XVI[19].

A San Millán llegó probablemente del Sur en mano de algún mozárabe emigrado en pleno siglo X. Estos contactos andaluces, como hemos dicho una vez más, están bien asegurados en el aspecto artístico, pero indudablemente también en el terreno literario. Nuevamente la presencia mozárabe no queda

18 Muchas de ellas son arcaizantes, como la de *per* con el caído de *p* sólo atravesado por barra horizontal; la de *-bus* consiste en una especie de punto y coma, ligeramente inclinado y apoyándose en el astil de la *b*, rasgo andaluz casi exclusivo desde mediados del siglo IX.

19 «Otro sacerdote auia entonces en Cordoua llamado Leouigildo cuya buena doctrina parece en vn su pequeño libro, que escriuio del habito de los clerigos, y su significacion, el qual se halla en vn libro antiquisimo de letra Gothica, que esta en la libreria del Real monesterio de San Lorenç en el Escurial. Y tengo yo por cierto es este Leouigildo vno de quien haze memoria el Abad Samson en su obra» (A. DE MORALES, *Los cinco libros postreros de la Coronica General de España*, Córdoba 1586, lib. 14, fol. 95v).

Hace así mención de un manuscrito visigótico que se incluye en el inventario de la librería real del Escorial, formalizado en 1576, y bajo el nº 1877 se describe como sigue: «Homiliarium magnum literis gothicis cum aliis opusculis ut sunt Leouigildi de habitu clericorum item uita beatae Mariae uirginis», el cual indiscutiblemente no se corresponde con ninguno de los códices conservados en ninguna parte, a pesar de que G. de Andrés lo haya identificado con Escorial *b.III.14* (G. DE ANDRES, *Documentos para la Historia del monasterio de San Lorenzo de El Escorial*, VII, Madrid 1964, 105). En El Escorial está ciertamente el códice *b.III.14*, del siglo XVI ex., donde existe una copia de este opúsculo, realizada segun parece a partir del emilianense y no del viejo gótico del Escorial. Que no pueden confundirse ambos manuscritos basta a probarlo la lectura atenta y cuidadosa de la descripción en el inventario escurialense, pues por el contenido y el tamaño queda excluida cualquier identificación. Por otro lado, no hay testimonio alguno de que de este manuscrito visigótico que estaba a fines del s. XVI en El Escorial haya quedado descendencia utilizable.

limitada a los grupos de mozárabes asentados en la Rioja, que dieron lugar a situaciones que ya han sido reiteradamente evocadas, ni a las indiscutibles conexiones con el mundo mozárabe del valle del Ebro.

La obra[20], en efecto, que contiene este manuscrito va dedicada a los monjes de un monasterio, probablemente cordobés, puesto bajo el patrocinio de S. Cipriano[21]. En ella Leobigildo hace una interpretación, más bien alegórica, de los hábitos y ornamentos religiosos, y curiosamente, va presentando oposiciones entre las costumbres orientales y las europeas o hispanas en su caso. Por unas u otras razones debió tenerse el libro por un vademécum valioso en ambientes monásticos, y aunque no es de excluir que el ejemplar conservado proceda de la misma Córdoba y quizá, dada su presentación, del medio al que fue destinado, cabe que se difundiera como vehículo de ideas que podían resultar edificantes. Atendiendo a este sentido podríamos explicarnos —no justificar— la actitud del P. Flórez y del P. F. de Rávago, confesor regio, que intervinieron para eliminar unos pasajes «contrarios tanto a la dignidad de la religión cristiana como a la de la misma nación hispana», según declaraciones fidedignas en el proceso incoado al efecto, arrancando varios folios tanto del manuscrito que describimos como de otro del Escorial en que se transmite esta misma curiosa obrita[22].

20 Recientemente editado por J. GIL, *Corpus scriptorum muzarabicorum*, Madrid 1973, 667-684.

21 Me pregunto, quizá demasiado audazmente, si el camino de acceso a San Millán no vendría a través de una comunidad mozárabe del valle del Ebro, acaso filial de este monasterio de San Cipriano en Córdoba para la que se habría sacado en limpio copia tan delicada. Si la conjetura avanzada arriba resultara cierta (v.p. 257-258) esta interpretación ganaría verosimilitud.

22 La historia de esta bochornosa actitud fue hecha por G. ANTOLÍN, en *Boletín de la Real Academia de la Historia*, 54 (1909), 111-114.

XIV
CARACTERES DE LA LIBRERIA EMILIANENSE

Es hora de hacer un ensayo de reconstrucción de la biblioteca de San Millán para adivinar qué tesoros guardaba y cómo se ha ido acreciendo, como resultado de adquisiciones, gravosas o no, y del desarrollo del escriptorio muchos de cuyos logros nos han ocupado hasta este momento. Habíamos tenido ocasión de señalar que, indudablemente, los más antiguos códices que todavía se conservan en su rica colección debieron pertenecer a la biblioteca en sus primeros tiempos. Luego se iría ésta enriqueciendo poco a poco hasta constituirse básicamente a fines del siglo XI. Posteriormente se le incorporaron a no dudar numerosas obras con un cambio notable de mentalidad y orientación, pero también hay que decir que esta diversificación y riqueza produjo un efecto singular, el de que fueron sin duda los manuscritos más antiguos los que por serlo y por su contenido, ya desfasado, se conservaron mejor, en tanto que los modernos constituyeron un acicate para los curiosos y para los desaprensivos que, a menudo, los hicieron desaparecer en provecho propio.

En riguroso método, nuestras posibilidades de extrapolar los escasos datos de que disponemos no son muchas; pero adoptaremos, con un objetivo de claridad, unos criterios medios que combinen la discreción con la exactitud. Así, partiríamos del supuesto, probablemente no del todo exacto, de que los modelos de que proceden los textos transmitidos por los códices emilianenses estudiados, formaron parte alguna vez de la librería de San Millán. Pudo esto ser cierto en parte; pero es seguro que, al menos en determinados casos, estos modelos eran itinerantes, pasando de centro en centro para permitir que se fueran sacando copias de códices de interés[1], con lo que sólo abusivamente podría decirse que tales manuscritos habían figurado en la biblioteca del centro.

[1] He intentado diseñar unos modelos de comportamiento de copia en mi art. «Al margen de los manuscritos patrísticos latinos», en *Sacris Erudiri,* 22 (1974-5), 61-74, sobre todo pág. 66-67: modelo 1, de único ejemplar del que, en lugares diversos o no (y a veces en épocas distantes), se sacan diferentes copias; modelo 2, en que cada copia, en lugares y tiempos cambiantes, va dando lugar a su vez a una copia nueva; y modelo 3, de multiplicación radial, cuando a partir de un solo ejemplar, en un solo punto, se obtienen diferentes copias, simultáneas.

Y, sin embargo, su impacto no se redujo, sin duda, a la simple copia mecánica, ya que en un escriptorio organizado como fue el emilianense se sometieron a un examen previo de reconocimiento y adaptación los textos que iban a ser trascritos a expensas del cenobio.

Podemos, pues, iniciar la presunta composición de la librería de San Millán contando con que en ella se encontraban al filo del siglo XI las Diferencias de Isidoro[2], sus Etimologías[3], y probablemente algún glosario[4], completo o parcial, entre aquellos libros que más tenían relación con la gramática y la enseñanza escolar, que, como es de suponer, estuvo bien desarrollada según veremos más adelante. Por lo que hace a materias canónicas y disciplinares contaría ya en sus filas con la vieja Colección Canónica del *cód. 44 A*[5]. Entre los libros espirituales se daba mayor variedad y riqueza: de Jerónimo contaban con tratados como el *aduersus Iouinianum*[6], que se completaba en cierto sentido con el tratado de Ildefonso de Toledo, del que queda una copia posterior pero que a juzgar por el ejemplo de Albelda figuraba entre las riquezas de esta biblioteca; también de aquel autor tenían el Apologético *ad Pammachium*[7], y una colección amplísima, que había circulado mucho por la Península, de cartas suyas y de sus corresponsales[8]. Casiano, guía insustituible del monacato hispano en época visigótica, estaba bien representado, tanto en las Colaciones[9], como con las Instituciones[10]. Por no menos eficaz, a juzgar por el papel desempeñado, se tenía a Euquerio de Lyon, cuyas Fórmulas habían gozado de notable aprecio desde los tiempos de Isidoro[11]. Para San Juan Crisóstomo, tanto en obras genuinas vertidas al latín como en pseudepígrafas, tales el libro *ad Gregoriam* de Arnobio el Joven, contamos con el testimonio de un precioso códice todavía conservado[12].

[2] Madrid BAH, *cód. 64 ter,* págs. 233-235, ahora representadas por un solo folio incompleto.

[3] Copiadas por Jimeno, v.págs. 117-122.

[4] Podría ser, por ejemplo, el cód. Madrid BAH, *cód. 46* (v. págs. 143-147), o su modelo. Añádese el recuerdo del que completa el *cód. 24*, v.p. 222-223, así como el luego copiado en el *cód. 31*, v.p. 186-187.

[5] Véase p. 254-255.

[6] Madrid AHN, *Cód. 1007 B,* v.p. 111-117.

[7] Véase nota anterior.

[8] Madrid BN, *6126*; v.p. 128-131.

[9] Madrid BAH, *cód. 24*; v.p. 220-222; y BAH, *cód. 32;* v.p. 249-251.

[10] Madrid BAH, *cód. 32,* v.p. 249-251.

[11] Véase su copia en Madrid AHN, *1007 B*, págs. 111-117.

[12] Madrid BAH, *cód. 27*; v.p. 241-246; un tratadillo suyo, *de agenda penitentia,* en Madrid BAH, *cód. 26* (v.p. 218-220).

No son muchos los códices supérstites de Agustín; pero entre los que trasmiten alguna obra suya se lleva la palma un ejemplar excelente de la Ciudad de Dios, sobre cuyo aprecio se ha hablado ya largamente páginas atrás[13].

Gregorio Magno podía ser estudiado por los monjes emilianenses: además de los Morales[14], disponían de las Homilías a Ezequiel, cuya difusión fue siempre menor[15]. No faltaba un ejemplar excelente del Comentario a los Salmos de Casiodoro, cuya expansión por la Rioja quizá se debió a la influencia de ambientes que ya habían llevado a que se produjera una copia en Valeránica[16].

No sería fácil explicar las profundas razones por las que San Millán de la Cogolla se sintió particularmente interesado por los Prognósticos de Julián de Toledo. Una copia al menos ya existía en la primera mitad del siglo X y todavía aparecerán otras posteriormente[17]. También a una tendencia similar apunta indudablemente un ejemplar de las Sentencias de Tajón[18].

Más de una vez ha habido ocasión de advertir la existencia de contactos entre el Occidente Peninsular y los mundos pirenaico y riojano en cuanto hace a doctrinas y sistemas monásticos, así como a textos de los centros monacales gallegos[19]; en esta línea señalaremos la presencia de la obra de Martín de Braga[20], y la de la versión latina de las Sentencias de Padres hecha del griego por Pascasio de Dumio[21]. En la misma dirección apunta la presencia de la Compilación hagiográfica de Valerio del Bierzo[22].

13 Madrid BAH, *cód. 29*; v.p. 147-154. Para un extracto de esta obra, no original, v.p. 181.

14 Madrid BAH, *cód. 5*; v.p. 122-127; además p. 163-164.

15 Madrid BAH, *cód. 38*; v.p. 127-128.

16 Madrid BAH, *cód. 8;* v.p. 140-143; la copia por Florencio de Valeránica se encuentra ahora en León, San Isidoro (véase CH. U. CLARK, *Collectanea Hispanica,* París 1920, 36).

17 En Madrid AHN, *1007 B*; v.p. 111-117. Al menos otras dos copias se realizaron pasado el año 1000, de las que una queda completa (Madrid BAH, *cód. 53*; v.p. 173-178).

18 Madrid BAH, *cód. 44*; v.p. 255-257.

19 Remito, por ejemplo, a CH. J. BISHKO, «Gallegan pactual monasticism in the repopulation of Castille», en *Estudios dedicados a Menéndez Pidal,* III, Madrid 1951, 513-531; más al Este la influencia trascendió incluso los Pirineos, cf. DIAZ Y DIAZ, *Anecdota Wisigothica I,* Salamanca 1958, 55.

20 Madrid BAH, *1007 B*; v.p. 111-117.

21 Madrid BAH, *cód. 60*; v.p. 235-241.

22 Madrid BAH, *cód. 13*; v.p. 133-140.

Claro es que el estudio de esta obra, por ejemplo, nos ha dejado ver cómo aquí fue incrementada con dos añadidos importantes: un conjunto de textos relacionados con Martín de Tours, quizá reunido en el siglo IX, y textos vinculados con San Millán. Para poder incorporar aquéllos a la Colección valeriana hubo de existir un códice que los contuviera en la Cogolla; por lo que hace a estos últimos parece superfluo pararse a probar que se conservaron y fueron reiteradamente copiados como piezas de propaganda en favor del culto de San Millán en el cenobio por él fundado[23] .

A fines del siglo X vemos aumentar los campos de interés de nuestra biblioteca con la búsqueda de un ejemplar de la Hispana y del Fuero Juzgo, quien sabe si como consecuencia del relevante papel que poco a poco van desempeñando la economía, la propiedad y las relaciones eclesiásticas en la Cogolla; sea cualquiera la razón de la copia, lo cierto es que el Códice Conciliar Emilianense[24] significa la presencia de estos textos capitales para una comunidad dotada de una vida activa y llena de responsabilidad[25] .

A partir de este mismo códice vemos cuán pujante era aquí, como en otros puntos de la Rioja, la preocupación por las nuevas tendencias y corrientes monásticas: aunque no nos haya quedado ningún resto, se nos impone el hecho de que fue conocido también un *Codex regularum,* quizá más parecido al elaborado por Benedicto de Aniano que a los tradicionales visigóticos[26] . Por este tiempo esta atención al nuevo monacato ya había provocado la presencia de ejemplares de Esmaragdo, no solamente de sus Comentarios a la Regla benedictina, sino también de la *uia regia*[27] .

La presencia de una cierta espiritualidad de allende los Pirineos se deja ver no sólo con la obra, tan influyente en este momento, de Esmaragdo, sino con Defensor de Ligugé[28] , y con Prudencio de Troyes[29] . De manera

[23] Además del códice 13 los trasmite otro manuscrito posterior, con trazas de destino litúrgico; véase págs. 181-183.

[24] Véase págs. 181-183 y 133-140.

[25] Véase págs. 155-162. Otro ejemplar del Fuero Juzgo sirvió poco después como modelo para Madrid BAH, *cód. 34*; véase págs. 211-215.

[26] Contenían aparentemente la Regla benedictina, pero también la de Isidoro y Fructuoso y la *Regula Magistri* (véase las notas al respecto en pág. 157). Un excelente ejemplar de la Regla de Leandro de Sevilla (v.p. 177-178), podría incluirse aquí.

[27] Ya una copia de este último texto en Madrid AHN, *1007 B*, v.p. 111-117; para los Comentarios, recordemos Madrid BAH, *cód. 26* (v.p. 218-220), y el modelo usado para los fragmentos madrileños que han sido analizados en p. 215-216.

[28] Madrid BAH, *cód. 26*; v.p. 218-220.

[29] Madrid AHN, *1006 B*; v.p. 178-181 (más p. 111 para el fragmento disyecto en Madrid AHN, *1007 B*).

análoga, un momentáneo influjo parece justificar la aparición de la preciosa **copia de la obrilla de Leobigildo de Córdoba**[30] .

Una ampliación de la esfera de influencia de San Agustín la descubrimos en la llegada de nuevas obras a la biblioteca que van a dar pie a las copias del Enquiridion y de las Cuestiones que todavía podemos leer[31] , así como numerosos sermones, sueltos o incluidos en diversas series[32] .

Finalmente digamos que los libros espirituales parecen haber alcanzado su dimensión definitiva teniendo en cuenta que la zona de San Millán acaso se haya convertido en centro de difusión de copias de Beatos[33] , probablemente en torno al final del milenio y los tiempos que siguieron a las destrucciones de Almanzor.

Un problema singular plantea la presencia de parte de los Enigmas que constituyen la obra de Sinfosio[34] . Proceda o no esta recensión de una copia emparentada con la *Anthologia Latina,* no nos es fácil discernir cuál ha sido el camino por el que alguien se hizo con tal texto. Si tenemos en cuenta que va unido a otras piezas de adivinanzas y pequeñas fábulas, nos vemos en la precisión de conjeturar que existió un pequeño manuscrito, de carácter probablemente literario, en que se trasmitirían todas estas obrillas intrascendentes pero atractivas por su peculiar contenido. Pero más vale que no construyamos castillos en el aire, al no tener fundamento bastante para sacar conclusiones.

Junto a estos libros colocaremos toda una serie de códices litúrgicos, conservados a veces no en única copia: hemos encontrado ejemplares del *Manuale*[35], del *Psalterium cum canticis*[36] , del *Liber hymnorum*[37] , del *Misticus*[38] , del *Liber commicus*[39] , del *Liber ordinum*[40] y del *Liber horarum*[41] , entre otros.

[30] Véase págs. 257-259.

[31] Véase págs. 169-170.

[32] Además de las páginas citadas en la nota anterior, véase p. 166.

[33] Véase págs. 207-210 y 227-229.

[34] Madrid BAH, *cód. 39*; v.p. 165-173.

[35] Madrid BAH, *códice 56*; v.p. 198-199.

[36] Madrid BAH, *cód. 64 bis*, v.p. 190-191; *cód. 64 ter* (v.p. 196-198); Madrid AHN, *1006 B* (v.p. 178-181).

[37] Madrid BAH, *cód. 118 A* (v.p. 193-196); Santo Domingo de la Calzada A Catedral, *fragmento A* (v.p. 202).

[38] Madrid BAH, *cód. 30* (v.p. 191-192); Madrid BAH, *cód. 75* fragm. (v.p. 192-193); Calahorra A Catedral, *doc. 6* (v.p. 203).

[39] Madrid BAH, *cód. 22* (v.p. 183-186).

[40] Madrid BAH, *cód. 56* (v.p. 198-199); Madrid BAH, *cód. 21* (v.p. 229-230).

[41] Madrid BAH, *cód. 118 B* (v.p. 200-201); Santo Domingo de la Calzada A Catedral, *fragm. B* (v.p. 202-203).

De esta lista pueden deducirse algunas consecuencias, y la primera de ellas es que hasta este momento quizá la librería emilianense no haya sido especialmente rica, pero sí lo suficiente, como corresponde al cenobio que ilustra, para llamarnos la atención, sobre todo habida cuenta de que buena parte de sus libros han sido elaborados en el propio centro. El hecho de que se conserven diversos ejemplares de cada libro litúrgico —aún sin contar con lo que hay que sospechar de pérdidas— nos informa a la vez de una comunidad numerosa y de una potencia económica suficiente. No descubrimos por ningún lado que se hayan conservado códices de autores poco frecuentes; más aún, en este sentido puede asegurarse que la biblioteca emilianense no pasa en este momento de ser la esperable en un núcleo monástico importante. En efecto, todos los manuscritos a que hemos pasado revista pertenecen a la categoría de espirituales, sin que contemos con obras de poetas o autores clásicos, como se encuentran, aunque sea raramente, en otros monasterios peninsulares. Pero todavía más, la orientación monacal es muy marcada: a las obras de estricta formación monástica sólo las acompañan obras de carácter edificante, sin que hallemos copias sustanciosas de tratados teológicos o filosóficos.

Quizá un punto concreto merezca un comentario: a pesar de que ya no disponemos de muchos ejemplos, sí presenta relieve la formación gramatical. Por un lado los glosarios conservados rebasan en número lo que es habitual en cualquier parte; y por otro, uno puede referirse a la situación que dejan entrever ciertas prácticas como la atestiguada en el manuscrito de las Glosas Emilianenses[42] , en que se ha practicado un proceso de aplicación de explicaciones gramaticales, en un doble plano, el de reordenación lógica de las funciones lingüísticas[43] , y el de aclaración de todo elemento elíptico[44] . Este proceso se completa con la aparición de numerosas glosas, latinas o romances, a multitud de palabras. Ciertamente no se puede afirmar que todas estas operaciones hayan sido hechas en la escuela monástica de San Millán; pero, sin duda, no se anduvo muy lejos de éste, ya que en todo caso el manuscrito cayó muy pronto en poder de la Cogolla.

A las conclusiones anteriores poco queda que añadir para los siglos X

42 Madrid BAH, *cód. 60*; v.p. 235-241.

43 Los sujetos se anteponen al verbo, y tras éste aparecen los complementos; toda palabra regente se sitúa antes de la regida. Para este mecanismo se colocan letras consecutivas sobre cada vocablo, según el orden debido.

44 Así se añaden los sujetos pronominales a los verbos que van sólo marcados por forma personal; a todo relativo se le señala antecedente y en algún caso consiguiente; a los adjetivos se les antepone respectivamente el sustantivo de referencia, etc. Sobre el problema mencionado en la nota 43 y el mecanismo descrito en ésta, véase ahora DIAZ Y DIAZ, *Las primeras glosas hispánicas*, Barcelona 1978.

y XI. San Millán se nos presenta como un centro que, por lo que hace a libros y librerías, se mueve en un nivel estrictamente monástico antes del año 1100. A partir de los últimos decenios de este siglo, ya bajo la más directa y completa influencia de la nueva cultura monástica, se descubre un resurgimiento de los campos de interés tradicionales, como atestigua la nueva puesta al día de numerosos códices recopiados y actualizados dentro de los siglos XII y XIII, y la aparición de otros nuevos. Lamentablemente, como queda dicho, este redoblado vigor de la biblioteca emilianense causó daños a la propia librería ya que expuso a robos, préstamos sin devolución y toda clase de atropellos nuevos códices que estaban más al compás de los tiempos.

Por otra parte, las estrechas relaciones entre la Cogolla y Silos se inician en el siglo XI. Páginas atrás hemos hecho notar cómo a menudo resulta muy complicado distinguir lo emilianense y lo silense en lo que hace a la historia de los textos y aún a múltiples rasgos de comunidad e intercambios paleográficos. Los préstamos de libros entre los dos monasterios tuvieron que ser continuos e importantes, aunque esto sólo no explica muchos hechos debidos a una unidad cultural que todavía no se ha abordado debidamente[45] .

El error de perspectiva que puede causar el hecho de que se hayan conservado hasta hoy tantos manuscritos de los que figuraron en los armarios emilianenses, no nos inducirá, no obstante, a atribuir un valor radicalmente importante a la biblioteca de este monasterio que, en los dos primeros siglos de su existencia, quedó y se mantuvo marcada por las preocupaciones espirituales, ascéticas y monásticas de aquella comunidad que sintió inquietud por la renovación de su espiritualidad pero no supo, al fin y a la postre, evadirse de los estrechos linderos que le había fijado la tradición.

45 La producción de Gonzalo de Berceo, educado en San Millán, garantiza estas relaciones, ya que todo parece indicar que ciertas fuentes de los poemas de Berceo sólo fueron conocidas de éste a través de Silos, lo que vale de manera especial para la biografía que Grimaldo dedicó a Santo Domingo, cf. J.E. KELLER, *Gonzalo de Berceo*, Nueva York 1972, 83 ss.; dígase algo semejante de la Vida de San Millán, para la cual empleó la narración de Braulio de que hemos encontrado diversas copias en torno a San Millán de la Cogolla, donde este texto se empleó también en el oficio litúrgico.

XV
LIBROS PERDIDOS

Uno de los grandes problemas con que nos encontramos al estudiar libros y bibliotecas es, y ya hemos aludido reiteradamente a estas situaciones, el de los manuscritos perdidos. Porque se le viene a las mientes a cualquiera que la mayor parte de los libros en uso en la Alta Edad Media se perdieron de manera irreparable. Además de míseros restos, nos quedan menciones y recuerdos de códices que importa recoger y valorar en orden a mejor comprender la realidad bibliográfica de aquellos siglos.

Muchos documentos, originales o trasmitidos en copias o en cartorales, nos atestiguan la existencia de cantidad de libros, que casi siempre se nos manifiestan sin determinaciones suficientes que sirvan para identificarlos. Veamos con un poco de calma esta importante cuestión. Libros aparecen mencionados dentro de series de cosas, fungibles o no, que son objeto de donaciones a monasterios e iglesias. A veces la alusión a libros, genérica, hace sospechar que el documento se refiere a manuscritos litúrgicos: se comprende que todo aquel que dotaba un centro de culto, instituyéndolo de nuevo o restaurándolo, lo proveyese de todos los materiales necesarios para las celebraciones litúrgicas, sobre todo en el caso de centros monásticos. Cuando no existe sino simple enunciación, acompañada o no de una determinación numérica, se debe pensar en libros litúrgicos. Sería muy extraño que bajo la sola denominación de *libros* se incluyeran otros que no fueran los de dominio común.

Importa anotar que los libros solían distribuirse en tres grupos, de los que el primero constituido por los códices litúrgicos, el segundo por los llamados libros espirituales y el tercero se encuentra a veces en los catálogos bajo la rúbrica de *libri artium*[1]. El concepto y la extensión de libros litúrgicos ya ha sido descrito en otro lugar[2]. Por libros espirituales se entiende toda obra que contribuye a la formación moral y teológica del lector: en este apartado se incluyen obras tan heterogéneas como la Ciudad de Dios de Agustín o los Co-

[1] Utilizamos esta denominación a pesar de su imprecisión y de que no aparece con mucha frecuencia en los repertorios; véase abajo n. 3.

[2] Véase págs. 189-190 y bibliografía atingente.

mentarios a los Salmos de Casiodoro. Los libros de artes sirven para aprender, o mejorar el aprendizaje de la lengua latina, la retórica, etc.: así entra por igual una copia de la gramática de Julián de Toledo que la *ars geometriae* de Boecio o los *Synonyma Ciceronis.* A veces bajo esta rúbrica se incorporan tanto las obras de escritores antiguos como, singularmente, los poetas designados con frecuencia *de poetis.*

Cuando se obsequian libros se produce un proceso singular: en primer lugar, tenemos que considerar ante todo que se trata de una transferencia, puesto que los libros tenían que estar antes de la donación en poder del donante o en otro lugar, o propiedad, a que éste tuviera acceso. Así pues, nos tocaría a la vez estudiar el origen de tal posesión, y el valor e importancia de la donación de referencia. La existencia de librerías privadas podía así quedar probada y a la vez la existencia de una conciencia popular que establecía el precio de estos libros, y los controlaba de manera que no desaparecieran tales bienes sin rendir unos servicios. En segundo lugar, nos plantearemos la existencia de centros de producción de libros, ofrecidos a cambio de estipendios o servicios, porque de otra manera se hace increible que dispusieran de ellos seglares, incapaces de producirlos en primera instancia. Es decir, cuando una persona funda un centro o lo dota se procura, por los medios competentes, un conjunto de libros que prestarían servicios en él; para conseguirlos, normalmente, no debía existir otro camino que adquirirlos, o encargarlos especialmente, en otro cenobio o a persona capacitada para ello.

Ahora bien, ¿cuál es el profundo sentido de las menciones de libros en los documentos? Con dificultad responderíamos a esta pregunta de manera general, pues cada lugar y momento requiere una explicación particular. Distinguiríamos entre menciones indeterminadas y citas precisas; y aduciremos en cada caso los lugares correspondientes. De todos modos dos detalles nos interesan aquí: la escasez de referencias a estos donativos en la Rioja del siglo X y XI, en general, y en particular la pobreza de estas alusiones, frente a ciertos testamentos o inventarios en otras regiones peninsulares[3].

[3] Si se excluye el llamado Catálogo Ovetense de 882 que se conserva en fol. 90-90^{v} del códice *R.II.18* del Escorial (publicado una vez más por J. GIL, *Corpus scriptorum muzarabicorum,* Madrid 1973, 801-802, cf. mi *Index scriptorum latinorum Medii Aeui Hispanorum,* Salamanca 1958, 518) y el de Ripoll de mediados del siglo XI (ed. R. BEER, *Die Handschriften des Klosters Santa María de Ripoll,* I, Wien 1907, 101-109) no aparecen citadas más listas en G. BECKER, *Catalogi bibliothecarum antiqui,* Bonn 1880 (cf. GOTTLIEB, *Ueber mittelalterliche Bibliotheken,* Leipzig 1890 [= Graz 1955]). Otros catálogos importantes existen, aunque no se refieren a nuestra región: así M. GOMEZ MORENO, *Iglesias Mozárabes,* Madrid 1919, 347-348, a partir del Tumbo de León, fols. 384^{v} - 386, editó la valiosísima donación del obispo abad Cixila al monasterio de San Cosme y Damián de Abellar, junto a León, a 5.XI. 927; J. VILLANUEVA,

En época tan temprana como el 15 de marzo 863 el abad Severo y el conde Diego hacen una rica donación a San Felices de Oca, y en ella el propio Severo se entrega *ad regulam sancti Felicis et ad ipsos atrios sanctos pro remedio anime mee cum libros ecclesiasticos et libros spirituales*[4]. La donación abarca, bajo la designación aquí de *libros ecclesiasticos*, los códices destinados al uso litúrgico: el plural y la fórmula autorizan a pensar que consistiría en toda la serie que, a menudo, aparece especificada, a saber, el *ordinum, antifonarium, commicum, psalterium* e *hymnorum* por lo menos. Ninguna posibilidad nos queda de identificar en detalle los *libros spirituales*. Tal donación a Oca, cuyas relaciones con San Millán vienen de antiguo y duraron largamente, nos permite descubrir cómo abundaban libros en la región del Centro cristiano de la Península antes de la conquista de la Rioja. Ello es tanto más seguro cuanto que a mediados de 864 el mismo conde Diego se resuelve a aumentar las riquezas de Oca con nuevas iglesias; con esta ocasión otorga a San Felices de Oca *octo casullas de lino, triginta octo libros*[5]. El número, elevadísimo, se justifica por sí mismo; quizá se trate de libros litúrgicos empleados en las iglesias objeto de la donación, que al reunirse constituyen un valiosísimo legado.

En otra región, estrechamente relacionada con la Cogolla, en mayo de 867, al fundarse el monasterio de San Juan de Orbañanos, entregan el abad Guisando y sus compañeros *libros... id est antifonario, missale, commico, ordinum, orationum, ymnorum, psalterium, canticorum, precum, passionum*[6]; la dotación es completa para todas las necesidades del culto en un gran centro monástico. Esta dotación es reiterada años después, sobre 900, cuando en virtud de pacto los monjes dicen a su abad Guisando: *tradimus livros, id est antifonario*

Viage literario a las Iglesias de España, X, Valencia 1851, 233-236, a partir de Seo de Urgel, BC, Catedral I, f. 237, dio a luz el testamento del obispo Sisebuto II en que hace manda de las diversas piezas de su rica biblioteca a favor de diversas iglesias de su diócesis; E. SAEZ, en *La Ciudad de Dios*, 155 (1943), publica varios documentos con relación de bibliotecas, sacados del Cartulario de Celanova. En general, puede verse C. SANCHEZ ALBORNOZ, «Notas sobre libros leídos en el reino de León hace 1000 años», en *Cuadernos de Historia de España*, 1-2 (1944); faltan trabajos similares para otros reinos hispánicos (me permito citar por su riqueza el elaborado por M. RUBEN GARCIA ALVAREZ, «Los libros en la documentación gallega de la Alta Edad Media», en *Cuadernos de Estudios Gallegos*, 20 (1965), 292-329, con amplia literatura).

4 L. SERRANO, *Cartulario de San Millán de la Cogolla*, Madrid 1930, 10, del Becerro Galicano de San Millán f. 111v; A. UBIETO ARTETA, *Cartulario de San Millán de la Cogolla*, Valencia 1976, 14-15.

5 SERRANO, *cit.*, 13, del Becerro f. 108; UBIETO, *cit.* 15-17.

6 SERRANO, *cit.*, 14, del Becerro f. 131v; UBIETO, *cit.*, 17-19. Véase nota siguiente al respecto.

et manuale, commico et passionum, ordinum, psalterio, ymnorum, orationum et precum[7].

Muchos de estos libros, que quizá se conservaron un tiempo en aquellas mismas iglesias, pudieron haber llegado, o caido, en poder de San Millán. Es justo, empero, decir que, de manera bien sorprendente, no disponemos de certificaciones documentales respecto a donaciones de libros a los propios Albelda o San Millán. Creemos que tal ausencia no puede tener más que una explicación, de cuyo carácter conjetural no dudamos: que el escriptorio emilianense haya comenzado pronto a producir libros, con lo que no habiéndose acreditado en los documentos primeros la librería inicial, ya no hubo lugar a nuevas menciones. San Millán mismo o Albelda, en efecto, serían el origen de todos los libros que circularon por la Rioja, salvo los que de una u otra manera fueran incorporándose a aquellas librerías.

En 947 al fundarse el monasterio de Henestra, luego dependencia de San Millán, el abad Salito confiesa así: *tradi me ipsum ad locum cum omnia... libros spirituales et ecclesiasticos*[8]. Poco después, en 956, ceden una iglesia de su propiedad al monasterio de Salcedo Muño Niquétiz y su mujer *cum sex libros antifonarium, manuale, commicum, ordinum, psalterium, ymnorum, orarum*[9], donde, a juzgar por el número global que se señala, hay que entender que los títulos más que representar los códices constituyen una tradición. Probablemente hay que poner en la misma línea la donación del presbítero Juan a San Mamés de Obarenes en 1008, en que, además de ceder a este monasterio al tiempo de entregar su persona, siete carros de cebada y trigo, le otorga *octo libros*[10], que a no dudar y faltos de mayor precisión hemos de

[7] Se trata evidentemente de la misma relación bibliográfica, con mayor precisión que la que se ofrece en el Cartulario de San Millán (véase que, como era de esperar, se menciona no un *missale,* impensable en aquel tiempo, sino un *manuale*); ed. L. BARRAU-DIHIGO, «Chartes de L'Eglise de Valpuesta du IXe au XIe siècle», en *Revue Hispanique,* 7 (1900), 303, del Becerro de Valpuesta, f. 24^{v} - 25; nueva edición de M.D. PEREZ SOLER, *Cartulario de Valpuesta,* Valencia 1970, 20-22.

[8] SERRANO, *cit.*, 49, de Becerro f. 115^{v}; UBIETO, *cit.* (v.n. 4), 63-64. Nótese la fórmula que, por su generosidad e imprecisión, se mantiene para denominar cualquier librería monástica. Un caso semejante es el de la donación de Sarracino Obécoz al monasterio de Salcedo (SERRANO, *cit.*, 57, de Becerro f. 168; UBIETO, *cit.*, 70-71), en 950 en que le entrega su casa *cum suis libros.*

[9] Becerro de San Millán, f. 168^{v}, de donde SERRANO, *cit.*, 61 y UBIETO, *cit.*, 83. Como en la enumeración se cuentan siete contra lo que dice el documento mismo, sospechamos que dos de estos libros constituirían un solo volumen, quizá como ocurre a menudo el Salterio y el Himnario, o éste y el libro de Horas menores; o se podría pensar, como decimos arriba, que el enunciado es simple tradición.

[10] Becerro fol. 130, y de aquí SERRANO, *cit.*, 84; UBIETO, *cit.*, 137-138.

considerar litúrgicos. He aquí, en apretado haz, la relación de todas aquellas menciones de libros de cualquier tipo que nos han llegado referidas a zonas en contacto más o menos estrecho con la Rioja.

Causa enorme extrañeza el hecho de que, en región tan bien dotada y de la que nos han venido tantos códices, enteros o en fragmentos, sea tan reducida la colección de citas de libros en documentos. Esto significa que los libros aquí solían figurar en bibliotecas monásticas o librerías de iglesias y no en poder de particulares, cuyos donativos quedaron registrados en la documentación. Basta recorrer los pasajes de arriba para darse cuenta de que los grandes cenobios riojanos no aparecen ni como donantes ni como recipendarios de manuscritos, lo que quiere decir que éstos se copiaban en una especie de economía interna, dentro de las grandes comunidades aquí existentes.

Las agrupaciones de cenobios, frecuentes, implicaban transferencias de libros en ambos sentidos, que no se recogían en testimonios notariales. En las páginas anteriores hemos visto cómo fueron llegando poco a poco manuscritos de diversos orígenes a los grandes centros de la Rioja. Incluso parece que existió una especie de acuerdo bibliográfico entre diferentes monasterios. El proceso no es original aunque siempre resulta interesante. Uno de los rasgos más característicos de la vida monástica insular en tiempos de la misión continental consiste, y es sabido, en una relación bibliográfica permanente y mutua entre el monasterio de origen y sus fundaciones continentales: toda novedad producida, o conocida, en cualquiera de ellos, se trasmite rápidamente y sin vacilación a los otros. Algo semejante parece haber tenido lugar entre la Rioja y monasterios castellanos: Silos y San Millán, como Cardeña y Albelda, conservan las viejas relaciones bajo nuevas formas. Deberíamos aquí haber estudiado el complejo mundo de estas relaciones, porque explican numerosas peculiaridades riojanas y castellanas; pero nos lo impedía el objetivo que nos habíamos propuesto, de delimitar y caracterizar la vida libresca en los grandes cenobios riojanos, y además a través de los manuscritos conservados. Pasar a investigar los complicados y múltiples contactos e influencias entre la Rioja y el mundo castellano nos hubiera alejado, a no dudar, de la meta que nos habíamos propuesto. Porque la verdad es que todo aquel mundo que podíamos caracterizar, y alguna vez hemos definido, como riojano-castellano nos llevaría a una problemática complicada y difícil, porque son muchos los manuscritos que por diversas razones ofrecen este aspecto misceláneo.

Entre los códices que alguna vez figuraron en las bibliotecas riojanas debemos colocar aquéllos que de alguna manera sabemos que existieron, aunque no nos hayan dejado más que restos levísimos. Hemos tenido ocasión[11] de comentar

[11] Véase págs. 80-81.

lo que había pasado con una serie de libros tomados en préstamo en el siglo XIII por el rey Alfonso X en Albelda. Me permito comentar ahora un préstamo semejante, reconocido mediante recibo por el mismo rey Alfonso X en 1270. En esta fecha declara el monarca que había tomado prestados un Estacio, un Boecio, Prudencio, las Bucólicas y las Geórgicas de Virgilio, las Epistolas de Ovidio, Prisciano y Macrobio, y el Sueño de Escipión[12]. El propio rey califica los códices emprestados como «de letra antigua», lo que podemos interpretar de doble manera, o como letra visigótica, con lo que caerían dentro de nuestra investigación, o en letra francesa. Para lo primero, digamos que cuanta extrañeza mostremos ante los títulos es poca; la segunda posibilidad, que estimamos más verosímil, los excluye de nuestra búsqueda. La riqueza y variedad de las obras y autores favorece más la segunda conjetura que la primera, pero de momento nada podemos concluir[13].

[12] R. BEER, *Handschriftenschätze Spaniens,* Wien 1894, 367: «Statio de Tebas. Boecio de Consolacion. Prudencio. Georgicas de Virgilio. Ovidio epistolas. Vocolicas de Virgilio. Preciano maior. Boecio sobre los diez predicamentos. El comento de Cicerón sobre el sueño de Escipión».

[13] El autor, antes de terminar su estudio de la vida de los libros en la Rioja de la Alta Edad Media quiere manifestar el reconocimiento al primero de los investigadores, que con más entusiasmo, rayano en la hipérbole apologética, que escrupuloso método científico abordó el análisis de los manuscritos medievales, intentando encuadrarlos en una interpretación global del proceso histórico y literario de la Edad Media. Probablemente sería innecesario precisar ahora que nos estamos refiriendo al erudito, y al mismo tiempo incompleto, trabajo del jesuita JULES TAILHAN, (que cien años justamente antes de haberse iniciado la preparación inmediata de nuestro trabajo había firmado el suyo) «Les Bibliothèques espagnoles du Haut Moyen Age», en C. CAHIER, *Nouveaux mélanges de Archéologie, de Paléographie et d'Histoire,* IV (1877), 187-346. La tesis central de Tailhan, muy de acuerdo con las preocupaciones dominantes en su época, buscaba demostrar a todo precio que la cultura española de la Alta Edad Media brilló con luz insuperable. Pero dejemos que hable él mismo con las entusiastas palabras con que cierra su estudio: «Lo que parece deducirse con plena evidencia de las páginas que acabo de escribir es que los españoles de la Alta Edad Media poseyeron verdaderas y numerosas bibliotecas en todos los momentos de este largo período de ocho siglos; que las formaron con amor, que las mantuvieron con cuidado, las enriquecieron con un ardor y una generosidad que no se cansaron nunca ni quedaron desmentidos; que pusieron, en fin, un celo infatigable en reconstruirlas, cuantas veces la guerra producía su ruina o dispersión. En segundo lugar que estos mismos españoles, lejos de ser unos bárbaros cono se ha dicho, vivían en plena civilización cristiana; que esta civilización no sufrió jamás eclipse en la Península; que sigue siendo puramente hispanogótica desde Recaredo a Fernando I de Castilla, en medio de transformaciones sucesivas a las que se presta, bajo la férula de la necesidad, con una facilidad maravillosa; y que en fin, en sus transformaciones, se acomoda siempre de la manera más admirable a las necesidades del pueblo que engendró y que prepara lentamente a tan altos destinos. En los días de paz y prosperidad que siguen a la fusión de las dos razas, gótica e hispanorromana, esta civilización da al reino católico de Toledo literatos, sabios, teólogos, jurisconsultos, como en la misma época ninguna otra región reunió una pléyade mejor constituida y más brillante».

Reconozcamos que aun partiendo del supuesto del estilo ditirámbico y ampuloso, tan frecuente en aquel tiempo, las frases anteriores constituyen una buena muestra del ambiente general de este estudio, más citado que leido, del que todavía hoy se pueden extraer valiosísimas enseñanzas y originales puntos de vista.

XVI
POR VIA DE CONCLUSION

A lo largo de las páginas anteriores, hemos visto desfilar no solamente unas docenas de manuscritos sino incluso algunas personalidades literarias que produjo la Rioja en los siglos X y XI.

El estudio de los libros nos ha puesto en contacto con una realidad viva que ahora quisiéramos ponderar especialmente. En efecto, frente a la visión estática de los manuscritos como piezas arqueológicas, incluso como objetos de análisis y estudio codicológico, hemos procurado a través de toda clase de noticias y de las informaciones técnicas proporcionadas por los propios manuscritos descubrir detrás de ellos no sólo la actitud del copista ante los textos que va trascribiendo, sino también la vida misma del escriptorio o taller en que los códices son elaborados. Este enfoque nos ha permitido descubrir diferencias notables entre los manuscritos ejecutados en pequeños centros o, incluso, por obra de artesanos que trabajan aisladamente por su cuenta, y los grandes centros en que una racionalización del trabajo ha llevado progresivamente a la especialización de las tareas. Tal situación implica la existencia de un centro con personal cualificado, con orientaciones propias y a veces con técnicas peculiares. Así por ejemplo en torno a la mitad del siglo X, en San Millán de la Cogolla, se constituyen unas técnicas propias, lo que no quiere decir exclusivas, por lo que se refiere a los sistemas de pautado. Sería insensato deducir de la coincidencia de procedimientos técnicos en pequeños detalles de la preparación del pergamino que distintos manuscritos son obra de unas mismas personas. En realidad, se da una continuidad, pero sobre todo una apropiación de normas que se convierten en principios de funcionamiento hasta lograr que el paso de los años no interfiera con cualquier tentativa de evolución de los mecanismos.

Este principio creemos que se revelará fértil en el futuro cuando se intente caracterizar e individualizar la labor de algunos escriptorios situados en otras regiones, para los que se cuenta con el punto de partida, maravilloso, que supone el conjunto emilianense, que se conserva bien todavía, tal como hemos visto en detalle en los capítulos anteriores.

Hemos prestado asimismo atención al uso de los códices tal como puede deducirse de las notas y apostillas que revelan su lectura. Hemos subrayado el papel que han desempeñado desde el siglo XI las numerosas y variadísimas glosas que intentaban favorecer la comprensión de los textos a partir de aclaraciones sinonímicas.

Nos ha interesado en todo momento buscar a los hombres detrás de los libros. Y aunque por exigencias de la discreción no hayamos avanzado conjeturas sobre la mentalidad de éstos o sus posibles intereses materiales y espirituales, tampoco hemos dejado de manifestar en algunos casos nuestras sospechas al respecto, a fin de lograr un cuadro lo más completo posible de la vida cultural que implican, favorecen y promocionan los libros y las librerías en la Rioja Altomedieval.

ORATE PRO EXCEPTORE, SI DEUM HABEATIS PROTECTOREM ET IN ETERNUM REGNETIS CUM XPO SALVATOREM. AMEN. (Madrid BAH, *cód. 24*)

APENDICES

He seguido las normas usuales en las trascripciones. Salvo en los casos en que lo exigía la comprensión del texto, he mantenido la grafía del manuscrito; cuando son varios los testigos, he normalizado segun costumbre salvo que la coincidencia ortográfica aconsejara otra cosa.

En el Apéndice XXII la puntuación pretende sólo ayudar algo en la difícil inteligencia de los poemas, cuyo sentido no siempre obedece a la secuencia textual.

APENDICE I

Del códice de Ildefonso copiado en Albelda en 951

a) *Prólogo del copista Gomesano*

Ego quidem Gomes licet indignus, presbiterii tamen ordine functus, in finibus Pampilonae Albaildense in arcisterio infra atrio sacro ferente reliquias sancti ac beatissimi Martini episcopi regulariter degens sub regimine patris almi uidelicet Dulquitii abbatis, inter agmina Xristi seruorum ducen-
5 torum fere monachorum, compulsus a Gotiscalco episcopo, qui gratia orandi egressus a partibus Aquitaniae deuotione promtissima magno comitatu fultus ad finem Galleciae pergebat concitus, Dei misericordiam sanctique Iacobi apostoli suffragium humiliter imploraturus, libenter conscripsi libellum a beato Ildefonso Toletane sedis episcopo dudum luculentissime editum,
10 in quo continetur laudem uirginitatis sancte Mariae perpetuae uirginis, Iesu Xristi domini nostri genetricis, ubi predictus Ildefonsus episcopus diuino inspiramine afflatus, oraculis prophetarum inbutus, euangeliorum testimoniis roboratus, apostolorum documento instructus, celestium simul et terrenorum contestatione firmatus, gladio ueri Dei Iubeniani perfidiam uul-
15 nerauit et pugione uerissimae rationis Elbidii errorem dextruxit; Iudeorum quoque duritiam non solum adstipulatione angelorum et hominum, sed etiam demonum prolata confessione iugulauit. Iam uero quam dulcia quamque diuino munere compta promserit eloquia quisquis in hoc libello sollerter legerit facile peruidebit, ex quo et credulus auriet suabitatem,
20 et anceps reperiet unde a se procul repellat erroris prabitatem. Vnde extimo incunctanter ut pari gloria ditetur a Xristo pontifex Gotiscalcus,

---

a)

Cod. Paris Bibl. Nat., *lat. 2855,* fol. 69v

Edd. L. Delisle, *Le Cabinet des Manuscrits de la Bibliothèque Impériale,* Paris 1888, 514-515; V. Blanco García, *San Ildefonso. De uirginitate beatae Mariae,* Madrid 1937, 33-35; id, *Santos Padres Españoles. I. San Ildefonso de Toledo,* Madrid (BAC) 1971, 26-27.

Trad. J. Cantera Orive, *Berceo,* 3 (1948), 428-429.

qui hanc laudem genetricis domini nunc Aquitania sancte Marie initio in propriam sedem specialiter aduexit, sicut Ildefonsus episcopus qui eam uniuerso aecclesiae catholicae dudum generaliter tradidit, quia, etsi materia
25 defuit laboris, equiparatur tamen sacra deuotio Gomesani. Concedat Xristus, gloriosae genetricis suae interuentu placatus, hic emundari a sorde facinorum et post expletum uitae huius cursum cum sanctis omnibus in regno celorum perfrui gaudium feliciter sine fine mansurum. Amen. Transtulit enim hunc libellum sanctissimus Gotiscalcus episcopus ex Spania ad
30 Aquitaniam, tempore hiemis, diebus certis ianuarii uidelicet mensis currente feliciter era DCCCCLXXXVIIII[a] regnante domino nostro Ihesu Xristo, qui cum patre et sancto spiritu unus Deus glorificatur in saecula saeculorum. Amen. Ipsis igitur diebus obiit Galleciensis rex Ranimirus.

b) *Oración del clérigo Abraam*

Adtende, domine, propitius mee seruitutis obsequium et miserere fideli famulum tuum Gotiscalco episcopi per suffragia beata semper uirginis Maria, et illi et omnes qui precepta sua obediant, cunctis eorum sceleribus amputatis, ita sint tue miserationis defensione protecti ut in obser-
5 batione mandatorum tuorum mereantur esse perfecti, quatenus in hac uita uniuersa facinora careant et ante conspectu glorie maiestatis tue quandoque sine confusione perueniant. Vt dum ante triuunal tuus presentatus adstiterit, absque reatu ueridica uoce dicat: «Ecce ego et pueri quos mici dedisti, qui preceptis meis obedierunt, et me et illi te prestante
10 et adiubante inlesi tibi preparabi. Amen». Tunc illi audiant te respondente atque dicente: «Serbe meus Gotiscalcus, quem constitutus pastor super oues meas fuisti et ordinationem episcopi abuisti, tu et tui intra in gaudium meum; quia super pauca fuisti fidelis, supra multa te constituam. Quiesce in requiem meam. Amen». Tu, domine, qui nosti
15 omnia antequam fiat et... cognoscis, tua est omnia et in te est omnia et per te sunt omnia et absque te factum est nicil, presta nobis misericor-

---

b)

1-6 Missa omnimoda (Lib. ord. 235) 6 cf. Rom. 14,10 9 cf. Ioann. 21, 17
10-11 Matth. 25, 21 13 Ioann. 1, 3

Cod. Paris Bibl. Nat., *lat. 2855*, fol. 69.
Edd. V. Blanco, *San Ildefonso*..., 37-38; id, *Santos Padres*..., 28.

2-3 famulum — et illi *sup. ras.: prius scripta minime legi possunt* 7 tuus *cod.* 10 preparabit *cod.* 11 quam *cod.* 13 te *sup. lin.* 15 *post* et *ras.* *post* cognoscis *iterum ras.* 16 per te *ego:* per *cod.*

diam tuam qui tantam auere fidem adque prudentiam, ut cum angelis eternam possident uitam, ut Iacobo apostolo tuo, in quo die per fidem coronatum ab angelis in celum ascendit, in ipso quoque die dudum Go-
20 tiscalcus episcopus, dex utero matris sue natus, super terram apparuit, et iterum in quo die natus in ipso quoque iterum dudum accepit episcopatus, illi et quos reget, inereat absque reatu ante conspectu tuo quandoque fieri presentatus. Amen. Peto, domine, ego quoque famulum tuum Abraam, uidelicet necnon et socii mei, ut per suffragia famuli
25 tui Gotiscalcu episcopi a te accipere uenia, et pergere ad locum quod tibi iustum est, angelo sancto tuo nos protegente et procedente, adque ab omni malo defendente. Per dominum.

22-23 cf. Lib. Sacram. 1022 bis

APENDICE II

Vita Salvi abbatis

Saluus abba Albaildensis monasterii uir lingua nitidus et scientia eruditus, elegans sententiis, ornatus in uerbis, scripsit sacris uirginibus regularem libellum et eloquio nitidum et rei ueritate prespicuum.
Cuius oratio, nempe in hymnis, orationibus, uersibus ac missis quas inlus-
5 tri ipse sermone composuit plurimam cordis compunctionem et magnam suauiloquentiam legentibus audientibusque tribuet. Fuit namque corpore tenuis, paruus robore sed ualide feruescens spiritus uirtute. O quanta illius ex ore dulciora super mella manabant uerba, cor hominis quasi uina laetificantia! Obiit temporibus Garseanis christianissimi regis et Tude-
10 miri pontificis, IIII idus februarias era millesima, sana doctrina, praestantior cunctis et copiosior operibus caritatis. Ac sic in praedicto coenobio iuxta basilicam sancti Martini episcopi et confessoris Xristi est tumulatus sorte sepulcrali; ad cuius pedes eius discipulus Belasco episcopus quiescit in pace

---

1-2 Isid. uir. 17 disertus lingua et scientia eruditus 2 Isid. uir. 15 elegans sententiis, ornatus in uerbis 2-3 Ildeph. uir. 13 scripsit... libellum et eloquio nitidum et rei ueritate prespicuum 4-6 Isid. uir. 6 cuius oratio et plurimam cordis compunctionem et magnam suauiloquentiam tribuit 4-5 Isid. uir. 17 illustri sermone 6-7 Ildeph. uir. 13 fuit namque corpore, paruus robore sed ualide feruescens spiritus uirtute

Codd. Escorial Bibl. Mon., *d.I.2,* fol. 343 (= A); Escorial Bibl. Mon., *d.I.1,* f. 347v (= *E*)

Edd. G. de Loaysa, *Collectio Conciliorum Hispaniae,* Madrid 1593, 774; A. Miraeus, *Bibliotheca Ecclesiastica,* Antwerpen 1639, I, 10, 2; J. Sáenz de Aguirre, *Collectio Maxima Conciliorum Omnium Hispaniae et Noui Orbis,* Roma 1693, III, 83; J. Mabillon, *Acta Sanctorum Ordinis Sancti Benedicti,* Paris 1701, VII, 296; J. A. Fabricius, *Bibliotheca ecclesiastica,* Hamburg 1718, 68; Ch. J. Bishko, *Speculum,* 23 (1948), 575-576.

4 Ymnis *codd.* 6 suabiloquentiam *codd.* 7 ferbescens *codd.* 11 prestantio (*postea expunctum*) prestantior A karitatis A 14 in pace Christi *E*

APENDICE III

Suscripción del códice de Esmaragdo de Valvanera

Explicitus est codex iste sub die quod erit III° idus maias die sabbato era DCCCCLXLIIa, lune cursi XXII, luna nona, regnante rex Ordonius in Legione et comite Fredenando Gundesalbiz in Castella. Deo gratias.

Quisquis hic concinerit aut conceptor reppertus fuerit deum poli ynter-
5 pellari pro seruulis non desistat, ut hic in presenti euo faciat sequipedas fore sanctis illas quos subter adnotabimus et post cum illis feliciter uiuire concedat in caelestibus regnis. Amen. Quia si sciretis quantasue calamitates quantasque noctes duximus insomnes, magis ad funus animaduertitis omnia ad gaudium manus plauderetis. Scriptori concedite ueniam

---

Cod. Valvanera Arch. Mon., *Esmaragdo,* fol. 95

Ed. A. Pérez, *Berceo,* 4 (1947), 416

1 ids *cod.* mais *cod.* sabto *cod.* 5 seruulis *edd.:* se /// u /// lis *cod.* reruulis *fere legitur* 6 illas *cod. ut uidetur* 9 scriptori *sic lectionem solui*

APENDICE IV

Colofón del manuscrito de Jimeno de las Etimologías

Explicitus est liber ethimologiarum era DCCCCLXXXIIIIa
XIII kalendas septembres lune cursu discurrente XXIII luna XVIIIIa
regnante rege Ranimiro in Legione et Garsea Sanctio in Panpilona
Gomesani denique abbati sancto Emiliano Dircetii monasterii regente.
5 Ora pro scribtore Eximinone archipresbitero, si deum ubique protectorem habeas tuo in uoto

Lege felicior ut sis felicior. Legenti ac possidenti uita

	En ora paginis	**A**lacer	insede**nS**
	Xistentesque fessos	**B**is meis	artus si**C**
10	**I**nmixtis omnibus	**B**onis	adiungie**R**
	Minax aufugiam	**A**traque	baratr**I**
	Inprecor fratribus	**T**oth uos idem	rit**V**
	Nomen caput sic et	**I**n medio	abb**A**
	Oratu dignior	**S**ic memet	fertit**E**

Cod. Madrid Bibl. Acad. Hist., *cód. 25*, f. 295v.

Edd. G. Loewe-W. von Hartel, *Bibliotheca Patrum Latinorum Hispaniensis,* Wien 1886 (= Hildesheim 1973), 493.

1 est: es est *cod.* 2 luna: *bis scr. cod.* 8-14 alacer-fertite *per hos uersus signa metrica sup. uerba* 11 *post* minax *ras. cod.* 13 et an eor in medio //// abba *cod. (manus s. XVII in rasura exstitisse* mecor *ait)*

acromesotelestichon lege: EXIMINO ABBATIS SCRIVAE

APENDICE V

Colofón del manuscrito de la Regla femenina najerense

Enneco garseani licet indignus presbiterii tamen ordine fun/c/tus in accisterio sancte nunilonis et olodie alitus diuino presidio fultus huius scriptionem libri regula nomen continente nagela simul sanctarum nunilonis et olodie perfectum est hoc opus feliciter currente era millesima XIIIIa
5 VII kalendas decembres. Ob quod humiliter suplicans uos omnes obsecro quiquumque hic legeritis ut Xpm dominum exoretis qualiter pregatibus uestris illis...

Cod. Madrid Bibl. Acad. Hist., *cód. 62,* fol. 92v.

Edd. G. Loewe-W. von Hartel, *Bibliotheca Patrum Latinorum Hispaniensis,* Wien 1886 (= Hildesheim 1973), 521; Ch. J. Bishko, *Speculum,* 23 (1948), 569; A. Canellas, *Exempla scripturarum latinarum*, II, Zaragoza 1966, 47; A. Linage Conde, *Una regla monástica riojana*..., Salamanca 1973, 61, 95-96.

1 functus: c *sup. scr. cod.* 2 huius: *prius cod.* hus *postea corr. ipsa manus* 5 obsecro: ob oferto *Bishko Canellas* 6 quicumque *edd., at post* qui *et ante* que *aliquod aliud scribitur: an* quum? pregatibus *id est* precatibus: precibus *Linage* pregobus *Loewe-Hartel Bishko Canellas* 7 uestris: usis *cod. seruauerunt Loewe-Hartel post* illis *reliqua desiderantur*

APENDICE VI

Colofón del Liber Ordinum de S. Prudencio de Monte Laturce

Exaratum est hunc ordinem librum per iussionem domno Dominicus presbiter qui et abba ex cenobio sancti Prudentii amminiculante Santio Garseiz de Monte Albo simul cum sua uxore Bizinnina ut fiat remedio illorum anime. Ego Bartolomeus licet indignus presbiter tamen ordine func-
5 tus hunc ordinem exaraui brebi formula compactum sed ualde ordinibus eclesiasticis abtum// feliciter currente era TLXLa XV kalendas iunias, unde humiliter precamur presentium et futurorum piam in Xristo dilectionem qui in hoc libello sacrificium deo obtuleritis predictos nos flagitiorum mole grabatos memorare non desistatis qualiter adiuti precibus ues-
10 tris erui mereamur ab ardore auerni et uiuere cum Xristo in seculis sempiternis amen

---

Cod. Silos Bibl. Ab., *ms. 4,* fol. 331v- 332

Edd. M. Férotin, *Le Liber Ordinum,* Paris 1904, xviii et 431-432 (*iterum latinitate correcta, ibid.*); W. Muir Whitehill-J. Pérez de Urbel, *Boletín de la Real Academia de la Historia,* 95 (1929), 536

4 presbiterii *Férotin* 5 ordinum *Férotin*

APENDICE VII

Colofón del manuscrito emilianense de las Colaciones de Casiano

Explicit liber conlationum editum a beato cassiano presbitero. Deo gratias.
Oramus orantes deus quesumus exaudi amen consummatus est liber
iste XVI kalendas septembres in era dCCCC.L.V. Orate pro exceptore,
si dominum habeatis protectorem et in eternum regnetis cum Xristo salua-
5 tore. Amen. Quia qui pro alio orat semet ipsum deo comendat. Rogo
te lector qui et manus mundas in spatium teneas ne littera deleas

---

Cod. Madrid Bibl. Acad. Hist., *cód. 24*, fol. 155

Edd. P. Ewald, *Reise nach Spanien im Winter von 1878 auf 1879*, Hannover 1881, 332; P. Ewald-G. Loewe, *Exempla scripturae visigothicae*, Heidelberg 1883, praef.; G. Loewe-W. von Hartel, *Bibliotheca Patrum Latinorum Hispaniensis*, Wien 1886 (= Hildesheim 1973), 502; P.K. Klein, *Der ältere Beatus Kodex Vitr. 14-1 der Biblioteca Nacional zu Madrid*, Hildesheim 1976, 553

2 oramus: *an legendum* oremus ? 3 in era dccccLv *quod ut uidetur scripserat prima manus postea plane erasum* 4 setembres *cod. seruauerunt Loewe-Hartel Klein* d.CCCC.L.V: d.CCCC *bene leguntur reliqua dubia* d.CCCCa.V *legebant Loewe, Clark, García Villada, Domínguez Bordona;* LV. *dubitanter Loew*, Studia paleographica, *München* 1910, 68, *nunc dubitat Klein; at mihi* a *ante* V *ualde inuerosimil uidetur* *in uersu uacuo add. m. s. XVI (?)* abbas Emls in sco Emilno 6 conmedat *cod.* 7 mudas *cod.*

APENDICE VIII

Anotaciones del códice conciliar albeldense

a) *folio 4*

Ab Adam usque era TXIIIIa in qua est editum opus huius codicis fiunt anni VICVIII

b) *folio 428*

Urraca regina. Sancio rex. Ranimirus rex. in tempore horum regum atque reginc perfectum est opus libri huius discurrente era TXIIIIa. Sarracinus socius. Vigila scriba. Garsea discipulus. Vigila scriba cum sodale Sarracino presbitero pariterque cum Garsea discipulo suo edidit hunc librum. me-
5 mentote memoria eorum semper in benedictione

c) *folio XXII*[v]

In exordio igitur huius libri oriebatur scribendi uotum mici Vigilani scribtori, sed fusorem pargamenum nimis uerebar. Tamen quid mici olim conueniret agere nisi duuietate postposita ut in nomine (domini) mei Ihesu Xristi incoasse scribendum. Inito autem affectu certatim cepi edere
10 ceu iconia subinpressa modo ostendit et ad ultimum nitens perueni. Idcirco grates ipsi domino qui mici dignatus est auxiliari. Demumque post peracto huius uite cursu dignetur largiri premia eterna cum celicolis in regno polorum amen

---

Cod. Escorial Bibl. Mon., *d.I.2*

Ed. G. Antolín, *Catálogo de los códices latinos de la Real Bibiioteca del Escorial*, I, Madrid 1910, 404. 370.

APENDICE IX

Colofón del manuscrito patrístico de Jimeno

A pesar de todo el interés puesto en ofrecer en edición depurada este importantísimo colofón, me ha sido imposible lograr mejores y más completas lecturas. He utilizado lámpara ultravioleta para reparar el texto y tratar de beneficiarlo de su luz; pero como las pérdidas son por desgaste --de ahí que afecten singularmente a los terceros versos de cada estrofa, que caen en el manuscrito hacia el doblez ya que las estrofas están copiadas a lo largo-- no resulta de mayor utilidad este artificio. Para la edición las dificultades son innumerables: apenas tampoco interesa completarla con la que en su día ofreció Dom De Bruyne, porque su lectura fue muy rápida y su maestría en las peculiaridades de la escritura denominada visigótica escasa. Advierto que leí y transcribí por vez primera en 1966 este colofón; los resultados de aquella lectura constituyen la base de mi edición. Cuando recientemente me he inclinado de nuevo sobre el manuscrito, me ha parecido encontrar mayores dificultades: a solos doce años de distancia numerosos trazos y hasta letras parecen haberse perdido irremediablemente. Por otro lado, es de recordar aquí que nos encontramos ante una copia del colofón de Jimeno y no ante el texto de éste mismo; hay, pues, que conceder a errores y desatinos de copia ciertas lecciones extrañas que nos proporciona el manuscrito (valga como ejemplo, no único ciertamente, el caso de *ioui insani* por el indiscutible *Iouiniani*). En la confección del poema, a pesar de un relativo dominio de los recursos, Jimeno se ha visto forzado por las exigencias del metro utilizado: estrofas trísticas de versos formados por dos hemistiquios, regulares, de 8 más 7 sílabas. El primer hemistiquio acaba siempre en palabra paroxítona; el segundo hemistiquio remata siempre en esdrújula. La comprobación minuciosa de este principio métrico permite ciertas sugerencias para completar o ameliorar el texto trasmitido; pero las complicaciones, en este caso, vienen por el léxico y las enrevesadas construcciones empleadas. Querría señalar también que las dos últimas estrofas, en que se describe la técnica utilizada por el poeta y se daría la indicación del lugar donde éste escribía, plantean algunas dificultades métricas, comprensibles.

Ad litus scribendi libri insum ego misero
  Et fult - - - trimento superno solacio
    Corde canam illi promto hac uita dum egero.

Cod. Madrid Arch. Hist. Nac., *cód. 1007B,* fol. 129[v].

Ed. D. De Bruyne, *Revue Bénédictine,* 36 (1924), 19

acromesosticha sic lege; prima linea Aeximinus hoc misellus scribsit; *media linea* era nonagesima septuagesima; *ultima uero* cursu nono decimo kalende aprili

uarias lectiones ex mendosissima ed. De Bruyne neglexi lineolis et apicibus syllabas quae desiderantur notaui 2 *an* fulgente nutrimento? *at una syllaba claudicat*

Exelso ubertim laudem concrepans suabius
5 Repend ---- illo digno semper nomini
Vim ipse nec habens per met inprecor libamina

Xistite mecum fideles simulque doctissimi
Ast carmen Iouiniani proculque abicite
Renitenti ea uirgo doctorque Iheronimo

10 Isdem hic uolumen caput hoc dedere nomini
Nempe apologia uocans, idem excusatio,
Stupratores telo ferit uirginum armigero.

M - - s stirpata hereses castos docet uiuere
Opulenta paradisi puri dandi cordibus
15 Vita mera corpus uirgo regno locat supero.

In uita - - celesti suabe palatio
Nablos ibi modulorum cit crepare organa
Nisi suo ter psallentes sonusque sepissime

Nari uestre - es suos narcisumque balsamum
20 Ammomis puluisculorum ex zabernis uirginum
Odor experos fructecti omnigenis adiunt

Vim dein - - - istud scema tenet florida
Gestans Euceri sacra fabella deifica
Nodos bibli siue noui nodatim orsificat.

25 Sic dein pon - - - lis continet loquutio:
Exitus futuri secli Iuliani presagus
Opus tria sic constrinxit uno in uolumine.

Haud casus mortium firmet hoc timere timidis
Notat ex stilo conscribto fide iustus uiuitat
30 Deum satis possidere ablato corpusculo;

Opus et secundi libri plausti firmat genere
Terre uiuos morituros sortis primo ducere
Ex bucina septimaque cinis arens uiuere,

---

5 digno - nomini: dignos esse pronomini *De Bruyne* 6 ilamin/*cod. id est* lebamina *an potius legendum* iubamina? 8 Iouiniani *corr. De Bruyne:* ioui insani *cod.* 11 idem: *proculdubio legendum* id est 13 M..s *cod.:* multas *conieci* heres *cod.* 14 *lege* puris 16 *an* illa? 18 *uidetur* sonsque *scripsisse cod.* 19 nari uestre *incerta* 21 *an legendum* odores per hos *uel quid simile?* 25 pontificalis? 26 Iuliani *cod.: an* Iulianus?

Cristo et pie ueniente congregatim rapere
35 Et presens arbiter ille rationem ponere.
Cohors una omnis turma ei presentauere.

Mobet in tertius liber pondere iudicii
Singulorum facta dicta prorsius discernere,
Iustis bona, malis mala sustinebunt propria.

40 Idcirco terrore terrae post formido quatere
Ius iudicii peracto igne uim conflabere,
Malis terre absorbeuit cruciandis iugiter.

Sursum tulti omnes sancti in eterna gaudia
Mala euasisse gaudent, Xristo grates personant,
45 Orant Xristo solioque in eterno seculo.

En meis adclinis uobis supplico confratribus
Ac sudo pro me rogetis clementemque solium
Kalam suo mensurando utar poli circulo.

Lebamen utrique unum conferamur inuicem,
50 Sic uosmet iubantes promte euadamque tartara
Ac istut demtoque corpus in eterno gratuler.

Lues me obuoluunt graues criminum frequentia,
Emolumentoque nullo possim ita consequi
Letale inciso uulnus mortis uol - - - us.

55 Vulneratus sum ab hoste ex aduerso fortiter,
Pigmentariorum nullo conperi ac medico,
Et circlo girante eui solum tem - perio.

Simul mecum cuncti flete, ciuem summam querite,
Tonos angelorum choros alta mentis anelo
60 Nitor proprio cum nisu appetere -- am.

Spiris malis, Xriste, terror eruito misero
Varatri ob immo mergar, porrige solacio
Defossus inlesum iacens rugi - er ---

---

34 et *abundat delendum* 40 idcirclo *cod.* 48 circulo *ego:* -lo *cod.* 50 iubantes *correxi:* -te *cod.* euadamusque *cod.* 53 *potius* possum 54 *an* uoluntarius? 60 gloriam? 63 rugi *ualde dubia*

Corpus ab ipso mortale portoue dominio
65 Animam bell ----/----́ ore
E -- suspirans uita idem - et ́---

Rapto in extremo fine legis carne cogito
Gratanter nec dis -́-/- malus contagiis
Applicat ---́/----́-

70 Isdem m - - ti sodales, amicorum proximi
Et rupto sarcine corpus oratu confertite
Po -----́/----́-

Beatus et --́ tus proximorum funere
Supplicator adstans iugis - ut pium dominum
75 Rire suo delet ́-/----́--

Sic met ipse credensque quisquis in hoc legerit,
In dictis piorum patrum memorare postulo
Ibi iungar hic in ́-/----́--

In linea enim prima nomen scribe precipi,
80 Mediam etenim ita simul era connectens
Lune cursu tertia iung ---́--

Toth ista fore conscribta alba possidentia
Ac degenti - centiesque fratrem in loculo
In honorem beatorum m----́--

70 *an* meritis? 74 ut *incertum* 76 sic - credensque *una syllaba desideratur* in *pr.m.sup.lin.* 77 piorum *cod.: an* priorum? 83 bis centiesque *legere uelim si cum Appendice I a lin. 3 conferatur an* in loculo? 84 beatorum *non bene legitur titulus ecclesiae uel coenobii proculdubio sequebatur*

APENDICE X

Exorcismos nocturnos poéticos

Nuestros dos poemas han sido fabricados como desarrollo de unos poemas de Eugenio de Toledo que figuraban en las dos grandes antologías en que éste ha sido trasmitido, el códice Paris Bibl. Nat., *lat. 8093,* de comienzos del siglo IX, comúnmente denominado *Anthologia Hispana,* y Madrid Bibl. Nac., *10029*: este último, por consiguiente, ofrece a la vez los poemas de Eugenio y el parto anónimo que he situado conjeturalmente hacia el sigio IX.

El primero de los poemas está compuesto por diez estrofas de tres versos cada una; las dos primeras de estas estrofas son las dos en que consiste el poema 77 de Eugenio, y las restantes siguen su pauta. Los versos, septenarios trocaicos, recuerdan rítmicamente la métrica del poema de Eugenio y, hasta cierto punto, la del poema *Pange, lingua, gloriosi lauream certaminis* de Venancio Fortunato, conocido en la liturgia hispánica.

El segundo exorcismo, también elaborado rítmicamente a partir de otra composición de Eugenio, su poema 78, está constituido por cuatro estrofas, cada una de las cuales integrada por dos dísticos elegíacos --a Eugenio, con variantes, se remonta la primera--, cerradas por un trímetro jónico, obra del toledano, su poema 79 (según la numeración de la edición de F. Vollmer, *MGH auct. antiq.* XIV, Berlin 1905). Este último verso, como se ha señalado algunas veces, fue utilizado también en 1051 para la inscripción que campeaba en la iglesia de Leorio, cerca de Gijón (E. Hübner, *Inscriptiones Hispaniae Christianae,* Berlin 1871, 86 n° 268). Tal como nos ha llegado este segundo exorcismo, que no aparece neta y suficientemente distinguido del primero en los manuscritos, parece obra de un escritor menos ducho que el que remedó en el primero a Eugenio de Toledo, a no ser que la dificultad le haya venido en este caso del ritmo seguido. La última estrofa, casi desesperada, había sido dejada de lado por Traube, como si no formara parte del poema. Pero ciertamente le pertenece como tal, a juzgar ya por el hecho de que se remata con el mismo refrán que las otras: los numerosos fallos corresponden al autor del engendro y a su deficiente trasmisión que no puedo envanecerme de haber resuelto, a pesar de haberlo intentado.

Las rúbricas que cierran el texto restituyen el carácter estrictamente litúrgico del conjunto. A estos mismos ambientes litúrgicos nos envían asímismo las frases paralelas que aducimos.

Agradezco al Prof. Dr. Sergio Alvarez Campos valiosas ayudas en la discusión del texto.

a)

Inclite parentis alme Xriste, pignus unicus,
membra, que labore fessa nunc repono lectulo,
cerne mitis ac benignus atque clementissimus.

Tolle monstra, stringe fibras et soporem tempera,
5 improua ne, dum quiete praegrauantur uiscera,
demonum fraude maligna sentiant piacula.

Celsa prorsus ingens ori fata laudum cantica,
extat mens celitus almi animo ferbentior;
ingerat effectum uite tempus noctis ualide.

10 Vt per hoc noctis errorem deuincam uiriliter,
expugnato ceruleo spiritu nequissimo
miscar tuis cum amicis supernorum ciuibus;

Indito crucis uexillo tue fortitudinis,
presignatum cor et corpus alternis oraculis,
15 clipeo fidei gliscens inesse sub tegmine.

Increpet in te redemtor, milleformis subdole,
ut discedas nunc a nobis, ipse tibi imperet,
procul ut effugiaris ab istis Xristicolis.

---

a)

1-6 Eug. Tolet. carm. 77 7 cf. Hymn. Felic. 1, 1, 6 laudem carmina 13 cf. Lib. Ord. 10 exorcizetur tue crucis vexillo 16 cf. Lib. Ord. 74 increpet dominus in te; cf. Lib. Sacr. 842 subdoli inimici

Codd. Paris Bibl. Nat., *lat. 2855,* fol. 159v - 160v (= *P*); Madrid Bibl. Nac., *10029,* fol. 158-159 (= *M*) (= Madrid Bibl. Nac., *13062,* fol. 139-139v ; Toledo Bibl. Prov., *Borbón-Lorenzana* 79)

Edd. L. Traube, *MGH poet. aeu. carol.* III, 1, Berlin 1896, 149-150 (*ex M*); J. Gil, *Corpus scriptorum muzarabicorum,* Madrid 1973, 690-691 (*ex M*)

1 *ante* Inclite *add.* Dicendi uersiculi ante lectum episcopi *P* unicum *Eug.* almi *Eug.* 3 ac: et *Eug.* 7-8 *sic codd. incerta* 7 rata M *correctum censet Gil* 9 effectum *P:* perfectum *Gil* premium *M* 10 (h)orrorem *uolebat Traube* 11 *legendum* ceruléo *ut uid.* 12 cibibus M 13 uexilo *codd.* 14 presigna tum *Traube Gil* aeternis *Traube* 15 clipeo *PM* clipei *Gil* fideli *M* 16 subdole *P*: demonum *M* demonem *Traube* 18 effugearis *P*

Meminere enim debes penam tibi deditam.
20 Intuitus membra Xristi time, fugam arripe,
Sitque nobis ipse Xristus prestus ad custodiam.

Confusus procul a nostro recedas cenobio,
intuere nos munitos crucis signo ualide;
fuge prorsus, fuge, demon, esto tuis particeps,

25 Usque diem illum magnum uerique iudicii;
tunc sanctos quos tu temtasti, coniungentur angelis:
eris quoque tu damnatus in eterno uaratro.

Gloria carmen resonat patri atque filio,
spiritu, quo semper extat coniuncta equalitas,
30 qui cum deo patre regnat perfectaque trinitas

b)

Imperat omnipotens: procul, o, procul effuge, demon,
ne fraude nostrum possis adire torum,
ne somnium turbes nec mortis uincla ministres,
ne fallax animam sordides ipse meam.
5 Crucis alme fero signum, fuge, demon.

Hic pater et uerbum uel sanctus spiritus adsit
unus ubique deus celsus et omnipotens,
lubricus inc anguis fugiat in tartara preceps,
pectora ne noceat rite dicata deo.
10 Crucis alme fero signum, fuge, demon.

---

23 cf. Lib. Ord. 80a muniatur signo sacratissime crucis

21 custodia *M* 23 signum *M* 25 que *abundat* 27 uatro *M* 29 que *P* 30 regnat *om. M:* compar *coni. Traube* Amen *add. P*

---

b)

1-4 Eug. Tolet. carm. 78 5.10.15.20 Eug. Tolet. carm. 79

Codd. Paris Bibl. Nat., *lat. 2855,* fol. 159v - 160v (= *P*); Madrid Bibl. Nac., *10029,* fol. 158-159 (= *M*) (= Madrid Bibl. Nac., *13062,* fol. 139v)

Edd. L. Traube, *MGH poet. aeu. carol.* III, 1, Berlin 1896, 149-150 (*ex M*); J. Gil, *Corpus scriptorum muzarabicorum,* Madrid 1973, 691 (*item ex M*)

3 somnos *Eug.* 4 nec fallas animam sordibus *Eug.* 8 inc anguis: incamnis *M de* hinc anguis *cogitauerat Traube post* preceps *add.* per *M* 9 pectora - dicata *P:* pectorum - dicate *M Traube* 10 *breuius* Crucis alme *M* Crucis *P*

Sit celle dominus sanctus, sit mente benignus
    ut placeat Xristo, fulgeat ut merito.
Exorcidio uos omnes, demonum fantasma,
    uos, omnes angeli iniqui, fugite abhinc.
15 Crucis alme fero signum, fuge, demon.

Quam telluris spatia porriguntur, date
    deo omnipotenti honorem per hoc signum
sancte crucis tropeum magnum et uenerabilem,
    per quem uos iussi expelli, ‹fugite abhinc›.
20 Crucis alme fero signum, fuge, demon.

Per diem salbasti nos, domine, in nocte custodi nos, Iesu Xriste. *Tribus uicibus.* Deo gratias semper, benedictus dominus, amen. Deo gratias semper. *Et benedictione petita atque percepta pergunt ad lectulos suos*

---

13 cf. Lib. Ord. 24 omne fantasma Satane

11 *post* mente *add.* pie *codd., metri causa iure deleuit Traube* 12 merito *codd.:* ut merito *corr. Traube* 13 *post* demonum *add.* in *sup. lin. M* 15 signum - demon *om. codd.* 16 porriguntur date *codd.: at uersus una syllaba claudicat* 18 uenerabilem *codd.: fortasse rectius* uenerandum 19 iussit *codd.: emendaui hemistichion desideratur quod ex u. 14 suppleui* 23 et - suos *om. M*

APENDICE XI

Del códice conciliar emilianense

a) *Prefacio métrico*

Hee pagine retinent ueneranda deifica orsa
que nobis prisci euangelizauere prophetae,
aduentus domini nuntii celsi atque benigni,
necnon iuncta item sacra apostolica dicta
5 que cunctos ethereum obtante pertingere portum
pre uarios modos et tramitem idem electos
arci uolanti poli sic pinnigerando ascendunt:
instruere pergenti uiam non denegant almam,
nec callem stanti perfectum imbuere cunctant.
10 Ergo legens flagito decenter poplite flexo,
fastigii culmen tui quod proteletur in euo,
quum nemoris ceperis huius uindemiam edi
et sub densa eius opaca cubaberis ipse,
ut ructanda queas plenissime tradere menti
15 Sisebuti episcopi olim qui cuduit istum
cum nepote suo equiuoco iam fato:
non pigeas obsecrare clementem ob illos
omnium auctorem recta precordia Ihesum
ut munia orantum uitemur mergi ereuo
20 et celi agminibus sanctis misceri perenne

b) *Suscripción del códice*

Urraca regina. Sancio rex. Ranimirus rex. in tempore horum regum atque regine perfectum est opus libri huius, discurrente era MXXX. Belasco scriba. Sisebutus episcopus. Sisebutus notarius. Sisebutus episcopus cum scriba Belasco presbitero pariterque cum Sisebuto discipulo suo edidit
5 hunc librum. mementote memorie eorum semper in benedictione

---

Cod. Escorial, *d.I.1,* fol. 13 (a); fol. 470 (453) (b)

Ed. G. Antolín, *Catálogo de los Códices Latinos de la Real Biblioteca del Escorial,* I, Madrid 1910, 323 (a); 367-368 (b)

13 *iniuria praetermisit Antolín* *cf. etiam p. 288*

APENDICE XII

Nota aritmológica en el Códice de Roda

De coagolatione hominis in utero

Sex. VIIII.XII.XVIII fiunt XLV. Adde ergo ad numerum ipsum I et fiunt XLVI; hoc sexies fiunt CCLXXVI. Dicitur autem conceptio humana sic procedere et perfici, ut primum sex diebus quasi lactis habeat similitudinem et 5 sequentibus VIIII diebus conuertatur in sanguinem, deinde XII diebus solidetur, reliquis XVIII formetur usque ad perfecta liniamenta. Omnium membrorum exhinc iam reliquo tempore usque ad tempus pariendi magnitudinem augetur. XLV diebus, addito uno quod significat summa (quia VI et VIIII et XII et XVIIII in unum coactum fiunt XLV), addito ergo, ut 10 dictum est, uno fiunt XLVI, qui cum multiplicati fuerint per ipsum senarium numerum (quia huius ordinationis caput tenet) fiunt CCLXXVI, id est, nobem menses et VI dies, qui computantur ab VIII kalendas apriles, quo die conceptus dominus creditur (quia eodem die etiam et passus est), usque ad VIII kalendas ianuarias, quo die natus est. Non absurde XLVI 15 annis dicitur fabricatum esse templum, quod corpus eius significabat; et quot anni fuerunt in fabricatione templi, tot dies fuerunt in corporis domini perfectione. VIII kalendas Apriles uenit angelus Gabriel ad Mariam uirginem et predixit ei de aduentu Xristi et statim ora ingressus est Xristus in utero eius. Et portauit eum in utero suo usque die VIII 20 kalendas ianuarias. Et sic egressus est de utero eius enitens lumen iubar splendidissimus, nobus homo, qui ante secula cum patre et spiritu sancto, conexa trinitas, cuncta creauit

---

Cod. Madrid Bibl. Acad. Hist., *cód. 78*, fol. 209

4 *post* perfeci *ras.cod.* 6 omnium: *prius scripserat* hominum *cod.* 18 ora *cod.*

APENDICE XIII

Textos dispersos del códice Madrid BAH 39

a) *Fábula de la vid y la oliva*

Vitis et oliba dum essent in unum locum, multis iniuriosa dixit uitis ad oliba: «Quid tibi iocaris, nigra?» Respondit oliba: «Quare non tacis, humilis publiosa? Conligas te ad arborem sicut cerbum ad montem; calcant te et premunt te, sine foco ferbes, intras in hominem, loqueris
5 quod non debes, promittis quod non abes, inter uxorem et maritum scandalum facis; nam ego oliua in pauperibus meis domino meo lucernam inlumino»

b) *Fábula de la mosca y la hormiga*

Quisquis se laudauerit, ad nicilum sepe euenit. Nam formica et musca contendebant acriter, que melior illarum fuisset. Musca sic cepit prior: «Numquid te nostris potes comparare laudibus? ubi ymolatur, exte prima gusto; in capite regis sedeo, et omnibus matronibus oscula dulcia figo.
5 De quibus rebus tu nicil». Et formica sic agit contra hec: «Tu diceris inproba pestis: laudas inportunitatem tuam? Numquid obtata uenis? Reges autem nominas et matronas castas: tu inportuna adiris et dicis omnia tua esse quum ubicumque accedis effugaris, undique inportuna pelleris, quasi iniuriosa abigeris? Estate uales, pruina ueniente peris; ego uero
10 //fol. 262// sum deliciosa: hyeme mici secura sum, me incolomem abet tempus, me gaudia sequuntur. Tu cum uentoso flabello pelleris sordida». Hec fabula litigiosorum est: dicis, dico; laudas, laudo

---

a)

Cod. Madrid Bibl. Acad. Hist., *cód. 39,* f. 261v
Partim ediderat D. Alonso, *Revista de Filología Española,* 37 (1953), 68.
1 multis: uitis *ut uid. cod.*

---

b)

Cf. Phaedr. 4, 24
Cod. Madrid Bibl. Acad. Hist., *cód. 39,* f. 261v
Partim ediderat D. Alonso, loc. cit., 68.
3 potest *cod.* 9 pruna *cod.*

c) *Acertijos no sinfosianos*

1

Est caput iniunctum, in amplum extenditur uenter,
et dum onera porto, cantilena compono————carro

2

Verbis crede meis quoniam non fribula fingo:
somnia nulla canam nec carmina falsa poete.
5 Me iubenes cernant, quibus est sapientia cordis
et uirtutis amor, magnaque cupidine capti
ferratas acies metuunt nec agmina densa:
orribili uultu nam terreo corda uirorum.
Vera loquar: fero terna quater capitum super unum,
10 sunt mihi bis duodeni oculi et duo lumina frontis;
bis decies senosque pedes mihi contulit auctor,
unguibus ecce decem uicies et cum deciès sex,
dentibus atque quater centum, bis nam siue septem.
Terribilis propero pulchros per rura, per agros,
15 uocibus adst multis comitor mestoque tumultu.

d) *Noticias previas al Cronicón Albeldense*

1 Exquisitio totius mundi

Omnis mundus discribtus est a uiris sapientissimis, id est, Nicodoso,

---

c)

1) Cod. Madrid Bibl. Acad. Hist., *cód. 39,* f. 261

Ed. D. Alonso, cit., 67

2) Codd. Madrid Bibl. Nac., *10029* (= *T*); Madrid Bibl. Acad. Hist., *cód. 39* (= *E*)
Ed. L. Traube, MGH *poet. carol. aevi* III, 2, Berlín 1896, 749 ex *T* (iterum *Patrologiae Latinae Supplementum,* IV, Paris 1970, 1681)

3 fibula *ex corr. T lege* friuola 4 pouete (= poaete) *E* 5 cordi *Traube* 6 capto *E* captibi *corr. T* 9 loqua *T* 11 senesque *T* 13 uis *E* sibe *E:* seu *T Traube* (cf. *Karolingische Dichtungen,* 112) 15 ad te *codd. corr. Traube* *solutio aenigmatis desideratur de tredecim consonantibus cogitabat Traube intellige 13 capita, 26 oculos, 26 pedes, 260 ungues, 414 (sic, debuit 416) dentes*

---

d)

1) 2-4 excerpta ex Iulio Honorio 21-23, cf. Escorial, *R.II.18*

Cod. Madrid Bibl. Acad. Hist., *cód. 39,* f. 245ᵛ- 247

Edd. J. Del Saz, *Crónica de España Emilianense,* Madrid 1724 (1-6) ; H. Flórez, *España Sagrada,* Madrid 1756, 473- (1782, 433-) (1-6); Th. Mommsen, *MGH chronica minora* II (*auct. ant. XI*), Berlín 1892, 371-372 (*excerpta ex Flórez*), 389 (2,3,4,5); A. Blázquez, *San Isidoro de Sevilla, Mapa-Mundi,* Madrid 1908, 118-119; L. Vázquez de Parga, *La División de Wamba,* Madrid 1943, (2); M.C. Díaz y Díaz, *Classica et Iberica. A Festschrift in honor of the Reverend Joseph M.F. Marique,* Worcester Mass. 1975, 336-337 (1)

Didimito, Teudoto et Policlito, tempore Iulii Cesaris. Oriens dimensa est per annos XXI, menses... dies...
5 Occidens per annos XXI, mens... Septemtrio per annos... fol. 246
Meridies per annos XXII, mense uno et dies XXX.
Oriens habet maria VIII, insulas VIII, montes VII, prouintias VII, oppida LXXV, flumina XVII, gentes XLV
Occidens habet maria VIII, insulas XVIIII, montes XV, prouintias XXVII,
10 oppida LXXV, flumina XVI, gentes XXV
Septemtrio maria XII, insulas XXXV, montes XIII, oppida LVIII, flumina XVIII, gentes XXVIIII, prouintias XVII
Meridies maria II, insulas XVII, montes VI, prouintias XIII, oppida LXII, flumina VI, gentes XXIIII
15 Tempore Iulii Augusti sub uno in uniuerso mundo maria XXX, insulas LXXVIIII, montes XLI, prouintias LXIIII, oppida CCLXX, flumina LIIII, gentes CXXIII. Finit

2 Item Exquisitio Spanie

Spania prius ab Ibero amne Iberia nuncupata, postea ab Ispalo Spania est cognominata; ipsa est Esperia a uespero, stella occidentali dicta
Sita est autem inter Africam et Galliam; a septemtrione Pirineis montibus
5 clausa, reliquis partibus undique mari conclusa. Omnium frugum generibus fecunda, gemarum metallorumque copiis ditissima
Alia. Habet prouintias VI cum sedibus episcoporum:
Prima Cartago, qui et Carpetania: Toleto metropoli abet sub se, id est Oreto, Biatia, Dentessa, Acci, Basti, Arci, Bigastro, Ylice, Scitabi, Dianum,
10 Castalona, Valentia, Valeria, Secobrica, Arcabica, Conpluto, Sęgonza, Oxoma, Secobia, Palentia: XVIIII
Secunda prouintia Betica: Yspali metropoli, Italia, Asidona, Arepla, Malaca, Yliberri, Astigi, Cordoua, Egabro, et Acci: XII
Tertia prouintia Lusitania: Emerita metropoli, Pace, Olixbona, Exonoba,
15 Agitania, Conibria, Beseo, Lameco, Caliabria, Talamantica, Abila, Talabayra, Elbora et Causio: XII
Quarta prouintia Galliciam: Bracara metropoli, Dumio, //fol. 246v// Portucale, Tude, Auriense, Yria, Luco, Vittania et Asturica: VIII

---

3 Didimtto *cod.* 6 *post* meridies *quaedam iam non leguntur. suppleui eis quae cod. iterauit ante* oriens *habet:* meridies per —XXXa 11 Septembrio *cod.* 16 flumina LIIII *ut uid. cod.*

2) 2-6 Isid. orig. 14, 4, 28

3 ab espero *Mommsen* 4 a sept *Mommsen* prineis *cod.* 7 alia: *sic cod. noua descriptio introducitur* 8 sub se id est *cod.* *nomina ut in cod. excribuntur transcripsi* 9 Arci *man. rec. in* Vrci *corr.* Scitabi *cod.* 11 Valentia *postea in* Pa-*cor.* 13 ettacci *cod.* 17 Galliciam *cod.*

26-27 Iul. Honor. rec. B.

Quinta prouintia Terraconensis: Terracona metropoli, Barcinona, Egara,
20 Gerunda, Inpurias, Ausona, Urigello, Ilerda, Bictoria, Dertosa, Cesaragusta, Osca, Panpilona, Aucca, Calagurre, Tirassona: VIIII
Sexta prouintia est Altramare: Tingitania
Gallia quoque non est de prouintias Spanie, sed sub regimine Gotorum erat ita: Narbona metropoli, Beterris, Agate, Magalona, Niumaso, Luteba,
25 Carcassona, Elena, Tolosa
Flumina Spanie IIII: Betis currit milia CCCCX, Tacus milia currit DCII, Mineus currit milia CCCXIII, Yberiis currit milia CCCIIII

3 Ordo annorum mundi brebiter collectim

Ab Adam usque ad dilubium anni IICCXLII
A dillubio usque ad Abraam anni dCCCCXLII
Ab Abraam usque ad Moysen anni dII
5 Ab exitu filiorum Srhl ex Egypto usque ad introitum in terram repromissionis anni XL; ab introytu idem usque ad Saul primum regem Ismahelis fuere iudices per annos CCCLVI. Saul regnabit annos XL. Ad Dauid usque ad initium hedificationis templi an. XLIII. A prima edificatione templi usque ad transmigrationem in Babiloniam fuere reges per an. CCCCXLIII.
10 Fuit autem captiuitas populi ad desolatio templi an. LXX, et restauratur a Zorobahel. Post restaurationem uero templi usque ad incarnationem Xpi an. dXL. Colligitur omne tempus ab Adam usque ad Xpm an. VC XL VIIII

Ab incarnatione dni nsi Ihu Xpi usque primum Vuambani principis reg-
15 ni an. fuere an. dCLXXII

A tempore Vambe anno primo usque nunc que est era dCCCCXI finiunt anni CCXI. Modo uero colligitur omne tempus ab exordio mundi usque presentem era dCCCCXXIa et octabo decimo anno regni Adefonsi principis filii gloriosi Hordonii regis omnes an. sub uno VI. LXXXII(I), et
20 ab incarnatione dni usque nunc anni dCCCLXXXIII

4 Item de sexta etate seculi

Prima etas ab Adam usque ad dillubium an. II CCXLII. Secunda etas a dillubio usque ad Abraam an. dCCCC.XLII. Tertia etas ab Abraam usque ad Dauid an. dCCCCXLI. Quarta etas ad David usque ad trans-
5 migrationem in Babiloniam an. CCCLXXXVI. Quinta etas ad transmigrationem usque ad Xpm et Octabianum imperatorem, cuius tempore ex Maria uirgine et spiritu sancto natus est Xpistus. Sexta etas que a Xpisto cepit habet nunc an. dCCCLXXXIII in era dCCCCXXI. Quantum aduc protendatur soli Deo est cognitum nobis autem manet incertum, dicente
10 domino in euangelio: Non est uestrum //f. 247v // nosse tempora uel momenta que pater in sua posuit potestate.

---

20 *post* Ilerda *m. wisig. recentior* Bictoria *add.* 22 *utrum* ultra *an* altra *scribatur non liquet* 27 Yberiis *cod.: lege* Yberus.

5 De septem miracula que sunt mundi

I Capitolius Rome
II Farus Alaxandrie
III Vellerefons Zmirne
5 IIII Teatrum Eracliae
V Gollosus Rodi
VI Templum Quicici
VII Tetrapulum Emecis, quot melius est aeçlesia sancte Soffie Constantinopoli

6 Item de proprietatibus gentium

I Sapientia Grecorum
II Fortia Gotorum
III Consilia Caldeorum
5 IIII Superbia Romanorum
V Ferocitas Francorum
VI Ira Brittanie
VII Libido Scottorum
VIII Duritia Saxonorum
10 VIIII Cupiditas Persarum
X Inuidia Iudeorum
XI Paz Ezioporum
XII Comercia Gallorum

7 Item causas celebres ex Spania

Polla de Narbona
Vinum de Bilase
Ficos de Viatia
5 Triticum de Campis Gotis
Mulum de Yspali
Kaballum de Mauros
Ostrea de Mancario
Lampreda de Tattiber
10 Lanceas de Gallias
Scanla de Asturias
Mel de Gallicia
Disciplina atque scientia de Toleto
Hec erat precipua tempore Gotorum

---

7) 3 Bilasz *Mommsen* 6 mulus *Mommsen* 7 Kaballus *Mommsen* 11 scanla *corr. ex* scanda *cod.* 14 temporum *Mommsen*

8 De litteris

Littere sunt uocales A, E, I, O, V, quia directo iatu faucium sine ulla conlisione emittuntur et uocem implent
Semiuocales F, N, L, M, S, R, quia ab e uocali incipiunt et desinunt
5 in saturabilem sonum
Mute sunt B, C, D, T, G, P, Q, quia sine subiectis sibi uocalibus non erumpunt; littera H pro adspiratione ponitur, quod est elate uocis; K pro solis Kalendis

e) *Actitudes anómalas en el mundo*

Domni Gregorii hec sunt qui in hoc seculo abusiue fiunt

Sapiens sine operibus bonis
Senex sine religione
Adulescens sine obedientia
5 Diues sine elemosina
Femina sine pudicitia
Domnus sine ueritate
Xristianus contemptiosus
Pauper superuus
10 Rex iniquus
Episcopus neglegens
Presbiter sine discretione
Plebs indisciplinata
Populus sine lege

f) *Refranes copiados posteriormente*

Arundo hic uenit, nido finxit, peperit libenter et fugit

Latritum canis, baculum pastoris lupum orriuilem exterritunt

---

8) 1 *addidi* 3 *post* implent *add.* Finit *cod.* 7 H *addidi* 8 K *addidi* *post* kalendis *add.* Explicit *cod.*

---

e)

Cod. Madrid BAH, *cód. 39*, fol. 267

Ed. D. Alonso, *Revista de Filología Española,* 37 (1953), 69

1 oc *cod.* abusibe *cod.* 3 senes *cod.* religione: li *sup.lin.* 4-5 *om.* *Alonso* 8 contemptiosus *cod.* 9 superuus *cod.* 14 *in fine manus s. XII, alio atramento,* peribit *add.*

---

f)

Cod. Madrid BAH, *cód. 39*, fol. 261v

Ed. D. Alonso, *Revista de Filología Española,* 37 (1953), 68

APENDICE XIV

Textos teológicos en un fragmento najerense

a)
De catholica religione

Ego enim eum credo ante omnia saecula a patre genitum. Nec
anterior est pater filio, nec filius posterior patri, sed ex quo pater est
extunc filius, extunc etiam et spiritus sanctus: unde haec sancta
5 trinitas unus est nobis deus. Sicut ergo pater genuit, filius
genitus est; ita pater misit, filius missus est. Sed quemadmodum
genuit et qui genitus est, ita etiam Spiritus Sanctus unum cum
eis est, quia haec tria unum sunt. Sicut natum esse est filio
cognosci quod ab illo sit, et sicut spiritui sancto donum dei
10 esse est a patre procedere, ita mitti est cognosci quod ab
illo procedit.

b)
Sanctae fidei regula

Secundum diuinas scripturas et doctrinam
quam a sanctis patribus accepimus, patrem et filium et spiritum
sanctum unius deitatis atque substantiae confitemur; in personarum
5 diuersitate trinitatem credentes, in diuinitate unitatem praedicantes,
nec personas confundimus nec substantiam separamus. Patrem a nullo
factum uel genitum dicimus, filium a patre non factum sed genitum
asserimus, spiritum uero sanctum nec creatum nec genitum sed
procedentem ex patre et filio profitemur. Ipsum autem dominum

---

Cod. Silos Bibl. Abadía, *fragm. 17 bis*

a) patri *ego:* pater *cod.* 5 *post* genuit *addere* et *uelim* 6 et *post* misit *addiderim* 7 cum: quum *cod.*

b) *traditur symbolum Concilii Toletani IV*

1 regulam *cod.* 9 procedentem: procentem *cod.*

10 nostrum Iesum Xristum, dei filium, creatorem omnium et ex substantia patris ante saecula genitum descendisse ultimo tempore pro redemtione mundi a patre qui nunquam desiit esse cum patre. Incarnatus est enim ex spiritu sancto et sancta ac gloriosa uirgine Maria, et ex ea natus; solus idem dominus Iesus Xristus, unus de sancta trinitate, anima et
15 corpore perfectum, sine peccato suscipiens hominem. Manens quod erat, adsumens quod non erat; aequalis patri secundum diuinitatem, abens una persona duarum naturarum proprietates: naturae enim in illo duae, deus et homo, non enim duo filii et dii duo, sed idem una persona in utraque natura, perferens passionem
20 et mortem pro nostra salute, non in uirtute diuinitatis suae, sed infirmitate humanitatis carne. Descendit ad inferos ut sanctos quos ibi tenebantur erueret, deuictaeque mortis imperio resurrexit tertia die[

16 adsummens *cod.* 23 *reliqua desiderantur*
23 *reliqua desiderantur*

APENDICE XV

Fragmento de las Diferencias de Isidoro de Sevilla

A) (recto actual)

a

buxus et buxum, nam buxum
neutro lignum est, buxus femi-
nino aruor est
Inter necessitatem et necessitudinem
5 necessitas aliquid fieri cogit,
necessitudo autem affectus est
uel uinculum propinquitatis
Inter nicil et nicili, nicil autem ad-
ueruium est, nicili autem homo
10 nullius momenti
Inter nudum et nudatum: Ea enim nu-
data dicuntur que uestiri solent,
ea nuda que non solent tegi
Item nudus illius rei aut illa re
15 bene dicitur, nudatus bero ab illo denuntiatur
Inter negamus et abnegamus. si quid
petitur. neminem et nullum: neminem ad hominem referimus,
20 nullum ad omnia
Inter nomen, pronomen, cognomen,
agnomen. Nomen est uocabulum

b

scorto...
blanditium suauium uol
tis, quod quidam etiam uers
hoc distinxit: coniugis int
5 ea basia sed oscula dantur
cis suauia lascibis miscen-
tur grata labellis
Inter occasionem et oportunitatem:
occasio arrisit, oportunitas
10 se prebuit bel secunda successit
Inter obseruationem et obserban-
tiam: obseruatio cure, doc-
trine et artis est, obserban-
tia bero cultus et religionis est
15 Inter opus et operationem: opus dicitur ipsut quod fit, operatio
autem ipsa rei hactio est
Inter omne et totum: omne ad mul-
titudinem et ad numerum per-
20 tinet, ita ut omnis homo.
omnes omines, omne pecus dicimus. Ergo totus omo si ad cor-

Cod. Madrid Bibl. Acad. Hist., *cód.* *64 ter,* fol. 0

Aa) 1 *diff. I, 377 (PL 83, 49 A)* 4 inter necessitatem *fere euanida* 8 autem *abundat* inter nicil *uix leguntur* 10 *post* momenti *manus pseudouisig. recentior* momenti quiet. *addit* 14 nudus: mudus *prius* 17 *post* abnegamus *desunt* negamus-abnegamus *(n. 386)* 19 homynem: *prius* homnem *postea y interiectum*

Ab) 1 *uix legitur* 4 *in fine uersus litteras non distinguo* 8 inter: *non leguntur* 9 *ante* occasio *desiderantur:* conuenienter-ponitur 12 Inter o-: *uix leguntur* 15 Inter opus et o-: *fere euanida* 18 et totum *fere non leguntur* 18-32 *diff. I, 402*

proprie appellationis. promen
quod nominibus dignitate generis
25 preponitur ut Publius Virgilius;
non enim possumus dicere Vergi-
lius Publius. Agnomen quod ex familia generis uenit, ut puta Scipio
Cornelius, a Cornelia familia or-
30 tus. Cognomen quod ex uirtute
uel uitio traitur, ut Scipio Africa-
nus pro eo quod Africa uicerit,
uel Lentulus Suras. proinde nomen
a propietate uenit, prono a digni-

pus referamus, omnis omo
si de unibersis, totum uero ad mag-
25 nitudinem pertinet, ut totum
corpus, tota terra, totum celum;
omne autem ad multitu-
dinem ut omnis familia,
omnis exercitus. Proinde
30 omne in diuersis partibus
ponitur; totum autem sine
partibus deuet esse
Inter obloqui, adloqui et eloqui.
Obloqui obtrectantis est,
35 adloqui ortantis et iubentis

A) (verso actual)

c

...
tantum uene
Inter oracula et delubra. Oracula templa sunt ubi ora-
5 tur, unde et responsa reddu-
untur; delubra autem tem-
pla fontes abentia, ad pu-
rificandos et diluendos fideles, et in delubra ad diluenda
10 appellata; unde et prius
hec loca altaria non abeba-
nt ut tantum delubra essent,
non templa
Inter oruum et cecum. Orbus est
15 qui filios amittit, cecus qui
oculus perdit
Inter occidit et occidit. Occidit
correpta media eum qui
mortuus est significat.
20 Occidid autem producta media
eum qui interfecit demons-
trat

d

guine exibetur, affectio inter extraneos
Inter patientiam et tolerantiam:
Tolerantia animi est, pati-
5 entia corporis, ut Sallustius:
corpus patiens inedie et algoris
Inter prudentem et peritum, callidum
et facundum: prudens est
ueluti prouidens, utilis rerum fu-
10 turarum ordinator; peritis usu
doctus; callidus per exercita-
tionem artis instructus
Facundus quia facili fari possit
Inter pudentem et uerecundum
15 oc interest, quod pudens opini-
onem ueram falsamque metu-
et; uerecundus autem nonni-
si uera timet
Inter profanum et nefarium: nefa-
20 rius, ut Varro extimat, non dig-
nus farre, quod primo ciui genere
uita hominum sustineuatur.

Aa) 23 p *id est* pro *continentali modo, quod iteratum reliqua corrupit* | *lege* praenomen 27 cognomen *recte edd.* 30 agnomen recte *edd.* 33 suras: sura pro eo quod maiores habuerat suras *edd.* 34 prono: *lege* praenomen digni- *diff. I, 388*

Ab) 24 mag- *non bene legitur* 33 obloqui *patrim euanidum legitur in Arévalo sub* adloqui (*diff. I 16*)

Ac) 1 *omnia euanida: diff. I, 406* 9 in delubra: *lege* inde delubra

Ad) 1 *diff. I, 419* 8 facundum *corr. ex* fecundum

Inter oleam et oliuam autores
ita distingunt ut olea sit
25 fructus, oliua aruor, quia
multitudo dicitur oliuetum,
ut querquetum et quinetum.
enimuero sine crimine poetarum et oleam et oliuam
30 pro fructu seposuerunt;
set consuetudo obtinu
olibam fructum dicere, nec ue-
tat comminus ut arboris
et fructus idem nonaesit.
35 DE P LITTERA

Nefandus, id est, nec nominandus;
profanus autem, cui sacris non
25 licet interesse; de co Sallustius:
sacra polluet profanus, ergo profanus porro, id est, longe a fano
Inter peccatorem et inmundum, quod
omnis peccator inmundus est.
30 non tamen omnis inmundus peccator. Peccator enim est
qui transgreditur precepta dei
et necesse est hunc inmundum
esse quia transgreditur

B (verso actual)

a

pertinet
tiam et torporem: torpor
dormitantis est; pigritia ui-
gilantis
5 Inter perseuerantiam et pertinaciam:
perseuerantia in uirtute est,
pertinacia in uitio
Inter presidium, auxilium et subsidium:
presidium est alico loco utili posi-
10 tum, auxilium quod ab exteris
datur; subsidium quod postea
superbenit
Inter potentiam et potentatum: potentia
est suahe cuiusque solus, potenta-
15 tus uero auctoritas est iudicialis
Inter pauperiem et paupertatem:
Pauperies damnum est, paupertas
ipsa condicio
Inter passionem et propassionem:
20 Iheronimus in Matheo distinguit
dicens quod passio reputatur
in culpa; propassio, licet culpam
haueat, tamen non tenetur in crimine; ergo qui uiderit mulierem
25 et anima eius fuerit titillata,
hic propassione percussus est;
si uero consenserit et de cogita-

b

fals
non
Inter peste m
nom en
5 id quod
tres m
aqua
Inter perfec
quod per
10 potest
quodli
Inter patens
dicitur
per pate
15 Patens
ditur, u
et luciu
de inlumi
se lucet
20 Inter penetrale
netrat pe
autem p
penetrauit
secreta
25 ab eo quod
Inter post et
inter se

Ac) 31 se: sepe *edd.* 34 nonaesit: nomen sit *Arévalo* (*var. lect.* nomen sumpsit)

Ba) 1 *diff. I, 425* 14 *legendum* sui cuiusque solius 19 *est diff. I, 146; hic desid. 430 (est Bb post 432)*

Bb) 1 *finis sequitur diff. I, 432* 3 *diff. I, 430* 8-29 *diff. I, 433-436*

	a (cont.)		b (cont.)
	tione affectum fecerit, sicut scrip-		ponimus qu
	tum est in dauit transierunt in		pus ueniat
30	affectu cordis, de propassione	30	Inter procliuum
	transiuit ad passionem		bus est asce...
	et uic non uolumtas peccandi		facilis
	deest, set occasio		Inter precare et
	Inter percontationem et interrogatio-		rogare
35	nem Agustinus hoc interesse	35	s......
	extimat dicens quod...		

B (recto actual)

	c		d
	.....		.....
	.....		....
	ultro		Inter patrium et paternum
	mus		num est quod patris fuit
5	tinare	5	dus paternus dicitur, patrius
	guit di		patri similis ut patrius animus
	ture		Inter proprium et proprium: proprium
	multa		est nomen, proprium uero iuxta me
	at		Inter puellam et puerperam: Puellam
10	quidque	10	in uestem dici, etate paruolam, qua-
	transigeuam		si pullam; puerperam uero que primum
	rius. e mul-		enixa est et in anis pueribus parit;
	tur. Prima-		unde et Oratius: laudatur primo
	se et quod		prole puerpera nato
15	tur	15	Inter pregnantem et grauidam hec
	ine scri-		differentia est: pregnantem
	s expetituit:		esse que concepit, grauidam quam
	itur expe-		uteri grabedo proximum partui
	atis petibit		hostendit
20	ueementer	20	Inter pignera et pignora: pignera sunt
	pro ualde ponitur		rerum, pignora filiorum et effectuum
	est cons-		Inter portentum et monstrum: porten-
	tequam ignis		tum est quod ex formis diuersis pro

Ba) 32 uic *postea adi.* h-huic 36 *diff. I, 432*

Bb) 30 *diff. I, 447* 33 *diff. I, 437*

Bc) 1 *est diff. I, 439*

Bd) 1-2 *non intellego* 3 *diff. I, 453* 7 inter proprium *fere euanida* 7-8 proprium *ita semper* 9 *diff. I, 448* 12 *lege* in annis puerilibus 15-36 *diff. I, 455-458*

	dum ardet		ponitur, monstrum quod ex-
25	harsit	25	tra natura nascitur uel nimis
	bs ad pplo eo		grande uel nimis brebe
	s est generi-		Inter portentum et portentuosum:
	ium cum seni-		portentum dicitur quod ex omni
	humilis et		parte nature mutationem
30	enim po	30	sumens aliquit portendere futurum
			uidetur, sicut uicebs caput in cor-
			pus unum uel sicut in Sexis regia
			ex equa vulpem ferunt creatam,
			per quo eius solbi regnum hostensum
		35	est. Nam portentuosa dicuntur
			...corporis sumunt

Bc) 26 ad: a 30 *finit diff. I, 445* 31 *est diff. I, 450*

APENDICE XVI

Dos himnos de tradición extralitúrgica

a) Versum defuncto

1 Adgregati simul unum deploremus proximum,
miserere proclamemus pro eius spiritum:
Miserere, miserere, miserere, domine;
animam illius salua et de pena libera.

2 Bonus fuit inter natos et pius in subditis;
cito illa nobis tulit de nostro conloquio

3 Cruenta mors et profana iam illum que rapuit;
proinde plangamus omnes, rugiamus acriter.

4 Durior luctus aduenit in ista prouincia:
plangent illum omnes cari et sua propinquitas.

5 «Eue eue» nos dicamus, et plangamus acriter;
+ et hic + que nominemus uoce pia flebile.

6 Fulua est atque obscura hic omnis uicinitas,
quia iam iste conpleuit que nobis euenerint.

7 Gemitum nos proferamus, et rogemus dominum
ut det illi locum bonum in coro angelico.

8 Humus aperta patescit ut ipsum suscipiat,
et post eum nos expectat in se quos operiat.

9 Inpleuit nos amor mundi, et ad malum prouocat,
et ad necem nos producit ibique precipitat.

10 Kalamitas repentina iam illum que rapuit,
desolauit domum suam omnemque familiam.

11 Lugeamus nosque illum, diuites et pauperi;
omnis aetas adque sexus ad ipsum concurrite.

---

a)

Cod. Madrid Bibl. Acad. Hist., *cód. 27,* fol. 50

Ed. primum Díaz y Díaz, in *Ecclesia orans,* Roma 1979

b) Imnus sancti Michaelis

1	Prompta cuncta catholicae	pleps alumna ecclesiae,
	uota simul exhibete	et crimina pandite
	ut cunctorum auctor clemens	cunctis prestet gratiam.
2	Michael etenim ille	sublimatus nomine,
	aula celi conspicuus,	summi dei nuntius,
	princeps angelorum factus	uocabuloque celsus.
3	Cuius nomen ex uirtute	et opus ex munere
	ab omnipotente datum	obtinet conseruandum,
	ut glorietur in deo	cum consortes socios.
4	Summus domini est iste	magnus factus nuntius,
	qui tetrum illum horrendum	refugamque angelum
	de alto precipitatum	mergerit in baratro.
5	Iste semper est protector	et defensor omnium,
	ut cunctorum postulata	regi deo offerat,
	et ab illo destinatam	plebi prestet gratiam.

---

b)

1.1 Hymn. primit. 1,2 (Blume 272; cf. Blume 274) 2.3 cf. Hymn. Iuliani 4,5 (Blume 202) 4.3 cf. Hymn.s.Iacobi 4,2 (Blume 184)

Cod. Madrid Bibl. Acad. Hist., *cód. 27*, fol. 50 (= *E*); Madrid Bibl. Acad. Hist., *cód. 118 A*, fol. 2 (= *M*); London British Museum, *addit. 30845*, fol. 118v (= *L*); London Brit. Mus., *addit. 30851*, fol. 146 (= *S*)

Edd. A. Ortiz, *Breviarium secundum regulam sancti Isidori*, Toledo 1502, fol. 347 (= *X*); C. Blume, *Hymnodia gothica*, Leipzig 1897, 226 (= *Blume*); J.P. Gilson, *The Mozarabic Psalter*, London 1905, 254-255 (= *S*)

Innus sci Micahelis *E* (H) Ymnus in diem sci Micaeli arcangeli *MSL* 1.1-1.3 conctorum *uix legitur in M* 1.1 alumnae gratiae *X* 1.2 e//bet// *E* crina *E* 1.3 prestet gratiam *scripsi cum M (in quo...* tiam *legitur); an potius* pr. ueniam? pr. petita *L Blume* prestita prestet *S* prestet prestita *X*
2.1 etenim ille: elimine *E* 2.2 aula *ML:* -ae *ESX* celi: pauli *E* summi dei nuntius: nuntius summi dei *LS* mundiali... *ut uidetur M* amori summi dei *X* 2.3 uoc. celsus: celsusque uocabulo *X* uocabulo celsus excelsus *L* uocabulo celsius *E* uocabulo celsinus *M* 3.1-3 *post 6.3 L* 3.1 opes *M* mune/re/*E* 3.2 omnipotente *L*: -ti *S* -tie *E* -tis *X de M non constat* datum *M:* ratum *ES* ratus *L* manu *X* obtinet: -ere *E* pertinet *M* conserbadum *E* 3.3 gloriemus *L* in deo glorietur *transp. X* deum *M* quum *M*
4.1 summi *Blume* est iste: et deus te *E* factus est *E* 4.2 tetrum: terrorum *E* refugumque *typothetae errore ut uid. Blume* refugaque *M* 4.3 *duplex traditur recensio, a) in codd. ĒLŜ:* debellando precipitem/ demergit in erebo *uar. l.:* deuellando *E* precipite *L* debellandoque percito *coni. Blume* demersit *SX Blume* in *om.E); b) in solo M:* de alto precipitatum/mergerit baratro (in *addidi metri causa*)
5.1-3 *desideratur in L* 5.1 iste semper: his te super *E* iste sit *uel quid simile M* 5.3 ab illo: ad ipso *E* destinata *X* -nat *E* plebi: pleui *E* cunctis *M* gratia *X*

6	Magna siquidem est ista huius almi arcangeli quam nos celebrare oportet	diei festiuitas, Michaelis nuntii, suscipere et deuote,
7	ut ex eius inpetratu optinere apud deum et beatae uitae regnum	mereamur omnium ueniam peccaminum, fruere post transitum.
8	Sit gloria sitque honor simulque et quoequali qui unus in trinitate	patri atque filio, spiritu paraclito, regnat in perpetuum.

7.1-3 cf. Hymn.s.Lucae 8, 2-3 (Blume 214)

6.1 quidem *M* sta *E* istem *M* dei *X* 6.2 Micaeli *M* 6.3 suscipere et deuote: suscipere deuote *L* suscipereque deu. *SX* susciperet et deo uote *E* suscipere deuere *M*
7.1 inpetratum *E* 7.2 obtinere *ES* aput *E* peccaminum: peccantium *M* 7.3 regnum fruere: regno perfrui *X*
8.1-3 *alia doxologia X* 8.1 onor *E* atque: adque *E* quoque ex *L* 8.2 quoequale *M* spiritum -tum *E* 8.3 unum *E* trinitatem *E* *in fine* Amen *add. ES (sequitur uersus in MS)*

APENDICE XVII

Versi domna Leodegundia regina

Laudes dulces fluant tibiali modo:
magnam Leodegundiam Ordonii filiam
exultantes conlaudemus manuque adplaudamus.

Ex genere claro semine regali
5 talis decet utique nasci proles optima
quae paternum genus ornat maternumque sublimat.

Ornata moribus, eloquiis clara,
erudita litteris sacrisque misteriis,
conlaudetur cantu suaui imniferis uocibus.

10 Dum facies eius rutilat decore,
moderata regula imperat familiis,
ornat domum ac disponit mirabile ordine.

Exultet persona cui extat nexu
coniugali tradita casta Leodegundia,
15 placens Deo et amicis absque ulla macula.

Gaudete, gaudete, simul personate,
cuncti eius famuli, matronae substantiam
dulci uoce conlaudate proferentes canticum.

Codd. Madrid Bibl. Acad. Hist., *cód. 78* (= *R*); Madrid BAH, *est. 21, gr. 3, nº 28* (Abbad y Lasierra, VII) (= *A*); Madrid BAH, *est. 26, gr. 1, nº 9* (= *P*)

Edd.: A. Cotarelo Valledor, *Historia de Alfonso III el Magno,* Madrid 1910, 641 (*ex P*); F. Valls Taberner, *Les Genealogíes de Roda o de Meyá,* (Discursos llegits en la Real Academia de Buenas Letras de Barcelona en la solemne recepció pública de D.), Barcelona 1920, 15-16 (*ex A*); J.M. Lacarra, «Textos navarros del códice de Roda», en *Estudios de Edad Media de la Corona de Aragón,* 1 (1945), 272-275 (*ex R*)

3 manus *R edd.* 5 obtima *R* 7 claram *R* 9 cantus *R* inniferis *R* 12 mirauile *R*

Vt uigeat longo feliciter aeuo,
20 filiorum filios uideat incolumes
gaudeatque cum amicis, exorate dominum.

Nerui repercussi manu citharistae
tetracordon tinniat, armoniam concitet,
ut resonent laudes dulces domne Leodegundie.

25 Dum lira reclangit, tibia resonat,
Pampilonae ciuibus melos dantes suauiter,
recitantes in concentu laudent Leodegundiam.

Innouetur semper memoria eius,
quae proximos diligit fideli propositu,
30 suos optans ac externos ut pariter diligat.

Audiant propinqui, cari et amici;
gratulantes digniter prorumpant in iubilum:
patris decus et doctrinam proles electa tenet.

Pulcerrima nimis, audi modulamen
35 tibiale dulciter quod electo canimus:
deprecantes deprecamur ut famulos audias,

Vt ualeas felix et seruias Deo
gubernesque pauperes protegasque orfanos;
mundi quoque gratulentur te habentes dominam.

40 Lumen uerum Dei te ubique tegat:
te tenebrae fugiant semperque resplendeas:
obseruando legem sanctam summo Deo placeas.

Concentu parili resonate cuncti,
cantu dulce tibia personet ut condecet:
45 audiant et gratulentur qui te semper diligunt.

---

20 incolomes *R* 26 cibibus *R* 30 obtans // ac *R*: obtimates *P* diligat *ego:* diligant *R* 35 canimus *addidi: lac. sign. Lacarra* 37 serbias *R* 39 abentes *R* 42 obserbando *R* 43 cunctis *R* 44 dulce... personet *iam non leguntur in R haber Lacarra* condecet *metri causa ego:* decet *R*

Regula canora resonat in aula
musicalis carminis, et regalis poculus
praeparatur ut regina potum suauem glutiat.

Ad exhilarandam faciem decoram
50 praeparentur famuli, infundentes poculo
ambroseum sucum braci ut laetetur affatim.

Optentur amici, ac sodales obtimi,
conuiuaeque regii resedeant pariter,
onerentur mensae omnes ex opimis ferculis.

55 Regalis dum cibus rite praeparatur,
signo Xristi omnia consecrata fercula;
inquirantur more pio cuncti semper pauperes.

Dum pauper refectus cibis praeparatis
deprecatur dominum pro salute principum,
60 tunc redemptor aure pia inuocantes adiuuat.

Occurrant cantores suaues melos dantes;
in conspectu omnium rite consedentium
conlaudetur nomen Dei, cuius iussu uiuimus.

Nullius scurronis hic resonent uerba,
65 absit omne barbarum garritule scandalum,
sed edentes ac potantes laudemus altissimum.

Incipiat cantor percutiens liram
aut uerberans cimbalum in concentu cunctorum
conlaudare regem Deum rectoremque omnium.

---

46 regula *ego:* reflectio *P Lacarra* res leta *A nihil fere legitur in R trissyllabus ab R incipiens desideratur* 47 musicalis *Lacarra*: muscicalis *ut uid. R* carminis poculus *uix leguntur in R* 49 exillarandam *R* 52 amici ac sodales *cod.:* ac *deleuerim metri causa* 53 conuibeque *R* resedeat *R* 54 onerentur *AP uix*... re... *in R* 55 ride *codd. edd. uix credendum* 58 praeparatis *coll.v.55 ego:* principiantis (*quod fortasse ex u.seq. male irrepsit*) *codd. edd.* 59 principium *R Lacarra: correxi* 60 adiubat *R* 63 uibimus *R* 64 resonat *Lacarra AP ut uid. secutus:* resonent *correxi* 67 percutiens *AP* 68 berberans *R* in conc...entu *litt. confusis R*

70 Illius nunc promat laudes carmen nostrum,
cuius nutu omnibus datum extat uinculum
caritatis coniugalis clarae Leodegundiae.

Feliciter uiuas et Xristo placeas,
placatum possideas regnum tibi traditum:
75 nullus hostis ac aduersus contra te uictoriet.

Idonea semper sis ad obseruandam
legem Dei melleam quae humiles indicet,
mansuetos ac modestos ad regnum perpetuum.

Limen domus Dei mansueta mente
80 alacrique animo frequentare piissime:
lacrimando et orando deprecare Dominum.

Ibi dulces laudes ac praecepta uitae
aure mentis audies quae redemtor condidit
obseruarique praecepit his qui eum diligunt.

85 Aue, semper uale in domino Deo,
domna Leodegundia, et post longa tempora
regnum Xristi consequeris cum electis omnibus.

---

70 i-llius nunc pro-mat *restituit Lacarra ex AP* 71 uincu-lum- *restituit Lacarra* 72 coniugalis *addidi non habent codd.* 73 uibas *R* 75 aduersis *R correxi* 77 humiles *ex AP Lacarra* indicet *uel* inducat *conieci metri causa* 82 ibi *AP* 83 condidit *non legitur in R* 84 obser- *non legitur in R* 85 abe *R* 86 -ga tempora *non leguntur in R* 87 *addunt.* Amen *codd.*

APENDICE XVIII

Relación de reliquias de San Juan de la Peña

Anno ab incarnatione domini nostri Ihesu Xristi millesimo nonagesimo quarto fuit consecrata ecclesia sancti Iohis de pinna. Era MCXXXII[a] pridie nonas decembris die II[a] feria prima ebdomada aduentus domini ab archiepiscopo Burdegalensi Amato nomine atque a Iacensi episcopo Petro
5 et ab episcopo Magalonensi nomine Gotafredo anno I regni Petri Sancii regis, gubernante Frotardo abbate sancti Pontii monasteria illius prouincie et nepote eius Aunirico abbate eiusdem cenobii s. Iohannis. In Babtiste uero Iohannis altari continentur reliquie sanctorum Laurentii, Dionisii, Rustici, Eleuterii, Adriani, Sebastiani, Marchi, Marcelliani, Marii, Mar-
10 the, Audifas et Abacuc, Tranquillini, Stephani pape, Florentini episcopi, Antoni episcopi, Albini episcopi, Iusti et Pastoris, Xristofori martiris. Reliquie etiam de sepulcro domini et sce Marie Magdalene et sce Fidis ac sce Dorothee uirginum et martirum et Constantie uirginis necnon et capud sci Indalecii episcopi atque capud sci Iacobi episcopi, Victoriani
15 abbatis et confessoris sociorumque eius monachorum, Nazarii et Antonii. In altario sci Petri continentur reliquie Philippi apostoli, Papuli martiris, Margarite uirginis, Felicis pape et Stephani martiris. In altario sci Michael reliquie sanctorum Petri apostoli, Crisanti et Darie, Felicis Ierundensis et Aciscli martirum, Marchialis quoque episcopi. Inter altare
20 autem sci Iohannis Babtiste et altare sci Petri apostoli iacet corpus sci Iohannis heremite; super autem eiusdem sci Iohannis in archa argentea requiescit corpus beati Indalecii episcopi unus ex LXXII discipulis Ihesu Xristi. Brachium autem eius est in alia parte in quoddam (!) aureo brachio cum brachio igitur Aoliscli martiris et brachium sce Victorie uirgi-
25 nis et martiris, oleum quoque ex tumba sci Nicholay atque reliquie corporis eius. Sunt etiam et alie reliquie que continentur in superiori archa sci Indalecii que sunt in primis sci Iohannis Babtiste sanctorumque apostolorum Petri et Pauli, Andree, Iacobi, Iohannis, Philippi, Bartho-

---

Cod. Madrid Bibl. Acad. Hist., *cód. 31*

lomei, Thome, Martthei, Iacobi fratris domini, Iude qui et Taddei, Si-
30 monis et Iude, sci Mathie, de cruce domini, de ueste domini, //
de pane domini, de linteo unde dominus tersit pedes discipulorum.
De reliquiis etiam euectis a Iherosolimitanis partibus: de presepe
domini, de transfiguratione domini, de templo domini, de monte Calua-
rie, de petrone (?) domini, de sanctum paternum (?), de loco ubi finiuit
35 beata Maria. De reliquis etiam sancti Misahelis et sancti Georgii martiris,
sanctorum Cosme et Damiani fratrum, sancti Pantaleonis, et Teodori
martirum, et sancti Ignatii martiris, et Eustacii martiris, Demetrii, Lazari,
Leonis martirum, Basilii confessoris, sanctorum Caralampios, Ignatios, Teo-
foros, Sancti Iob, sancte Anastasie uirginis, Agate uirginis, Teodosie, Iu-
40 liane, Marine, Eufemie, Lucidie uirginum, Facundi et Primitiui, Claudii,
Luperci, et Victorici, Stephani, Pelagii martirum, Martini episcopi, Ambrosii et Prudentii episcoporum. Post altare uero sanctorum Cosme et Damiani
requiescunt corpora sanctorum Voti et Felicis fratrum, ante altare autem
corpora duorum episcoporum sanctorum. Sunt etiam et alie multe reliquie
45 plurimorum sanctorum quorum nec nos nomina memorata scimus que sunt
scripte in suis scedulis.

APENDICE XIX

Nota sobre los tres principios

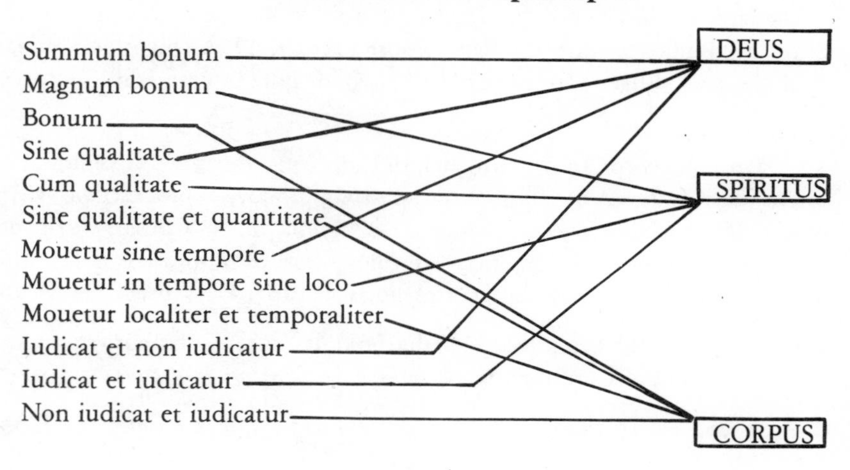

Cod. Madrid Bibl. Acad. Hist., *cód. 46*, fol. 171^{v}

Este esquema es idéntico al que se conserva en León Bibl. Catedral, *22* fol. 15 (DIAZ Y DIAZ, «El manuscrito 22 de la Catedral de León», en *Archivos Leoneses*, 45-46 (1969), 163 y lám. XI). Variante formal en París Bibl. Nat., *lat. 17868* f. 16^{v}, acompañando textos que establecen fuertes contactos con el mundo musulmán (J.M. MILLAS VALLICROSA, *Assaig d' historia de les idees físiques i matemàtiques a la Catalunya mig-eval*, Barcelona 1931, 250-258, lám. XIX):

summum bonum		creatur et moritur	
magnum bonum		mouet et non mouetur	
quoddam bonum	ds	mouetur tempore et non loco	corpus
creat et non creatur		mouetur tempore et loco	
creatur nec moritur	anima		

que a su vez coincide con París Bibl. Nat., *lat. 609*, originario de Limoges, s.IX.

APENDICE XX

Relación de códices emilianenses en 1821[1]

Razón de los códices antiquisimos que se han remitido al Gefe Politico de Burgos y que estaban depositados en el Archivo del Monast. Real de Sn. Millán á primeros de Marzo de 1821: y fueron conducidos a Burgos.

1 Un codice en 8° de letra del siglo 9° que escribio Leovigildo Presbitero de Cordova, qe florecio en dho siglo, cuyo libro escrivio á instancia de los clerigos ó el Cavildo de la iglesia de S. Ciprian de la propia ciudad, y contiene diferentes capitulos sobre el significado del vestido, corona de clérigos &ª. le faltan tres hojas al capº 4°, y otras tres al 10°.

= Madrid Biblioteca Heredia Spínola (antes Zabálburu) s.s.: Leobegildus Cordubensis, *de habitu clericorum*[2].

2 Otro en fº mayor de letra del siglo X, que contiene las Etimologías de Sn. Isidoro, y su copia presente la hizo el de 946, al Arcipreste Ximeno, como consta al fin de dha copia.

[1] Véase arriba, p. 103-104. En lo sucesivo se abrevian así los libros mencionados con mayor frecuencia en la bibliografía de cada códice: CLARK = CH. U. CLARK, *Collectanea Hispanica,* Paris 1920; DIVJAK, *Die handschriftliche Ueberlieferung der Werke des heiligen Augustinus.* IV. Spanien und Portugal, Wien 1974; GARCIA VILLADA = Z. GARCIA VILLADA, *Paleografía española,* Madrid 1923 [= Barcelona 1976]; MILLARES, *PE* = A. MILLARES CARLO, *Tratado de paleografía española,* Madrid 1932; MILLARES, *MV* = A. MILLARES CARLO, *Manuscritos visigóticos,* Madrid 1963 [= *Hispania Sacra,* 13 (1961)]; EWALD-LOEWE = P. EWALD-G. LOEWE, *Exempla scripturae visigothicae,* Heidelberg 1883; LOEWE-HARTEL = G. LOEWE-W. HARTEL, *Bibliotheca Patrum Latinorum Hispaniensis,* Wien 1886 (edición anastática Hildesheim 1973); AYUSO = T. AYUSO, *La Vetus Latina Hispana,* Madrid 1953; PINELL = J. PINELL, en *Estudios sobre la liturgia mozárabe,* Toledo 1965; CHURRUCA = M. CHURRUCA, *Influjo oriental en los temas iconográficos de la miniatura española. Siglos X al XII,* Madrid 1939; KLEIN = P.K. KLEIN, *Der ältere Beatus-Kodex Vitr. 14-1 der Biblioteca Nacional zu Madrid,* Hildesheim 1976; DIAZ, *Glosas* = *Las primeras glosas hispánicas,* Barcelona 1978.

[2] L. SERRANO, en *Boletín de la Real Academia de la Historia,* 54 (1909) 497-518; 55 (1909), 102; MILLARES *PE*, 461 n. 136; DIAZ Y DIAZ, en *Cahiers de Civilisation Médiévale,* 12 (1969), 227-228; J. GIL, *Corpus scriptorum muzarabicorum,* Madrid 1973, 667 (lo hace antes Escurialense); v.p. 257-259.

=Madrid Biblioteca de la Academia de la Historia, *cód. 25* [F. 194]: Isidorus, *origines*[3].

3 Otro en f° y es la Sagrada Biblia á quien le faltan una gran porción de hojas al principio, y su primera contiene parte del Salmo 50. Su genero de letra es la qe se usaba a fines del siglo VII, y si es cierta la fecha, qe se halla al fin del libro de los Macabeos, y es la de el año 664: conviene con su carácter propio de dho siglo 7°.

=Madrid BAH, *cód. 20* [F. 186]: Biblia[4].

7 Otros dos de la misma Biblia en f°. mayor y de letra del siglo XII y segun cotexo, que tengo hecho, es copia de la anterior, por guardar en un todo las citas marginales, sus concordancias &ª, cuyo siglo debió estar integra dha anterior: Además tiene varias figuras iluminadas, que representan los asuntos, de que trata[5].

5 Otro en 8° y de letra del siglo X° á quien faltan hojas al principio, y fin, y lo primero, qe en el se halla es un capítulo *de reprimenda auaritia,* y otras cosas místicas; y á continuación de estas el martirio de los Santos Cosme y Damián, y la Misa de estos al estilo gotico ó muzarabe.

=Madrid BAH, *cód. 60* [F. 228]: Paschasius Dumiensis + *Sermones + Missa ss. Cosmae et Damiani*[6].

[3] P. EWALD, en *Neues Archiv für ältere deutsche Geschichtskunde,* 6 (1881), 381; EWALD-LOEWE, 18; LOEWE-HARTEL, 492-493 n. 8; CLARK, 41; GARCIA VILLADA, n. 85; MILLARES, *PE,* 462 n. 147; G. MENENDEZ PIDAL, *Boletín de la Real Academia de la Historia,* 143 (1958), 885; MILLARES, *MV*, n. 98; *Las Etimologías en la tradición manuscrita medieval estudiada por el Prof. Dr. Anspach* (ed. J.M. FERNANDEZ CATON), León 1966, 90-91; DIAZ Y DIAZ, *Los capítulos sobre los metales de las Etimologías de Isidoro de Sevilla,* León 1970, 95-99; «Problemas de algunos manuscritos hispánicos de las Etimologías de Isidoro de Sevilla», *Festschrift Bernhard Bischoff,* Stuttgart 1971, 73; KLEIN, 224-251. 552-558; v.p. 223-227.

[4] EWALD-LOEWE, 19; LOEWE-HARTEL, 499-500 n. 22; CLARK, 41; GARCIA VILLADA, n. 82; E. ANSPACH, *Taionis et Isidori nova fragmenta et opera,* Madrid 1930, 88-91; MILLARES, *PE*, 462 n. 143; AYUSO, 356 n. 24; MILLARES, *MV*, n. 96; PINELL, 114; KLEIN, 244-251. 552-558; v.p.

[5] Por su data no nos interesan especialmente aquí.

[6] LOEWE-HARTEL, 519-520 n. 62; M. FEROTIN, *Liber mozarabicus sacramentorum,* Paris 1912, 898-899; CLARK, 43; GARCIA VILLADA, n. 102; R. MENENDEZ PIDAL, *Orígenes del Español,* Madrid 1950, 1-9; AYUSO, 549 n. 213; A. FRANQUESA, en *Hispania Sacra,* 12 (1959), 423-444; PINELL, 126, 131-132. 141; MILLARES, *MV*, n. 106; J. GERALDES FREIRE, *A versão latina por Pascásio de Dume dos Apophthegmata Patrum,* II, Coimbra 1971, 61-64; M. RANDEL, *An Index to the Chant ot the Mozarabic Rite,* Princeton 1973, xvii; DIVJAK, 215-216; KLEIN, 558; *Las Glosas Emilianenses,* Madrid 1977 (con estudio preliminar debido a J.B. OLARTE RUIZ); DIAZ, *Glosas,* 26-32; v.p. 235-241.

6 Otro en f° mayor de letra del siglo X°, á quien faltan hojas al principio, y fin, y algunos cuadernos sueltos, y, es el libro de los Morales de Job, que escrivio San Gregorio el Magno para Sn. Leandro.

= Madrid BAH, *cód. 5* [F. 171]: Gregorius M., *moralia in Job*[7].

7 Otro en f° mayor y de letra del siglo XII. qe se halla integro, y es copia sin duda del mismo libro de los dhos Morales, y en su principio se refiere el viage, qe Tajon diocesano de Zaragoza hizo á Roma en busca del expresado libro y su milagroso hallazgo[8].

8 Otro del siglo VIII, y en folio, contiene la exposición del Apocalipsi con diferentes figuras iluminadas, qe simbolizan su asunto: este codice, se asegura por muy cierto, qe lo escrivio San Beato Monge de Santo Turibio de Liebana sobre qe J.C. es hijo propio y no adoptivo de dios contra la doctrina de Elipando Metropolitano de Toledo, y de Felix obispo de Urgel: la fecha de dho codice es la del año de Christo 776 pues se dice en el: Computa ergo á primo homine Adam, husque in presentem eram DCCCXIIII.

= Madrid BAH, *cód. 33* [F. 199]: Beatus, *in apocalypsin*[9].

9 Otro del mismo Apocalipsi, pero muy faltoso de hojas al fin, y de algunas al principio, este codice también en f° y de letra del siglo X°.

= Madrid Bibl. Nac., *Vitr. 14,1* [Hh, 58]: Beatus, *in apocalypsin*[10].

[7] LOEWE-HARTEL, 482 n. 2; CLARK, 40.168-172; GARCIA-VILLADA, n. 77; MILLARES, *PE*, 462 n. 137; DIAZ Y DIAZ, en *Archivos Leoneses*, 53 (1973), 89; KLEIN, 558-561; v.p. 122-127.

[8] Madrid BAH, *cód. 1*; v.p. 337-339.

[9] LOEWE-HARTEL, 510-511 n. 39; CLARK, 42, 182-183; GARCIA VILLADA, n. 92; H.A. SANDERS, *Beati in Apocalipsin libri duodecim*, Roma 1930, xiv; W. NEUUS, *Die Apokalypse des hl. Johannes in der altspanischen und althristlichen Bibel-Illustration*, Münster 1931, 29-30; MILLARES, *PE*, 463 n.154; CHURRUCA, 104-105. 134; MILLARES, *MV*, n.101; J.M. FERNANDEZ PAJARES, en *Boletín del Instituto de Estudios Asturianos*, 67 (1969), 281-304; T. MARIN MARTINEZ, en *Beati in Apocalipsin libri duodecim*, Madrid 1975, 179-180; A. PINCHERLE, en *Forma futuri*, Turín 1975, 1097-1114; KLEIN, 558-561; A. M. MUNDO-M. SANCHEZ MARIANA, *El Comentario de Beato al Apocalipsis. Catálogo de los Códices*, Madrid 1976, 32-33; DIAZ Y DIAZ, en *Actas del Simposio para el estudio de los códices del «Comentario al Apocalipsis» de Beato de Liébana*, Madrid 1978, 173-184; v.p. 209-210.

[10] Dejé por error de identificarlo en la primera versión de esta edición (*Homenaje a Fray Justo Pérez de Urbel*, Silos 1976, I, 258-270). Como bibliografía basta citar el exhaustivo estudio de P.K. KLEIN (v.n.1), que no sólo resume todo cuando se ha dicho sobre él, sino que ofrece nuevos puntos de vista muy valiosos. Añádase DIAZ Y DIAZ, en *Actas del Simposio para el estudio de los códices del «Comentario al Apocalipsis» de Beato de Liébana*, Madrid 1978, 169-170 y la discusión de págs. 185-188; A. MILLARES CARLO, *ibid.*, 205; v.p. 208-209. 227-229.

10 Otro en fº mayor de la misma exposición, y de letra del siglo XII, que sin duda debio ser copia de alguno de los dos anteriores[11] .

11 Otro en fº mayor y de letra del siglo XI, contiene lo primero la vida de Sn. Antonio Abad, y á este siguen muchas vidas de los Santos Ilarion, Constancio, German, Sn. Martin Turonense, Sn. Millan, y le falta a la de este una hoja, de Sn. Ambrosio, de los Stos de la Tebaida, de los Padres Emeritenses &ª.

= Madrid BAH, *cód. 13* [F. 177]: *Vitae Sanctorum*[12] .

12 Otro en fº y contiene las colaciones de los Padres, cuya copia se dice en este codice se concluyo en 17 de agosto del año de 917 = Por equibocación se duplico este codice, siendo tan sölamte. uno, qe existia en dho Archivo.

A pesar de la advertencia de la «Razon» se conservan dos manuscritos de idéntico contenido:
= Madrid BAH, *cód. 24* [F. 188]: Cassianus, *collationes*[13] .
= Madrid BAH, *cód. 32* [F. 189]: Cassianus, *collationes* (s. IX)[14] .

13 Otro en fº contiene lo primero diferentes homilias de Stos Padres = El enquiridion de San Agustín = Las cuestiones de este mismo Sto. Doctor = El libro de las instrucciones de Sn. Euquerio = y á su fº 245 bto. *el cronicon Emilianense,* escrito el año de 883.

[11] Sin interés aquí en razón de la cronología del códice.

[12] LOEWE-HARTEL, 483-489 n.6; R. FERNANDEZ POUSA, *San Valerio, Obras,* Madrid 1942, 19-25; L. VAZQUEZ de PARGA, *Sancti Braulionis... Vita Sancti Emiliani,* Madrid 1943, xx; J.N. GARVIN, *The Vitas Sanctorum Patrum Emeretensium,* Washington 1946, 14-15; C. LYNCH-P. GALINDO, *San Braulio,* Madrid 1950, 261-262. 264; W. A. OLDFATHER (ed.), *Studies in the Text Tradition of St. Jerome's Vitae Patrum,* Urbana 1943, 270-273. 463; MILLARES, *MV*, n. 93; DIAZ Y DIAZ en *Hispania Sacra,* 4 (1951), 4-22; *La Vida de San Fructuoso de Braga,* Braga 1974, 38-40; DIVJAK, 211; KLEIN, 558-560; U. MÖLK, en *Romanistische Forschungen,* 27 (1976), 295-303; v.p. 133-140; DIAZ, *Glosas,* 21-22. Copia bastante puntual de este manuscrito, aunque con ciertas supresiones y variaciones, es el manuscrito Madrid B. Acad. Historia, *cód. 10* del siglo XII.

[13] EWALD-LOEWE, 17; LOEWE-HARTEL, n.25, 502-503; CLARK, 42; GARCIA VILLADA, n.84; MILLARES, *PE,* 462 n. 146; M. DOMINGUEZ BORDONA, *Manuscritos con pinturas,* Madrid 1933, I, 208; B. DE GAIFFIER, en *Analecta Bollandiana,* 53 (1935), 91-100; MILLARES, *MV*, n. 93; DIAZ Y DIAZ, en *Sacris erudiri,* 22 (1974-1975), 68-69; KLEIN, 244-251, 553-558; DIAZ, *Glosas,* 14.20-21; v.p. 220-223.

[14] LOEWE-HARTEL, 502-503, funden en uno solo ambos códices igual que nuestra lista por lo que su duplicidad no fue reconocida hasta CLARK, 40 que tampoco prestó atención al problema; GARCIA VILLADA, n.91; MILLARES, *PE*, 463 n.153; KLEIN, 558; DIAZ, *Glosas,* 20; v.p. 249-251.

= Madrid BAH, *cód. 39* [F. 204]: Hieronymus, Eucherius + Augustinus + *Chronicon Emilianense*[15] .

14 Otro en f° de letra del siglo IX, á quien le faltan cuatro hojas al principio, y contiene la exposición de la Regla de Sn. Benito por el abad Exmaragdo = Al folio 147. bto. dá principio la obra, qe se atribuye á Paulo Albaro Cordoves; cuyo titulo es *Incipiunt capitula scintille scripturarum*. Se hallan integros todos sus capitulos; pero al 73 le faltan hojas.

= Madrid BAH, *cód. 26* [F. 196]: Smaragdus, *in regulam s. Benedicti* + Defensor, *scintillarum liber*[16] .

15 Otro en f° mayor de letra del siglo X. contiene el libro de la ciudad de Dios, qe escrivio Sn. Agustin: le faltan hojas al libro XVII, y algunas al XXII.

= Madrid BAH, *cód. 29* [F. 187]: Augustinus, *de ciuitate dei*[17] .

16 Otro en f° de letra del siglo X. contiene las homilias de Sn. Gregorio el Magno sobre Ezequiel, y le faltan hojas al fin.

= Madrid BAH, *cód. 38* [F. 200]: Gregorius M., *homiliae in Ezechielem*[18] .

17 Otro en f° escrito el año 1073. á quien titulan *comes*: es conjunto de lecciones del viejo testamto., epistolas, evangs, y oraciones para el complimto. del oficio de la Misa, con otras curiosidades qe compuso su amanuense: quien dexo dha fecha con estas palabras = *explicitus est hic liber comitis á domini Petri Abbatis sub era millesima centesima undecima.*

15 LOEWE-HARTEL, 489-499 n. 19; CLARK, 42. 164-168; GARCIA VILLADA, n. 95; MILLARES, *PE*, 436 n. 157; L. VAZQUEZ DE PARGA, en *Bolletino dell' Archivio Paleografico Italiano*, 5. 2-3 (1956-7), 367-377; J. VIVES, en *Hispania Sacra*, 12 (1959), 445-453; D. ALONSO, en *Revista de Filología Española*, 37 (1953), 1-94; G. MENENDEZ PIDAL, en *Boletín de la Real Academia de la Historia*, 143 (1958); MILLARES, *MV*, n.102; DIVJAK, 212-215; KLEIN, 558-561; FERNANDEZ CATON, *Las Etimologías*... (v.n.3), 106; v.p. 165-173.

16 LOEWE-HARTEL, 496 n. 13, CLARK, 41; M. GOMEZ MORENO, *Iglesias mozárabes*, Madrid 1919, 359; GARCIA VILLADA, n.86; MILLARES, *PE*, 462 n.148; H. ROCHAIS, en *Scriptorium*, 4 (1950), 294 ss.; MILLARES, *MV*, n.99; A. LINAGE CONDE, *Los orígenes del monacato benedictino en la Península Ibérica*, León 1973, 798; A. SPANNAGEL-P. ENGELBERT, *Smaragdi abbatis expositio in regulam S. Benedicti*, Siegburg 1974, xvii. xlv-xlviii; KLEIN, 244-251, 552-558; v.p. 218-220.

17 LOEWE-HARTEL, n.24, 501; CLARK, 41; GARCIA VILLADA, n.88; MILLARES, *PE* n.150; omitido en mis notas sobre «San Agustín en la Alta Edad Media española a través de sus manuscritos», en *Augustinus*, 13 (1968), 141-151; DIVJAK, 211-212; KLEIN, 558-560; v.p. 147-154.

18 LOEWE-HARTEL, 511-512 n.40; CLARK, 42. 183-186; GARCIA VILLADA, n.94; MILLARES, *PE*, 463 n. 156; KLEIN, 558-561; v.p. 127-128.

= Madrid BAH, *cód. 22* [F. 192]: *Liber Commicus*[19] .

18 Otro en f° mayor de la letra del siglo X. contiene la exposición de los 150 salmos, y ademas el de fuera de este num° qe compuso David de resultas de la victoria qe obtuvo contra Goliat; por ultimo un elogio sobre el orden admirable de los salmos, y su numero mistico. A este codice le falta algo á su prologo, y al salmo cuarto.

= Madrid BAH, *cód. 8* [F. 176]: Cassiodorus, *expositio psalmorum*[20] .

19 Otro en f° de letra de fines del siglo X. y contiene todo el salterio y el referido extra numero = En seguida un prologo de San Isidoro Metropolitano de Sevilla sobre el libro de los Canticos, y algunos de estos; faltanle hojas al fin.

= Madrid BAH, *cód. 64 ter* [F. 215]: *Psalterium*[21] .

20 Otro en cuarto mayor, qe contiene dho salterio, le faltan hojas al principio, y por esto empieza con el verso XIIII. del salmo XXVI: Siguen los canticos de todo el circulo del año, y le faltan algunos por faltarle hojas.

= Madrid BAH, *cód. 64 bis* [F. 209]: *Psalterium cum canticis*[22] .

21 Otro en cuarto mayor de letra del siglo XI contiene el mismo salterio con la falta de dos palabras, del primer verso, y de los salmos XVIIII, XX, y XXI por haberse desprendido algunas hojas = En seguida está la obra de salmos floreados por S. Prudencio cuyo título es este =

[19] EWALD-LOEWE, 27; LOEWE-HARTEL, 505-506 n.29; M. FEROTIN, *Liber mozarabicus sacramentorum*, Paris 1912, 903-910; CLARK, 41. 225-228; GARCIA VILLADA, n.27; AYUSO, 360 n.42; J. PEREZ de URBEL, en *Miscellanea Mohlberg*, 2, Roma 1949, 195-197; J. PEREZ DE URBEL - A. GONZALEZ Y RUIZ-ZORRILLA, *Liber Commicus*, Madrid 1950, lxiii-lxxiii; MILLARES, *MV*, n. 97; J.M. FERNANDEZ, en *Boletín del Instituto de Estudios Asturianos*, 67 (1969), 281-304; G. MENENDEZ PIDAL, en *Boletín de la Real Academia de la Historia*, 143 (1958), 8 ss.; PINELL, 117, 127; KLEIN, 558; v.p. 183-186.

[20] LOEWE-HARTEL, 482-483 n.3; CLARK, 40.180; GARCIA VILLADA, n.78; MILLARES, *PE*, 482 n.138; G. MENENDEZ PIDAL, en *Boletín de la Real Academia de la Historia*, 143 (1958), 8 ss.; J. GUILMAIN, en *Speculum*, 35 (1960), 19-20; *Scriptorium*, 30 (1976), 188-190; KLEIN, 558-560; v.p. 140-143.

[21] LOEWE-HARTEL, 515-516, n.50; GARCIA VILLADA, n.106; E. ANSPACH, *Taionis et Isidori nova fragmenta et opera*, Madrid 1930, 85-88; MILLARES, *PE*, 464, n.168; W.M. WHITEHILL, en *Jahrbuch für Liturgiewissenschaft*, 14 (1934), 107-109; AYUSO, 358 n.32; MILLARES *MV*, n. 109; PINELL, 119; KLEIN, 558; v.p. 196-198.

[22] LOEWE-HARTEL, 512 n. 43; CLARK, 43 210-212; GARCIA VILLADA, n. 105; ANSPACH, (v.n.21), 85-86; MILLARES *PE*, 464 n. 167; W.M. WHITEHILL, en *Jahrbuch für Liturgiewissenschaft*, 14 (1934), 105-7; CHURRUCA, 138; AYUSO, 358 n. 31; MILLARES, *MV*, n. 108; PINELL, 119; KLEIN, 558; v.p. 190-191.

In nomine Domine. Incipit liber ex floribus psalmorum á beato Prudencio editus.

= Madrid Archivo Histórico Nacional, *cód. 1006 B* (1277): *Psalterium* + Prudentius Galindo, *flores psalmorum*[23] .

22 Otro en cuarto mayor de letra de fines del siglo X. contiene en su principio algunos concilios de Nicea, y de Cesarea, ó Neocesarea = el libro de las sentencias de Sn. Gregorio el Magno abstractado del referido de los Morales: contiene V libros con sus respectivos capitulos, faltandole dos al quinto por haberse desprendido hojas.

= Madrid BAH, *cód. 44* [F. 218]: *Fragmenta canonica* + Taio, *sententiae*[24] .

23 Otro en 4° mayor de letra de mitad del siglo XI. contiene lo primero el libro de pronosticos del siglo venidero, qe compuso San Julian Metropolitano de Toledo para Balio Diocesano de Barcelona: le faltan hojas al ultimo capitulo LXII del libro 2° = La vida de Juan obispo de Alexandria escrita por Leoncio = Y el libro qe compuso San Leandro para su hermana Florentina.

= Madrid BAH, *cód. 53* [F. 221]: Iulianus, *prognosticon* + *Iohannis Eleemosynarii uita* + Leander, *regula,* seguida de extractos de Esmaragdo[25] .

24 Otro en 4° mayor de letra del siglo X. en su principio tiene algunos salmos floreados del expresado Sn. Prudencio, y que abstrage poniendoles en su libro respectivo = Este codice contiene lo primero el libro (aunque faltoso de hojas), qe escrivio Eusebio Geronimo contra Joviniano =

[23] GARCIA VILLADA, n.220; D. DE BRUYNE, en *Revue Bénédictine,* 36 (1924), 13; MILLARES, *PE,* 461 n.125; J. ENCISO, en *Estudios Biblicos,* 1 (1942), n.43-44; AYUSO, 358 n.30; L. BROU, en *Hispania Sacra,* 11 (1958), 359-360; A. GONZALEZ Y RUIZ ZORRILLA en *Hispania Sacra,* 9 (1956), 141-152; MILLARES, *MV,* n. 89; v.p. 178-181.

[24] LOEWE-HARTEL, 517-518 n.52; CLARK, 43, 140-143; GARCIA VILLADA, n.96; E. ANSPACH, *Taionis et Isidori nova fragmenta et opera,* Madrid 1930, 1-6; MILLARES, *PE,* 463 n.158; GARCIA VILLADA, en *Revista de Bibliotecas, Archivos y Museos,* 30 (1934), 23; G. MARTINEZ DIEZ, en *Hispania Sacra,* 15 (1962), 389-399; v.p. 254-257.

[25] LOEWE-HARTEL, n.51, 516-517; GARCIA VILLADA, n.100; MILLARES, *PE,* 464 n.162; CH. J. BISHKO, en *Speculum,* 23 (1948), 578; J.N. HILLGARTH, en *Analecta Sacra Tarraconensia,* 30 (1958), 31; J. CAMPOS RUIZ, *Santos Padres Españoles,* II, Madrid (BAC) 1971, 17; J. VELAZQUEZ, *Leandro de Sevilla. De la instrucción de las vírgenes y desprecio del mundo,* Madrid 1979 (Corpus Patristicum Hispanum, I), 59-61; A. LINAGE CONDE, *Los orígenes del monacato benedictino en la Península Ibérica,* León 1973, 801; KLEIN, 558; HILLGARTH, *Sancti Iuliani Toletanae sedis episcopi opera,* I, Turnhout 1976 (CCh, CXV), xxviii; DIAZ, *Glosas,* 23; v.p. 173-178.

El libro Apologetico de este Sto. Doctor á Pamacio = El libro de San Euquerio obispo Lugdunense para Berano = El expresado libro de Sn. Julian titulado pronosticos del siglo venidero = Nombres de los lugares y rios principales de las provincias de España, con las Sedes episcopales: Y por último puso el copista en versos acrosticos cuanto contiene este codice con la fecha en letras mayusculas o iniciales de cada verso, que dicen *Eximinus hoc misellus scribsit era nongentesima septuagesima, cursu nono decimo calendas aprili*... También contiene (aunque fuera del orden del contenido del codice) una noticia, qe se halla anteriorada y colocada en una llana, qe dexo en blanco á su final y antes de los insinuados versos el expresado Ximeno, y la tal noticia ó llamemosla como la titula su autor Vigila = membrana missa a Vigilano Montano, qe se halla al simil de la de Ximeno, y concluye: *occubente labentia bis nam quina centena semel dena, scilicet, bis rite quaterna era acta sunt á Vigilane Montano*. (Era de 1018) esta es su era conocida.

= Madrid Archivo Histórico Nacional, *cód. 1007 B: Opera patristica* [26].

25 Otro en 4° mayor de letra del siglo XI, contiene la vida de Sn. Martin Turonense = La de San Millan, que escrivio S. Braulio, y al f° 50 lo siguiente = Item de celebritate festivitatis Domini Matris, concilio toletano X. titulo I, a cap. X°., V. die Kalendarum decembris = Los hechos y fallecimiento de San Ildefonso = Al folio 54. Sobre la Virginidad de la Madre de Dios, obra que escrivio el mismo San Ildefonso contra Joviniano, ó Jubian, Elpidio, y judios = Y al folio 136. la vida del insinuado S. Ildefonso escrita por Cixila Metropolitano de Toledo.

= Madrid BAH, *cód. 47* [F. 211]: *Vitae sanctorum* [27].

26 Otro en folio y de letra del siglo XI, este códice seria de los mas preciosos, si no tuviera la falta qe otros: es el Libro de los Jueces del

[26] D. De Bruyne, en *Revue Bénédictine*, 36 (1924), 13-20; Garcia Villada, en *Estudios eclesiásticos*, 4 (1925), 178-184; Millares, *Contribución al «Corpus» de códices visigóticos*, Madrid 1930, 213-222; Millares, *PE*, 461 n.126; L. Vazquez de Parga, *La División de Wamba*, Madrid 1943, 24; J. Leclerq, en *Hispania Sacra*, 2 (1949), 93-95; J. Campos, en *Helmantica*, 7 (1956), pp. 184-195; Millares, *MV*, n° 103; Diaz, *Glosas*, 22; v.p. 111-117.

[27] Ewald-Loewe, 36; Loewe-Hartel, 514-515, n.47; Clark, 40; Garcia Villada, n.98; Millares, *Contribución al «Corpus» de códices visigóticos*, Madrid 1932, 37-44; Millares, *PE*, 463 n. 160; Churruca, 137; I. Cazzaniga, en *Bolletino per la preparazione delle edizione nazionale dei classici greci e latini*, 3 (1954), 9; Pinell, 143; V. Blanco Garcia, *Santos Padres Españoles*, I, Madrid (BAC) 1971, 17 (= *San Ildefonso. De virginitate beatae Mariae*, Madrid 1937); Divjak, 215; Klein, 558; v.p. 181-183.

tiempo de los godos: contiene lo primero el titulo *de rectoribus*, y el ultimo *de furtis et fallatiis*.

= Madrid BAH, *cód. 34* [F. 202]: *Forum iudicum*[28] .

:7 Otro en 4° de letra del siglo X. es un ritual gótico, qe contiene las ceremonias, y demás relativo para la administración de los Sacramentos del Bautismo, confirmación, Estremaunción, y viatico: y la penitencia para el moribundo = el modo de celebrar las exequias del obispo, del presbitero, y otros: muchas misas votivas al estilo gótico ó muzárabe: la misa que decia el obispo, cuando ordenaba a uno de presbitero, y la omnimoda Apostolica &ª.

= Madrid BAH, *cód. 56* [F. 224]: *Manuale*[29] .

28 Otro en 4° menor, y contiene un abstracto de la regla de Sn. Benito, qe escribio el Presbitero Iñigo para las Monjas del Monast° de las Santas Nunilona y Alodia sito en la ciudad de Naxera en la era de 1014 (año 976). como lo expresa el mismo Iñigo al fin de su obra.

= Madrid BAH, *cód. 62* [F. 230]: (Saluus Albeldensis?); *libellus a regula S. Benedicti subtractus*[30] .

29 Otro en folio y de letra de fines del siglo XI y es un misal, estendidas sus misas al estilo romano con algunos prefacios peculiares; como para la Misa de S. Millán &ª. Debió escribirse entre los años de 1085 a 1096 en que estaba ya derogado el rezo gótico ó muzarabe; y por qe en el cuerpo de el, y en 6 de Noviembre contiene la Misa de la traslación de las Sagradas reliquias de S. Felices maestro ó director

[28] LOEWE-HARTEL, 510 n.38; K. ZEUMER, *Lex visigothorum* (MGH leg. I), Berlín 1902, xxiii; CLARK, 42; GARCIA VILLADA, n. 93; ANSPACH, (v.n.20), 108; MILLARES, *PE*, 463 n.155; DIAZ Y DIAZ, en *Anuario de Historia del Derecho Español*, 46 (1976), 163-224; KLEIN, 558; v.p. 211-215.

[29] LOEWE-HARTEL, 518 n. 58; M. FEROTIN, *Le liber ordinum*, Paris 1904, xxiv; M. FEROTIN, *Liber mozarabicus Sacramentorum*, Paris 1912, 899-903; CLARK, 43; GARCIA VILLADA, n.101; MILLARES, *PE*, 464 n.163; G. MENENDEZ PIDAL, *Boletín de la Real Academia de la Historia*, 143 (1958), 8-9; AYUSO, 458-549; MILLARES, *MV*, n.105; PINELL, 147; M. RANDEL, *An Index to the Chant ot the Mozarabic Rite*, Princeton 1973, xvii; KLEIN, 558, 561; v.p. 198-199.

[30] LOEWE-HARTEL, 520-521 n.64; M. FEROTIN, *Le liber ordinum*, París 1904, 69; CLARK, 40; GARCIA VILLADA, n.103; MILLARES, *PE*, 464 n.165; CH. BISHKO, en *Speculum*, 23 (1948), pp. 559-590; MILLARES, *MV*, n.107; A. CANELLAS, *Exempla scripturarum latinarum*, Zaragoza 1966, 45-47; A. LINAGE CONDE, *Una Regla monástica riojana femenina del siglo X: el «Libellus a regula sancti Benedicti subtractus»*, Salamanca 1973, 77-110; LINAGE CONDE, *Los orígenes del monacato benedictino en la Península Ibérica*, León 1973, 798 ss.; KLEIN 558, 561; v.p. 30-32.

de S. Millán desde el Castillo de Bilibio (término hoy de la Villa de Haro), al Monastº. de S. Millan: cuya traslación se hizo en 6 de Nov. de 1090.

= Madrid BAH, *cód. 18* [F. 185]: *Missale romanum* [31].

30 Otro en fº de letra del siglo Xº ó mas bien del IXº. á quien le faltan hojas al principio y fin, y es la obra de Sn. Juan Chrisostomo, y principia con dha falta por el tratado *de compuntione cordis.*

= Madrid BAH, *cód. 27* [F. 195]: Iohannes Chrysostomus, *opera* [32].

31 Otro en 4º mayor de letra del siglo XI. y es vocaulario de idioma latino, y á la letra S le falta un cuaderno de 8 hojas.

= Madrid BAH, *cód. 46* [F. 212]: *Glossarium Abauus* [33].

32 Otro en 8º de letra del siglo IX contiene la historia sobre Judit, y Josue.

= Madrid BAH, *cód. 63* [F. 231]: *Homiliae* [34].

33 Otro en fº mayor, á quien le faltan hojas al principio y fin, y muy derrotado, de letra del siglo Xº contiene una carta de Sn. Gregorio el Magno al Rey Recaredo, y otras de Sn. Geronimo á algunos Papas, y otras personas.

= Madrid Biblioteca Nacional, *6126* [35].

34 Otro en fº de letra del siglo XI. y es un vocabulario latino, le faltan

[31] LOEWE-HARTEL, 497-498 n. 17; B. DE GAIFFIER, en *Analecta Bollandiana,* 82 (1964), 5-36; CLARK, 40; GARCIA VILLADA, n.81; MILLARES, *PE*, 462 n.142; MILLARES, *MV*, n.95; J. JANINI, en *Hispania Sacra,* 15 (1962), 177-195; J. BRAGANÇA, en *Didaskalia,* 3 (1973), 37-45; KLEIN, 558; v.p. 201-202.

[32] LOEWE-HARTEL, 493-494 n.9; CLARK, 41; GARCIA VILLADA, n.87; MILLARES, *PE*, 463 n. 149; KLEIN, 558; v.p. 241-246.

[33] EWALD-LOEWE, 19; LOEWE-HARTEL, 513 n.44; CLARK, 40; GARCIA VILLADA, n.97; MILLARES, *PE*, 463 n. 159; KLEIN, 558, 561; DIAZ, *Glosas,* 13; v.p. 143-147.

[34] LOEWE-HARTEL, 521-522 n.65; CLARK, 40; GARCIA VILLADA, n. 104; MILLARES, *PE*, 464 n. 166; v.p. 247-249.

[35] Como hasta ahora no había sido determinado este manuscrito como emilianense, por error, en «Manuscritos visigóticos de San Millán de la Cogolla» en *Homenaje a Fray Justo Pérez de Urbel,* Silos 1976, I, 269, lo identifiqué con el *códice 30 (F. 190),* aunque manifestando cierta vacilación. Debe, pues, entenderse rectificada aquella noticia. El códice 30, como algún otro manuscrito litúrgico, no figura en la presente relación, de manera bien sorprendente.

A. MILLARES, *Contribución al «Corpus» de códices visigóticos,* Madrid 1931, 135-145; R. FERNANDEZ POUSA, en *Verdad y Vida,* 3 (1945), 31-32; MILLARES, en *Hispania Sacra,* 14 (1961), 376 nº 70; DIAZ, *Glosas,* 19; v.p. 128-131.

hojas al principio, pues comienza por las letras A.D. llega hasta la letra S. pero esta incompleta, y de consig[te] . le falta mucho hasta su conclusión.

= Madrid BAH, *cód. 31* [F. 193]: *Glossarium*[36] .

35 Otro en 4° mayor de letra del siglo XI, y es á modo de un Dealogo en asuntos poeticos le faltan hojas al principio y fin.

A pesar de la curiosa descripción que no responde a ninguno de los códices conocidos y que por si misma ya resulta sospechosa, quizá podrá identificarse con el siguiente:
= Madrid BAH, *cód. 52* [F. 220]: *Missale*[37] .

Hasta aquí son los goticos á escp[n] de tres como quedan referidos: los sig[TES] . son de letra galicana de los siglos XII. XIII. XIIII. &[a][38] .

[36] LOEWE-HARTEL, 506-507 n.30; CLARK, 42; GARCIA VILLADA, n.90; MILLARES, *PE,* 463 n. 152; KLEIN, 558; DIAZ, *Glosas,* 15-16; v.p. 186-187.

[37] LOEWE-HARTEL, 518 n.54 (que por su lastimoso estado no lograron identificar el contenido); CLARK, 40; GARCIA VILLADA, n. 99; MILLARES, *PE,* 464 n. 161; MILLARES, *MV,* n. 104; J. JANINI, en *Boletín de la Real Academia de la Historia,* 151 (1962), 133-150; v. pág. 251-252.

Pienso si no tendríamos quizá que invertir las identificaciones del n° 33 y de este 35; a favor de la inversión estaría sin duda el que el cód. 52 responde bien a la descripción como «muy derrotado» que se atribuye al n° 33. Otras razones, empero, apoyan la identificación tal como queda hecha.

[38] A juzgar por lo que dice MILLARES, *PE,* 463 n. 155 bis y AYUSO, *La Vetus Latina Hispana,* 549 n. 217, habría de incluirse aquí, de alguna manera, un *Missale,* Madrid BAH, *cód. 35* (F. 207). En realidad, aunque este manuscrito pertenece ciertamente al fondo antiguo de San Millán de la Cogolla, no debe incluirse, ni suponerse que su mención se ha descuidado, porque está escrito en letra del siglo XI y procede de Limoges. La mención de Millares se basa en la presencia de un pequeño fragmento.

APENDICE XXI

Gregorio Magno y Tajón de Zaragoza

Tal como se hizo notar arriba varios manuscritos antiguos trasmiten como introducción al texto de los Morales de Gregorio Magno un racimo de piezas de gran interés, que nos proponemos editar aquí. En primer lugar una carta de Tajón de Zaragoza a Eugenio de Toledo que sólo se nos ha conservado en esta introducción; luego un capítulo extraído de la Crónica Mozárabe de 754; un índice de las obras del Papa Gregorio y, finalmente, una trasliteración del capítulo del tratado *de uiris illustribus* de Isidoro de Sevilla en que éste traza la biografía y hace la loa del autor de los Morales.

Fue enorme la difusión que en toda la Edad Media española ha tenido esta obra de Gregorio Magno[1], que, a juicio de Isidoro de Sevi-

[1] Creo que merece la pena rehacer el elenco de los códices, y fragmentos de códices con los libros Morales de Gregorio Magno, pues parece, afortunadamente, estar en condiciones de crecer continuamente (véanse series anteriores de L. SERRANO, «La obra Morales de San Gregorio en la literatura hispanogoda», en *Revista de Archivos, Bibliotecas y Museos,* 24 (1911), 482-497; A. MILLARES CARLO, *Contribución al «Corpus» de Códices visigóticos,* Madrid 1931, 177-199 y DIAZ Y DIAZ, «De manuscritos visigóticos», en *Archivos Leoneses,* 53 (1973), 85-97, con extensa bibliografía actualizada por lo que aquí nos limitaremos a mencionar los correspondientes manuscritos):

Madrid Archivo Histórico Nacional, *Códice 1452 B[1-4]*, s. IX, probablemente Córdoba (5 folios)

Barcelona Biblioteca Central de Catalunya, *s.n.*, s. IX (?), probablemente Urgel (1 folio)

Manchester John Ryland's Library, *83*, a. 914 (?) (Gómez), Cardeña (Burgos)

Madrid Biblioteca Nacional, *80,* a. 945 (Florentius), Valeránica (Burgos)

León San Isidoro, *1,* a. 951 (Baltarius), región de Sahagún-Palencia, con influjos mozárabes.

Barcelona Archivo Capitular, *102,* s. X[m], región de Burgos

Madrid Biblioteca de la Academia de la Historia, *cód. 5*, ca. 960-970, San Millán de la Cogolla probablemente

Toledo Biblioteca Capitular, *11, 4-5*, s. X, probablemente Toledo

Santiago Colección M. Díaz, *cód. 2,* s.X[m], San Millán o cercanías (1 folio)

Zaragoza Colección privada, *nº 6*, s. X-XI, región navarra (14 folios)

Barcelona Colección privada, s. XI, castellano.

León Archivo Histórico Diocesano, *Fondo Bravo nº 1,* s.X, región leonesa (Otero de Dueñas ?), (1 folio).

lla, nadie podría ensalzar suficientemente aunque dispusiera de todos los recursos posibles para expresarse. En unas circunstancias que todavía hoy no conocemos bien, hízose campeón del interés por las obras de Gregorio el obispo Tajón de Zaragoza que en ocasión de un viaje a Roma, se cuidó de buscar las obras de difícil consulta en la Península copiándolas de propia mano[2]. De fiarse de cuanto Tajón dice a simple lectura en su carta a Eugenio, realizó luego una verdadera obra editorial, introduciendo resúmenes y pequeños prefacios que aclarasen mejor el contenido de cada libro; probablemente estos resúmenes a que hace referencia en su epístola se han convertido en las capitulaciones que actualmente encontramos en diversos manuscritos[3]. En honor de la verdad hay que decir que, reconocida la importancia del papel jugado por Tajón, todavía no se ha estudiado la verdadera dimensión de su labor en la recensión que mandó a Toledo para someterla a la consideración de Eugenio. Parece muy probable que la carta que conservamos haya servido de compañía a este envío y que, posiblemente por este camino, se haya convertido en una pieza importante para marcar la presencia de la actividad tajoniana[4]. De hecho, si esta interpretación es correcta, tenemos que decir

Madrid Archivo Histórico Nacional, *Códice 1452 B[11]*, s.XI[m], región castellana (?) (1 folio).

Entre las copias posteriores a 1100 mencionaré las siguientes por distintas razones de interés:

Calahorra Archivo Catedral, *cód. 3*, hacia 1140
Madrid Biblioteca de la Academia de la Historia, *cód. 1*, s. XII
Burgo de Osma Biblioteca Catedral, *177 A-B-C*, s. XIII
Escorial Biblioteca del Monasterio, *b.I.5*, s. XIV
Madrid Biblioteca del Palacio Real, *2 e 2*, s. XIV (no puedo asegurar la signatura actual).

[2] *Quum Romae positus eius quae in Hispaniis deerant uolumina sedulus uestigator perquirerem inuentaque propria manu transcriberem* (Taio ep. Eug. 71-72). De estas frases se desprende que hubo una búsqueda deliberada y sistemática en Roma adonde había ido Tajón; parece chocante que si, como dice la leyenda posterior, hubiera sido el rey Chindasvindo quien le había comisionado a este efecto, no se aluda a tal hecho en esta carta al obispo de Toledo. Ello quizá signifique que, en efecto, Chindasvindo lo envió allá pero con alguna otra misión, probablemente relacionada con los temas tocados en el Concilio Toledano VII. El asombro de Tajón ante la extensión del comentario gregoriano, aparentemente sincero, prueba que la obra no era conocida más que de referencias, o al menos sólo parcialmente.

[3] *Lectorem quippe huius operis censeo ammonendum ut uigili intentione praeuideat quam pleraque testimoniorum capitula in eisdem uoluminibus... diuersis in locis sita, ita ut inuenta sunt exposita a me ordinatim collecta fore noscuntur* (Taio ep. Eug. 95-98); *praefatiunculas quoque eisdem codicibus consonantes decerpsi, quas etiam in librorum capite praeposui* (ibid. 110-112).

[4] De todas maneras no se me oculta que la carta parece a la vez dar a entender que acompaña un ejemplar revisado y retocado de los Morales de Gregorio, pero cabría entenderla también como prefacio de una obrita, por otro lado desconocida, del

que los testigos supérstites de esta aportación de Tajón son escasos pero fácilmente identificables. Prestaremos atención previa a cada una de las piezas que arriba hemos descrito, y a continuación ofreceremos al lector que se muestre interesado una descripción de los manuscritos que trasmiten esta edición y algunos de los problemas que ella suscita.

La carta de Tajón a Eugenio fue editada por vez primera por E. Baluze, *Miscelleanorum libri IV,* Paris 1633, 397[5], que la publicó a partir del códice 66 de la Biblioteca Colbertina. Hizo una nueva edición Fr. Vollmer en *Monumenta Germaniae Historica, Auctores Antiquissimi XIV,* Berlín 1900, 287-290 para la que partía de una trascripción del texto del manuscrito Madrid BAH, *cód. 1,* s. XII-XIII, que conocía a través de Loewe-Hartel, y de un manuscrito de Toledo (Toledo BC, *27-24*) que es copia debida a Juan Bautista Pérez de variadas piezas sacadas de distintos códices, atingentes o relacionados con la historia española, todo ello combinado con la edición de Baluze, y Risco. Aunque la edición de Vollmer sólo puede ser mejorada en puntos concretos, es justo decir que no se basa directamente en los más antiguos manuscritos con que contamos, por lo que no parece superfluo que reiteremos aquí la edición de este texto que tanta importancia tuvo en el mundo libresco de la Rioja.

Un interés particular presenta la narración de la visión que se supone tenida por Tajón en Roma. Como se ha dicho, en su presentación actual en nuestra masa introductoria no es más que el capítulo correspondiente de la Crónica mozárabe de 754[6]. Aunque no se ha podido establecer el

propio Tajón, que funcionaría como introducción general a la obra gregoriana, tanto Libros Morales como Homilías sobre Ezequiel; esta obrilla consistiría en una especie de índice sistemático de temas y citas bíblicas cuya explanación se encuentra en Gregorio. No se trata, desde luego, de las Sentencias de Tajón porque está clara la distribución en seis conjuntos, la presencia de las introducciones parciales de Gregorio y nuevos detalles que no convienen en contenido y reparto con lo que poseemos. Por otra parte tampoco nuestros códices actuales de los Morales se corresponden con toda esta elaboración tajoniana. Tenemos, pues, que concluir que esta epístola al obispo de Toledo debería ser interpretada como especie de prefacio a una edición de Gregorio Magno. Y, en efecto, la presencia aquí, en los manuscritos que citaremos, de todo este conjunto, significa que se creó una conciencia de la participación real de Tajón en la difusión de la obra de Gregorio Magno. Véase además, a este respecto, las curiosas noticias, que aducimos abajo, nota 16.

[5] Más accesible en la segunda edición debida a J.B. MANSI, *Stephani Baluzii Tutelensis Miscellanea,* Lucca 1762, III, 28-29; de aquí pasó a MIGNE, *PL,* 80, 723-728; anteriormente había sido editada por M. RISCO, *España Sagrada,* 31, Madrid 1776, 166.

[6] Véase con literatura J. MADOZ, «Tajón de Zaragoza y su viaje a Roma», en *Mélanges Joseph De Ghellinck S.J.,* Gembloux 1951, 345. Sobre la Crónica mozárabe véanse las sucesivas ediciones de TH. MOMMSEN, *MGH chronica minora II* (auct. antiq. XI), Berlín 1894; J. GIL, *Corpus scriptorum muzarabicorum,* Madrid 1973, I; J.E. LOPEZ PEREIRA, *Estudio sobre la Crónica Mozárabe,* tesis Santiago 1975 (en prensa, Zaragoza, 1979).

punto donde ésta se compuso, contamos con el importante dato de que la fecha es cierta; y ya que todo induce a sospechar que se habrá originado en el Sur o Sureste de la Península, disponemos de un nuevo criterio interesante para perfilar nuestro estudio de la recensión tajoniana. Acaso haya que aceptar que no se trata de un texto preexistente luego incorporado a la Crónica, por más que su amplio desarrollo lírico y su tono legendario parecen favorecer la creencia de que precediera a la narración, más desmañada y resumida, que es tónica usual de la Crónica mozárabe. Desde luego no puede descartarse la existencia de una leyenda, anterior a la Crónica, que circulase, ya no en forma de conseja sino elaborada literariamente, y con posterioridad asumida por el clérigo autor de la historia mozárabe. Cabe afirmar que actualmente nuestro texto deriva de ésta, y el inciso completo presenta suficientes puntos de referencia para que no haya más remedio que considerarlo elaboración, como mucho, de material preexistente[7]. Volvamos a los indicios que mueven a considerar nuestra pieza como desgajada de la Crónica. Son éstas: la concordancia perfecta del texto; el hecho de la reducida alusión al Concilio en que se resuelve el viaje a Roma de Tajón, suprimiéndose los detalles relativos a la limitación de conciliares y a las condiciones de asistencia de los obispos; y, por fin, el carácter desequilibrado que presenta nuestro texto frente al de la Crónica, aun observándose el desajuste con las técnicas usuales en ésta. La narración, según agudo análisis de López Pereira[8], viene enmarcada en una atmósfera de competencia literaria entre Agustín y Gregorio Magno, lo que parece un desarrollo posterior del ambiente del propio Tajón de Zaragoza. Nuestra edición comporta ciertas mejoras, minúsculas, al texto recibido para la Crónica, aunque la puntualidad de la trascripción nos garantiza a la vez la calidad del modelo de la Crónica utilizado y, probablemente, la escasa interposición de copias, con lo que se ha evitado el riesgo de deformaciones textuales.

La tercera pieza es un índice, que se pretende cronológico, de la producción literaria de Gregorio Magno[9]. Digamos que no ha sido nunca

Hasta ahora no se han tenido en cuenta nuestros códices para el capítulo correspondiente. Aunque es más bien poco lo que aportan, tienen la virtud, por su antigüedad, de reducir un tanto el valor atribuido comúnmente al códice *A* (Madrid BAH, *cód. 81* + Londres British Museum, *Egerton 1934*), del s. IX, mozárabe.

[7] Véase LOPEZ PEREIRA, I, 128-148, 188-194. Era de la opinión contraria G. MAYANS Y SISCAR «Vida de Nicolás Antonio», 9,6,5 (en N. ANTONIO, *Censura de historias fabulosas*, Valencia 1742): «Yo la juzgo ingerida en el Cronicón de Isidoro Pacense, en la era 680, contra la brevedad y el estilo que profesa en él».

[8] *Op. cit.*, I, 192-193: «La fuente que trasmitía la leyenda habrá que buscarla en el círculo literario de Agustín».

[9] Se echan en falta las Homilías sobre el Cantar de los Cantares y el Registro. Por

editado íntegramente tal como aparece en nuestros manuscritos. Partióse para su elaboración de una biblioteca concreta: la descripción de los libros y «códices» en que se dividen los Morales exige tener delante un ejemplar así distribuido. Quizá ésta sea la razón del desacoplamiento cronológico que observamos en la enumeración de las obras gregorianas. Digamos que el elenco de éstas no conviene con el ofrecido por Isidoro, ni con el que dan Juan Diácono o Beda[10] . Esta noticia se complementa con unas breves frases en que el compilador de esta serie anuncia su propósito personal de añadir todavía el capítulo en que Isidoro de Sevilla describe la obra y virtudes del papa Gregorio[11] .

Hablemos, finalmente, de los manuscritos de los Morales de Gregorio Magno que son de interés para nuestra edición. Vollmer llegó a conocer, como queda dicho, los siguientes: Madrid Biblioteca de la Academia de la Historia, *cód. 1*, s. XII ex.-XIII; Toledo Biblioteca Catedral, *27-24*, s. XVI «ex codice Toletano», y el que sirvió de base a la edición de Baluze que, ignoro por qué motivos, Vollmer dice conservado en el Palacio Arzobispal de Bourges. De las ediciones anteriores digamos que García de Loaysa había editado la *Visio Taionis* «según un antiguo manuscrito», quizá el Toledano, y los demás editores habían ofrecido sus textos apoyándose en Baluze.

Uno de los antiguos códices conservados que nos trasmiten el conjunto introductorio que analizamos se debe a Florencio, el conocido copista[12] ; su magnífica copia de los Morales para hoy en la Biblioteca Nacional de Madrid, el *ms. 80 (Vitr. 2-1),* del año 945, trascrito elegan-

otra parte, aunque se presenta el indículo como ordenado cronológicamente (*ordine conscripta uel edita*), no lo parece así a fin de cuentas: el propio Isidoro da como del comienzo de su pontificado la Regla Pastoral, que aquí aparece en cuarto lugar. De todos modos hay en la lista más precisión que en la noticia de Isidoro, copiada a continuación de ella. Tampoco tiene nada que ver este elenco con las noticias aditicias sobre Gregorio que ofrecen numerosos manuscritos del tratado *de uiris illustribus* de Ildefonso de Toledo (v. C. CODOÑER MERINO, *El «de uiris illustribus», de Ildefonso de Toledo,* Salamanca 1972, 104-105).

10 Ioann. diac. 1, 17; Beda hist. Angl. 2,1. Los testimonios todos están cómodamente reunidos en los prolegómenos a la edición de los Maurinos (*Sancti Gregorii Papae... opera omnia,* París 1705, I, 82-88), de donde los reprodujo Migne (*PL*, 75, 103-121).

11 Remito a la edición de C. CODOÑER MERINO, *El «de uiris illustribus» de Isidoro de Sevilla,* Salamanca 1964. Como se verá en nuestra edición no es fácil filiar la copia del capítulo según nuestro texto respecto al resto de la tradición manuscrita.

12 Sobre este personaje y su producción véase J. WILLIAMS, «A Contribution to the History of the Castilian Monastery of Valeranica and the Scribe Florentius», en *Madrider Mitteilungen,* 11 (1970), 231-238. Añádase ahora la tesis de B.A. SHAILOR, *The Scriptorium of San Pedro de Berlanga,* Univ. of Cincinnati 1975 (cf. J.O. TJAEDER, en *Eranos,* 75 (1977), 155).

temente en Valeránica, cerca de Tordómar (Burgos). Este precioso manuscrito estuvo antes en Toledo donde llevó la signatura *13-2* en la Biblioteca Capitular[13]. Anterior a este códice es otro que actualmente se guarda en Manchester John Rylands Library, *83 (Crawford 93)*, debido a la pluma de un copista Gómez que acabó su labor sobre 914[14], probablemente en Cardeña donde se conservó por más de nueve siglos[15]. Al decir de Berganza, que lo vió completo, cosa que ahora no sucede por faltarle prácticamente los ocho primeros cuaterniones con lo que el texto sólo se inicia con el libro IV mediado, «al principio de este libro de los Morales de San Gregorio puso el primer autor la carta que el obispo Tayo escribió a San Eugenio Arzobispo de Toledo». La pérdida de la primera parte de este manuscrito nos retrasa, pues, en treinta años el primer testimonio del conjunto de textos que venimos comentando[16].

[13] Análisis del códice y descripción del mismo en A. MILLARES CARLO, *Estudios paleográficos*, Madrid 1918, 26-65. Véanse además los art. cit. (n. 1). De este códice toledano es de donde salió la más conocida copia que conservó J.B. Pérez (o mejor uno de sus amanuenses) en el códice misceláneo Toledo BC, *27-24*. Nueva descripción minuciosa en M. DE LA TORRE-P. LONGAS, Patronato de la Biblioteca Nacional, *Catálogo de Códices, Bíblicos*, Madrid 1935, 187-193.

[14] Descripción de M.R. JAMES, *A descriptive Catalogue of the Latin Manuscripts in the John Rylands Library at Manchester*, Manchester 1921, 150-153. Probablemente fue copiado para uso de un matrimonio devoto que pagaría el trabajo, aunque se ejecutó siguiendo órdenes del abad Damián de Cardeña, según el colofón que llevaba en tiempos *ob iussionem domni damiani abbatis perscripsi* (JAMES, 152). Que fuera un matrimonio el que abonó los gastos del manuscrito parece deducirse de la nótula en f. 80: *o bone lector lectrixque Gomiz peccatoris memento* (JAMES, 151).

[15] La identificación con Cardeña se basa en los precisos datos de F. DE BERGANZA, *Antigüedades de España*, Madrid 1716, 177 (= R. BEER, *Handschriftenschätze Spaniens*, Wien 1894, 120), que da incluso el colofón; personalmente ahora tengo algunas dudas, no manifiestas en el artículo de 1973, (v. arriba n.1) pág. 90, sobre si la data está bien leída por Berganza, aunque el hecho de que a Gómez haya también de adjudicársele, según parece, la copia del Pasionario de Cardeña (Londres British Museum, *add. 25600*), del año 919, favorece la comúnmente aceptada.

[16] Me gustaría expresar mi sospecha de que este códice quizá nos trasmite una fase antigua e importante de la edición tajoniana; en efecto, en fol. 106, después del explicit del libro XIII se lee esta nota, evidentemente tomada de un modelo muy antiguo: *contuli diligentia qua potui quum collectore sancto pape gregorii in iob moralia* (JAMES, 151). Lo que no admite discusión es que la nota se remonta a una colación antigua, aunque no pueda establecerse con precisión su origen. Aprovecho esta ocasión para llamar la atención de los estudiosos sobre otro hecho significativo que nos pone en la pista de este trabajo editorial, acéptese o no su vinculación con Tajón. En el códice del Escorial, *b.I.5*, citado arriba (nota 1) se leen las siguientes indicaciones, importantes y más amplias que las que acabamos de citar: fol. 132v *Exempla bti. Gregorii explanata in parte tertia Moralium bti. Iob primo qui est a capite undecimus L.I.*; fol. 143 *Exempla explanata de libro tertie partis secundo qui est duodecimus*; fol. 158 *De libro tertie partis quarto qui est XIIIIus*; fol. 170v *De libro tertie partis*

Ya arriba tuvimos ocasión de estudiar el manuscrito BAH, *cód. 5*, que transmite asimismo el conjunto introductorio. Pensamos[17] que puede haber sido copiado en San Millán, aunque para la posible data nos hemos resuelto, sin mayores argumentos definitivos, ésta es la verdad, por los mediados del siglo X[18] . Este manuscrito, en razón de su desastroso estado, no había sido tenido nunca en cuenta como posible testigo de nuestro conjunto.

De él, a fin del siglo XII, o quizá más exactamente a comienzos del siglo XIII, se sacó otro códice, Madrid Biblioteca de la Academia de la Historia, *cód. 1*, indudablemente copiado en San Millán, e indiscutiblemente elaborado sobre el *cód. 5*. No vamos a entrar en más detalles sobre tal manuscrito porque su data rebasa de manera notoria nuestros límites cronológicos. Bien estará, sin embargo, recordando que ha sido utilizado por F. Vollmer para su edición de la primera pieza, que indiquemos que había sido conocido del insigne profesor a través de la referencia, escueta pero clara, de la *Bibliotheca Patrum Latinorum Hispaniensis*[19] .

qui est XVI; fol. 194 *Incipit prefatio beati Gregorii romensis episcopi in libro XVII° pars quarta* entre otras de menos relieve. Por otro lado, en tinta roja (lo que significa la importancia que se les atribuye), encuéntranse varias notas que me permito también trascribir aquí para ilustración del lector y confirmación de cuanto ha quedado dicho: fol. 32ᵛ *Expositurus uerba Iob quibus dicit pereat dies in qua natus sum que spem maledicentes habere uidentur, hoc proemium anteponit, quo amoneat uirum iustum Iob non debere sentire maledictum, sed oportere lectorem attentum intra littere medullam irreprehensibilem intelligentiam latentem exquirere;* fol. 158 *Contuli diligentia qua potui cum collectore sancti pape Gregorii Imo V moralia;* fol. 170ᵛ *Contuli studio quo ualui cum collectore Ambrosio.* Y lo que tiene aún mayor importancia: fol. 229ᵛ *Contuli ego Taius indignus ut potui cum collectore mo Ambrosio in gipsulis,* noticia de verdadero relieve aunque no comprendamos algunos detalles. Finalmente todavía, en fol. 360ᵛ se lee: *ab hoc loco est correctum usque ad finem* (sobre todo ello v. G. ANTOLIN, *Catálogo,* I, 128-130). Creo que todo este conjunto y tantas otras noticias que se nos habrán escapado merecen singular y detenida atención.

17 Véase arriba. p. 125-127.

18 La cuestión de prioridades resulta dificultosa: no hay duda respecto al códice de Cardeña, porque su data, según el colofón perdido, lo hace anterior al Emilianense, que hay que situar uno o dos decenios más tarde. Por el contrario, entre el Emilianense y la copia de Florencio es más espinosa la decisión. Ateniéndonos a los solos elementos proporcionados por las piezas que comentamos, tenemos que en uno y otro, en el texto 3 (véase abajo la edición), al describir los libros que abarca cada codex de los Morales, se escribió respectivamente *liber* (Emilianense), o *lb* (Florencio). Podría interpretarse que a partir de la abreviatura equívoca de Florencio se leyó mal *liber* por *libri* en el Emilianense; pero ia inversa también es válida, pues si éste copió de aquél se limitó a trascribir sin más reflexión lo que creyó deber traducir en la abreviación. En consecuencia, es muy probable que ambos dependan de un modelo que provocó la confusión; ahora bien, no disponiendo ya del texto de Gómez, no podemos precisar más en esta dirección sin incurrir en afirmaciones gratuitas, y sin sentido.

19 I, 483.

Gran importancia reviste para el estudio de la edición tajoniana un nuevo manuscrito, Paris Bibliothèque Nationale, *lat. 2213[1]*, del siglo XI, procedente de la Biblioteca de Colbert, justamente el que sirvió de base a la edición que había hecho Baluze de la Carta de Tajón a Eugenio. Lleva las capitulaciones encabezando cada libro y en los folios 1ᵛ - 2ᵛ nuestras piezas 1, 3 y 2; aunque falta la pieza 4, puédese conjeturar que existió en el modelo porque después de la pieza 2 se ha dejado bastante espacio en blanco para recibirla. El manuscrito es probablemente originario de Moissac, de donde pasó a la Biblioteca Capitular del Puy, y de aquí a la privada de Colbert[20]. Nuestros textos, que forman parte del primer cuaternión y anteceden a la página título de la obra, van copiados de la manera más simple y en módulo menor que el cuerpo del manuscrito. Al hacer la trascripción de las piezas he buscado afanosamente síntomas hispánicos que permitieran establecer una conexión interna con modelo peninsular; aunque la mies recogida no indica cosecha lograda, quedan unas pequeñas muestras representativas acaso suficientes[21].

La peculiar disposición de las piezas en el códice de París nos permite discutir la antigüedad relativa del conjunto. Si la parte de la Crónica de 754 que da la *Visio Taionis* está, como parece indiscutible, tomada de ésta y no es opúsculo independiente, tendríamos una delimitación temporal entre 754 a 914 para la constitución del núcleo introductorio. En París, por otro lado, no está aún en su configuración actual y definitiva la que hemos designado como pieza 3, a saber el índice de obras de Gregorio; y aunque se ha dejado un blanco en el folio correspondiente no podemos estar seguros de que ya se hubiera incluido el capítulo de Isidoro. Por el contrario, el hábito de anteponer capítulos isidorianos a una obra lo encontramos en los códices riojanos de Ildefonso, y aun en cierta manera en el Albeldense. Por vía, pues, de conjetura podríamos establecer que, quizá a comienzos del siglo X, una copia de los Morales de Gregorio, puesta por alguna razón desconocida en conexión con Tajón, y que probablemente venía ya acompañada desde la segunda mitad del siglo VII de la carta de Tajón a Eugenio de Toledo,

[20] Descripción en *Bibliothèque Nationale. Catologue général des manuscrits latins,* I, París 1939, 366-367. La obra de Gregorio comprende los vols. 1 y 2 de esta copia, de 182 y 192 folios respectivamente.
Sobre una supuesta estancia en Bourges, que menciona Vollmer, ya hemos hablado.

[21] En el título de la dedicatoria a Leandro, en grandes capitales, léese *Spalensis*; en la Carta de Tajón *quam* por *quum/cum; laetus accedat* por *laeta succedat; suis* por *sanctis; preornatus* por *perornatus; quoniam* por *quam*. Por el contrario, en la *Visio Taionis* sorprenden lecturas como *Windasvindus* por *Cindasuindus, Tholetana*; pero también *misericordia* leido *in ecclesiam* (esto es *mcda* interpretado como *mecla*).

recibió primero la *Visio Taionis* y luego el indículo reducido de obras gregorianas, para acabar completándose con el capítulo pertinente de Isidoro de Sevilla. Esta conclusión es tanto más verosímil cuanto existen códices hispanos, de gran calidad y de esta época, que carecen de este núcleo introductorio[22] .

[22] Tal situación, distinta, la presenta el códice León Biblioteca de San Isidoro, *ms.1*, del año 951, escrito por Baltarius para un abad Sabárico tal vez en Tierra de Campos, en un ambiente de neta influencia mozárabe. Este manuscrito no guarda actualmente ninguna huella de haber contado con la introducción que nos ocupa: en efecto, el primer folio comienza ahora con la Carta de Gregorio a Leandro, es decir, con el texto de los Morales sin proemios de ningún tipo. Es cierto que podríamos suponer que en un cuaderno inicial, perdido, iría, como es caso frecuente, el texto bíblico del libro de Job seguido de este núcleo introductorio; pero nada autoriza aquí a pensar en tal cosa.

a) *Carta de Tajón a Eugenio de Toledo*

SANCTISSIMO AC VENERABILI DOMINO MEO EVGENIO EPISCOPO TOLETANE VRBIS TAIVS VLTIMVS SERVVS SERVORVM DEI CESARAGVSTANVS AEPISCOPVS

Congrua satis ualdeque necessaria dispositione fortioris exquirit solacium qui
5 proprie uirtutis caret officio eoque facilius corporis gressum porrigit, quo
trahitur dextera potioris, ut saltim desideratum cursum ualentioris auxilio
possit explere quam segnis in sui itineris medio remanere. Ita ego, mi uenerabilis domine, animo licet inualidus, tuis tamen adiutus orationibus,
ardui operis auspicia quasi cuiusdam maximi montis malui adire principia,
10 qui uelut magni cuiusdam in sui superficie ostentat spatia paradisi nemo-
rum proceritatibus obsita, floribus albescentia, foliis uiridantia, pomis etiam
mellificantia, liliorum quoque pulchritudine nitentia, rosarum rubore can-
dentia, uiolarum purpurantium floribus splendentia coloribusque crocei
pleraque fulgentia, nullo umquam tempore marcescentia, sed perpetua
15 sui uiriditate uernantia, mirifica arte disposita, directis que consistunt
linearum ordinibus coabtata, tantam subministrantes amantibus gratiam,
ut suauitate sui non solum exteriores corporum sensus sed interiora cor-
dium arcana satietate sui perlustrent. Quumque talia intentis obtutibus
cernerem ac plerosque his multimodis dapibus satiari uiderem, inextima-
20 bili accensus desiderio, tamquam unus ex collegio esurientium puerorum
inedie coactus impulsu, eiusdem ianuam paradisi pedetemtim adgressus
et quasi temerarius introrsus explorator ingressus, dum per eadem spatia
pulcerrima queque ac multimoda prospectando nimia admiratione suspen-
dor, quedam ramusculorum floscula more pusillorum infantium ludendo
25 collegi ac manu auida contrectando decerpsi.

---

a)

Codd. Madrid BN *80 (Vitr. 14-2; Toledo 11-3) (= T)*
Madrid BAH, *cód. 5 (= E)*
París BN, *lat. 2213[1] (= G)*
Madrid BAH, *cód. 1 (M)*
Toledo BC, *27-24 (= P)*

Edd. S. Baluze, *Miscellaneorum libri quattuor,* IV, París 1683, 397; M. Risco, *España Sagrada,* 31, Madrid 1776, 166; Fr. Vollmer, *MGH. auct. antiq.* XIV, Berlín 1900, 287-290

1 et *P* 2 Tolet. urbis episc. *transp. G* 8 animo *om. G* 10 quod *G* superficiae *E* ostentat *Vollmer:* ostentans *codd.* spatia *om. G* 11 aetiam *E* 12 *post* mellificantia *ponit* foliis uiridantia *G* 13 croceis *E*[2] 15 directis quae *Vollmer.* directisque *codd.* 16 subministrant examinantibus *coni. Vollmer* 18 archana *E* 21 inaediae *E* 25 decerpi *T*

Cursim ista precipua quadam curiositate quibusdam comparationibus premittens uerbis simplicibus quasi oris obstrusi aditum resero nisi ut tam inconparabilis excellentiam uiri, sancti scilicet pape Gregorii, in ipso loquutionis exordio quibusdam parabolis anteferrem eiusque magnitudinem
30 sapientie, quo prespicuo lumine sanctam inlustrauit eclesiam, aliquatenus non scientibus, sed nescientibus propalarem. Optaueram siquidem tue nunc adesse presentie, ut (sicut scribtum est: «interroga patrem tuum, et adnuntiabit tibi; maiores tuos, et dicent tibi») ex tui oris prudentia formulam sumerem, quam in principio huius operis uelut cuiusdam tele uerborum
35 texturam ponerem uel certe ex tui cordis artificiosa manu quasi in cuiusdam magni constructione aedificii politos atque quadratos humeris propriis uerborum lapillos deferrem; quoniam frater fratrem adiubans exaltabitur sicut ciuitas munita.

Ordo namque rationis exposcit, ut subsequentia precedentibus quodam uin-
40 culo tenacitatis nectantur, quatenus in utrumque rectitudinem sui prolata equitas pandat ac ducente tramite ueritatis ad destinatum finem leta succedat. Idcirco quod comparationibus paulo ante pretulimus, uerbis nunc apertioribus propalemus. De opusculis quippe eiusdem sanctissimi uiri sese infert subsequens sermo aliquantula narratione officiosissimus dignumque
45 fore censui de sanctis operibus eius primum pauca retexere. Vidimus, uidimus Gregorium nostrum Romae positum, non uisibus corporis, sed obtutibus mentis; uidimus eum non solum in suis notariis, sed etiam in familiaribus, qui ministerio corporali eidem fidelem exhibuerant famulatus obsequium, eorumque relatione de uirtutibus eius plura cognoscens, breuissi-
50 me pauca retexeam. Fuit denique gratia Xristi omni morum probitate compositus, animo uultuque serenus, corde benignus, conscientia purus, moribus discretus, uirginitate nitens, caritate refertus, pietate precipuus, patientia insignis, modestia incomparabilis, abstinentia singularis, ospitalitatis sectator, peregrinorum susceptor, elemosinarum largitor, eclesiasticarum re-
55 rum obtimus dispensator, amicitiis deuinctus, oppressorum releuator, tri-

32-33 Deut. 32,7 38 Prou. 18,19

26 cursim *codd.:* quorsum *Risco Vollmer* 28 excellentiam *Risco Vollmer:* -ti(a)e *TE* -tia *G* 30 perspicuo *edd. (ex corr. rec. etiam E)* eglesiam *E* 32 adnuntiaui *prius postea m.rec.corr. E* 34 quam: cum *G* 35 praeponerem *G edd.* 36 pulitos *corr.pr.m.E* 39 hordo *TE* nunquam *E* orationis *uelit Vollmer at cf. ipsius Taionis ep. Quir. 1* (PL 80, 727 B) 40 utramque *coni Vollmer* 41 ducente *MG:* ducate *ut uidetur corr. in* ducente *E* ducante *T* laetus accedat *G* 44 sermo subsequens *transp. G* officiossimus *postea m.rec.corr.E* 45 sanctis: suis *G* pauca primum *transp. G.* 47 eum: enim *G* 48 fidelem *codd.* exib- *E:* exhibuerunt *G* 49 reuelatione *E (F ante corr.)* 50 retexam *M edd.* 53 hospit- *T* 54 egles- *E* 55 amicis *G* deuictus *EG* releuator: subleuator *G*

bulantium consolator, acris ingenii, consilio prouidus, sermonibus nitidus, eloquentia facundus, prudentia dissertus, sapientia preditus, doctrina multimodus, scributurarum diuinarum mirabilis interpretator, abditorum misteriorum acerrimus uestigator, fidei catholice magnificus defensor, contra hereticos fortis assertor, superbis auctoritate erectus atque humilibus promta deuotione subiectus. Quattuor namque uirtutibus animi, prudentia scilicet, temperantia, fortitudine atque iustitia ita extitit perornatus, ut non homo, sed angelus inter homines putaretur. Quis denique nostri temporis eloquentia facundus, prudentia preditus, sapientia profundus sanctum condignis adferat laudibus Gregorium? nec ipsi, ut censeo, Grecie Romaneque facundie filosoforum precipui, Socrates scilicet uel Plato, Cicero atque Varro, si nostris temporibus adfuissent, condigna eius meritis uerba promsissent. Sed ne panegiricis uti censear aeloquiis, plurima de eiusdem uirtutibus auditu conperta premittens, ad eius opuscula, que sunt eloquia pulcritudinis, officia lingue retorqueam.

Igitur quum Rome positus eius que in Hispaniis deerant uolumina sedulus uestigator perquirerem inuentaque propria manu transcriberem tantaque dulcedo uerborum animum meum inextimabili suauitate mulceret, speciale quiddam in eadem sine cuiuspiam prespexi comparatione potissima. Denique dum historiam beati Iob sub triplici indagatione, id est historica, tipica uel morali, studuit explanatione discutere atque Ezechielis prophete primam uel ultimam partem non inpari expositione percurrere tantorumque profunda misteriorum repulso ignorantie nubilo serena patefactione monstrare, pene totius noui ac ueteris testamenti patefecit arcana. Actumque est ut hac oportunitate panis ille qui de celo descendit eiusdem fidelissimi oportuna satis dulcedine satiaret. Sed quoniam in eadem prolixitate uoluminum, dum testimonii uniuscuiusque requiritur explanatio, pene totius operis eius erat in ambiguo non minima prescrutatio

75-79 Paterius exp. praef. 80 Ioann. 6,59

59 uestigator *E (corr. m. rec) MG* inuest-s *edd.* 60 superius *prius E* 62 praeornatus *G* 63 denique: namque *G* 65 adferat *(corr. m. rec. in* efferat*) E* efferat *MG edd.* Graecae *G edd.* 67 barro *T ante corr. E* eius mentis *M om. G* prom///i//sissent *T* 68 panegiricis *PG edd.:* paniegricis *T* (aliter paragiricis *T marg*) paragiricis (*corr. m.s. XII* in paralogicis) *E* paralogicis *M* censetur *in ras. M* 69 audita *G* praetermittens *G* 71 eiusque *TE* eiusdem quae *G* 72 inuentaque transcriberem *om. P et adi. marg. M* 74 quidam *M* perspexi *G edd.* potissimam *T* 78 profundae *G* 82 testimonii *TE:* testimonium *M* (*et T ex corr. rec. m.*) *G*

atque animi ardentis sepe frigebat intentio, malui semel maximum per-
85 ferre laborem quam semper suspectam tolerare difficultatem. Percurri igitur omnia eiusdem monumenta librorum et pene totius scribture sacre
testimonia, que in eius opusculis ad probationem uel expositionem cuiusque rei adibita diuersis in locis continebantur, conscripta, adiuuante Xristo Ihesu, qui «ex ore infantium atque lactantium perfecit laudem» lin-
90 guasque mutorum uinculo taciturnitatis absoluit, suis coadunata ordinibus
stili conscribtione collegi, quatenus studiosus quisque quum in eisdem uoluminibus cuiuslibet sacri testimonii explanationem requirit, ne multiplici lectione
fatigatus non cito repperiat quod uoluerit, ad ista que decerpsi recurrens,
repente quod desiderat libere satisfactionis discretione repperiet.
95 Lectorem quippe huius operis censeo ammonendum, ut uigili intentione
preuideat quam pleraque testimoniorum capitula in eisdem uoluminibus,
ut supra meminimus, diuersis in locis sita, ita ut inuenta sunt exposita,
a me ordinatim collecta fore noscuntur. Alia igitur que iam in superius
aut inferioribus partibus exposuisse uisus est et iterum quamlibet aliis
100 uerbis, eodem tamen sensu diuersis in locis recapitulata expositione rete-
xuit, precedentibus testimoniis, ut ordo exponendarum rerum poposcit,
aliqua inserenda, reliqua uero relinquenda curaui, quatenus ex precedentibus subsequentia penderent et subsequentia precedentibus sese utilius
coabtarent. Nam si cuncta discreto ordine in huius operis serie poneren-
105 tur, proculdubio magnitudo uoluminum breuitatis modum excederet atque sui recapitulatione lectoris animus offendens facerent nihilominus repe-
tita fastidium. Cuius rei quantitatem in sex codicibus, quattuor scilicet
ueteris instrumenti, duobus etiam noui testamenti, suis conexis ordinibus,
pretermissis scribturis, quas isdem uirorum sanctissimus ex ordine tracta-
110 uit, adiutus orationibus uestris explere curaui. Prefatiunculas quoque eiusdem codicibus consonantes decerpsi, quas etiam in capite librorum prepo-
sui, quatenus ipse sibi in suis anteponatur eloquiis qui largiente gratia
Xristi copiosius nobis multiplicibus extitit officiis. Ipsos etiam codices la-
boriosa nimium intentione collectos prudentie uestre malui committere
115 contuendos, in quibus si quedam sagacissima uestigatio uestra reppererit

89 ps. 8,3 90 cf. Isai. 35,6

84 saepe *edd.*: spe *fortasse recte codd.* proferre *G* 86 monimenta *M edd.* 87 ad prob. *Baluze:* approbationem *ET* aprob- *M* 89 lactentium *M* perficit *edd.* 90-91 stili-quatenus *om. G.* 93 decurrens *M* 94 libere: uidere *coni. Vollmer* 95 intentionem *codd. (postea corr. in* -one *E)* 96 quoniam *edd.* 98 igitur *edd. TG* legitur *EM* superius *codd.*: -oribus *edd.* 99 quam liber *M* 100 sensum *(postea corr.) E* 103 pendent *P* 104 seriae *E* 106 animum *G* 108 aetiam *TE* 109 hisdem *G* idem *male corr. Risco Vollmer* 111 capita *Vollmer* 112 aeloquiis *E* 113 copiosus *G*

inordinate composita, non tam neglegentie culpam, quam necessitati ascribat, quia dum uehiculo praue scapule quasi inmensum pelagus solitarius nauta nauigaturus adgredior, cum maximis difficultatibus latissimi equoris huius spatia transmeaui tandemque ad obtatam requiem Xristo
120 gubernante perueni.

En, prudentissime uirorum, ut causarum ordines singillatim prestringerem, modum breuitatis excessi; et, ut ait quidam doctissimus, dum figuli rota currente urceum facere nitor, anforam finxit manus. Adst ergo dum breuem pagellam conscribere malui, libellum manus indocta composuit.
125 Obsecro igitur te, uirorum sanctissime, et omnes quibus huius operis lectio non displicuerit, ut hos libellos uelut duo minuta in gazofylacio templi domini conlocare dignemini ac pro meis abluendis delictis peruigili intentione eius misericordiam deprecare non dedignemini, ut eternis ereptus incendiis sempiternis solari merear refrigeriis. Vale, mi uenerabilis ac
130 sanctissime domine.

b) *Tajón en Roma*

De uisione habita Taioni episcopo in Romana ecclesia et de libro Morali in Spania ducto

---

122-123 cf. Hor. ars 21, Hier. epist. 107,3 126-127 cf. Luc. 21, 1-2

116 tam *M:* tamen *T ante corr. E* necessitatis *G* 119 requiem: littoris requiem *Baluze probante Vollmer* 121 perstringerem *edd.* 122 et *EG:* quia *M Vollmer* quiddam *E* 123 urcheum *E* nitet *G* nititur *Baluze in marg.* adst ergo *TP:* adest ergo *M* adst ego *E* 126 non *edd.:* nunc *codd.* 130 Amen *addunt in fine codd.*

---

b)

Codd. Madrid BN, *80 (Vitr. 12-1)* = *T*
Madrid BAH, *cód. 5* = *E*
París BN, *lat. 2213*[1] = *G*
Madrid BAH, *cód. 1*
Toledo BC, *27-24*

Chron. muzar. a. 754 = *X*

(Madrid BAH, *cód. 81* + London British Mus., *Egerton 1934* = A
Madrid B Facultad de Derecho, *116 Z 46* = M
París B Arsénal, *982* = P)

Cindasuindus Gotorum rex in Toletanam urbem sinodale decretum XXX
aepiscoporum cum omni clero mirifice anno regni sui quinto indixit
5 celebrandum. Hic Taionem Cesaragustanum episcopum, ordine litterature
satis inbutum et amicum scripturarum, Rome ad suam petitionem pro
residuis libris Moralium naualiter porrigit destinatum. Qui dum a papa
Romense de die in diem differretur in longum quasi in arciuo Romanae
eclesiae pre multitudine quesitum facile nequaquam repperirent libellum,
10 dominum per noctem orans et eius misericordiam ad uestigia beati Petri
apostolorum principis deposcens, ei scrinium in quo tegebatur ab angelo
manet ostensum. Qui mox se papa ut preuidit reprehensum cum nimia
ueneratione ei adiutoria tribuit ad conscribendum et Hispanis eum trans-
misit ad relegendum, quia hoc ex beati Iob libris expositum retempta-
15 bant solum quod per beatum Leandrum Hispalensem episcopum fuerat
aduectum et olim honorifice deportatum. Requisitus uero et coniuratus
est Taio episcopus a papa Romano quomodo ei tam ueridice fuisset librorum illorum locus ostensus. Hoc illi post nimiam deprecationem cum
nimia alacritate est fassus quod quadam nocte se ab ostiariis eclesie
20 beati Petri apostoli expetiit esse excubium. At ubi hoc repperit inpetratum,
in noctis medium quum se nimiis lamentis ante beati Petri apostoli loculum deprecando faceret cernuum, luce celitus emissa ita ab inenarrabili
lumine tota eclesia extitit perlustrata ut nec modicum quidem lucerent

---

Edd. G. de Loaysa, *Collectio conciliorum Hispaniae,* Madrid 1593, 414; P. de Sandoval, *Historias de Idacio Obispo,* Pamplona 1615, iterum 1631; F. de Berganza, *Ferreras convencido,* Madrid 1729; H. Flórez, *España Sagrada,* 8, Madrid 1752, 282-325 (PL 96, 1251-1280); T. Escobar, *Revista Mensual de Filosofía y Letras* 2 (1870); J. Tailhan, *Anonyme de Cordoue, Chronique rimée des derniers rois de Tolède et de la conquête de l'Espagne par les Arabes,* Paris 1885; Th. Mommsen, *MGH. auct. antiq.* XI (= Chron. minora II), Berlín 1894; J. Gil, *Corpus Scriptorum Muzarabicorum,* I, Madrid 1973, 22-24; J.E. López Pereira, *Estudio sobre la Crónica Mozárabe,* tesis, Santiago 1975.

3 Cindasuindus - rex: hic *X* Tholetana urbe *G* synodale *EGX*   4 *post* clero *habet* uel uicariis eorum episcoporum quos langor uel inopia presentes fore non fecit atque palatinum collegium qui electione collegii interesse meruerunt *X*   5 *post* celebrandum *habet* discurrentibus tantum notariis quos ad recitandum uel ad excipiendum ordo requirit *X* Caesaraugustanum *G* ordinis *TGX*   6 imbutum *TG* script- *GX*   7 naualium *G*   8 Romensi *G* die[2] *G* difer/r/etur *E* archiuo *G*   9 questum *G*   10 per noctem orans *ego*: pernoctans *codd. X edd.* misericordiam: in ecclesiam *G* uestigiam *E* beati *om. G*   11 ei: et ei *G* degebatur *TX* degebantur *G*   12 ut *om. X* uidit *G*   13 Spaniis *T(A)* ispanis *G* eum: per eum *X*   14 legendum *G* hic *G*   15 Spalensem *T(A)* Ysp- *G*   16 uero: uero est *G* coniuratus est *TE*: coniuratus *X*   17 ueridicus *X*   18 hic *G*   19 nimia *om. G* hostiariis *G(A)* eglesie *E*   20 expetit *X* expetit - apostoli *om. G*   21 in: subito in *X* medio *TX* cum *E*   22 *fortasse legendum* luce, *quod ipse scripsi* lux *codd. omnes*   23 quidem lucerent: relucerent *X*

eclesie candelabra; simulque cum ipso lumine una cum uocibus psallen-
25 tium et lampadibus relampantium introire sanctorum agmina. Denique ubi orrore nimio extitit territus, oratione ab eis completa, paulatim ex illa sanctorum curia duo dealbati senes gressum in ea parte qua episcopus orationi degebatur coeperunt dare prependulum. At ubi eum reppererunt pene iam mortuum, dulciter salutatum reduxerunt ad proprium sensum.
30 Quumque ab eis interrogaretur quam ob causam tam grande extaret fatigium uel quur ab Occidente properans tam longum peteret nauigerium, hoc et hoc ab eo quasi inscii relatum auscultant opere pretium. Tum illi multis eloquiis consolatum ei oportunum ubi ipsi libri latebant ostenderunt loculum. Igitur sancti illi requisiti quae esset sanctorum illa caterua
35 eis tam claro cum lumine comitantium, inuicem se manu tenentium, responderunt dicentes Petrum esse Xristi apostolum, simulque et Paulum cum omnibus successoribus eclesie in loco illo requiescentibus. Porro ubi et ipsi requisiti fuerunt qui domini essent qui cum eo tam mirabile habebant conloquium, unus ex illis respondit se esse Gregorium, cuius et ipse de-
40 siderabat cernere librum, et ideo aduenire ut eius remuneraret tam uastum fatigium et auctum redderet longissimum desiderium. Tunc interrogatus si tandem in illa sancta multitudine adesset sapiens Agustinus, eo quod ita libros eius sicut et ipsius sancti Gregorii semper ab ipsis cunabulis amaret legere satis perauidus, hoc solummodo respondisse refertur:
45 «Vir ille clarissimus et omnium exspectatione gratissimus Agustinus quem queris, altior a nobis eum continet locus». Certe ubi ad eorum pedes cepit proruere uncus, ab oculis eius ostiariis et ipsis territis, simul cum luce euanuit uir ille sanctissimus. Vnde et ab eo die a cunctis in eadem apostolorum sede uenerabilis Taio extitit gloriosus qui ante despicabatur
50 ut ignabus. Vale.

---

24 eglesie *E* uoce(s) *X* 25 lampades *X* introiere *G* ubi: et ubi extitit *G* 26 horrore *T* extitit *om. G* 27 gressum: egressum *EG* 28 degebatur: uacabat *G* reppererunt eum *transp. G* 30 cumque *G* Qucumque *E* 32 hec et hec *G* tum: cum *G* 33 latebantur *T* ostendebant *G* 34 exquisiti *G* 35 inuicem se manu tenentium *huc transposui, post* Paulum *habent codd. X* 36 Xristi esse *X* 37 requiescentium *male ut uidetur X* 39 colloquium *G* ex illis *om. G* 40 aduenere *X* (ad hoc uenire *P*) remunerarent *X(A)* 41 fastigium *G* actum *G* redderent *X(A)* 43 eius *om. G* 44 satis: semper *G* hic *G post* refertur *distinctionem habent codd. nostri non X* 45 Agustinum *X* 46 ubi: dum *G* eorum: eius *G* cepi *G* 49 apostolica *G* 50 ignauis *G*

c) *Indice de las obras de Gregorio*

Hic est hordo librorum sancti Gregorii pape Romensis: in expositione Iob edidit in primis libros Moralium XXXV diuisos partibus atque codicibus VI (pars prima libri V, pars secunda libri V, pars tertia libri VI, pars quarta libri VI, pars quinta libri V, pars sexta libri VIII); sequuntur hos
5 codices Homelie in Euangeliis XXXX, Dialogorum libri IIII, Pastoralis liber I, Homelie in Ezeciele duabus diuise partibus XXII (pars prima homelie XII, pars secunda homelie X). Hec sunt prefati uiri opera luculenta hordine precedenti conscribta uel edita.

Placuit ut ea quae beatus Isidorus, Spalensis ecclesie episcopus, in libris
10 uirorum inlustrium uel de laudibus ipsius inseruit nos in hoc uolumen ampliemus.

d) *Elogio de Gregorio por Isidoro de Sevilla*

Gregorius papa, Romane sedis apostolice presul, conpunctione timoris dei plenus, humilitate summus tantoque per gratiam spiritus sancti scien-

---

c)

Codd. Madrid BN, *80 (Vitr. 14-2) (=F)*
Madrid BAH, *cód. 5 (= T)*
París BN, *lat. 2213[1](= G)*
Madrid BAH, *cód. 1*

Edd. G. Loewe-W. von Hartel, *Bibliotheca Patrum latinorum Hispaniensis,* I, Wien 1886, 271 *(ex F)*; M. de la Torre-P. Longás, *Catálogo de los Códices Latinos I, Bíblicos* (Biblioteca Nacional), Madrid 1935, 187-188 *(ex F)*.

1-2 hic-codicibus VI *add. marg. G* 1 librum *(corr. in* librorum *m. saec. XII) T* 2 in primis *om. G* 3 *post* VI *add.* DIVISIO LIBRORVM MORALIVM *G* 3-4 Ib *F* liber *T (corr. m.s. XII in* libri) 4 *post* libri VIII *add.* Inter prefacio g.ppa prima libri Iob que dum tantum uiri imitabiliter per suos actus exprimens uidelicet qualis quantusue fuerit enucleatius pandere non mm prefacionis quia etiam argumenti proprietatem in se perficit. Sed utriusque rei partibus proprie seruiens ita moraliter incipit inter multos *reliqua desiderantur G* 5 quadraginta *T* 6 homelia *T* duabus *eras. in T* uiginti due *F om. T* 7 hordine *codd.* 8 aedita *F* 9 aeclesiae *F*

---

d)

Codd. Madrid BN, *80 (Vitr. 14-2) (=F)*
Madrid BAH, *cód. 5 (= T)*
Madrid BAH, *cód. 1*

Codices Isidori (= codd.)

Ed. C. Codoñer, *El «Liber de viris illustribus» de Isidoro de Sevilla,* Salamanca 1964, 148-149.

2 plenus et *codd.*

tie lumine preditus ut non modo illi inpresentium temporum quisquam doctorum sed ne in preteritis quidem par fuerit umquam. Hic in exor-
5 dio episcopatus sui edidit librum Regula Pastoralis, directum ad Iohannem Constantinopolitane sedis episcopum in quo docet qualis quisque ad officium regiminis ueniat, uel qualiter dum uenerit uiuere uel docere subiectos studeat. Idem, efflagitante Leandro episcopo, librum beati Iob mistico ac morali sensu disseruit, totamque eius profetie historiam in XXXV
10 uoluminibus largo eloquentie fonte explicuit.

In quibus quidem quanta misteria sacramentorum aperiantur quantaque sint in amore uite eterne morum precepta, uel quanta clareant ornamenta uerborum, nemo sapiens explicare ualebit, etiam si omnes artus eius uertantur in linguam. Scribsit etiam et quasdam epistolas ad predictum
15 Leandrum, e quibus unam in eisdem libris Iob titulo prefationis adnectitur, altera eloquitur de mersione babtismatis, in qua inter cetera ita scribtum est: «Reprehensibile —inquit— esse nullatenus potest infantem in babtismate mergere uel semel uel ter, quando in tribus mersionibus personarum trinitas et in una potest diuinitatis singularitas designari».
20 Fertur tamen isdem excellentissimus uir et alios libros morales scribsisse totumque textum quattuor Euangeliorum sermocinando in populis exposuisse, incognitum scilicet nobis opus. Felix tamen et nimium felix qui omnium studiorum eius monumenta potuit cognoscere. Floruit autem Mauricio Augusto imperante obiitque in suo exordio Focati Romani principis.

---

3 presentium *uariis lect. codd.* 4 nec *codd. plerique:* ne *Escorial d.I.1 inter alios* 8 idem etiam *codd.* 9 storiam ,*T* 11 quanta misteria: quantam historiam *FT (postea in* -ae *corr.)* 20 hisdem *T* idem *codd.* 23 eius-cognoscere: eius potuit cognoscere dicta *codd.* 24 suo: ipso *codd. rectius* Vocati *id est* Phocati

APENDICE XXII

Composiciones figurativas en Albelda en el siglo X

La colección de poemas que siguen ha sido editada críticamente y dotada de una anotación esquemática en «Vigilán y Sarracino: sobre composiciones figurativas en la Rioja del siglo X», *Lateinische Dichtungen des X. und XI Jahrhunderts. Festgabe für Walter Bulst,* Heidelberg 1979. El poema 1 aparece en el folio 1 del códice Escorial *d.I.2* y fue dado a luz por primera vez por G. Antolín, *Catálogo de los códices latinos de la Real Biblioteca del Escorial,* I, Madrid 1910, 370-371. Fueron publicados por primera vez en el artículo citado los poemas 2-6 (con reproducción gráfica de las figuras): de estos poemas, si así pueden llamarse, habían aparecido descritas las leyendas, segun las notas de J. Vázquez del Mármol (redactadas en 1576), en Antolín, *cit.*, 371-375. Recordemos que el poema 2 se encuentra en el fol. 1^v ; el poema 3 aparece dibujado en el fol. 2; el poema 4 en el folio 2^v; el poema 5 en folio 3, y el poema 6 en fol. 3^v . El poema 7 (editado por G. Antolín, *cit.*, 400-401 y J. Cantera Orive, en *Berceo,* 16 (1961), 441-445) se trasmite en el folio 428^v . El poema 8, que se lee en el folio 429 del mismo manuscrito del Escorial había sido publicado por H. Flórez, *España Sagrada,* 23, Madrid 1767, 472; C. Blume, *Hymnodia Gothica,* Leipzig 1897, 56-57; G. Antolín, *cit.*, 402-403 y J. Cantera Orive, en *Berceo,* 16 (1961), 445-446. Bajo el número 9 se reproduce el mosaico de fol. 19^v . Finalmente el poema 10, tomado del códice Madrid Archivo Histórico Nacional, *cód. 1007 B,* folio 128^v - 129 había sido editado por D. De Bruyne en *Revue Bénédictine,* 36 (1924), 16-18 y Cantera Orive, en *Berceo,* 16 (1961), 447-448.

Damos la trascripción y figura de los poemas 2-6 acompañadas del esquema de la figura pertinente. En este esquema se guardan las siguientes convenciones: los números pequeños significan las letras que abarca cada serie (vertical u horizontal); los números adscritos a una línea continua indican la inscripción correspondiente, en referencia a la lección presentada en aparato.

La puntuación ortográfica es aproximada, como comprobará el avisado lector visto que el texto está sometido a la presión, fundamental, de la elaboración de la figura: las sentencias, por consiguiente, adquieren una forma no analizable palabra a palabra, como, de otra parte, prueba la misma grafía, acomodada a las conveniencias. Compárense, en fin, las distintas composiciones para comprender los efectos deformantes del artificio figurativo.

1

Diuina uirtus, Criste, lux luminis, fabe tuO
En famulo, pius atque mitis mici esto nunC:
Incipiens opus nunc precor te, o pie pateR,
Porrigas solamen sic clemens, ut misero micI
Altitonans, exiguoque Vigilani, deuS
Togillatim edigerens edere ualeam ut toT
Redolentes libri canonum patrum preclariquE,
Infola uatumue euangelistarum diuinI
Sic radians acta apostolorum alioquiN
Vernantia florens suabissima uerba ubI
Nobi ac ueteris et sacratum dogmaque illuT
Imprimens almi uniusque in corpore librI
Coruscans hec alfa atque tua iubatus manV
Enixe actum merear peruenire ad portuM

Acrotelestichon: Dei patris, unice//O Criste, initium.

In margine sic habet fol. 1: Metrum trocaicum quod ex troceo nomen accepit locis omnibus ponitur et in septimo cum catalecton huius exemplum: Psallat altitudo celi sallant omnes angeli

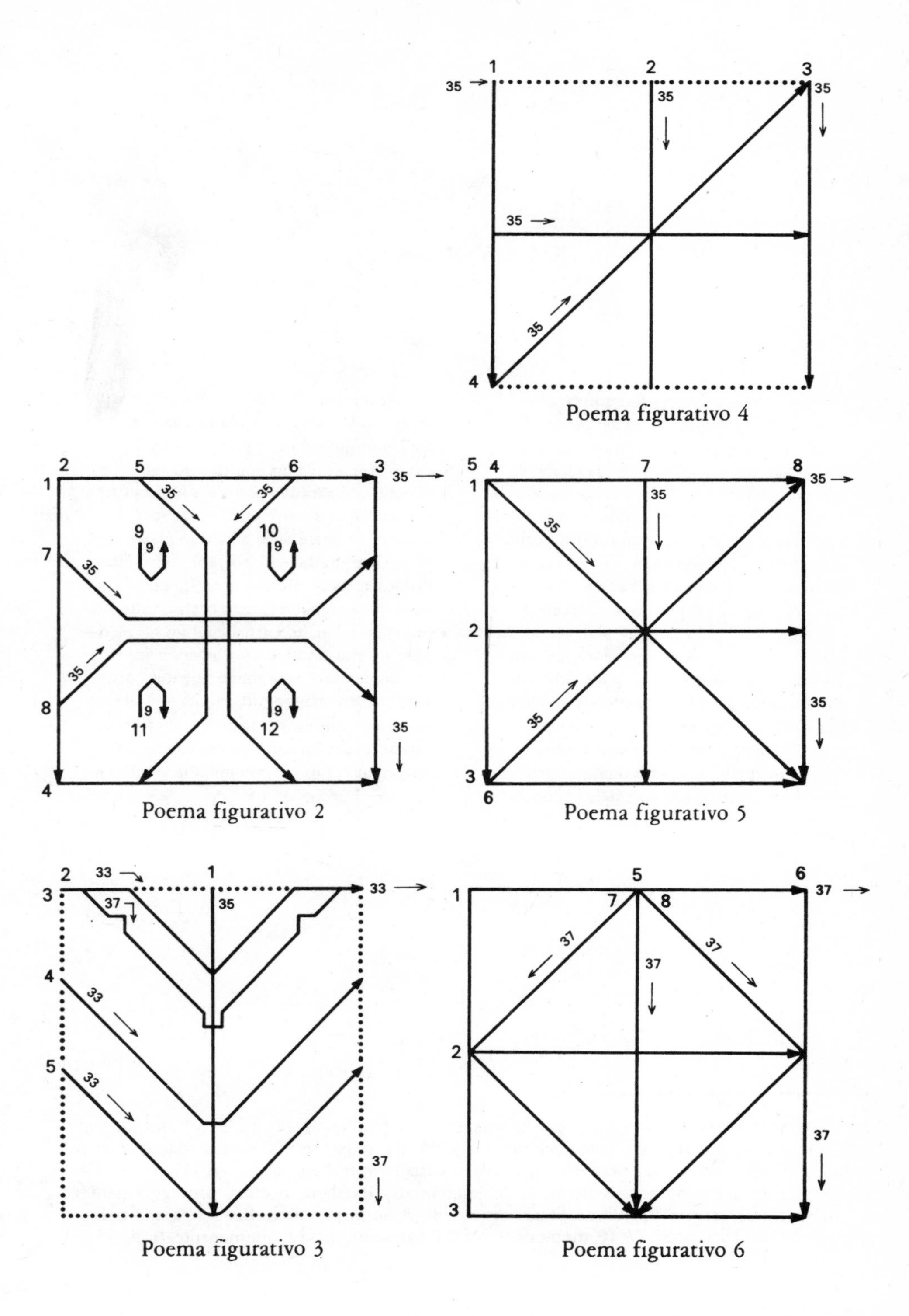

Poema figurativo 4

Poema figurativo 2

Poema figurativo 5

Poema figurativo 3

Poema figurativo 6

2

Gloria Cristi caro insons cruci adfixa,
Angelus Marie almus uirgini ait Gabrihel;
«Virtus celo ueniens ecce uirginem sacram
domini ac te exelsi lustrabit e.sua gloria,
Ihesum si filium —et Emanuel nomen eius hic
uocabis—, accipies utero Salbatorem; honor
magnus hic erit in Iacob; natus Dauid cultu
magnifico est ille siue enim maior ita rex».
Altaue ille elate regi manus ei seu palmas
gratifice oriens alme gratim eo his regie
naboue sic eodem in ea cruce boni cenon nec
uelocis, io theo, inde in agonia rogans ortu.
macarium arce sic alma crux ceu e tulit sol
abtum ualidum ita fert insontem ecce alma
Dei filium suo hec extulit, sic ligno elato
felix abta elargire praecibus sapientum
erili capiti spine, sic manibus eius acmen
roseo sputa claui, nam coors felle ille ori,
tum acetum, membris sic clamis et flagella:
blande crucis flos sacre, adfla raptim nos;
oblata contulit katerua lancea in latera;
nabo emisso sic ille lux spiritu agio agil
inde uenit de patibulo patris ic suum nutu,
suum acmen altior arce rutilans gloriosa
suo uictor ac ditate Syon adueit in gloria.
Vmato etere, io theo, abiti enim monti illuc,
a Galilea ac natos rite eoo eueit in montem;
beatos ipse in Galilea gratim beauit nutu,
e celo descendens accedens reuoluto —amen—
lapide angelus, mulieres sic uenerunt ibi
in monumentum; ecce Ihesus apparens dixit:
«Gaudio abete magno, illis en nam in ascensu
nos acendat Bethania benedicens ui calor»;
Victor spiritum sui suis misit et sanctum.
Manenti laus cruci adfixo omnia in secula.

Inscriptiones: 1. Gloriosa Cristi caro insons cruci adfixa (*v.1*) // 2. Gaudium magnum adfert bonis suabe lignum (*acrostichon*) // 3. Alma crux, secula omnia salua ac muni turma (*telestichon*) // 4. Manenti laus cruci adfixo omnia in secula (*v.35*) // 5. Crux ueneranda ferens salbatoris membra // 6. Vigilanem Gracilam, o crux, protege sancta // 7. Arbor uitae largire praecibus Sancionis // 8. Amomum crucis flos sacre adfla Ranimirum // 9. O lectores. // 10 memoriosi. // 11 Sarracini. // 12. mementote *(v.p, 353).*

GLORIOSACRISTICAROINSONSCRVCIADFIXA
ANGELVSMARIEALMVSVIRGINIAITGABRIHEL
VIRTVSCELOVENIENSECCEVIRGINEMSACRAM
DOMINIACTEEXELSILUSTRABITESUAGLORIA
IHESVMSIFILIVMETEMANUELNOMENEIVSHIC
VOCABISACCIPIESUTEROSALBATOREMHONOR
MAGNVSHICERITINIACOBNATVSDAVIDCVLTV
MAGNIFICOESTILLESIVEENIMMAIORITAREX
ALTAVEILLEELATEREGIMANVSEISEUPALMAS
GRATIFICEORIENSALMEGRATIMEOHISREGIE
NABOVESICEODEMINEACRVCEBONICENONNEC
VELOCISIOTHEOINDEINAGONIAROGANSORTV
MACARIVMARCESICALMACRVXCEVETVLITSOL
ABTVMVALIDVMITAFERTINSONTEMECCEALMA
DEIFILIVMSVOHECEXTVLITSICLIGNOELATO
FELIXABTAELARGIREPRAECIBVSSAPIENTVM
ERILICAPITISPINESICMANIBVSEIVSACMEN
ROSEOSPVTACLAVINAMCOORSFELLEILLEORI
TUMACETVMMEMBRISSICCLAMISETFLAGELLA
BLANDECRVCISFLOSSACREADFLARAPTIMNOS
OBLATACONTVLITKATERVALANCEAINLATERA
NABOEMISSOSICILLELVXSPIRITVAGIOAGIL
INDEVENITDEPATIBVLOPATRISICSVVMNVTV
SVVMACMENALTIORARCERVTILANSGLORIOSA
SVOVICTORACDITATESYONADVEITINGLORIA
VMATOETEREIOTHEOABITIENIMNONTIILLVC
AGALILEAACNATOSRITEEOOEVEITINMONTEM
BEATOSIPSEINGALILEAGRATIMBEABITNVTV
ECELODESCENDENSACCEDENSREVOLVTOAMEN
LAPIDEANGELVSMVLIERESSICVENERVNTIBI
INMONVMENTVMECCEIHESVSAPPARENSDIXIT
GAVDIOABETEMAGNOILLISENNAMINASCENSV
NOSACENDATBETHANIABENEDICENSVICALOR
VICTORSPIRITVMSVISVISMISITETSANCTVM
MANENTILAVSCRVCIADFIXOOMNIAINSECVLA

3

Salbatoris mater, Maria, gloriae palmam
fons, salus, redemtor, rex Sancionem tuum
sanctifica, famulo bono tuo reple et nos:
luceam ego en adiutorio tuo, Sarracinus,
una cum Urraca matre en et Ranimiro tuo.
Regis Sancionis tu pie ocius imple uota,
adiutor rex, o Teos, Sancioni sis munitio.
Seruulo sit et honor tuo uitae Vigilani.
Redemtor, Sancioni da uictoriae palmam,
ac Ranimiro uictor iuba, et me, Sarracino,
agie filius Criste, salba ac nos, dei uiui;
ac inlustra tu rex, o thee, lumine almo tuo.
Eclesiae fulgeat Deus lucens luce noba,
mici ferto Sarracino in anima, lumen, lux;
gloria tua fulgeat sic plebs tua, o lumen;
alme, iuba Urraccam äncilla tua, Raphael.
Me, genite rex uictor, tuo ingenito patri
spiritui ac sancto, alme redemtor, lumen,
conmenda, iniciens meo cordi lucem tuam:
uner bonis ego domni Martini cum acmine,
fruar tua luce donis tuis ac Sarracinus.
Victoriae sit laus, honor Sancioni, Deus;
Ranimiro sic tuo inice lumen uictoriae;
ac tu. m ancillam muniens memento et mei:
inlustra, sancte Micael, Rànimirum luce.
«Habe Maria», angelus ueniens e celo almus
ei ayt: «filium uirgo en paries ac spiritu
sancto repleueris, si genetrix excelsi
fulgens uirtus, dominus tecum in iubilo,
benedicta gloria tu inter mulieres sis,
gratia plena: ne timeas, gloriosa es a deo».
Inluminans tua luce animam meam et cito
inradia cor lumine tue claritatis, Deus.
Legens lector, rogo, hic affatim memento
Vigilani et mei pia in tua oratione sepe,
uobis cum obans, oro, nitens uear in celis
almo angelorum precatu, o legentes. Amen.

Inscriptiones: 1. Arbor pardis tensa ramis hincue siue et hinc // 2. Salbator, Sancioni da uictoriae palmam // 3. Sancta Maria, Urracam ancillam respice tuam // 4. Agie, fabe angelo, Micael, Ranimiro tuo // 5. Vatum fruantur precatu familie palmas *(v.p. 353)*

SALBATORISMATERMARIAGLORIAEPALMAM
FONSSALVSREDEMTORREXSANCIONEMTVVM
SANCTIFICAFAMVLOBONOTVOREPLEETNOS
LVCEAMEGOENADIVTORIOTVOSARRACINVS
VNACUMVRRACCAMATREENETRANIMIROTVO
REGISSANCIONISTVPIEOCIVSIMPLEVOTA
ADIVTORREXOTEOSSANCIONISISMVNITIO
SERVVLOSITETHONORTVOVITAEVIGILANI
REDEMTORSANCIONIDAVICTORIAEPALMAM
ACRANIMIROVICTORIVBAETMESARRACINO
AGIEFILIVSCRISTESALBAACNOSDEIVIVI
ACINLUSTRATVREXOTHEELVMINEALMOTVO
ECLESIAEFVLGEATDEVSLVCENSLVCENOBA
MICIFERTOSARRACINOINANIMALVMENLVX
GLORIATVAFVLGEATSICPLEBSTVAOLVMEN
ALMEIVBAVRRACCAMANCILLATVARAPHAEL
MEGENITEREXVICTORTVOINGENITOPATRI
SPIRITVIACSANCTOALMEREDEMTORLVMEN
CONMENDAINICIENSMEOCORDILVCEMTVAM
UNERBONISEGODOMNIMARTINICVMACMINE
FRVARTVALVCEDONISTVISACSARRACINVS
VICTORIAESITLAVSHONORSANCIONIDEVS
RABUNURISUCTVOINICELVMENVICTORIAE
ACTVAMANCILLAMMVNIENSMEMENTOTEMEI
INLVSTRASANCTEMICAELRANIMIRVMLVCE
HABEMARIAANGELVSVENIENSECELOALMVS
EIAYTFILIVMVIRGOENPARIESACSPIRITV
SANCTOREPLEVERISSIGENETRIXEXCELSI
FVLGENSVIRTVSDOMINVSTECVMINIVBILO
BENEDICTAGLORIATVINTERMVLIERESSIS
GRATIAPLENANETIMEASGLORIOSAESADEO
INLVMINANSTVALVCEANIMAMMEAMETCITO
INRADIACORLVMINETVECLARITATISDEVS
LEGENSLECTORROGOHICAFFATIMMEMENTO
VIGILANIETMEIPIAINTVAORATIONESEPE
VOBISCVMOBANSORONITENSVEARINCELIS
ALMOANGELORVMPRECATVOLEGENTESAMEN

4

Ortus uirginis, uirgo alme, Cristus, matris,
rex Ihesus ex utero, salbator, redemtor, sua
ecce a natiuitate inluminauit mundo, dein
xenia sua passione amicis suis alma adhuc
celica et paradisigena cunctis contulit,
et cruci affixus, patri suo iam missa anima,
lux descendit ad inferna; suum inde gregem
inuicta manu sua euexit in celos, gloriosa
sepulcri ex quiete splendens sic nauiter,
ac resurrexit tertio die lux; mulieres ibi
nam venerunt ad sepulcrum, ac sic angelica
celeriter vox in Galilea ut uenirent nutu
illis ayt, discipuli gauderent et nauiter
oriens Cristus, lux, salus, inuictus uictor,
nauiter dixit nectarea mulieribus uerba:
irent sic discipuli sui in Galileam, illic
sua ut resurrectione nam letarentur alma.

Miles, o Criste, tuus Ranimirus sic honorem
uite merito bonis ornatus actibus teneat,
nanciscatur dona spiritus almi ut auditu
ilariore ac uultu uerbum capiat uite bone;
alacer sit tue lucis e claritate et uictor
semper gaudeat almo gaudio tue uictoriae.

En oro ut mici Sarracino des lucem in anima;
peto, Deus meus, serbo des in mente tuo lumen;
en enixe ueni hodie, Paraclite, rogamus, huc:
fac et nos, o spiritus, celibes doni dono tui;
alme, pie, benigne, bone adspira hic Emanuel,
ciba nos ciuo tuae dulcedinis, rex Israhel.
Fabe tu, o rex, Sancio, humili ac tege manu tua;
o lux luminis, Urracam tuere ancillam tuam:
Rex eterne, Garseani famulo da paradiso et
tege tuum alma semper Ranimirum e tua manu.
In hac aula Martini tui fulgeat tua gloria
alma et in tota eclesia, o Criste, in eternum.

Inscriptiones: 1. O rex celi, Sancionis munia sepe fac fortia (*acrostichon*) // 2. O alme rex poli, Garseani regi da celum frui *(mesostichon)* // 3. Sancta Maria, Urracam tuere ancillam tuam (*telestichon*) // 4. Angelus bonus tuus Ranimirus uigeat, Deus // 5. Miles, o Criste, tuus Ranimirus sic honorem (*v.18) (v.p. 353)*

O R T V S V I R G I N I S V I R G O A L M E C R I S T V S M A T R I S
R E X I H E S V S E X V T E R O S A L B A T O R R E D E M T O R S V A
E C C E A N A T I V I T A T E I N L V M I N A V I T M V N D O D E I N
X E N I A S V A P A S S I O N E A M I C I S S V. I S A L M A A D H V C
C E L I C A E T P A R A D I S I G E N A C V N C T I S C O N T V L I T
E T C R V C I A F F I X V S P A T R I S V O I A M M I S S A A N I M A
L V X D E S C E N D I T A D I N F E R N A S V V M I N D E G R E G E M
I N V I C T A M A N V S V A E V E X I T I N C E L O S G L O R I O S A
S E P V L C R I E X Q V I E T E S P L E N D E N S S I C N A V I T E R
A C R E S V R R E X I T T E R T I O D I E L V X M V L I E R E S I B I
N A M V E N E R V N T A D S E P V L C R V M A C S I C A N G E L I C A
C E L E R I T E R V O X I N G A L I L E A V T V E N I R E N T N V T V
I L L I S A Y T D I S C I P V L I G A V D E R E N T E T N A V I T E R
O R I E N S C R I S T V S L V X S A L V S I N V I C T V S V I C T O R
N A V I T E R D I X I T N E C T A R E A M V L I E R I B V S V E R B A
I R E N T S I C D I S C I P V L I S V I I N G A L I L E A M I L L I C
S V A V T R E S V R R E C T I O N E N A M L E T A R E N T V R A L M A
M I L E S O C R I S T E T V V S R A N I M I R V S S I C H O N O R E M
V I T E M E R I T O B O N I S O R N A T V S A C T I B V S T E N E A T
N A N C I S C A T V R D O N A S P I R I T V S A L M I V T A V D I T V
I L A R I O R E A C V V L T V V E R B V M C A P I A T V I T E B O N E
A L A C E R S I T T V E L V C I S E C L A R I T A T E E T V I C T O R
S E M P E R G A V D E A T A L M O G A V D I O T V E V I C T O R I A E
E N O R O V T M I C I S A R R A C I N O D E S L V C E M I N A N I M A
P E T O D E V S M E V S S E R B O. D E S I N M E N T E T V O L V M E N
E N E N I X E V E N I H O D I E P A R A C L I T E R O G A M V S H V C
F A C E T N O S O S P I R I T V S C E L I B E S D O N I D O N O T V I
A L M E P I E B E N I G N E B O N E A D S P I R A H I C E M A N V E L
C I B A N O S C I V O T V A E D V L C E D I N I S R E X I S R A H E L
F A B E T V O R E X S A N C I O N V M I L I A C T E G E M A N V T V A
O L V X L V M I N I S V R R A C A M T V E R E A N C I L L A M T V A M
R E X E T E R N E G A R S E A N I F A M V L O D A P A R A D I S O E T
T E G E T V V M A L M A S E M P E R R A N I M I R V M E T V A M A N V
I N H A C A V L A M A R T I N I T V I F V L G E A T T V A G L O R I A
A L M A E T I N T O T A E C L E S I A O C R I S T E I N E T E R N V M

5

O alfa et ω, altissimi Dei patris sapientia,
rite inspira, o Criste, mici tegens tua manu.
En nunc oro ceu ut mici adsis oranti, Daniel,
xenia nauiter ut fruar obans perpetim tua.
Genite rex alme, tu inlumina me Sarracinum:
enixe inploro tua ut mici pater hic adsint
naua iuuamina ut merear in eternum fructu
inmensa magna suabissimi tua frui et dona.
Tu sic benedic, alme spiritus, inrora illis
et benedictionibus Isaac, Iacob ditans me,
celicis suo filio roribus Iacob ceu Iosep.
Rator redemti, o, adspira hic adiubans et me,
incepta Martini ubi tui confessoris aula
sint opera libri; huc ueni, o sancte Michael,
tuis en cum sociis nos, alme, adfla et atrium:
ecce enixe hoc loco noscimus ut uenias ibi.
Imnum eclesia canat tibi, o Deus, angelicum.
Nate patris summi, o theos, nos raptim adfla;
Genite, lux anime meae et salus, tu, redemtor,
en oro ut pietas tibi, o bone, tua mici ueniat;
nate patris, tu salus sis, salbator hic mici.
Ingenite pater, adfla iniciens mici lumen,
tu, lux mea, esto salus dans mici salutem tui.
Inspira mici, Criste, e uero limine, Emanuel;
pater summe, adfla me sepe almo tuo spiritu.
Alme hodie spiritus, tu cito ad nos ueni huc
tu, paraclite, dono tuo, ac reple nos tua luce:
radians robora, alme, nos e muneris ciuo tui.
Ingenite pater, meo cordi tu inmitte lumen.
Sancta trinitas, tuo bono conspectu Vriel,
lux spiritui meo ueniat glorioso tuo nutu.
Vite mee defensor adspira templis hic his:
mitte almum angelum hic qui lucem iniciat,
eam que mundum inluminat habere mereamur.
Nate patris summi, hic nos uelociter adfla.

Inscriptiones: 1. O alfa et ω, altissimi dei patris sapientia (= *v.1*) // 2. Nate patris summi, o theos, nos raptim adfla (= *v.18*) // 3. Nate patris súmmi hic nos uelociter adfla (= *v.35*) // 4. O rex genite, Criste, ingeniti patris lumen (*acrostichon*) // 5. O initium et finis, o theos, ciuo nos tuo ciua // 6. Nate patris, ac salba hic monacorum acmina // 7. Dei alme spiritus, o theos, adesto nobis hic // 8. Aulam tua sepe almi Martini luce inlustra *(telestichon) (v.p. 353)*

OALFAETΩALTISSIMIDEIPATRISSAPIENTIA
RITEINSPIRAOCRISTEMICITEGENSTVAMANV
ENNVNCOROCEVVTMICIADSISORANTIDANIEL
XENIANAVITERVTFRVAROBANSPERPETIMTVA
GENITEREXALMETVINLVMINAMESARRACINVM
ENIXEINPLOROTVAVTMICIPATERHICADSINT
NAVAIVVAMINAVTMEREARINETERNVMFRVCTV
INMENSAMAGNASVABISSIMATVAFRVIETDONA
TVSICBENEDICALMESPIRITVSINRORAILLIS
ETBENEDICTIONIBVSISAACIACOBDITANSME
CELICISSVOFILIORORIBVSIACOBCEVIOSEP
RATORREDEMTIOADSPIRAHICADIVBANSETME
INCEPTAMARTINIVBITVICONFESSORISAVLA
SINTOPERALIBRIHVCVENIOSANCTEMICHAEL
TVISENCVMSOCIISNOSALMEADFLAETATRIVM
ECCEENIXEHOCLOCONOSCIMVSVTVENIASIBI
IMNVMECLESIACANATTIBIODEVSANGELICVM
NATEPATRISSVMMIOTHEOSNOSRAPTIMADFLA
GENITELVXANIMEMEAEETSALVSTVREDEMTOR
ENOROVTPIETASTIBIOBONETVAMICIVENIAT
NATEPATRISTVSALVSSISSALBATORHICMICI
INGENITEPATERADFLAINICIENSMICILVMEN
TVLVXMEAESTOSALVSDANSMICISALVTENTVI
INSPIRAMICICRISTEEVEROLVMINEEMANVEL
PATERSVMMEADFLAMESEPEALMOTVOSPIRITV
ALMEHODIESPIRITVSTVCITOADNOSVENIHVC
TVPARACLITEDONOTVOACREPLENOSTVALVCE
RADIANSROBORAALMENOSEMVNVRISCIVOTVI
INGENITEPATERMEOCORDITVINMITTELVMEN
SANCTATRINITASTVOBONOCONSPECTVVRIEL
LVXSPIRITVIMEOVENIATGLORIOSOTVONVTV
VITEMEEDEFENSORADSPIRATEMPLISHICHIS
MITTEALMVMANGELVMHICQUILVCEMINICIAT
EAMQVEMVNDVMINLVMINATHABEREMEREAMVR
NATEPATRISSVMMIHICNOSVELOCITERADFLA

6

Altissime, seruo tuo salua, redemptor, Vigila.
Lux orta redemptio inluxit iustis, Emanuhel;
tunc quando Deus uenit e celis, mundo emicuit,
inmaculatus filius micat patris altissimi,
sancta de uirgine rex sacro utero procedens
sacerdos Ihesus, uerus, aeternus, praeclarus;
infans uagiit, almi cui imnum uoant et angeli.
Magorum munera, aurum, mirra, oriens incensum
ei oblata uero Cristo et agio sito in presepe
sunt preclara, pretiosa, gratiosa regiminis;
enim indicio nam nouae oratur oriens stelle
rex a magis, uirgo et Maria obsequens et mater
beata inmaculata cum uiro iusto Iosep cultu
opima opifici suo et domino uero aeterno deo
trofea gloriosa merito prolis sui sinu fert.
Victor filius exaltauit eius eclesie cornu
obtima et dedit dona bonis sacer affectu pio:
suabissima est rex ipse Cristus nostra pars.
Altissime, seruo tuo salua, redemptor, Vigila.

Largitor bonorum, pax, lux, salbator, magister,
ualens, equalis patri, uerissimus promissor,
Adam et omnes iustos salbans potentia et sua,
rex descendit ad inferna. Sua manu sacra tunc
eueit dominus suum gregem, sede nam alta celi
die ac tertia surgens, Dei filius uerum lumen
emicat mundo repleto e luce ac noua orbe toto.
Maria iam sole orto ad monumentum iuit illic
pollens et Domini; respondit eis nam nauiter
tum angelus oracula, uti Cristi Dei ac domini
occurrit et in uia rex oriens, dux mulieribus
resurrectio, salus, aurorans lux illis dixit
uigerent ut sui gaudium, sic gauderent uitae,
in Galilea regum rex uideretur ab eis Ihesus.
Gloriosus regna nam agmen celorum in gloria.
Inclitus filius patris tum suuiit uerus sol,
lux ditauit suo rex filios suos almo spiritu:
Altissime, seruo tuo salua, redemptor, Vigila.

Inscriptiones: 1-5. Altissime, seruo tuo salua, redemptor, Vigila (*vv. 1,19, 37; acrostichon, mesostichon*) // 6. Altissime, seruo tuo Sarracino, Criste, salua (*telestichon*). // 7. Annue Sarracino et tua, alme deus, dona gratia // 8. Auctor uitae, seruo praesta tuo indulgentia *(v.p. 353)*

ALTISSIMESERVOTVOSALVAREDEMPTORVIGILA

LVXORTAREDEMPTIOINLVXITIVSTISEMANVHEL

TVNCQVANDODEVSVENITECELISMVNDOEMICVIT

INMACVLATVSFILIVSMICATPATRISALTISSIMI

SANCTADEVIRGINEREXSACROVTEROPROCEDENS

SACERDOSIHESVSVERVSAETERNVSPRAECLARVS

INFANSVAGIITALMICVIIMNVMVOANTETANGELI

MAGORVMMVNERAAVRVMMIRRAORIENSINCENSVM

EIOBLATAVEROCRISTOETAGIOSITOINPRESEPE

SVNTPRECLARAPRETIOSAGRATIOSAREGIMINIS

ENIMINDICIONAMNOVAEORATVRORIENSSTELLE

REXAMAGISVIRGOETMARIAOBSEQVENSETMATER

BEATAINMACVLATACVMVIROIVSTOIOSEPCVLTV

OPIMAOPIFICISVOETDOMINOVEROAETERNODEO

TROFEAGLORIOSAMERITOPROLISSVISINVFERT

VICTORFILIVSEXALTAVITEIVSECLESIECORNV

OBTIMAETDEDITDONABONISSACERAFFECTVPIO

SVABISSIMAESTREXIPSECRISTVSNOSTRAPARS

ALTISSIMESERVOTVOSALVAREDEMPTORVIGILA

LARGITORBONORVMPAXLVXSALBATORMAGISTER

VALENSEQVALISPATRIVERISSIMVSPROMISSOR

ADAMETOMNESIVSTOSSALBANSPOTENTIAETSVA

REXDESCENDITADINFERNASVAMANVSACRATVNC

EVEITDOMINVSSVVMGREGEMSEDENAMALTACELI

DIEACTERTIASURGENSDEIFILIVSVERVMLVMEN

EMICATMVNDOREPLETOELVCEACNOVAORBETOTO

MARIAIAMSOLEORTOADMONVMENTVMIVITILLIC

POLLENSETDOMINIRESPONDITEISNAMNAVITER

TVMANGELVSORACVLAVTICRISTIDEIACDOMINI

OCCVRRITETINVIAREXORIENSDVXMVLIERIBVS

RESVRRECTIOSALVSAVRORANSLVXILLISDIXIT

VIGERENTVTSVIGAVDIVMSICGAVDERENTVITAE

INGALILEAREGVMREXVIDERETVRABEISIHESVS

GLORIOSVSREGNANAMAGMENCELORVMINGLORIA

INCLITVSFILIVSPATRISTVMSVVIITVERVSSOL

LVXDITAVITSVOREXFILIOSSVOSALMOSPIRITV

ALTISSIMESERVOTVOSALVAREDEMPTORVIGILA

7

Virtus nempe Cristi mici solacium Vigilani prebens humillimo sep**E**
Incepta canonis sacri huius libri ad calcem opera perduxi nabite**R**,
Globans en uiuida almorum florida patrum orientum clara concili**A**,
Ingentia dehinc nectens almifica regum ac presulum occidentaliu**M**.
Lucet sicut luna sancta eclesia inlustrata fulgens lumine Domin**I**
Apostolorum claris ornata doctrinis sacris lota limfis rutilat ceu so**L**;
Suscipit fulgida sanaque doctrina inlitarum fucis recipiens nici**L**
A prauo dogmate rerum manantium manet luciflua sancto in oper**E**.
Radio exempli mundum inluminans uita purissima simul cum angeli**S**
Renitens elucet in celica sede, quorum tandem prece perducamur ib**I**
Almifica sepe agmina cernentes sanctorum spirituum simulque martiru**M**
Concretaque una uirginum fulgida almorumque patrum turma luciflu**A**.
Inlustri merito una cum opere turmis sidereis atque celicoli**S**
Nostrorum nomina libro uite scribta counemur ipsis in atria cel**I**
Vernantia pura atquè florigera uiborum fruentes cumulato fruct**V**.
Sarracinus Salbi ipseque Vigila magistri obtimi adiubati- prec**E**
Quorum digessimus clara nunc nomina scribtores gemini que tenet liber hi**Q**
Vnatim post illuc uniti iugiter ipsis conletemur angelorum cet**V**;
Eoo instar turma centies bina cenouii Albelda plurimum candid**A**
En sancti Martini una fraternitas cum sanctis ad celum peruolet parite**R**
Ducatu siquidem sancti euangelii pergentes Domini uias, ut adii**T**
Ille qui pro nobis sustinuit probra cuius nos sequi nam decet uestigi**A**.
Decies centena ac unum decies quarta era labens pernota que abi**D**
Et notatum tempus kalendarum maii quintus uicesimus seu cursus lun**E**,
Ranimiri fratre regnante Sancio rege ortodoxo scribtus est liber hi**C**
Vna cum regina Vrraca preclara sexto anno obitus regis Garsean**I**;
Nunc omnes cernui legentes precamur nos ut exiguos apud sanctissima**M**
Trinitatem simplam conmendetis una fruamur gloria cuncta in secul**A**.

Acrotelestichon: Vigila Sarracinusque ediderunt // era millesima siue quarta decima

In margine adscriptum: metrum dactilum asclipiadeum pentametrum habet primo spondium secundo dactilum tertio catalecton deinceps duos dactilos huius exemplum…

8

O Dei Verbum, patris ore prodituM,
Rutilant nutu cuius mundi macinA,
Eternum tuum ut fruamur dulciteR,
Xriste, oramus nobis iam adueniaT
Gaudium magnum serbientibus tibI.
Enixe cuncti petimus ut munimeN
Nabum hic prestes tui almi MartinI
Iubar enitens semper in his atriiS
Tua et alma fulgeat hic gloriA
Et gloriosum adspiret uerum lumeN;
Infestus hostis uictus sepe eat hinC,
Nobis et almum tuum iubamen adsiT,
Inmense Xriste, filius Dei uiuI,
Tegamur omnes tuis sub signaculiS
Inlata luce nobis tui luminiS.
Virtus hunc locum summi Dei filiI
Muniat semper, et santorum atriuM
Floreat lucens sic lumine DominI
Ingenti alma uigens, et per seculA
Nunc aula Dei claritate fulgeaT.
Intersit nostris, Xriste, animis splendoR
Sacre ac aule Martini episcopI,
Quius precatu tua protecta manV
Vigeat alma turba hic monacoruM
Et gaudens sacris uirtutibus floreaT.
Celibes facti tuo sancto spiritV,
Repleti bono tue ac clementiE,
Inradiati fulgeamus iugiteR;
Sacris sic semper actibus iustitiE
Tua ut alma coronemur gloriA.
Eterni regis tuta sit en domus heC
Ibi et cuncti tegamur suis signiS
Nos habitantes sacra in hac atriA,
Gaudium nobis rex Ihesus EmanueL
Enitens donet de almo et spiritV.
Nostro sic regi Sancioni gloriA,
Inclite Xriste, prebe et presidiuM,
Tuo humili Ranimiro angelO
Inperti clemens ac iustitiae lumeN,
Possint ut frui tua semper gratiA.

Actus est liber era labens enim hi**C**
Ter terna ducta centena in calcul**O**,
Rite decies septem anni parite**R**
Iuncti collectim seni sic in transit**V**
Solutum ubi reuolutum circulu**M**.
Laus sit patri, honor atque glori**A**
Vnico proli, equali semper hui**C**
Manenti simul cum utrisque perpeti**M**
Ex equo almo spiritui sanctoqu**E**
Nunc et futura secula currens. Ame**N**.

Acrotelestichon: O rex genite, initium finisque, Criste, ingeniti patris lumen // Martini sanctissimi atrium tuere ac salua monacorum acmen

Ante textum litteris minusculis sic legitur: Metrum iambicum exametrum recipit pedes hos loco I spondium in ultimo pirricium reliquis iambicum. huius exemplum Ibis liburnis inter alta nabium et aliui ita O magne rerum Xriste rector obtime et cetera

9

I N I T R A M I T I M A R T I N I
N I T R A M I T C T I M A R T I N
I T R A M I T C N C T I M A R T I
T R A M I T C N A N C T I M A R T
R A M I T C N A S A N C T I M A R
A M I T C N A S M S A N C T I M A
M I T C N A S M E M S A N C T I M
I T C N A S M E R E M S A N C T I
T C N A S M E R O R E M S A N C T
C N A S M E R O N O R E M S A N C
N A S M E R O N O N O R E M S A N
A S M E R O N O H O N O R E M S A
S M E R O N O H B H O N O R E M S
M E R O N O H B **O** B H O N O R E M
S M E R O N O H B H O N O R E M S
A S M E R O N O H O N O R E M S A
N A S M E R O N O N O R E M S A N
C N A S M E R O N O R E M S A N C
T C N A S M E R O R E M S A N C T
I T C N A S M E R E M S A N C T I
M I T C N A S M E M S A N C T I M
A M I T C N A S M S A N C T I M A
R A M I T C N A S A N C T I M A R
T R A M I T C N A N C T I M A R T
I T R A M I T C N C T I M A R T I
N I T R A M I T C T I M A R T I N
I N I T R A M I T I M A R T I N I

Legendum: ob honorem sancti Martini

10

Montano dei electo, Cristi namque famulO
Vigila licet infimus functus sacerdotiO
felicitate salutem in domino eternO.

En quippe uestra iussio ceu uos direxistiS
mici liquide peruenit, qualiter accepistiS
obtimam religionem uel ipsam sequi uultiS

Mici idcirco iubetis meram fidem scrutarI
quam olim decreberunt in synodis almificI
ut queatis prefinitis antestitum perfruI:

Brebia quedam ex multis operibus eoruM
exprimemus ergo rite nancisci proficuuM,
unde prosit animabus perenniter gaudiuM;

Redeamus ad decreta sanctorum synodicA
uel successores eorum qui sequuntur editA,
qualiter posteri possint sequi parsimoniA.

Ab anno enim in anno ieiunia oportenT
penitentum atque rite reclusorum sciliceT
obserbari ut edita sequentia exprimunT:

Nam licet enim predictis celicolis dominI
perenniter biduana ieiunia tenerI
pane, aqua et olere aridiore utI,

Ac tridua ieiunia quadragenae pariteR
letaniarum tridua etiam similiteR
ut bidua ieiunia ab ipsis obserbentuR;

Modus nam ieiuniorum residuum omniuM
cum pane atque pulmento uel oleribus auteM
seu cerbesa... potu fiat sumens prefatuM;

In diebus pascalibus uel dominicis eniM
ac diebus octabarum atque apostoloruM
dissoluantur ieiunia a predictis paulatiM:

Similiter infra dicta pro defunctorum qui**E**
atque conuentu principum uel ordinum congru**E**
declinentur ieiunia parsimoniae dict**E**.

Sollemnibus memoratis celicole uescantu**R**
oba quippe seu pisces, uino parbo utantu**R**
cum reliquo alimento festo pasce gratante[**R**]

Ad oram orationis sequestratim die**I**
hore quippe recitentur noctis ut sui mod**I**
infra diem atque noctem ciantur psalmograf**I**

Ad stratum iacens matam, lenam, pulbellum habea**T**,
uestimenta ceu locus abte ipse dederi**T**,
infra uestem qua tegitur cilicium indua**T**.

Vigilanter pondus ceptum perficere sequatu**R**,
solus manens in agello cunctis suis utatu**R**,
oposculum quantumquumque manu sua agatu**R**.

Item cuncta memorata duriora uidentu**R**,
nicil per fragilitatem explere extimetu**R**,
tunc iubente seniore cuncta fungi sequantu**R**

Gratanter nunc, o penitens, moneo te ide**O**,
ut quandiu in corpore uixeris uigens ist**O**
iam tu cabeas peccare metuenter in eu**O**.

Igitur nam considera labentia terre**A**
ac extima supplicia tartarea omni**A**;
ut euadas sulfureas penas deum supplic**A**.

Lugere atque timere pro preteritis mali**S**
non desinas frequentius perpetrata nam lugen**S**
et plangenda iterare nullatenus admitta**S**.

Amodo deinceps stude caste, iuste, honest**E**
et sobrie atque pie, temperanter, modest**E**,
in seculo cautissime, sollicite uiber**E**.

Necnon cabe precordiae nequitiam inmundaM
uel aspectum oculorum turpissimum etiaM
inpudicumque sermonem et pessimum operuM

Equidem nullis seculi causis te admisceaS,
nicil enim temporale mundano desidereS,
esto uelut iam mortuus presentibus caduciS

Modo quicquid ab aliquo uis nam tibi fierI
hoc fac, et tu per amorem Xristi dei alterI
hoc quod dico incensanter ne desinas fierI.

Omnia hec custodire si recte uolueriS,
hic celebre et iucundo nomine nam uteriS,
post gaudio digniore a domino frueriS;

Nunc, uernule rite Xristi, cuncti te deprecamuR
ut pro cetu fidelium uibentium iugiteR
uel requie defunctorum deum ores frequenteR

Tua enim religio perenniter ualeaT,
uita enim mera tua assidue uigeaT,
corona gloriae tuae hic et illuc fulgeaT.

Almam congregationem per te, pater, salutO,
uel agmina monacorum intueri anelO:
quod dominus simul donet nobis bona supplicO.

Nunc quippe geniculatim, celicola, te precoR,
quia sat est proficua oratio, ut reoR:
ideo ut suppliceris pro infimo deprecoR.

Occubente labentia bis nam quina centenA
semel dena scilicet bis rite quaterna erA
acta sunt a Vigilane deo dante editA.

Acrostichi inscriptio: membrana missa a Vigilane Montano.

Ante textum legitur: Metrum trocaycum decapenta sillaba et trimetrum habet locis omnibus ponitur ulti /// /// talecton.

INDICES

I. INDICE DE LUGARES

II. INDICE DE PERSONAS Y TEXTOS

III. INDICE DE AUTORES

IV. INDICE DE MANUSCRITOS

MANUSCRITOS

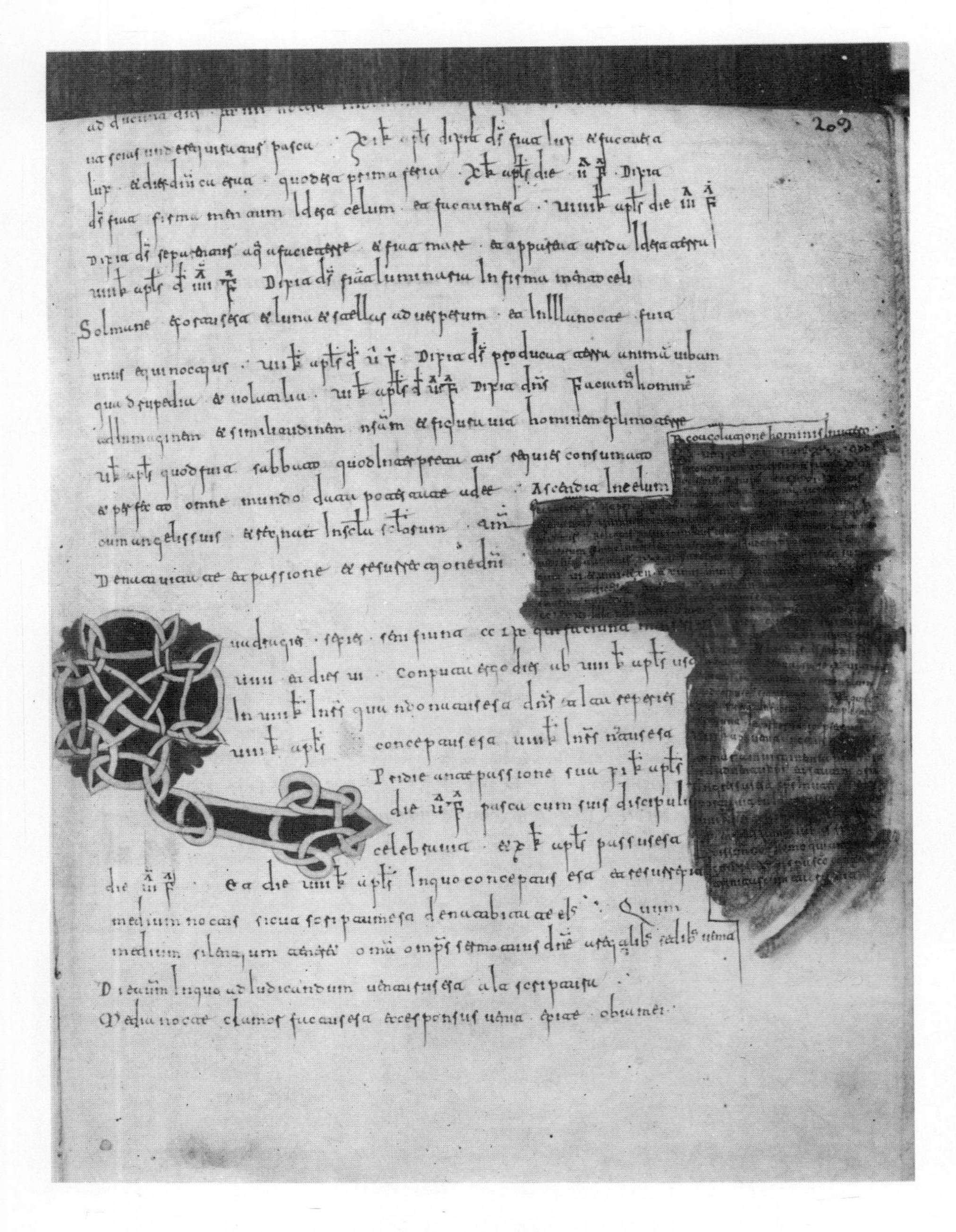

Lám. 1. Madrid BAH *cód. 78* (Códice de Roda, sector B), fol. 209. Véase pág. 32-42. Para el fragmento marginal, véase Apéndice XII.

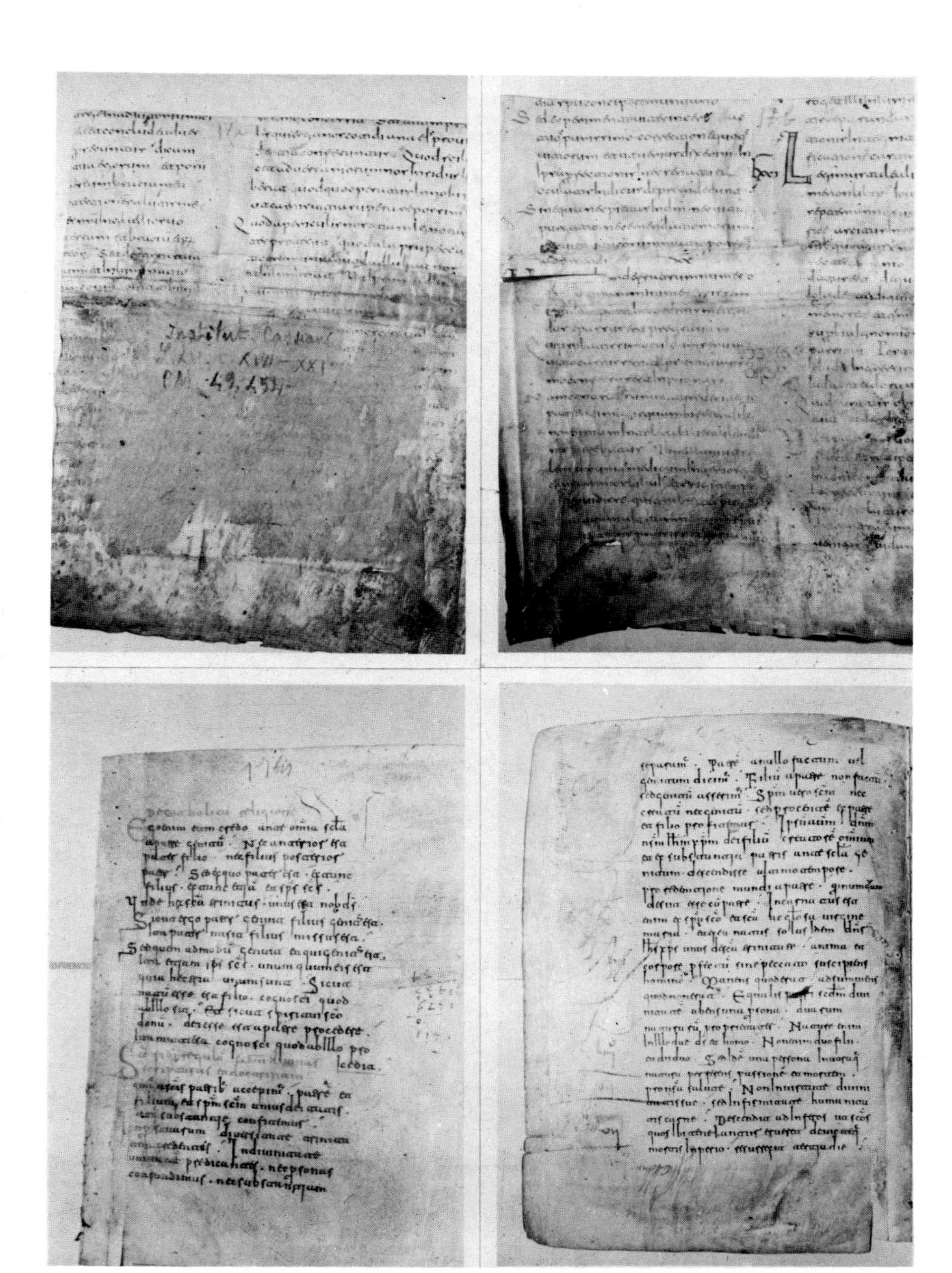

Lám. 2. Fragmentos najerenses en Santo Domingo de Silos
a) *fragm. 17*. Véase pág. 43-44.
b) *fragm. 17v*
c) *fragm. 17 bis*. Véase pág. 48-50 y Apéndice XIV.
d) *fragm. 17 bisv*

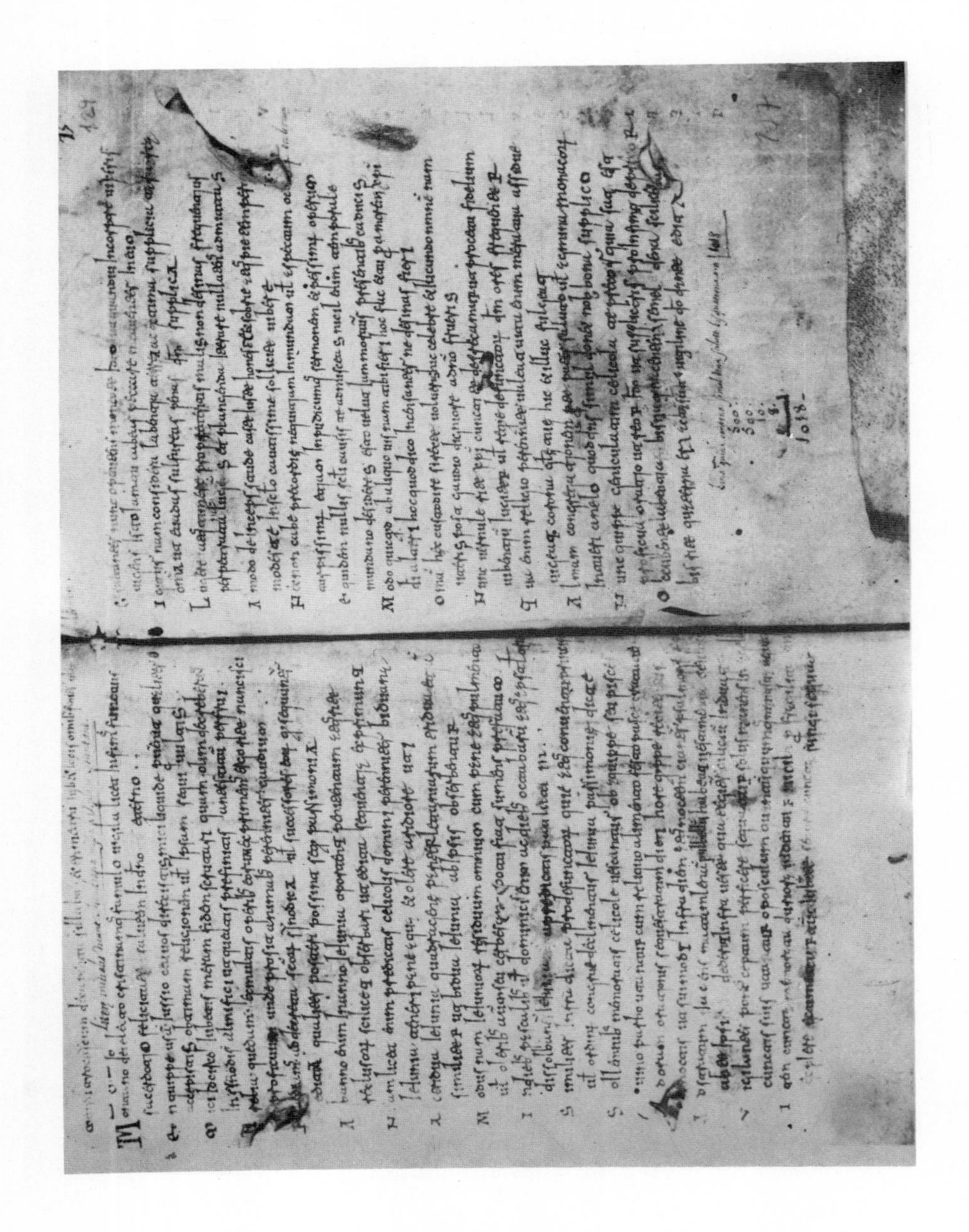

Lám. 3. Madrid AHN, *cód. 1007B,* fol. 128v - 129, con el colofón de Vigilán. Véase pág. 111-117 y Apéndice XXII, 10.

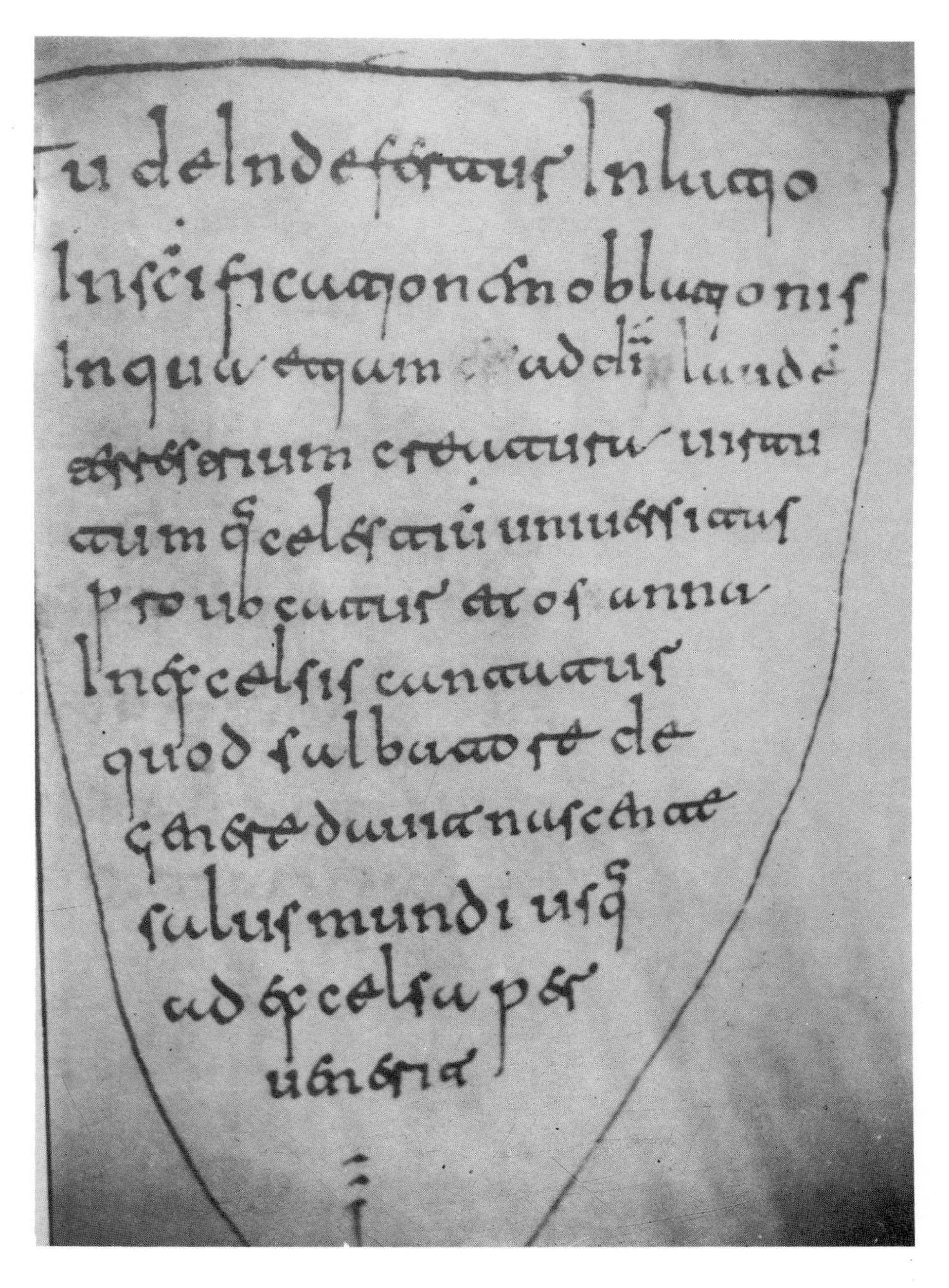

Lám. 4. Silos, *ms. 4* (San Prudencio de Monte Laturce, *Liber Ordinum* de Bartolomé), fol. 171: detalle. Véase pág. 76-79 y Apéndice VI.

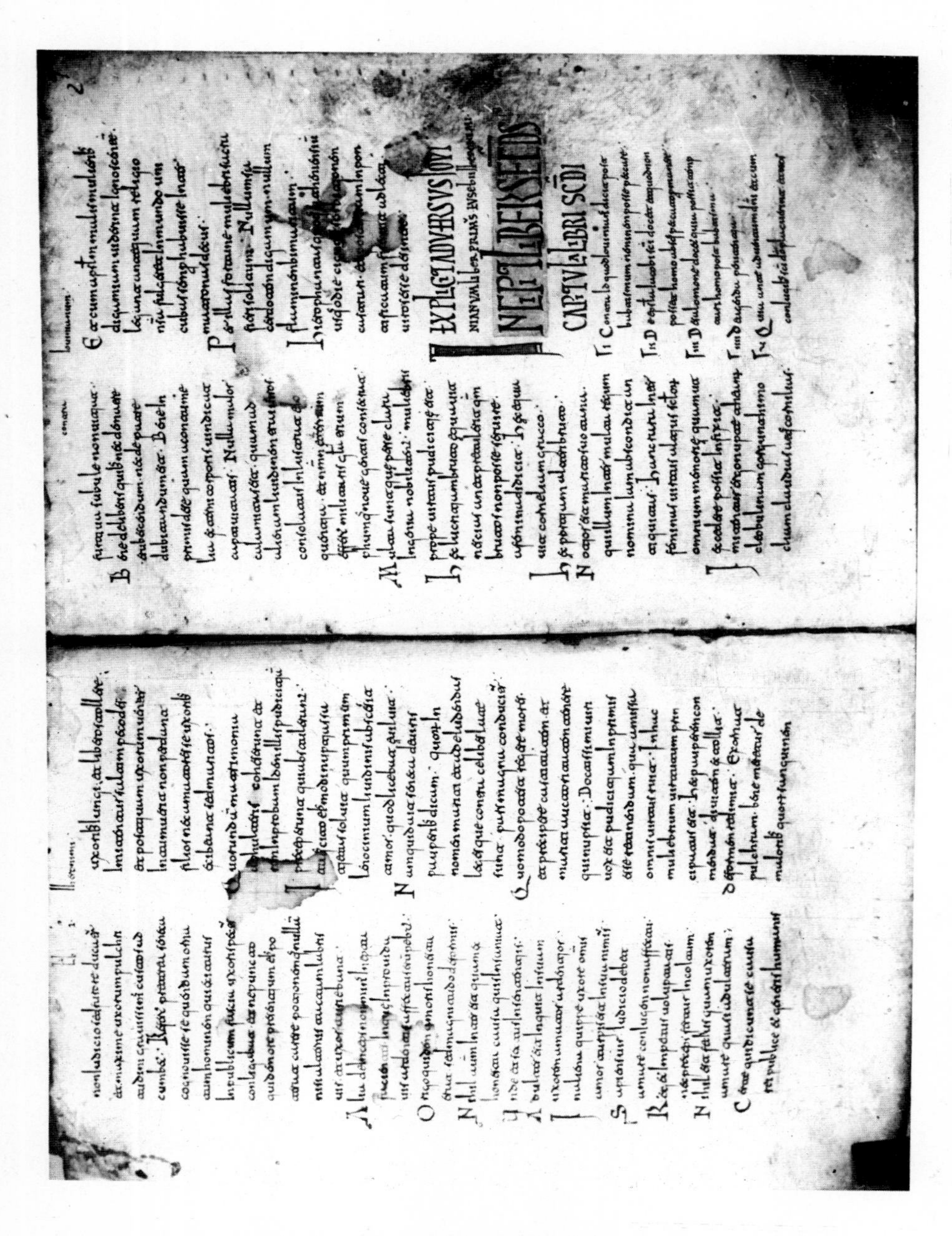

Lám. 5. Madrid AHN, *cód. 1007B*, fol. 8ᵛ - 9. Véase pág. 111-117 y compárense con Lám. 3.

uualle idolis consecrata
que et lucus mutum hrslm
templatu et olim cadauerib
mortuor. ibi enim hebrei
filios suos immolabant
demonib. et appellabatur
locus ipse gehennon. fuit
ergo supplicii locus ubi pec
catores cruciantur sumta
huius loci uocabulo designatur.
Duplicem autem esse gehennam
et ignem frigoris.
Infernus appellatus eo quod
infra sit. sicut enim corp
si ponderis sui ordinem teneant.
inferiora sunt omnia gra
uiora. ita secundum spiritum inferio
ra sunt omnia tristiora.
unde et in greca lingua.
origo nominis quo appellatur
infernus ex eo quod nichil suaue
habeat. resonare perhibetur.
Sicut autem cor animalis
in medio est. ita et infernus
in medio terre esse perhibetur.
Unde et in euangelio legimus.
in corde terre. philosofi autem
dicunt. quod inferi pro eo
dicuntur quod anime hinc
ibi ferantur.
EXPLICIT LIBR. XIIII.

DE CIUITATIB. ET DE
AEDIFICIIS. ET DE MENSU
RIS AGROR. LIBR. V. ACP LIB
XV.

INCIPIT LIBER XV. IN QUO SUNT.
I De ciuitatib. II De edificiis publicis.
III De habitaculis. IIII De edificiis sacris.
V De repositoriis. VI De operariis.
VII De aditibus. VIII De [illegible] edificiorum.
I. DE CIUITATIBUS.
De auctoribus conditarum
urbium plerumque dissensio
inuenitur. adeo ut nec urbis
quidem rome origo possit
diligenter agnosci.
Nam sallustius dicit urbem
romam sicut ego accepi.
condidere atque habuere initio
troiani et cum his aborigines.
alii dicunt ab euandro secundum quod uirgl.
tunc pater euandrus romane
conditor arcis. alii a romulo
unde et ab his nuncupata est
auspicia illa inclita roma.
Si igitur tante ciuitatis
certa ratio non apparet.
non mirum si in aliarum opi
nione dubitatur. unde
nec istoricos nec commen
tatores uaria dicentes
imperite condemnare
debemus. quia antiquitas
ipsa creauit errorem.
Sunt quidam de quibus
uera scribantur. uera
historici genera quedam certarum
originum referunt. [illegible]
admodum urbis [illegible]
oportet.
Primus autem [illegible]

Lám. 6. Madrid BAH, *cód. 25* (Etimologías de Jimeno), fol. 246. Véase pág. 117-122.

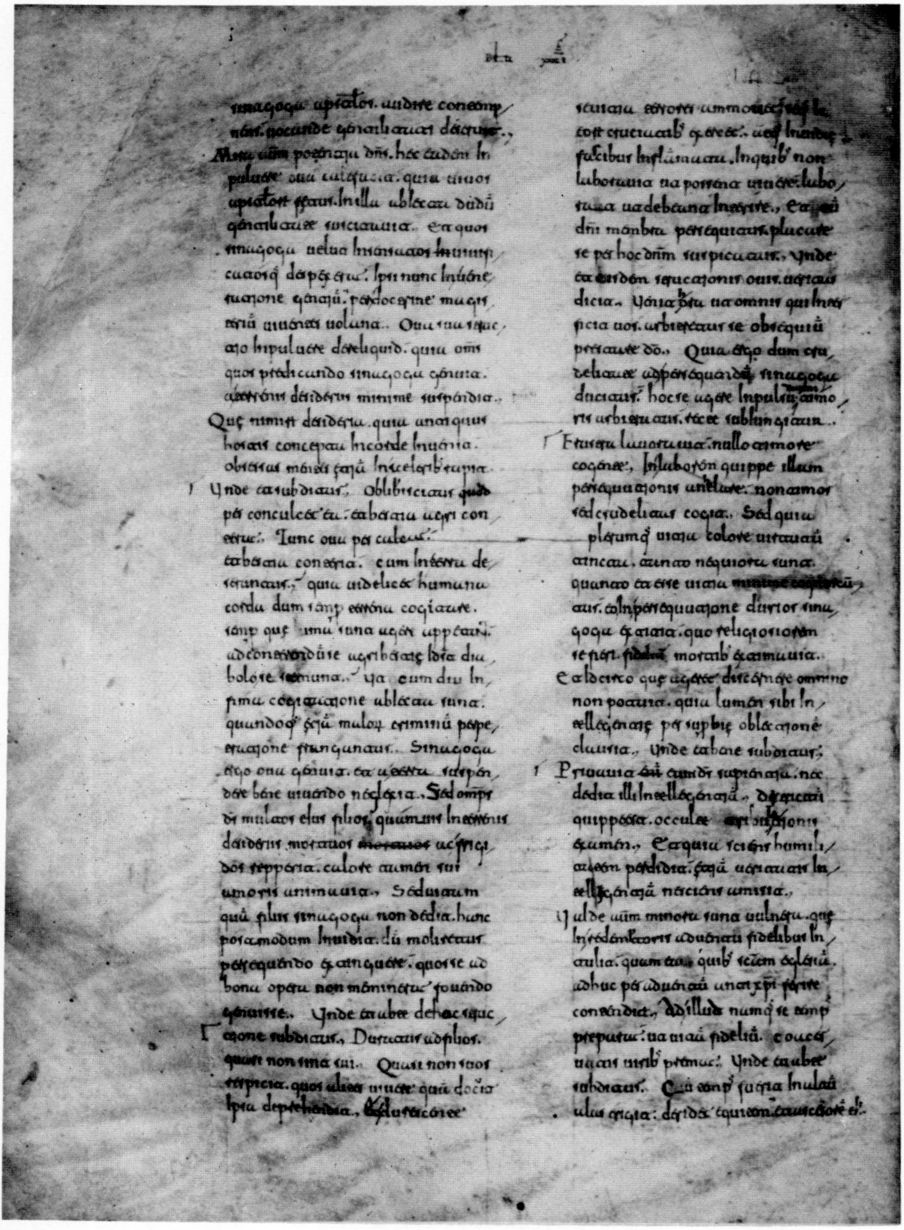

Lám. 7. Madrid BAH, *cód. 5* (Gregorio Magno, Morales), fol. 150. Véase pág. 122-127.

Lám. 8. Madrid BAH, *cód. 38* (Gregorio Magno, homilías a Ezequiel), fol. 3ᵛ- 4. Véase pág. 127-128.

Lám. 9. Madrid BN, *6126* (Cartas de Jerónimo y otros). Véase pág. 128-131.

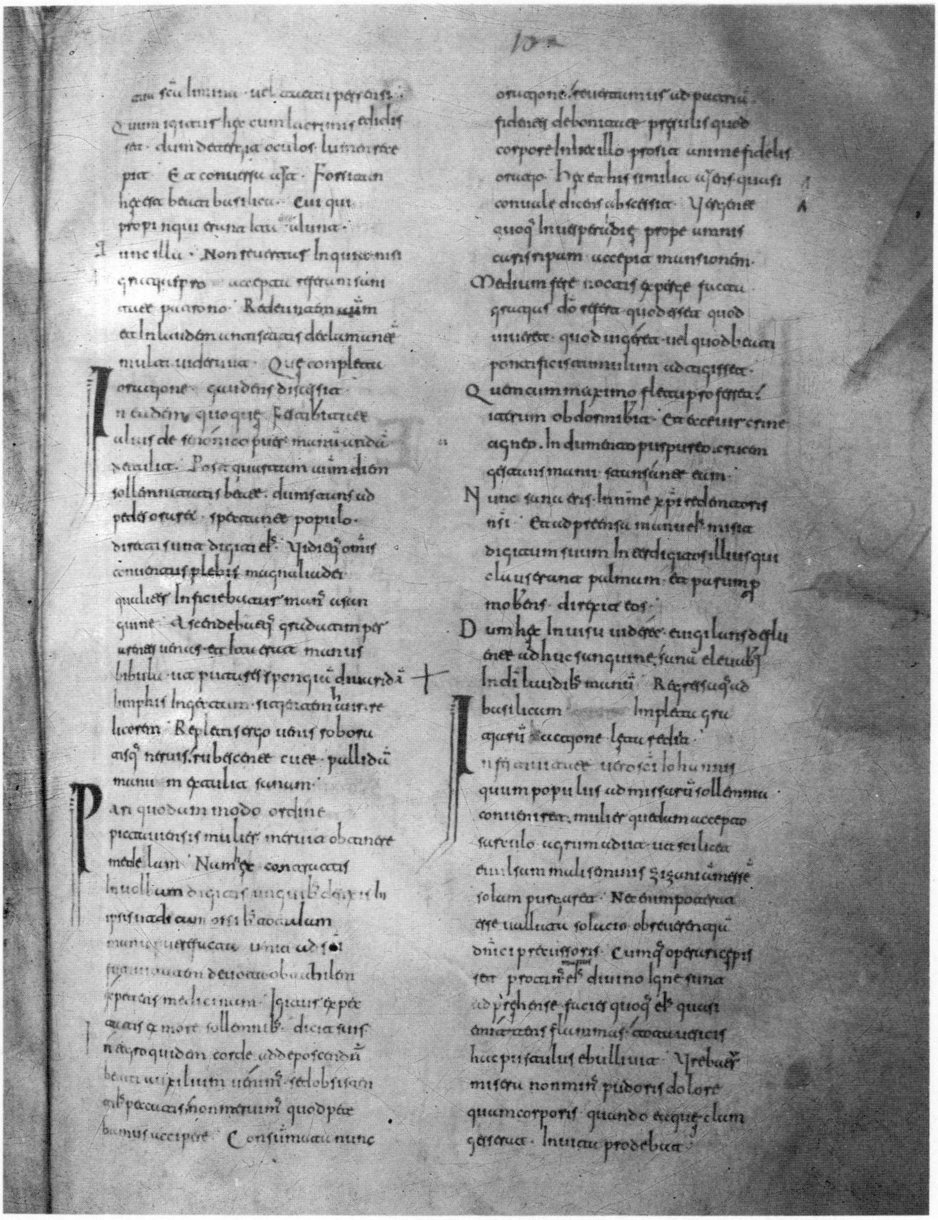

Lám. 10. Madrid BAH, *cód. 13* (Compilación de Valerio del Bierzo), fol. 100. Véase pág. 133-140.

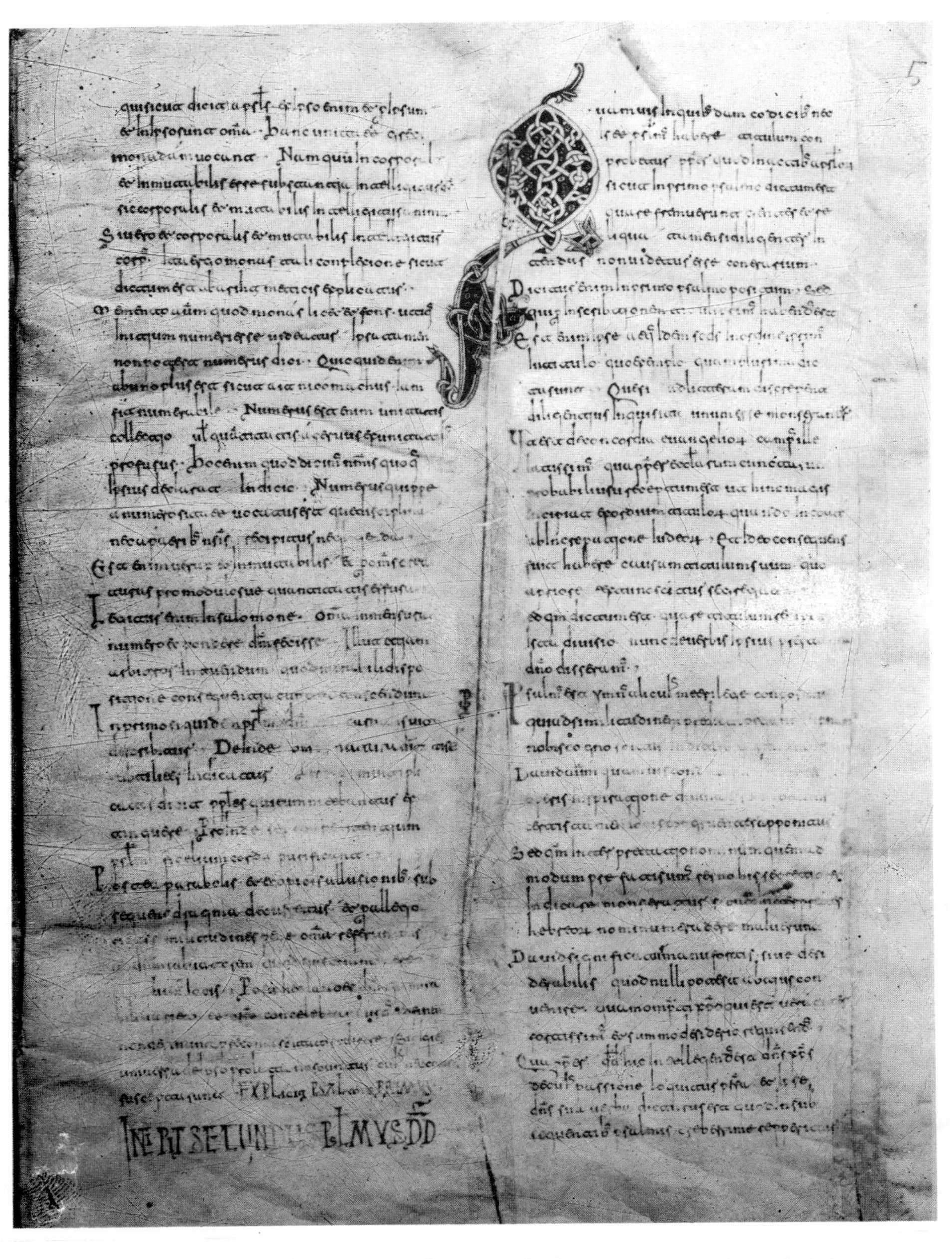

Lám. 11. Madrid BAH, *cód. 8* (Casiodoro, Comentarios al Salterio), fol. 5. Véase pág. 140-143.

Lám. 12. Madrid BAH, *cód. 46* (Glosario), fol. 1ᵛ - 2. Véase pág. 143-147.

Lám. 13. Madrid BAH, *cód. 29* (La Ciudad de Dios de S. Agustín), fol. 184[r]. Véase pág. 147-154.

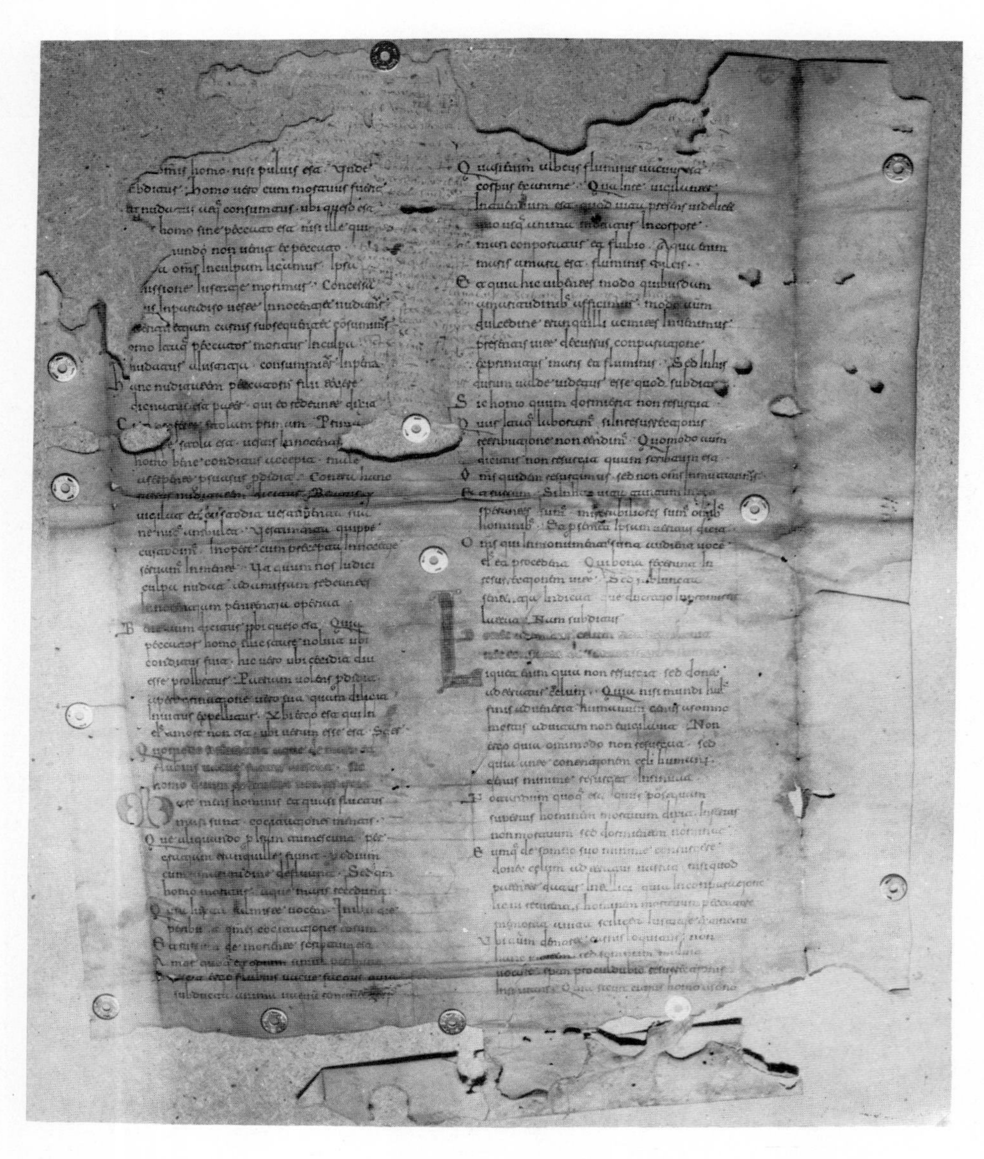

Lám. 14. Santiago de Compostela, Colección M. Díaz, *fragm. 2,* recto. Véase pág. 163-164.

Communis meror felicia librum et solus mutue
conlocutionis secundus munere operiatur.
Quis ibi divinus super nostros animos adtactus, que
superne claritatis dulcedo mentibus nostris tunc
se inlapsu diffuderit, quis tu, ut scribas explicare,
aut tu feliciter condigne vocis sufficientia explicare.
Erus enim tunc pariter in die ea [illegible]
[illegible] podagrici doloris contortionibus
[illegible] sed multo amplius spe divine con-
templationis erecti. Credo quod omnis tibi
tunc corporei cruciatus dolor fugerit
quum divinis illud inter nos cepit conloquium
agitari. Ibi tunc plenissime sensi
quam bonum sit atque iucundum habitare
fratres in unum, quando ungentum illud sancti spiritus quod
capitis nostri in toto vestimento est que nos
[illegible] tunc etiam descenderat. Magnum
necessitatis perquisitionis nos accensione
[illegible]. His igitur [illegible] duplicibus
initiati cepimus inter nos querere quomodo
se habeant anime defunctorum ante illum
corporum [illegible] resurrectionem. Sicque collocutione

mutua nosceremus quid futuri post hanc
vitam essemus [illegible]
de hoc negotio cogitantes, tanto certius presen-
tia fugeremus quanto futura perscrutantes
nosceremus avidius. Orte ergo ex hoc negotio
questiuncule quedam sunt, que diversitate sui
non leviter nostros animos adtigerunt.
Sed de his [illegible] solutionem ut definitionem
sensus brevitate convalentes colligere [illegible]
[illegible] ut quicquid nobis de
hac re inquisitionem venisset, stilo percur-
rente ad notam deberet. Sicque quid ex hoc
ipso respondendum [illegible] posceret, quid ve
catholicorum magistrorum sensu definitum
extiterit memoria nobis sacre lectionis
exprimeret. Hec librorum tunc revolutione
continua, sed vive vocis [illegible] recor-
dationis industria. Tunc ego nisi fallor
[illegible] notario cuipiam
de premissis questiunculis eodem die in pre-
sentiam [illegible] brevitate collegi.
Sed in diversis rebus [illegible]

Lám. 15. Madrid BAH, *cód. 53* (Julián de Toledo, pronóstico), fol. 2ᵛ- 3. Véase pág. 173-178.

[illegible] testimonium signa legem in discipulis meis.
Et expectabo dominum qui abscondit faciem
suam a domo Iacob et prestolabor eum.
Ecce ego et pueri mei quos michi dedit dominus
in signum et in portentum Israhel a domino exer-
cituum qui habitat in monte Sion.
Et cum dixerint ad vos querite
a pythonibus et a divinis qui stri-
dunt in incantationibus suis.
Numquid non populus a deo suo requi-
ret pro vivis a mortuis. Ad
legem magis et ad testimonium.
Quod si non dixerint iuxta verbum
hoc non erit eis matutina lux.
Et transibit per eam et corruet et
esuriet, et cum esurierit irascetur
et maledicet regi suo et deo suo.
Et suspiciet sursum et ad terram intuebitur.
Et ecce tribulatio et tenebre disso-
lutio et angustia et caligo persequens
et non poterit avolare de angustia sua.
Primo tempore allevata est terra
Zabulon et terra Neptalim et in
novissimo adgravata est via ma-
ris trans Iordanem Galilee gentium.

Populus qui sedebat in tenebris vidit lucem
magnam. Habitantibus in regione
umbre mortis lux orta est eis.
Multiplicasti gentem [illegible]
letitiam. Letabuntur coram te
sicut qui letantur in messe sicut exultant
victores quando dividunt [illegible]
Iugum enim oneris eius et virgam
humeri eius et sceptrum exactoris
eius superasti sicut in die Madian.
Quia omnis violenta predatio cum
tumultu et vestimentum mixtum
sanguine erit in conbustione et cibus ignis.
Parvulus enim natus est nobis,
filius datus est nobis.
Et factus est principatus super humerum eius.
Et vocabitur nomen eius admirabilis,
consiliarius, deus fortis, pater futuri
seculi, princeps pacis.
Multiplicabitur eius imperium et
pacis eius non erit finis.
Super thronum David sedebit et super regnum eius
ut confirmet illud et corroboret in
iudicio et iustitia amodo et usque in sem-
piternum.

Lám. 16. Madrid BAH, *Cód. 64 bis* (Salterio y Cánticos), fol. 92ᵛ- 93. Véase pág. 190-191.

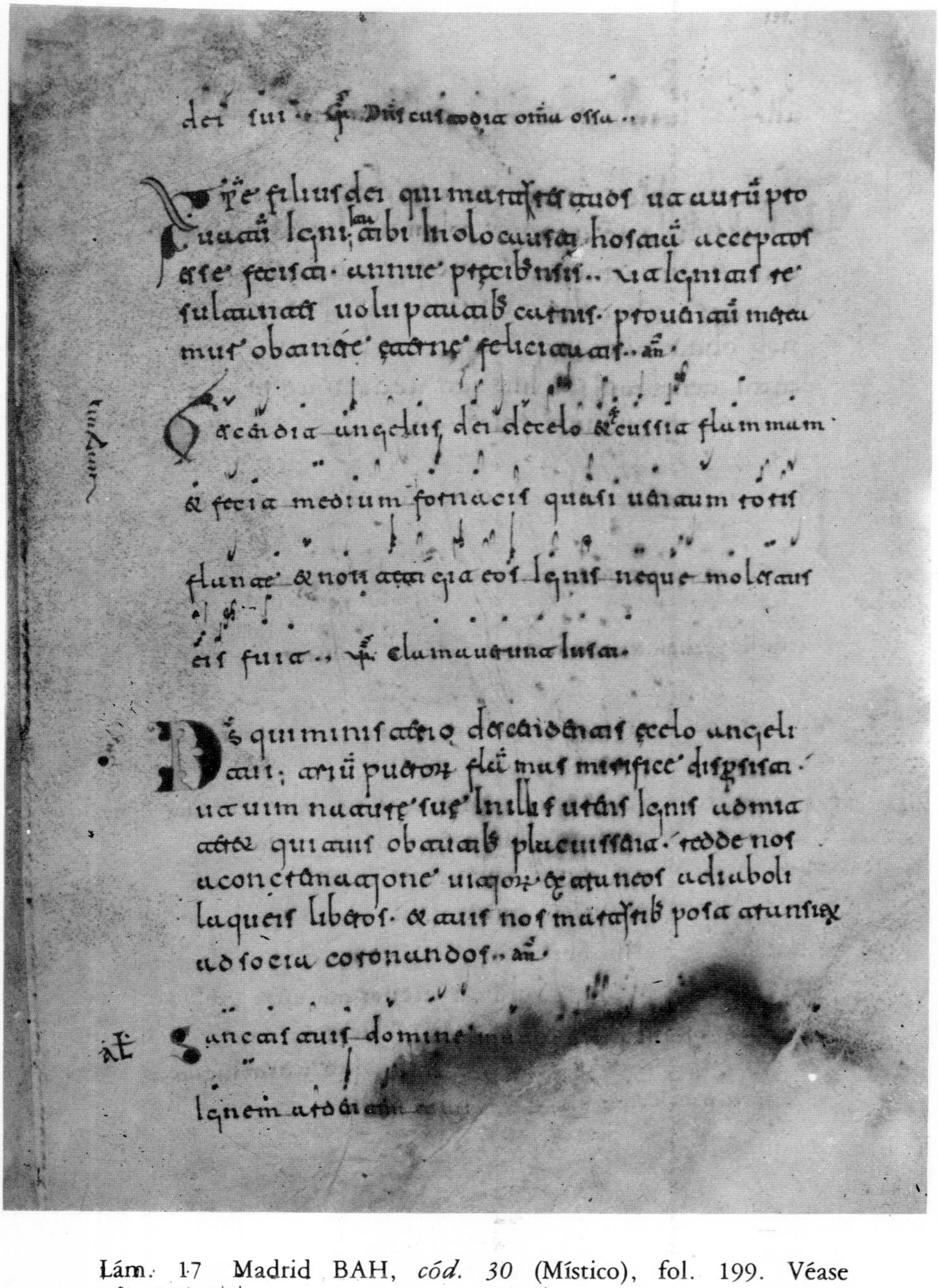

Lám. 17 Madrid BAH, *cód. 30* (Místico), fol. 199. Véase pág. 191-192.

Lám. 18. Madrid BAH, *cód. 56* (Liber Ordinum), fol. 1v - 2. Véase pág. 198-199.

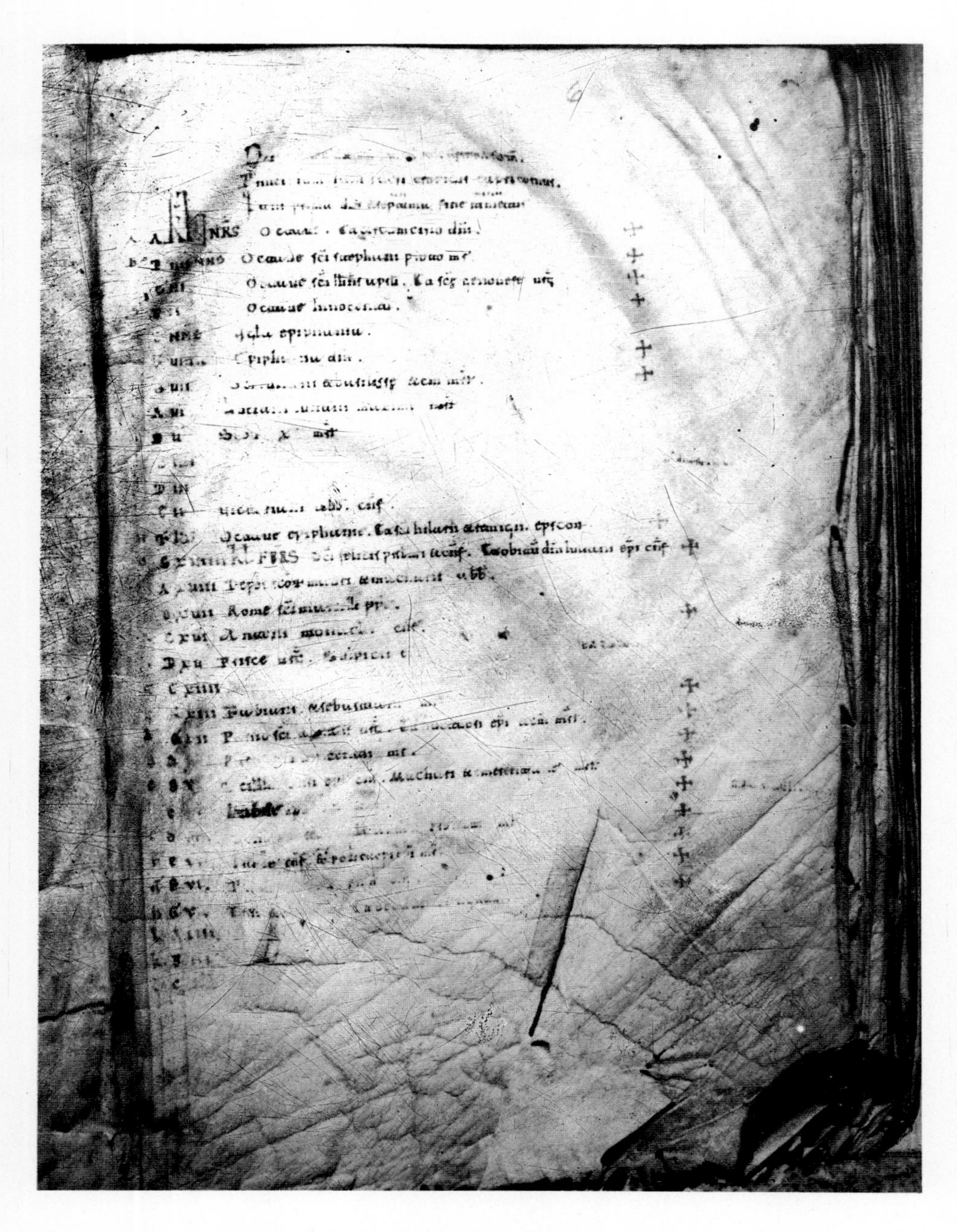

Lám. 19. Madrid BAH, *cód. 18*, sector B (Misal romano), fol. 6. Véase pág. 201-202.

Lám. 20. Madrid BAH, *cód. 34* (Fuero Juzgo), fol. 63v - 64r.
Véase pág. 211-215.

Lám. 21. Madrid BAH, *cód. 26* (Esmaragdo), fol. 144. Véase pág. 218-220.

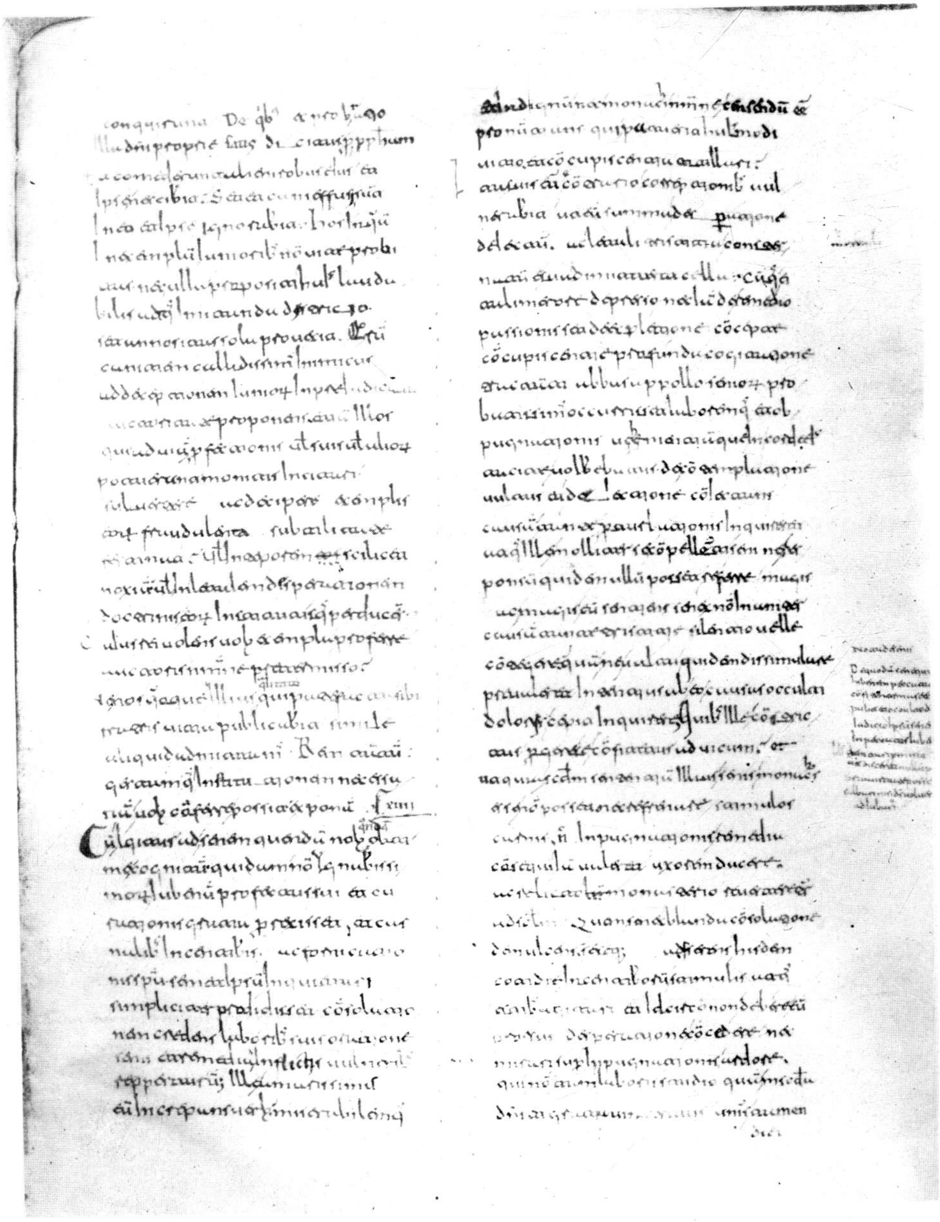

Lám. 22. Madrid BAH, *cód. 24* (Colaciones de Casiano), fol. 10. Véase pág. 220-223.

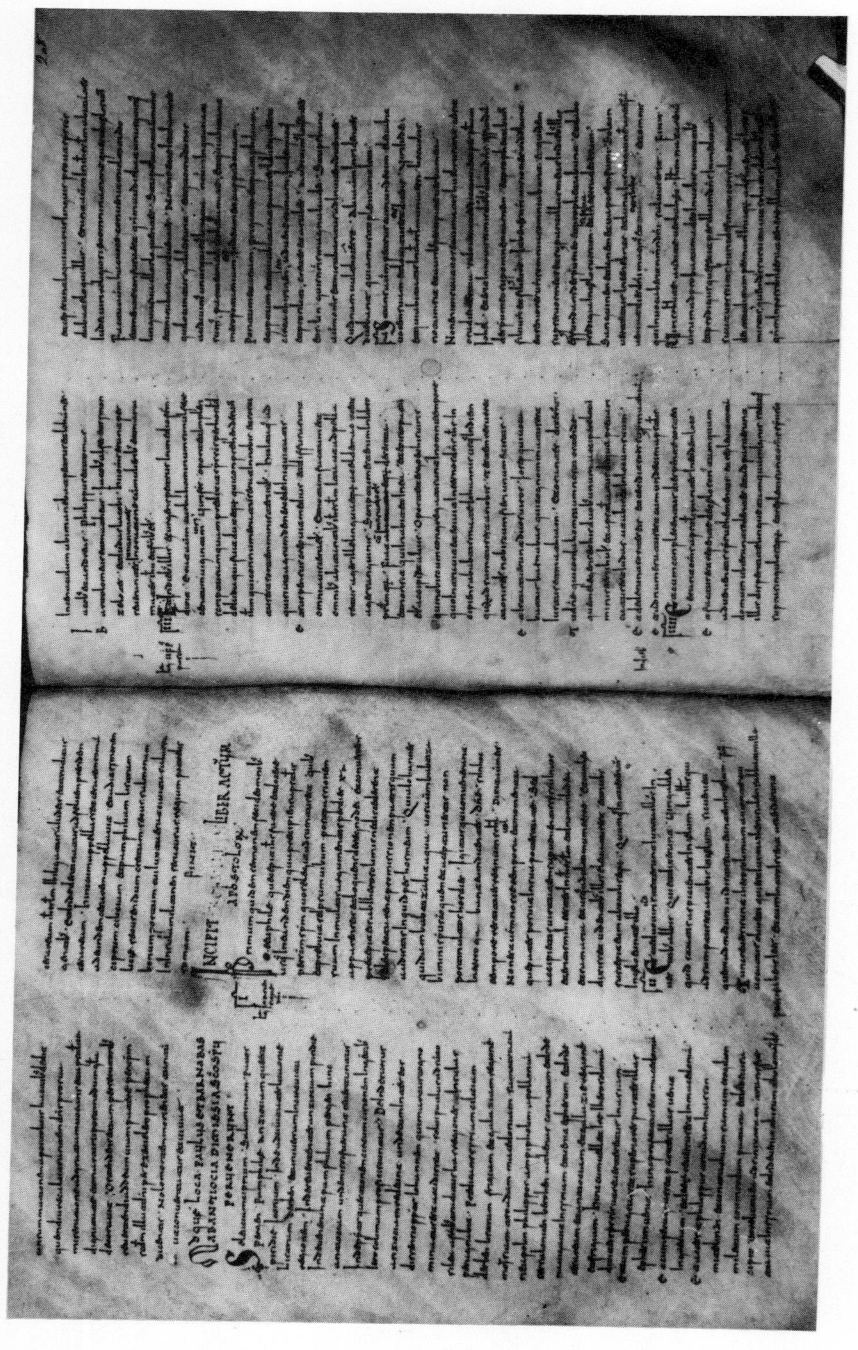

Lám. 23. Madrid BAH, *cód. 20* (Biblia de Quisio), fol. 208. Véase pág. 223-227.

Inponentur ellis scilicet et prouectum habuis in fide et xpianos esse uo
cis ferunt omnibus. hoc ergo quod de eis in uita et aliis cognitum habuis conuin
gere si [illegible] cum et [illegible] animi ac uite [illegible] donon [illegible] ipso
q humilis bonum conuersationem habituri in [illegible] dolentes quod
in uita conuicti sunt docentur et cum quam inculpati a comu
nione non uetentur. Si autem illum prohibiti sunt ubi [illegible]
munione maioris diligentie et inquisitionis [illegible]
quorum ignotum erat tum [illegible] recipi potestate. hoc autem [illegible]
[illegible] conuersatione de laicis et de omnibus clericis. Laici tamen qui
in similem necessitate causas inciderunt cum quam [illegible]
peccauerunt. Maxime si eos prouabiles uita commendat [illegible]
[illegible] recipi placuit. II. De his qui sacrificare coac
ti sunt. sed et de his qui in templis idolorum [illegible]
Si qui eorum cum habitu [illegible] ad templum perducti [illegible]
[illegible] et adhuc [illegible] [illegible]
idolo et in [illegible] omnia que fuerint ad [illegible]
[illegible] in [illegible] uno anno [illegible]
[illegible] annis [illegible] ipso [illegible]
[illegible] modo [illegible] comunicate. [illegible] anno [illegible]
[illegible] [illegible]
[illegible] lugubri et [illegible]
[illegible] placeat. si complerint penitentiam [illegible]
[illegible] sine oblatione suscipiantur ad comunionem [illegible]
[illegible] non offerunt. Si autem [illegible]
[illegible] uiennium manent in [illegible]
[illegible] comunicent. sed sine oblatione [illegible]
[illegible] anno [illegible] recipiant. [illegible]
[illegible] [illegible] potestate [illegible]
[illegible] conuersationis [illegible] idest
[illegible] humanius agere secundum uite modum [illegible]
[illegible] prolixius [illegible]

Lám. 24. Madrid BAH, *cód. 44* (Sector A con textos canónicos) fol. 13v. Véase pág. 254-257.

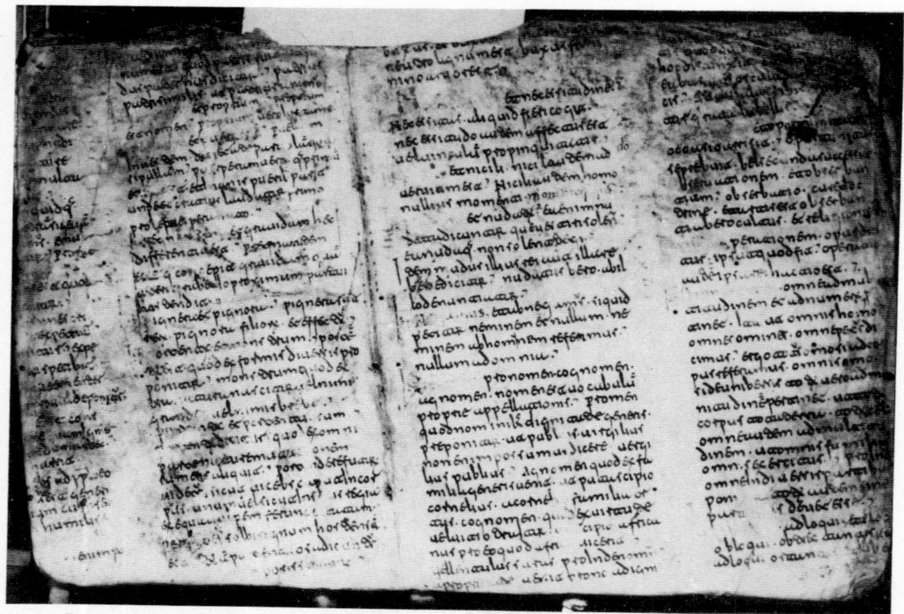

Lám. 25. Madrid BAH, *cód. 64 ter* (Diferencias de Isidoro) Véase pág. 196-198 y Apéndice XV.

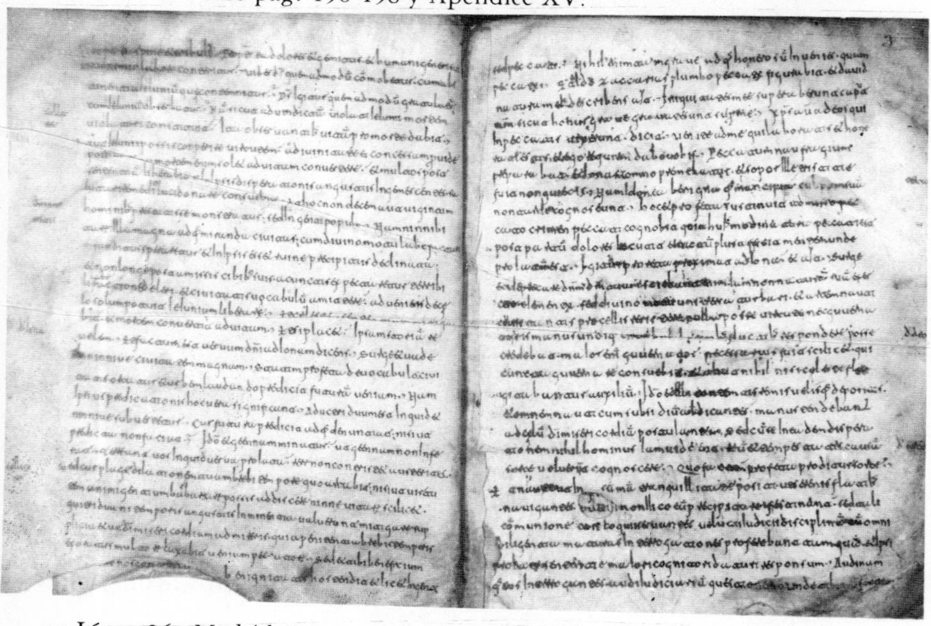

Lám. 26. Madrid BAH, *cód. 27* (Obras de S. Juan Crisóstomo), fol. 2ᵛ- 3. Véase pág. 241-246.

Lám. 27. Madrid BAH, *cód. 63* (Homilías), fol. 4ᵛ - 5. Véase pág. 247-249.

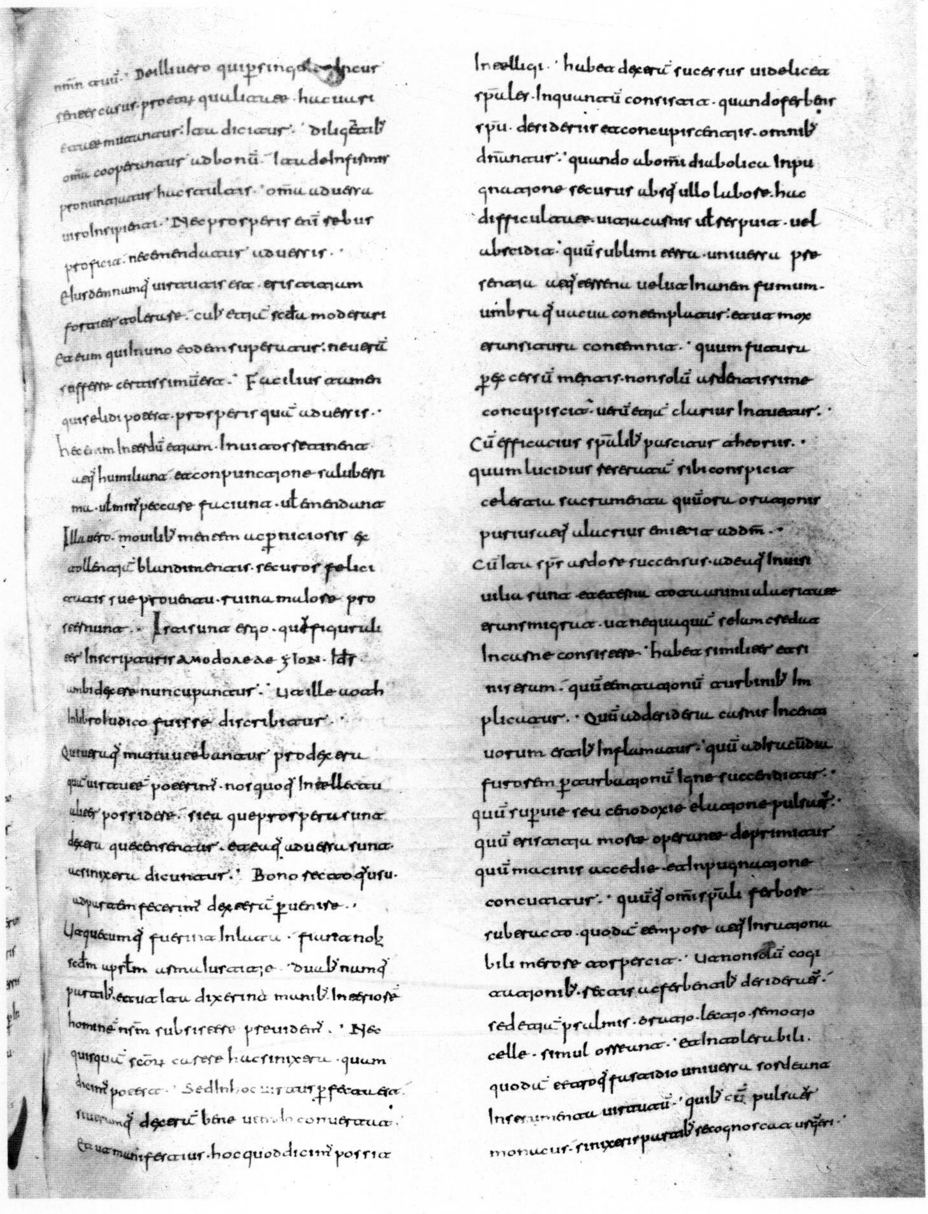

nomen tenuit. De illis vero qui [illegible] dicuntur
sinister [illegible] pro eo qualitate hac varie
[illegible] mutantur laeva dicitur. Diligentibus
omnia cooperantur ad bonum. Laeva in istis
pronuntiatur haec saecularis omnia adversa
viro in sapiente. Nec prosperis enim robur
proficit nec emendatur adversis.
Plurimum namque virtutis est utrisque
fortiter tolerare. Cuius etiam [illegible] moderari
et cum qui in uno eodem superatur neve [illegible]
[illegible] certissimum vera. Facilius tamen
quis elidi potest prosperis quam adversis.
Haec etiam interdum et quem invitos sustinentes
atque humiliant et conpunctione salubertim
ad ultimum peccare faciunt ut emendant.
Illa vero mollibus mentem acrioribus et
collegati blandimentis securos felici-
tatis suae proventu ruina maiore pro-
sternunt. Isti sunt ergo qui figuraliter
in scripturis Aod filius Gera
ambidexter nuncupantur. Ut ille Aod
in libro Iudicum fuisse describitur.
Quod utique nos tamen obtinebimus pro dextera
quae utraque possidebimus. Nos quoque intellectu
ubique possidere sicut ea quae prospera sunt
dextera quae [illegible] et ea quae adversa sunt
ut sinistra dicuntur. Bono sector quae usu
adportata fecerimus dextera fuerint.
Ut quaecumque fuerint in laeva fiunt nobis
secundum apostolum armaturae iustitiae. Duabus namque
partibus et dextera laeva dixerimus manibus in exteriore
homine nostrum subsistere providemus. Nec
quisquam secus carere hac sinistra quam
dextera poterit. Sed in hoc [illegible] perfectae
utriusque dexterae bene utendo convertuntur.
Et ut manifestatur hoc quod dicimus possit

intellegit. Habet de cetero sanctus videlicet
spiritales inquietudines consistit quando spiritali fervore
spiritu desideriis et concupiscentiis omnibus
ditantur. Quando a bonis diabolica inpu-
gnatione securus absque ullo labore hac
difficultate vitiorum ut serpunt vel
abscidit. Quam sublimi terra universa pro-
spernit atque terrena velut inanem fumum
umbram quae vacua contemplatur et cuncta mox
transitura contemnit. Quam futura
perpetua mentis non solum ardentissime
concupiscit verum etiam clarius intuetur.
Cum efficacius spiritalibus pascitur a theoriis.
Quam lucidius secreta sibi conspicit
caelestia sacramenta quae orationes
purius atque alacrius emittit ad Deum.
Cum ita spiritus ardore succenditur ut de vita [illegible]
[illegible] sunt excessu tota animi alacritate
transmigrata ut neque quicquam se illum credat
in carne consistere. Habet similiter et si
in istorum. Quam temptationum turbinibus im-
plicatur. Quam ad desiderium carnis incentivorum
[illegible] inflammatur. Quam ad iracundiae
furorem perturbationum igne succenditur.
Quam rapitur seu cenodoxie elatione pulsatur.
Quam tristitia quae mortem operatur deprimitur.
Quam tacitis accediae expugnatione
concutitur. Quamque omni spiritali fervore
subtracto quodam tempore atque inrationa-
bili merore torpescit. Ut non solum cogi-
tationibus [illegible] ut fervent desideratis
sed etiam psalmis oratio lectio secretio
cellae simul offeruntur et intolerabili
quodam [illegible] universa sordeant
instrumenta virtutum. Quibus cum pulsatur
monachus sinister partibus recognoscat [illegible]

Lám. 28. Madrid BAH, *cód. 32* (Casiano), fol. 102. Véase pág. 249-251.

Lám. 29. Madrid BAH, *cód. 52* (Pontifical de Roda), fol. 139v.
Véase pág. 251-252.

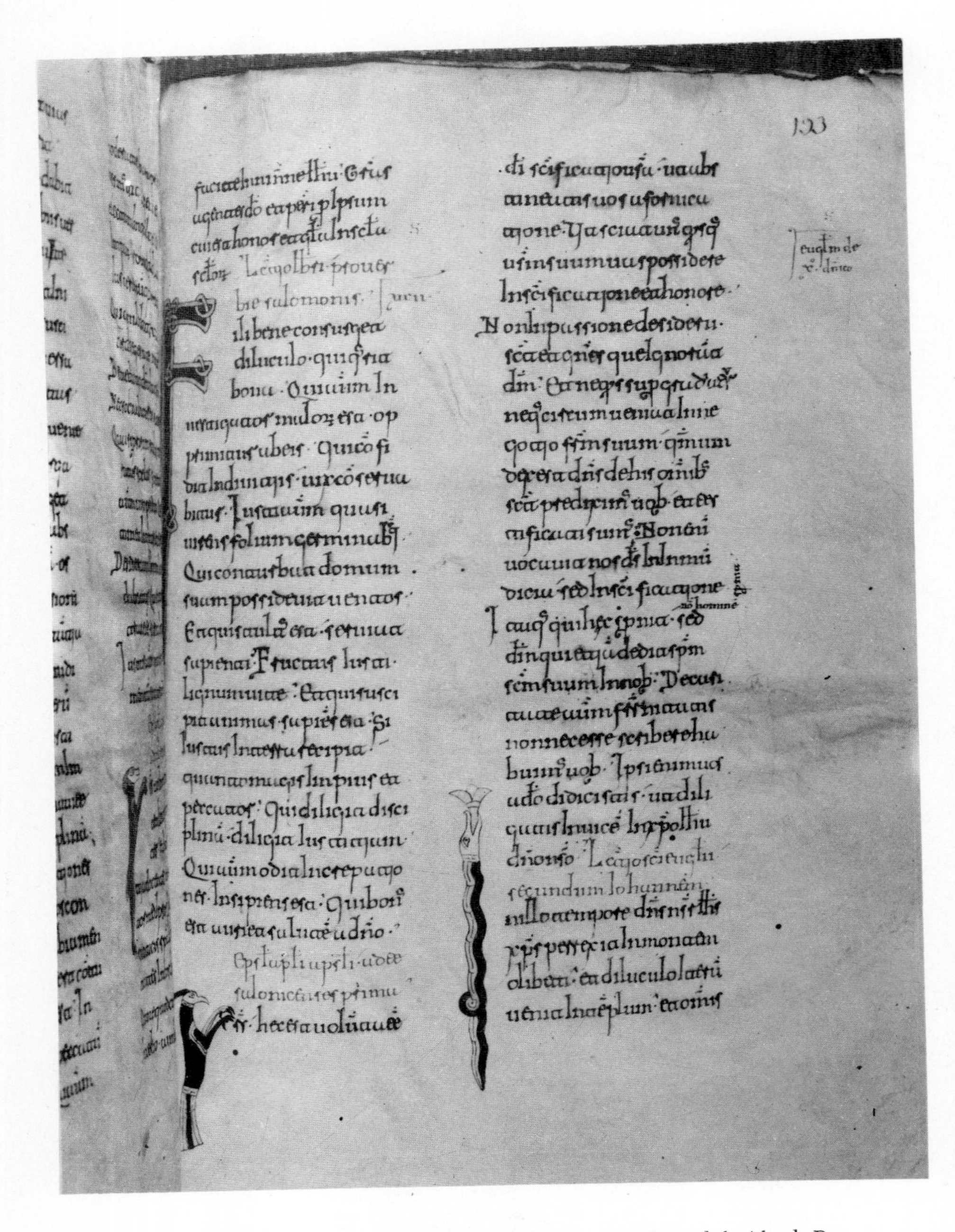

Lám. 30. Madrid BAH, *cód. 22* (*Liber commicus* del Abad Pedro) fol. 193. Véase pág. 183-186.

Lám. 31. Madrid BAH, *cód. 47* (Vidas de Santos). Véase pág. 181-183.

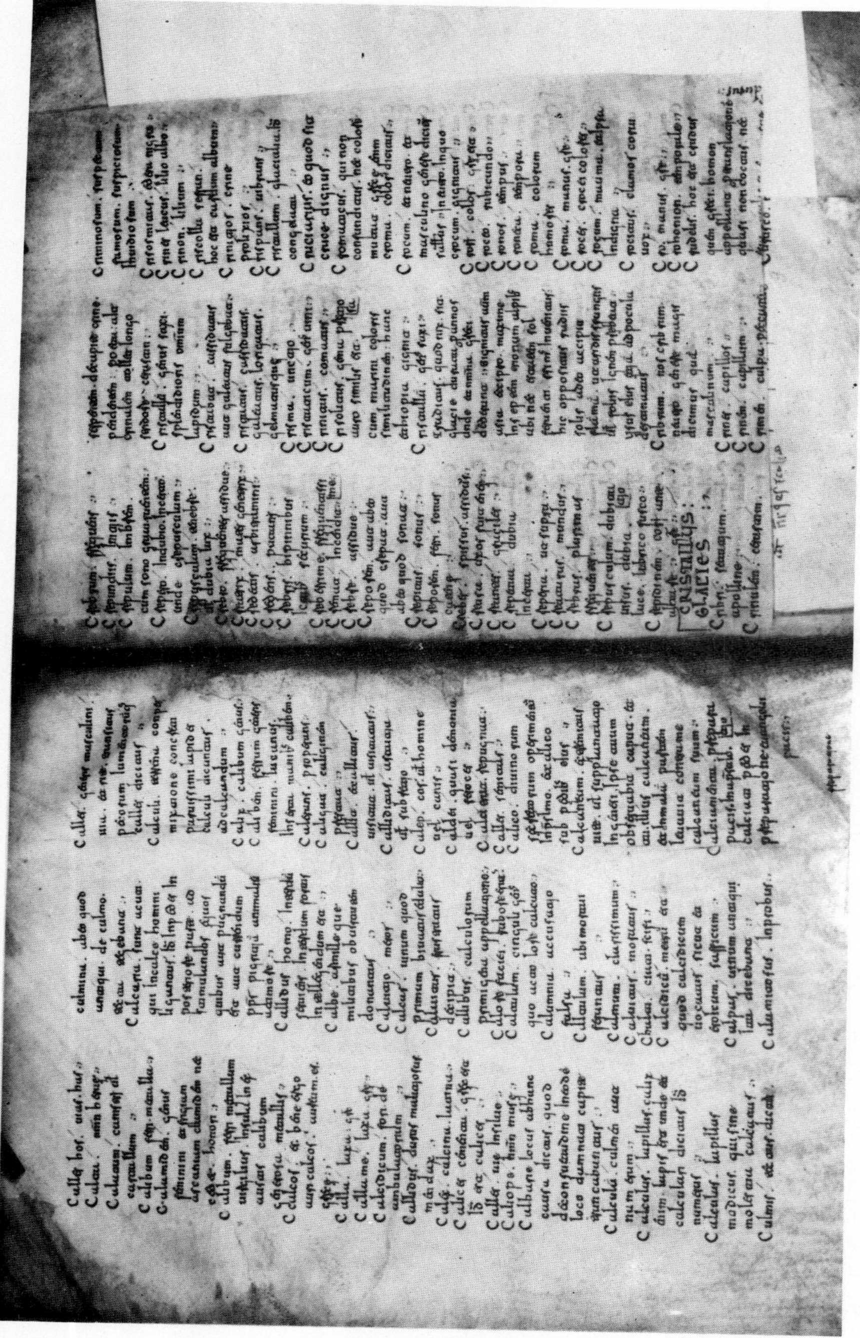

Lám. 32. Madrid BAH, *cód. 31* (Glosario), fol. 80ᵛ - 81. Véase pág. 186-187.

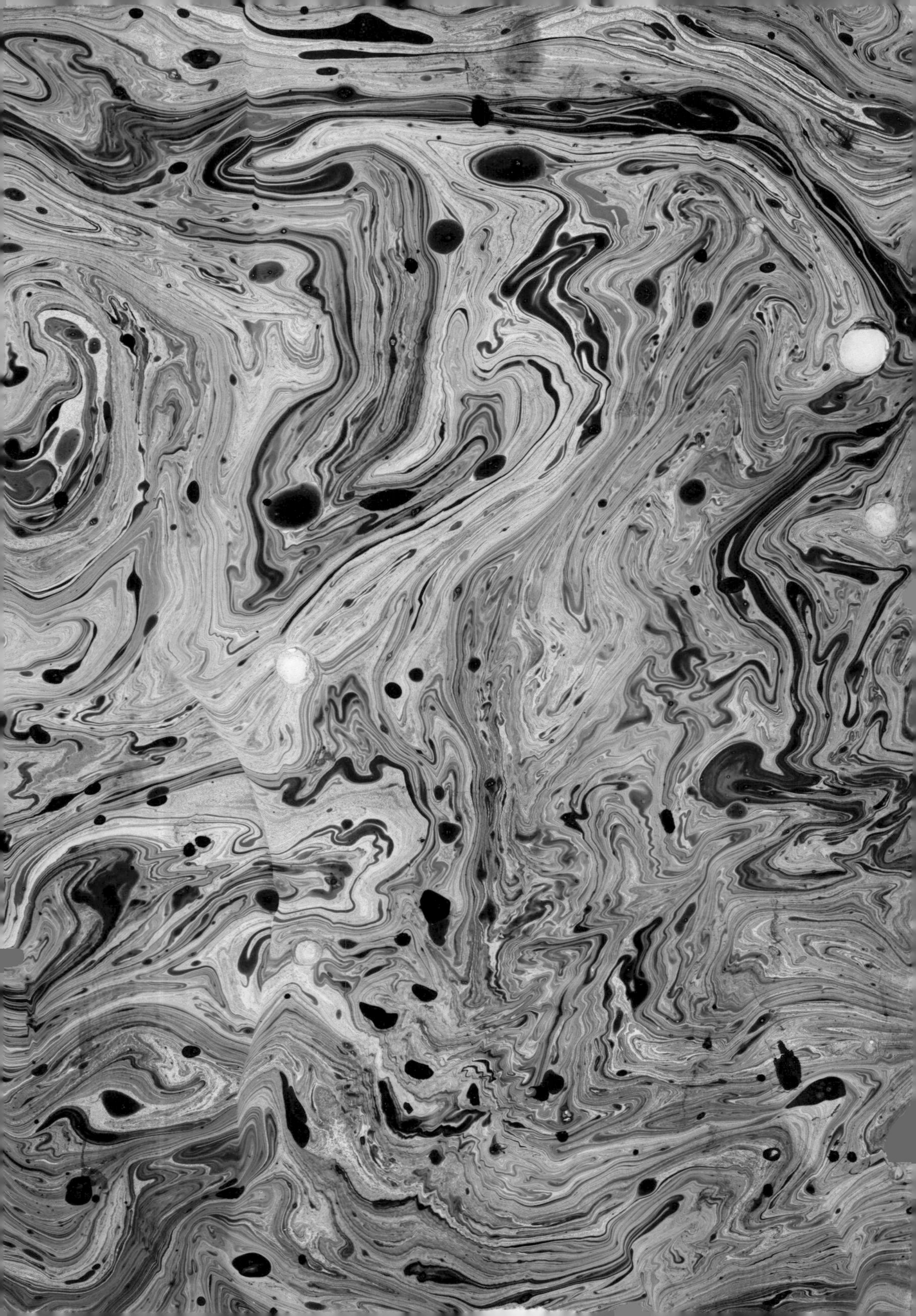